GRAVAR AS MARCAS

VERONICA ROTH

Editado por HarperCollins Ibérica, S.A.
Núñez de Balboa, 56
28001 Madrid

Gravar as marcas
Título original: Carve the Mark

Tradutor: Ana Filipa Velosa

Desenho da capa: Joel Tippie
Imagem da capa: Jeff Huang

ISBN: 978-84-9139-111-1
Impresso: CPI (Barcelona)

Distribuidor exclusivo para Portugal: Urbanos Press
Rua 1° de Maio, Centro Empresarial da Granja – Junqueira
2625 – 717 Vialonga - Portugal

AGRADECIMENTOS

OBRIGADA, OBRIGADA, OBRIGADA:

Ao meu marido e amigo, Nelson, pela troca de ideias, pela leitura de todos os rascunhos e por partilhar comigo esta vida maravilhosa e estranha.

À minha editora, Katherine Tegen, pelas suas notas transformadoras, por ter feito questão de que este livro chegasse a bom porto, pelo seu instinto sólido e o seu coração bondoso.

À minha agente, Joanna Volpe, por saber que esta era a ideia certa, por ser o meu leme e pelas oportunas Verdades. E por trocar presentes esquisitos comigo, que muito prezo.

A Danielle Barthel, por pacientemente me chamar à responsabilidade, pelo feedback e pelos telefonemas loucos das sextas à tarde. A Kathleen Ortiz, por incansável e alegremente trabalhar para que este livro encontre a melhor casa em tantos países. A Pouya Shahbazian, por ser um ser humano maravilhoso, pelas imagens de crianças adoráveis e pelo excelente discernimento. A todos na New Leaf Literary, pelo apoio e inestimável trabalho neste mundo dos livros (e dos filmes).

A Rosanne Romanello, por me dar estabilidade com a sua planificação atempada e esses pequenos empurrões que me ajudam a crescer. A Nellie Kurtzman, Cindy Hamilton, Bess Braswell, Sabrina Abballe, Jenn Shaw, Lauren Flower, Margot Wood e Patti Rosati, do departamento de marketing, pela paciência e flexibilidade. A Josh Weiss, Gwen Morton, Alexandra Rakaczki, Brenna Franzitta e Valerie Shea, pela inigualável edição e revisão do texto, nomeadamente quando se prendia com a criação de palavras que desafiavam a lógica. A Andrea Pappenheimer, Kathy Faber, Kerry Moynagh, Heather Doss, Jenn Wygand, Fran Olson, Deb Murphy, Jenny Sheridan, Jessica Abel e Susan Yeager, do departamento comercial; a Jean McGinley, dos direitos de autor; a Randy Rosema e Pam Moore, génios das finanças; a Caitlin Garing e aos seus extraordinários audiolivros; a Lillian Sun, da produção; e a Kelsey Horton, do ramo editorial, pelo trabalho árduo (!!!), bondade e apoio. A Joel Tippie, Amy Ryan, Barbara Fitzsimmons e Jeff Huang, por um livro verdadeiramente bonito. Não podia ter pedido melhor. E naturalmente a Brian Murray, Suzanne Murphy e Kate Jackson, por fazerem da Harper a minha casa.

A Margaret Stohl, Jedi Knight e à mulher que quero ser quando crescer, por cuidarem tão bem da minha mente. A Sarah Enni, por ser minha amiga, leitora beta e uma mulher segura. A Courtney Summers, Kate Hart, Debra Driza, Somaiya Daud, Kody Keplinger, Amy Lukavics, Phoebe North, Michelle Krys, Lindsey Roth Culli, Maurene Goo, Kara Thomas, Samantha Mabry, Kaitlin Ward, Stephanie Kuehn, Kirsten Hubbard, Laurie Devore, Alexis Bass, Kristin Halbrook, Leila Austin e Steph Sinkhorn, pelo apoio infinito, humor e honestidade. Adoro-os a todos! A Tori Hill, pela sua perícia no cuidado de autores (neuróticos). A Brendan Reichs, conspirador das travessuras de Charleston, dando-lhes classe. A todos os membros da YALL, por me deixarem fazer folhas de cálculo loucas duas vezes por ano. À minha caixa de correio, por me mostrar que não estou sozinha.

A Alice, MK, Carly e todos os outros não-escritores da minha vida, por alinharem nas minhas tendências eremitas e me relembrarem que o trabalho não é a vida e a vida não é o trabalho.

À minha mãe, Frank III, Ingrid, Karl, Frank IV, Candice, Dave; a Beth, Roger, Tyler, Rachel, Trevor, Tera, Darby, Andrew, Billie e Fred: se estou obcecada com a importância da família na escrita, são eles os culpados.

A Katalin, por me ensinar a dar um murro, escrevo cenas de luta muito mais precisas agora! A Paula, por me dizer todas essas palavras brilhantes que me levaram a cuidar de melhor de mim.

Nave da Assembleia
Fluxocorrente • Fluxocorrente • Fluxocorrente • Fluxocorrente •
Ogra
Tepes
Kollande
Essander
Trella
Sol
Othyr
Zold
Pitha
Thuvhe
P1104
As Margens

Para a Ingrid e o Karl, pois não existe nenhuma versão vossa que eu não ame.

1

CAPÍTULO 1 | AKOS

AS FLORES DO SILÊNCIO FLORIAM sempre nas noites longas. A cidade inteira celebrava o dia em que as corolas cobertas de pétalas se desnudavam, exibindo um vermelho intenso, em parte porque as flores do silêncio eram a seiva da nação. «E em parte, para nos impedir de darmos em loucos durante o frio», pensou Akos.

Nesse dia, teria lugar o ritual da Floração e ele estava a suar, enfiado no casaco, enquanto aguardava que o resto da família se despachasse. Daí que se tivesse dirigido para o pátio, para arejar. A casa dos Kereseth era uma construção circular em torno de uma fornalha com paredes curvas, tanto exteriores como interiores. Por sorte, supostamente.

Ao abrir a porta, sentiu uma ferroada nos olhos, causada pelo ar gelado. Puxou os óculos para baixo e o calor da pele embaciou de imediato as lentes. Procurou o atiçador metálico com a mão enluvada e introduziu-o na fornalha. As pedras ardentes assemelhavam-se a caroços pretos, até serem avivadas pela fricção. E as fagulhas cintilavam em cores diferentes, dependendo do objeto que as atiçava.

Os montículos de pedras ardentes ateavam-se, qual sangue de um vermelho vivo e brilhante. Não estavam ali com o intuito de aquecer ou alumiar uma coisa em particular, eram sobretudo uma lembrança da corrente. Como se o zumbido no corpo de Akos não fosse lembrança suficiente. A corrente fluía por cada ser vivo e elevava-se no céu em todas as cores possíveis. Como as pedras ardentes. Como as luzes dos flutuadores aéreos que os conduziam à cidade. Os forasteiros que pensavam que o planeta deles era branco e nevado, na verdade, nunca lá tinham posto os pés.

Eijeh, o irmão mais velho de Akos, espreitou e disse:

— Queres ficar congelado? Vamos, a mãe está quase pronta.

A mãe demorava sempre mais tempo a arranjar-se, quando iam ao templo. Afinal, ela era o oráculo e todos teriam os olhos postos nela.

Akos largou o atiçador e entrou em casa, tirando os óculos e puxando a viseira para o pescoço.

O pai e a irmã mais velha, Cisi, esperavam na porta de frente, enfiados nos agasalhos mais quentes com capuz, todos feitos do mesmo material, pele de kutyah, que não continha tinta e, por isso, era sempre num branco-acinzentado.

— Tudo pronto, Akos? Ótimo. — A mãe estava a fechar o casaco e viu de relance as botas velhas do marido. — Algures aí fora, as cinzas do teu pai devem estar todas arrepiadas com a sujidade dos teus sapatos, Aoseh.

— Eu sei, por isso fiz tanto alarido ao sujá-los — respondeu, com um sorriso forçado.

— Tudo bem — disse ela, quase a cantarolar. — Eu gosto deles assim.

— Gostas de tudo aquilo de que o meu pai não gostava.

— Isso é porque ele não gostava de nada.

— Entramos no flutuador, enquanto ainda está quente? — propôs Eijeh, com um laivo de lamúria na voz. — A Ori está à nossa espera, no memorial.

A mãe acabou de apertar o casaco e pôs o escudo facial. Caminharam pelo passeio aquecido frontal, agasalhados com peles e usando óculos, e luvas. Uma nave atarracada e circular esperava-os, flutuando à altura dos joelhos, mesmo por cima do monte de neve. A porta abriu-se com um mero toque da mãe e eles entraram de rompante. Cisi e Eijeh tiveram de puxar Akos pelos dois braços, pois era muito baixo para trepar por si só. Todos ignoraram os cintos de segurança.

— Para o templo! — berrou o pai, de punho erguido, como fazia sempre que iam ao templo, numa espécie de motivação para enfrentar uma leitura aborrecida ou uma fila comprida em dia de eleições.

— Se, pelo menos, conseguíssemos engarrafar essa excitação e vendê-la por todo o Thuvhe. Vejo a maior parte deles somente uma vez por estação e só porque há comida e bebida pelo meio — lamentou-se a mãe, com um sorriso deslavado.

— Pois aí tens a solução — disse Eijeh. — Usa a comida como engodo durante toda a estação.

— Sabedoria infantil — disse a mãe, premindo o botão da ignição com o polegar.

O flutuador arrancou e ganhou altura, fazendo-os cair uns em cima dos outros. Rindo-se, Eijeh empurrou Akos, para o tirar de cima dele.

As luzes de Hessa cintilaram no horizonte. A cidade revestia uma colina, a base militar no sopé, o templo no cume e todas as outras construções se estendiam entre esses dois pontos. O templo, para o qual se dirigiam, era uma imensa estrutura de pedra, com uma cúpula — feita de centenas de vitrais coloridos — no centro. Quando o sol se refletia nela, o pico de Hessa tingia-se de um brilho laranja-avermelhado. O que quase nunca acontecia.

O flutuador abrandou ao subir a colina, sobrevoando a Hessa pedregosa, tão antiga quanto a nação-planeta, Thuvhe, como todos os inimigos lhe chamavam, uma palavra tão escorregadia que os forasteiros tendiam a engasgar-se ao pronunciá-la. Metade das casas, exíguas, estava soterrada nos montes neve. Quase todas estavam vazias. Toda a gente ia ao templo, nessa noite.

— Alguma coisa interessante, hoje? — perguntou o pai, à mãe, enquanto desviava o flutuador de um anemómetro especialmente grande que deambulava pelo céu, girando em círculos.

Pelo tom de voz, Akos sabia que o pai se referia às visões da mãe. Cada planeta da galáxia possuía três oráculos, em ascensão, sentado e em queda. Akos não sabia exatamente o que isso significava, salvo que a corrente segredava o futuro aos ouvidos da mãe, o que infundia temor e respeito a metade das pessoas com quem se cruzavam.

— É possível que tenha avistado a tua irmã, no outro dia — começou por dizer a mãe. — Mas duvido que ela queira saber.

— Ela só acha que o futuro deve ser tratado com o devido respeito, dado o seu peso.

Os olhos da mãe pousaram alternadamente em Akos, Eijeh e Cisi.

— É isto que obtenho por ter casado com uma família militar, suponho — disse ela, por fim. — Queres controlar tudo, até o meu dom-corrente.

— Sabes bem que defraudei as expectativas da família, ao escolher ser agricultor e não um capitão, um militar — argumentou o pai. — E a minha irmã não pretende dizer nada, ela fica nervosa, só isso.

— Humm — murmurou a mãe, como quem diz que a conversa não acabou.

Cisi começou a entoar uma melodia que Akos já tinha ouvido, mas não sabia precisar onde. A irmã olhava pela janela, sem prestar atenção à disputa. Depois de mais alguma pirraça, a quezília dos pais parou e só restou o som do seu canto. O pai costumava dizer que Cisi tinha um jeito especial. Uma facilidade.

O templo estava todo iluminado; no interior e no exterior, uma fila de candeias pouco maiores do que o punho de Akos estavam dependuradas sobre o arco da entrada. Havia flutuadores por toda a parte, faixas de luzes coloridas a envolver-lhes as «barrigas» arredondadas, estacionados em grupo na encosta ou aglomerados ao redor do telhado da cúpula, à procura de um sítio para aterrar. A mãe conhecia todos os recantos secretos à volta do templo, por isso, indicou ao pai um canto mergulhado nas sombras, perto do refeitório, conduzindo-os velozmente para uma porta lateral que ela abriu com as duas mãos.

Atravessaram um corredor de pedra escura, sobre tapetes que de tão usados permitiam ver através deles, e passaram o memorial iluminado com velas, que assinalava os Thuvhesits mortos durante a invasão dos Shotet, antes de Akos nascer.

Abrandou o passo para ver as velas tremeluzentes, ao passar pelo memorial. Eihej agarrou-lhe os ombros por trás, fazendo Akos ofegar, sobressaltado. Corou mal se apercebeu quem era e Eijeh beliscou-lhe as bochechas.

— Sei que estás corado, mesmo no escuro!

— Caluda! — disse Akos.

— Eijeh — ralhou a mãe —, não o arrelies!

Tinha de o repetir constantemente. Akos sentia que estava sempre a corar por tudo e por nada.

— Estava só a brincar...

Encontraram o caminho até ao centro do edifício, onde uma multidão se congregava no exterior da Câmara da Profecia. Todos estavam a bater os pés para se desenvencilharem das botas, à medida que se libertavam dos casacos, ajeitavam o cabelo achatado pelos capuzes e sopravam ar quente para os dedos congelados. Os Kereseth empilharam os casacos, óculos, luvas, botas e viseiras faciais numa alcova escura, mesmo por baixo de uma janela roxa, com a figura da corrente Thuvhesit gravada. Precisamente quando se estavam a dirigir para a Câmara da Profecia, Akos ouviu uma voz familiar.

— Ei!

Ori Rednalis, a melhor amiga de Eijeh, descia apressadamente o corredor. De aspeto ossudo e desengonçado, toda ela era joelhos, cotovelos e cabelo desgrenhado. Akos nunca a vira de vestido, mas trazia um vermelho, de um tecido pesado e abotoado no ombro como uma farda militar de gala.

As articulações de Ori estavam encarnadas do frio. Parou defronte de Eijeh.

— Aí estás. Já tive de ouvir dois dos sermões da minha tia sobre a Assembleia e estou quase a rebentar.

Akos já tinha ouvido um dos sermões da tia de Ori sobre a Assembleia — o órgão de governo da galáxia — onde valorizava Thuvhe unicamente pela produção de flores do silêncio e minimizava os ataques dos Shotet, chamando-lhes «litígios civis». Ela tinha alguma razão, mas Akos sentia-se sempre constrangido quando rodeado por adultos rezingões; nunca sabia o que dizer.

— Olá, Aoseh, Sifa, Cisi, Akos — continuou Ori. — Boa floração. Bora lá, Eij, vamos indo — disse ela, de uma assentada, quase sem respirar.

Eijeh olhou para o pai, que lhes acenou.

— Vá, vão lá. Vemo-nos mais logo.

— E se te apanharmos de cachimbo na boca, como na estação passada — disse a mãe —, obrigamos-te a comer o que há lá dentro.

Eijeh franziu o sobrolho. Ele nunca se envergonhava por nada, nunca corava. Nem sequer quando os miúdos da escola gozavam com a sua voz — mais alta do que a da maioria dos rapazes — ou por ser rico, um atributo que em Hessa não conferia popularidade a ninguém. Também não replicava. Simplesmente tinha o dom de afastar as coisas e permitir-lhes o regresso somente quando bem lhe apetecia.

Agarrou no cotovelo de Akos e puxou-o para que seguissem Ori. Cisi ficou com os pais, como sempre. Eijeh e Akos perseguiram Ori até à Câmara da Profecia.

Ori suspirou e, ao entrar na câmara, Akos quase a imitou. Centenas de luzes, cobertas por flores do silêncio para assim adquirirem a tonalidade vermelha, estavam penduradas do vértice da cúpula até às paredes exteriores, em todas as direções, formando um dossel de luz suspenso acima deles. Até os dentes de Eijeh brilharam num tom encarniçado quando sorriu para Akos. No meio da sala, habitualmente vazia, estava um manto de gelo tão largo como a altura de um homem, dentro do qual dúzias de botões de flores do silêncio cresciam, à beira da floração.

Mais candeias do tamanho do polegar de Akos contornavam o manto de gelo, onde as flores do silêncio aguardavam para florir. Desta feita, eram brancas, provavelmente para que todos conseguissem ver a cor real das flores, de um vermelho mais vivo do que qualquer candeia. «Tão vivo como o sangue», disse alguém.

Muitas pessoas se aglomeravam ali, vestidas a preceito: vestidos soltos que tapavam tudo salvo cabeça e mãos, abotoados com sofisticados botões de vidros de cores diversas; coletes pelo joelho, debruados com peles maleáveis; cachecóis de duas voltas. Tudo em cores escuras e intensas, tudo menos cinzento ou branco, em contraste com os casacos. O casaco de Akos era verde-escuro, herdado de Eijeh, e ainda lhe estava demasiado folgado nos ombros; o de Eijeh era castanho.

Ori conduziu-os diretamente para a comida. A tia da cara azeda andava por ali a oferecer pratos aos presentes, mas não olhou para Ori. Akos tinha a sensação de que Ori não gostava dos tios, razão pela qual praticamente vivia na casa dos Kereseth, muito embora ele desconhecesse o que acontecera aos pais da amiga.

Eijeh atafulhou um pãozinho na boca e quase se engasgou com as migalhas.

— Tem cuidado — disse-lhe Akos. — A morte por pão não é digna de ti.

— Pelo menos, morria a fazer uma coisa que adoro — esclareceu Eijeh, à volta do pão.

Akos desatou a rir.

Ori enganchou o cotovelo à volta do pescoço de Eijeh, puxando-lhe a cabeça para junto dela.

— Não olhes agora. Vigilantes à vista no lado esquerdo.

— E depois? — indagou Eijeh, espirrando migalhas. Mas Akos já conseguia sentir o calor a alastrar atrás de si. Arriscou-se a olhar para a esquerda de Eijeh, vendo um grupo de adultos, ali especados, com os olhos postos neles.

— Já devias estar mais habituado a isto, Akos — disse-lhe Eijeh. — Afinal, está sempre a acontecer.

— *Eles* é que deviam estar habituados a *nós* — replicou Akos. — Temos vivido aqui toda a vida e sempre tivemos destinos. O que é que há para olhar?

Toda a gente tinha um futuro, mas nem todos tinham um destino, pelo menos era o que a mãe deles gostava de dizer. Somente parte de certas famílias «predestinadas» tinham destinos, facto atestado aquando do respetivo nascimento, por todos os oráculos da totalidade dos planetas. Em uníssono. A mãe dizia que quando essas visões a assolavam, podiam acordá-la de um sono profundo, tal o respetivo poder.

Eijeh, Cisi e Akos estavam predestinados a terem destinos. Somente eles o desconheciam, muito embora a mãe fosse uma das pessoas que o tinha visto, mas dizia sempre que não era preciso que os elucidasse; o mundo fá-lo-ia por ela.

Os destinos determinavam o movimento dos mundos. Se Akos pensasse muito sobre isso, ficava enjoado.

— A minha tia diz que a Assembleia tem criticado os oráculos por causa dos *feed* de notícias, então é provável que esteja na cabeça de todos. — Ori encolheu os ombros.

— Criticado? — interrogou Akos. — Porquê?

Eijeh ignorou-os a ambos.

— Vá, bora lá procurar um bom lugar.

— Boa, vamos lá. — Ori alegrou-se. — Não quero ficar aqui presa como no ano passado, a olhar para os rabos das outras pessoas.

— Acho que já estás mais alta do que os rabos, agora se calhar chegas a meio das costas — disse Eijeh.

— Boa, porque está-se mesmo a ver que eu pus este vestido da minha tia para poder ficar especada a olhar para um monte de costas. — Ori revirou os olhos.

Então, Akos deslizou primeiro por entre a multidão reunida na Câmara da Profecia, mergulhando sob copos de vinho e gestos expressivos até chegar à frente, mesmo à frente do manto de gelo e das flores do silêncio fechadas. Chegaram mesmo a tempo; a mãe estava de pé, sobre o manto de gelo, descalça apesar do frio, pois opinava que se era melhor oráculo estando mais perto do chão.

Uns instantes antes teria estado na brincadeira com Eijeh, mas à medida que a multidão se acalmou, tudo em Akos se acalmou, igualmente.

Eijeh inclinou-se para ele e segredou-lhe ao ouvido,

— Estás a sentir? A corrente está a zumbir como louca; o meu peito não para de vibrar.

Akos não se tinha apercebido, mas Eijeh tinha razão, ele sentia realmente o peito a vibrar, o sangue a cantar. No entanto, antes de lhe poder responder, a mãe de ambos começou a falar. Não muito alto, não era necessário porque todos sabiam as suas palavras de cor.

— A corrente flui através de todos os planetas da galáxia, outorgando-nos a luz numa evocação do seu poder.

Em resposta à alusão, todos olharam para cima, para o fluxocorrente, cuja luz se avistava através do vidro encarniçado da cúpula. Nessa época do ano, estava quase sempre de um vermelho-escuro, à semelhança das flores do silêncio, como o próprio vidro. O fluxocorrente era o sinal visível da corrente que fluía através deles, de todos os seres vivos. Soprava por toda a galáxia, vinculando todos os planetas, quais contas de um único rosário.

— A corrente perpassa tudo o que tenha vida — prosseguia Sifa — criando um espaço para que se desenvolva. A corrente flui em qualquer pessoa que respire e emerge de forma diferente consoante o crivo de cada mente. A corrente circula através de cada flor que floresce no gelo.

Todos se comprimiram, não apenas Akos, Eijeh e Ori, mas todos os presentes na sala, permanecendo ombro com ombro, a fim de que todos pudessem contemplar o que estava a acontecer às flores do silêncio, no manto de gelo.

— A corrente circula através de cada flor que floresce no gelo

— repetiu Sifa —, dando-lhes a força para florir na mais profunda escuridão. A corrente outorga uma força maior à flor do silêncio, o nosso indicador do tempo, a nossa flor da morte e da paz. Momentaneamente, fez-se silêncio, e não foi estranho como deveria ser. Foi como se o burburinho proviesse de um cântico conjunto e sentissem a estranha força que alimentava o universo, tal como a fricção entre partículas avivava as pedras ardentes.

E então, movimento. Uma pétala mutante. O ranger de um caule. Um estremecimento varreu o pequeno campo de flores do silêncio que crescia entre eles. O silêncio era total.

Akos olhou de relance para o vidro vermelho, para o dossel de luzes, só uma vez, e quase perdeu a explosão das flores, ao desabrocharem. Pétalas vermelhas desenrolando-se em simultâneo, revelando os centros brilhantes, ondulando sobre os caules. O manto de gelo tingiu-se de cor.

Ouviram-se ovações e aplausos. Akos batia palmas como os demais, até as palmas da mão lhe arderem. O pai deles surgiu para pegar nas mãos da mãe e beijá-las. Para todos os outros, ela era intocável: Sifa Kereseth, o oráculo, a quem o dom-corrente possibilitara ter visões do futuro. Mas o pai estava sempre a tocar-lhe, pressionando a ponta do dedo na sua covinha cada vez que sorria, enfiando-lhe farripas soltas de cabelo no carrapito, deixando-lhe dedadas amareladas de farinha nos ombros quando terminava de amassar pão.

O pai não possuía o dom de ver o futuro, mas era capaz de consertar coisas com os dedos, como pratos partidos ou a fissura no ecrã de parede, ou o remendo desfiado de uma velha camisola. Por vezes, parecia que também era capaz de recompor as pessoas, caso estivessem metidas em sarilhos. Quando se dirigiu a Akos e lhe pegou ao colo, Akos nem sequer se sentiu envergonhado.

— Filho mais novo! — exclamou o pai, pondo Akos ao ombro. — Oooh! A bem da verdade, já não és assim tão pequenino; quase já não consigo pegar em ti.

— Isso não é por eu ser grande, é porque tu estás velho — replicou Akos.

— Mas que palavras! E do meu próprio *filho* — disse o pai. — Que castigo merece uma língua afiada como a tua?

— Não...

Mas era tarde demais; o pai já o tinha virado ao contrário e segurava-o pelos tornozelos. Pendurado de cabeça para baixo, a camisola e o casaco colados ao corpo, Akos não pôde evitar desatar-se a rir. Aoseh pousou-o, largando-o somente quando Akos estava em segurança, no chão.

— Que te sirva de lição, para não seres malcriado — advertiu o pai, inclinando-se sobre ele.

— Ser malcriado faz o sangue subir à cabeça? — perguntou Akos, piscando inocentemente os olhos.

— Nem mais. — Aoseh esboçou um sorriso aberto. — Feliz dia da Floração.

Akos retribuiu o sorriso.

— Igualmente.

Nessa noite, ficaram todos a pé até tão tarde que Eijeh e Ori adormeceram os dois à mesa da cozinha. A mãe levou Ori ao colo até ao sofá da sala de estar, onde nos últimos tempos ela passava metade das noites, e o pai acordou Eijeh. Todos se dispersaram, salvo Akos e a mãe, que eram sempre os últimos a ir dormir.

A mãe ligou o ecrã, ouvindo-se o murmúrio do *feed* de notícias da Assembleia, onde tinham assento nove nações-planetas, as maiores e mais importantes. Tecnicamente, cada uma era independente, mas a Assembleia regulava o comércio, as armas, os tratados e as viagens, e aplicava a lei em áreas não regulamentadas. As notícias da Assembleia passavam por todas as nações-planetas, uma a uma: A falta de água em Tepes; as inovações médicas em Othyr; o assalto pirata a uma nave na órbita de Pitha.

A mãe estava a abrir latas de ervas secas. Ao princípio, Akos pensou que ela ia fazer um tónico calmante para os ajudar a descansar, mas então dirigiu-se ao armário do vestíbulo para trazer o frasco da flor do silêncio, armazenado na prateleira mais alta.

— Acho que a lição desta noite é bem especial — disse Sifa. Quando lhe ensinava acerca das flores de gelo, pensava sempre nela pelo nome próprio e não como a sua «mãe». Ela começara a chamar «lições» a essas sessões noturnas de formação, na brincadeira, duas estações atrás, mas agora Akos achava que era a sério. Era difícil de perceber, com uma mãe assim.

— Pega numa tábua e corta-me um bocadinho de raiz de *harva* — disse ela, enquanto punha um par de luvas. — Já usámos flor do silêncio antes, não usámos?

— No elixir do sono — disse Akos, fazendo o que lhe dissera, colocando-se à sua esquerda, munido da tábua de cortar, da faca e da empoeirada raiz de *harva*. Era de um esbranquiçado doentio e estava coberta por uma penugem fina.

— E naquela poção recreativa — acrescentou ela. — Julgo ter-te dito que seria útil em festas, um dia mais tarde. *Quando fores mais velho.*

— Pois disseste — afirmou Akos. — Naquela altura, também disseste «quando fores mais velho».

A sua boca inclinou-se para a face. Na maioria das vezes, era o máximo que obtinha da mãe.

— Os mesmos ingredientes que uma versão mais velha de ti pode usar como diversão, podem ser igualmente usados como veneno — disse ela, com um ar grave e sério. — Desde que dupliques a dose da flor do silêncio e diminuas para metade a dose da raiz de *harva*. Percebido?

— Porque... — Akos começou a perguntar, mas ela já estava a mudar de assunto.

— Então — disse, enquanto punha uma pétala de flor do silêncio na própria tábua. Ainda se conservava vermelha, mas mais pequena, do tamanho do polegar —, o que é que tens nessa cabecinha, hoje?

— Nada — disse Akos. — Talvez as pessoas a olharem fixamente para nós, na Floração.

— Sentem um enorme fascínio pelos predestinados. Adorava dizer-te que um dia deixarão de olhar para ti — disse com um suspiro —, mas receio bem que tu… *tu* serás sempre alvo de olhares.

Queria perguntar-lhe por esse «tu» tão forte, mas era cauteloso durante as lições com a mãe. Se fizesse a pergunta errada, ela acabava abruptamente com a lição. Se fizesse a pergunta certa, poderia vir a descobrir coisas que não deveria saber.

— E tu? — perguntou-lhe. — O que é que tens na cabeça?

— Ah! — A mãe cortava de forma suave, ouvindo-se o repicar da faca na tábua. Ele estava a melhorar, embora ainda cortasse uns nacos quando não era preciso. — Esta noite tenho a cabeça cheia de pensamentos sobre a família Noavek.

De pés descalços, os dedos curvos pelo frio. Os pés de um oráculo.

— São a família que governa os Shotet — esclareceu. — A terra dos nossos inimigos.

Os Shotet eram um povo, não uma nação-planeta, conhecidos pela selvajaria e pela brutalidade. Gravavam marcas nos braços por cada vida roubada e treinavam as crianças na arte da guerra. Viviam em Thuvhe, o mesmo planeta de Akos e família — embora os Shotet não chamassem ao planeta «Thuvhe», nem a eles «Thuvhesits» — do outro lado de uma enorme extensão de esparto. O mesmo esparto que arranhava a janela da casa familiar de Akos.

A avó paterna morrera numa das invasões dos Shotet, armada simplesmente com uma faca de pão; pelo menos assim rezavam as histórias do pai. E a cidade de Hessa ainda exibia as cicatrizes da violência dos Shotet, os nomes dos desaparecidos gravados em muros baixos de pedra, as janelas partidas remendadas em vez de substituídas, deixando as fendas à vista.

Mesmo do outro lado do campo de esparto. Tão perto que às vezes parecia que se podiam tocar.

— A família Noavek também é predestinada, sabias? Tal como tu e os teus irmãos — prosseguiu Sifa. — Os oráculos nem sempre viram destinos nessa linhagem familiar, só durante o meu tempo de vida. Quando aconteceu, proporcionou aos Noavek influência sobre o governo de Shotet, para assumirem o poder, que tem estado nas mãos deles desde então.

— Eu não sabia que isso podia acontecer. Uma família nova de repente possuir destinos, quero dizer.

— Bom, nós, que temos o condão de ver o futuro, não controlamos quem recebe o destino — disse a mãe. — Vemos centenas de futuros, de possibilidades. Mas o destino é algo que acontece a uma pessoa em particular, em cada versão de futuro que nós vemos, o que é muito raro. E esses destinos determinam quais serão as famílias predestinadas, não o contrário.

Nunca pensara nisso assim. Falava-se sempre dos oráculos a distribuírem destinos como se fossem presentes por pessoas especiais e importantes, mas ao ouvir a mãe, percebia que era precisamente o contrário. O destino *tornava* certas famílias importantes.

— Então, tu viste os destinos deles. Os destinos dos Noavek.

Ela assentiu.

— Só do filho e da filha. Ryzek e Cyra. Ele é mais velho; ela é da tua idade.

Já tinha ouvido esses nomes antes, juntamente com rumores ridículos. Histórias acerca de como espumavam pela boca ou de como conservavam os olhos dos inimigos num pote, ou das marcas de assassinatos que iam do pulso ao ombro. Talvez este último boato não fosse tão ridículo.

— Às vezes, é fácil perceber porque é que as pessoas são como são — disse suavemente a mãe. — Ryzek e Cyra, filhos de um tirano. O pai deles, Lazmet, filho de uma mulher que assassinou os próprios irmãos e irmãs. A violência infeta cada geração. — Abanou a cabeça e o corpo acompanhou o movimento, para a frente e para trás. — E eu vejo-a. Eu vejo tudo.

Akos pegou-lhe na mão e apertou-a.

— Desculpa, Akos — disse ela, e ele não soube bem se se desculpava por ter falado demais, ou por outra coisa, mas não tinha importância.

Ambos permaneceram assim por um tempo, ouvindo o murmúrio do *feed* de notícias, a noite mais escura, de alguma forma ainda mais escura do que antes.

CAPÍTULO 2 | AKOS

— ACONTECEU A MEIO DA NOITE — disse Osno, inchando o peito. — Tinha um arranhão no tornozelo e começou a arder. Quando me destapei, tinha desaparecido.

A sala de aula tinha uma parede curva e duas direitas. No centro, situava-se uma enorme fornalha carregada de pedras ardentes e a professora costumava contorná-la enquanto ensinava, fazendo o chão ranger cada vez que as botas o pisavam. Às vezes, Akos contava os círculos que fazia durante a aula. Nunca era um número pequeno.

Em torno da fornalha dispunham-se cadeiras de metal com ecrãs de vidro fixos na parte da frente, ligeiramente inclinados, como tampos de carteira. Brilhavam, prontos para mostrarem a lição do dia. Mas a professora ainda não tinha chegado.

— Mostra lá — pediu então outra colega, Riha, que usava sempre uns cachecóis com o mapa de Thuvhe bordado, uma verdadeira patriota, e nunca se fiava da palavra de ninguém. Quando alguém alegava alguma coisa, ela pressionava-os com o nariz sardento até que o provasse.

Osno segurava uma pequena lâmina de bolso sobre o polegar e escarafunchava. O sangue jorrava da ferida e até Akos, sentado na outra ponta da sala, conseguia ver como a pele começava já a fechar, como se fosse um fecho de correr.

Todos obtinham um dom-corrente à medida que cresciam, após a transformação dos corpos. Sendo Akos ainda tão pequeno, às catorze estações de idade, isso significava que demoraria ainda muito tempo até obter o seu. Umas vezes, os dons correm nas famílias, outras não. Umas vezes, eram úteis, outras vezes não eram. O dom de Osno era útil.

— Assombroso! — exclamou Riha. — Mal posso esperar que o meu dom me venha. Fazias alguma ideia do que pode ser?

Osno era o rapaz mais alto da turma e fazia questão de se exibir, posicionando-se mesmo ao lado daqueles com quem falava. A última vez que tinha falado com Akos fora há uma estação atrás e a mãe de Osno dissera, ao afastar-se: «Para ser um bafejado pelos destinos, não é lá grande coisa, pois não?», ao que o filho lhe respondera «É simpático».

Mas Akos não era «simpático»; isso era o que se dizia das pessoas calmas.

Osno pendurou o braço nas costas da cadeira e afastou o cabelo escuro dos olhos.

— O meu pai diz que quanto melhor nos conhecermos a nós próprios, menos surpreendidos ficaremos com o nosso dom.

Riha assentiu num gesto de concordância, a cabeça deslizando para cima e para baixo. Akos apostou consigo próprio que Riha e Osno seriam namorados antes do fim da estação.

Então, o ecrã afixado ao lado da porta cintilou e apagou-se, tal como todas as luzes da sala e as que tremeluziam debaixo da porta, vindas do corredor. O que quer que Riha se preparava para dizer ficou-lhe congelado nos lábios. Akos ouviu uma voz, proveniente do corredor. E o ranger da própria cadeira ao deslizar para trás.

— Kereseth...! — Osno sussurrou em jeito de advertência. Mas Akos não sabia que perigo podia haver em espreitar para o corredor. Como se alguma coisa lhe fosse saltar em cima e mordê-lo.

Abriu a porta o suficiente para deixar passar o corpo, inclinando-se para o corredor estreito. O edifício era circular, como muitos outros em Hessa, com os gabinetes dos professores ao meio, as salas de aula à volta da circunferência e um corredor como divisória. Com as luzes apagadas, estava tão escuro que apenas via as luzes de emergência alaranjadas, no alto de cada lanço de escadas.

— O que se está a passar? — Reconheceu aquela voz; era Ori, que se dirigia ao feixe de luz cor de laranja, perto da escadaria da ala leste. À frente dela estava a tia Badha, com o aspeto mais desmazelado que alguma vez lhe vira, farripas de cabelo ondulantes fugidas do carrapito e os botões do casaco todos mal abotoados.

— Corres perigo — disse Badha. — Chegou o momento de fazer o que praticámos.

— *Porquê*? — Exigiu saber Ori. — Chegas aqui, arrastas-me para fora da aula, queres que deixe tudo, todos...

— Todos os predestinados correm perigo, estás a perceber? Estás exposta. Tens de te ir embora.

— E os Kereseth? Eles não estão em perigo também?

— Não tanto como tu — Badha agarrou Ori pelo cotovelo, conduzindo-a para o patamar das escadas da ala leste. O rosto de Ori estava na sombra, daí que Akos não lhe conseguisse descortinar a expressão. Mas mesmo antes de dobrar uma esquina, virou-se, com o cabelo a cair-lhe para a cara e a camisola a escorregar-lhe pelo ombro, deixando a clavícula à vista.

Soube quase com certeza que os olhos dela encontraram os seus, abertos e temerosos, embora fosse difícil de dizer. Então, alguém chamou Akos.

Cisi saía a correr de um dos gabinetes do centro. Trazia o grosso vestido cinzento, as botas pretas e tinha a boca crispada.

— Vamos! — disse ela. — Fomos chamados ao gabinete do diretor; o pai vem-nos buscar, podemos esperar por ele lá.

— O quê... — começou Akos, mas como sempre, o seu falar era tão suave que ninguém lhe prestava atenção.

— Vá lá. — Cisi atravessou a porta que tinha acabado de fechar. A cabeça de Akos dispersava-se em todas as direções. Ori era uma predestinada. Todas as luzes se apagaram. O pai vinha buscá-los. Ori corria perigo. *Ele* corria perigo.

Cisi indicava o caminho pelo corredor escuro. Então, uma porta aberta, uma lanterna acesa, Eijeh a dirigir-se a eles.

O diretor sentava-se no lado oposto a ele. Akos não lhe sabia o nome; chamavam-lhe sempre «Diretor» e só o viam quando anunciava alguma coisa ou se dirigia a qualquer outro sítio. Akos nunca lhe ligara nenhuma.

— O que é que está a acontecer? — perguntou a Eijeh.

— Ninguém nos vai dizer — afirmou Eijeh, dirigindo o olhar para o diretor.

— É política da escola deixar este tipo de situação ao critério da discrição dos pais — explicou o diretor. Os alunos costumavam dizer que o diretor era feito de bocados de máquinas em vez de carne e que, se o cortassem, os cabos ficariam à vista. De qualquer forma, ele falava assim.

— E pode dizer-nos de que tipo de situação se trata? — indagou Eijeh, bem ao jeito da mãe, se ali estivesse. «*Por sinal, onde estava a mãe?*», pensou Akos. O pai ia buscá-los, mas ninguém tinha mencionado a mãe.

— Eijeh — chamou Cisi e a sua voz ciciante sossegou Akos. Era quase como se ela falasse ao zumbido da corrente dentro dele, estabilizando-o. O feitiço durou um instante e o diretor, Eijeh, Cisi e Akos aguardavam em sossego.

— Está a arrefecer — disse Eijeh, por fim, e uma corrente de ar penetrou debaixo da porta, congelando os tornozelos de Akos.

— Eu sei. Tive de desligar a energia — disse o diretor. — Pretendo esperar até vocês estarem devidamente encaminhados e em segurança para a voltar a ligar.

— Desligou a energia por nossa causa? Porquê? — Cisi indagou, com suavidade. A mesma voz melosa que usava quando queria ficar acordada até mais tarde ou comer mais um doce à sobremesa. Não funcionava com os pais, mas o diretor derreteu-se como uma vela. Akos quase que esperava que houvesse uma poça de cera a alastrar debaixo da secretária.

— A única forma de apagar os ecrãs durante os avisos de emergência da Assembleia é desligando a energia — confirmou o diretor, suavemente.

— Então, trata-se de uma emergência — concluiu Cisi, ainda melosa.

— Sim, o aviso foi emitido pelo líder da Assembleia esta mesma manhã.

Eijeh e Akos entreolharam-se. Cisi sorria, calma, as mãos cruzadas sobre os joelhos. Com essa luz, com o cabelo encaracolado a emoldurar-lhe a cara, ela era pura e simplesmente a filha de Aoseh. O pai também era capaz de conseguir o que queria com sorrisos e gargalhadas, sempre acalmando as pessoas, os corações, as situações.

Uma mão pesada bateu à porta do diretor, evitando que o homem de cera se derretesse mais. Akos sabia que era o pai deles porque a maçaneta da porta caiu com a última pancada, o aro metálico que a prendia à madeira rachou-se ao meio. Ele era incapaz de controlar o temperamento, o que se espelhava bem no seu dom-corrente. O pai estava sempre a consertar objetos, mas metade das vezes era porque ele próprio os tinha partido.

— Desculpe — murmurou Aoseh, ao entrar na sala. Empurrou a maçaneta para o sítio e reconstituiu a rachadela com o dedo. O aro ficou ligeiramente torcido, mas praticamente como novo. A mãe insistia que ele nem sempre consertava bem as coisas e como prova eles tinham pratos desiguais, e pegas de canecas torcidas.

— Senhor Kereseth — começou o diretor.

— Obrigado, senhor diretor, por tão rápida reação — o pai retorquiu. Não sorria nem um bocadinho. Mais do que os corredores escuros ou os gritos da tia de Ori, ou a boca crispada de Cisi, a cara séria do pai assustava Akos. O pai estava sempre a rir, inclusive quando a situação não o exigia. A mãe dizia que era a melhor das armaduras.

— Vamos lá, Filho Novo, Filho Mais Novo, o Mais Novo dos Filhos — Aoseh disse, sem entusiasmo —, vamos para casa.

Mal ele proferira a palavra «casa», logo eles se levantaram e se dirigiram para a saída da escola. Foram direitos ao bengaleiro, procurar entre as idênticas bolas de pelo cinzento aquelas com o nome deles, cosido no colarinho: *Kereseth, Kereseth, Kereseth.* Cisi e Akos confundiram as deles e tiveram de trocar, a de Akos ficava-lhe ligeiramente curta nos braços; a dela ficava-lhe ligeiramente comprida para a sua baixa estatura.

O flutuador aguardava-os no exterior, a porta escancarada. Era um pouco maior do que a maioria, embora atarracado e circular, o exterior metálico e escuro coberto de sujidade. O *feed* de notícias, normalmente ligado no interior do flutuador, estava mudo. O ecrã da nave também tinha emudecido, por isso, Akos premia botões, alavancas e comandos sem que o flutuador lhes dissesse o que estava a fazer. Não apertaram os cintos; Akos achou estúpido perder tempo.

— Pai — começou Eijeh.

— A Assembleia achou por bem anunciar os destinos das linhagens privilegiadas, esta manhã — explicitou o pai. — Os oráculos partilharam os destinos com a Assembleia há muitas estações, confidencialmente, como um gesto de confiança. Normalmente, o destino de alguém só é revelado publicamente após a morte e apenas é conhecido pela pessoa e respetiva família, mas agora... — Os olhos pousaram em cada um deles, à vez. — Agora, todos sabem dos vossos destinos.

— Quais são? — Akos perguntou num sussurro, precisamente quando Cisi perguntava:

— E qual é o perigo?

O pai respondeu-lhe a ela; não a ele.

— Não é perigoso para qualquer pessoa com destino. Mas algumas são mais... reveladoras do que outras.

Akos pensou na tia de Ori a arrastá-la pelo cotovelo em direção às escadas. *Estás exposta. Tens de te ir embora.*

Ori tinha um destino, um destino perigoso. Mas tanto quanto Akos se lembrava, não havia nenhuma família «Rednalis» na lista das linhagens privilegiadas. Não devia ser o apelido verdadeiro dela.

— Quais são os nossos destinos? — perguntou Eijeh e Akos invejou-o pela voz alta e clara. Às vezes, quando ficavam acordados até mais tarde do que deviam, Eijeh tentava sussurrar, mas um dos pais aparecia pouco depois à porta, para os mandar calar. Não como Akos; ele sabia guardar segredos, por isso ainda não lhes tinha contado nada sobre a Ori.

O flutuador sobrevoou as plantações de flores de gelo que o pai geria, que se espraiavam em todas as direções durante milhas e milhas, divididas por cercas baixas de arame: Flores da inveja amarelas; purezas brancas, vinhas verdes de *harva*; folhas castanhas de *sendes*, e por último, protegidas por uma gaiola de arame com corrente a fluir por ela, a flor do silêncio vermelha. Antes de colocarem a gaiola, as pessoas costumavam suicidar-se nos campos de flores do silêncio, indo ao encontro da morte rodeadas de pétalas brilhantes, induzidas num sono mortal pelo veneno, em breves instantes. «Na verdade, não parece um mau modo de ir desta para melhor», pensou Akos. Adormecer no meio de flores e com o céu branco acima.

— Eu aviso-vos quando estivermos sãos e salvos — disse o pai, tentando parecer alegre.

— Onde está a mãe? — perguntou Akos e, desta feita, Aoseh ouviu-o.

— A vossa mãe… — Apertou fortemente os dentes e um enorme rasgão abriu-se no banco por baixo dele, tal como a crosta de uma barra de pão a fender-se no forno. Praguejando, passou a mão para reparar o estrago. Akos pestanejou, amedrontado. Porque ficara tão furioso?

— Eu não sei onde anda a vossa mãe — concluiu. — De certeza que está bem.

— Ela não te avisou disto? — indagou Akos.

— Talvez não soubesse — murmurou Cisi.

Porém, todos sabiam perfeitamente que não tinha razão. Sifa sabia sempre, *sempre*.

— A vossa mãe tem as suas razões para fazer tudo o que faz. Nem sempre nós as sabemos — afirmou Aoseh, ligeiramente mais calmo. — Mas temos de confiar nela, mesmo sendo difícil.

Akos não sabia bem se o pai acreditava no que dizia; talvez o dissesse só para reforçar a ideia.

Aoseh conduziu o flutuador para o relvado, esmagando os tufos e os caules do esparto que salpicava o terreno por baixo deles. Atrás da casa, os campos de esparto alastravam até Akos os perder de vista. Ocasionalmente, aconteciam coisas esquisitas às pessoas nas plantações. Ouviam murmúrios; viam sombras escuras entre as hastes; caminhavam pela neve, longe dos caminhos, e eram engolidas pela terra. De tempos em tempos ouviam-se histórias sobre isso ou alguém avistava um esqueleto do alto dos flutuadores. Ao viver tão próximo dos altos espartos, como Akos vivia, habituara-se a ignorar as caras que surgiam, vindas de todas as direções, sussurrando o seu nome. Às vezes, eram suficientemente nítidas para as poder identificar: Avós mortos; a mãe e o pai com a cara deformada dos cadáveres; miúdos que eram maus para ele na escola e o insultavam.

Mas quando Akos saiu do flutuador e tentou tocar nos tufos acima dele, percebeu que já não conseguia ver nem ouvir nada.

Deteve-se e perscrutou as ervas à procura de um sinal das alucinações. Em vão.

— Akos — Eijeh assobiou.

Estranho.

Seguiu Eijeh até à porta da frente. Após abri-la, todos se amontoaram no saguão para despirem os casacos. Ao respirar o ar interior, porém, Akos percebeu que algo não cheirava bem. A casa deles tinha sempre um aroma a especiarias, por exemplo, do pão que o pai gostava de fazer nos meses mais frios, mas agora cheirava a lubrificante de motor e suor. Akos sentiu uma opressão forte no peito.

— Pai — chamou, quando Aoseh acendeu as luzes com um toque de botão.

Eijeh gritou. Cisi engasgou-se e Akos ficou petrificado.

Havia três homens especados, na sala de estar. Um era alto e magro; outro ainda mais alto e forte; o terceiro era baixo e gordo. Os três envergavam armaduras que reluziam à luz amarelada das pedras ardentes, tão escuras que mais pareciam pretas. Na realidade, eram-no mesmo, de um preto azulado. Empunhavam espadas-correntes, o metal preso aos pulsos e os tentáculos pretos a envolverem-lhes as mãos, como se as armas fossem parte deles próprios. Akos já tinha visto espadas similares antes, mas apenas nas mãos dos soldados que patrulhavam Hessa. Não precisavam de espadas-correntes em casa, na casa de um agricultor e de um oráculo.

Akos sabia-o mesmo sem saber: aqueles homens eram Shotet, inimigos de Thuvhe, inimigos dos *deles*. Pessoas assim eram responsáveis por cada vela acesa no memorial à invasão dos Shotet. Tinham devastado os edifícios de Hessa, rebentado os vidros de forma a refletirem imagens distorcidas; tinham abatido os mais corajosos, os mais fortes, os mais ferozes, deixando as famílias lavadas em lágrimas. A avó de Akos com a sua faca de pão era exemplo disso, segundo dizia o pai.

— O que fazem aqui? — interrogou Aoseh, tenso. A sala de estar estava intocada, as almofadas ainda dispostas em volta da mesa baixa; a manta de pele junto ao fogo onde Cisi a deixara quando estava a ler. As pedras ardentes, em brasa, ainda cintilavam; o ar já frio. O pai adotou uma postura mais larga, cobrindo os três com o corpo.

— Nenhuma mulher — disse um dos homens ao outro. — Sabem onde está?

— Oráculo — replicou um dos outros. — Não é fácil de apanhar.

— Sei que falam a nossa língua — disse um Aoseh mais severo. — Parem de tagarelar como se não me entendessem.

Akos franziu a testa. O pai não teria ouvido os homens a falarem da mãe?

— Este é muito exigente — disse o mais alto. Akos apercebeu-se de que tinha os olhos dourados, como metal derretido. — Qual é mesmo o nome dele?

— Aoseh — disse o mais baixo, que tinha a cara cheia de cicatrizes, pequenos cortes que iam em todas as direções. A pele que envolvia o corte mais profundo, junto ao olho, estava engelhada. O nome do pai parecia grosseiro, dito por eles.

— Aoseh Kereseth — disse o dos olhos dourados e, desta feita, soou... diferente. Como se de súbito falasse com um sotaque carregado que antes não tinha; como se explicava isso? — Chamo-me Vas Kuzar.

— Sei bem quem és — disse Aoseh. — Não vivo com a cabeça enterrada num buraco.

— Agarrem-no — ordenou o homem chamado Vas e o pequenote lançou-se para cima do pai. Cisi e Akos recuaram de um salto enquanto o pai de ambos e o soldado Shotet lutavam, os braços enroscados um no outro. Os dentes de Aoseh rangiam. O espelho da sala de estar partiu-se e os estilhaços voaram em todas as direções; a moldura com a fotografia do casamento dos pais que descansava na cornija da lareira partiu-se ao meio. Ainda assim, o soldado Shotet levou a melhor ao pai na luta pela sala de estar, deixando Eijeh, Cisi e Akos expostos.

O soldado mais baixo forçou o pai a ajoelhar-se e apontou-lhe uma espadacorrente à garganta.

— Que os miúdos não saiam daqui — Vas ordenou ao mais magro. Foi então que Akos se lembrou da porta atrás de si, pegou na maçaneta e girou-a. No instante em que a estava a puxar, sentiu uma mão áspera no ombro e o Shotet puxou-o pelo braço. O ombro doeu-lhe; pontapeou com força o homem na perna, mas o Shotet limitou-se a rir.

— Olha para o lingrinhas do miúdo — cuspiu o soldado. — Tu mais o resto dos patéticos da tua espécie deviam, mas era, render-se já.

— Nós não somos patéticos! — exclamou Akos. Era uma coisa estúpida de dizer, a típica deixa infantil usada quando não se sabe como ganhar uma discussão. Mas, por alguma razão, todos se detiveram. Não apenas o homem agarrado ao braço de Akos, mas também Cisi, Eijeh e até Aoseh. Todos olharam fixamente para Akos e, maldição das maldições, ficou com a cara em brasa, o rubor mais inoportuno de toda a sua vida, o que não era pouco.

Então, Vas Kuzar desatou a rir-se.

— Calculo que seja o teu filho mais novo — Vas dirigiu-se a Aoseh. — Sabes que ele fala Shotet?

— Eu não falo Shotet — disse Akos, baixinho.

— Acabas de falar — disse Vas. — Pergunto-me por que carga de água é que a família Kereseth dá por ela com um filho com sangue Shotet?

— Akos — bichanou Eijeh, num tom de espanto, como se o estivesse a interrogar.

— Eu não tenho sangue Shotet! — exclamou Akos e os três soldados Shotet riram-se em uníssono. Foi então que Akos percebeu, percebeu as palavras que lhe saíam da boca e o respetivo significado, e percebeu igualmente as sílabas ásperas, as pausas súbitas e as vogais fechadas. Percebia Shotet, uma língua que nunca tinha aprendido. Tão diferente do elegante Thuvhesit, que se assemelhava a uma aragem a capturar flocos de neve no ar.

Estava a falar Shotet, exatamente da mesma forma que os soldados. Mas como, *como* era possível que falasse uma língua que nunca aprendera?

— Onde está a tua mulher, Aoseh? — perguntou Vas, prestando atenção ao pai. A espadacorrente girava-lhe no pulso e os tentáculos pretos moviam-se pela sua pele. — Podíamos perguntar-lhe se teve algum caso amoroso com um Shotet ou se partilha a nossa bela ascendência e nunca lhe pareceu oportuno dizer-vo-lo. De certeza que o oráculo sabe porque é que o filho mais novo é fluente na língua reveladora.

— Ela não está — afirmou Aoseh, sucinto. — Como aliás podem observar.

— Os Thuvhesit acham-no esperto? — indagou Vas. — Eu cá acho que a esperteza com os inimigos pode ser mortal.

— De certeza que achas muitas coisas disparatadas — disse Aoseh e de alguma forma, apesar de estar no chão, aos seus pés, conseguiu olhá-lo de modo desafiante. — Servo dos Noaveks, és como a sujidade que se acumula debaixo das minhas unhas.

Vas abanou o pai, atingindo-o na cara com tanta força que ele caiu para o lado. Eijeh berrou, tentando libertar-se para acudir ao pai, mas sendo intercetado pelo Shotet que ainda estava agarrado ao braço de Akos. Segurava ambos os irmãos sem o menor esforço; aliás, como se não lhe custasse nada de nada, apesar de Eijeh já ter quase a estatura de um homem, com dezasseis estações de idade.

A mesa baixa da sala de estar rachou-se mesmo no centro, de ponta a ponta, partindo-se ao meio, e cada metade caiu para um lado. Todos os pequenos objetos que repousavam em cima dela — uma caneca velha, uns poucos pedaços de madeira das esculturas do pai — estavam agora espalhados pelo chão.

— Se eu fosse a ti — disse Vas, em voz baixa —, mantinha esse dom-corrente sob controlo, Aoseh.

Aoseh agarrou-lhe a cara um instante e então mergulhou, agarrando o pulso do soldado Shotet mais baixo, o da cicatriz, torcendo-o com tal força que fraquejou. Aoseh agarrou na espada pelo cabo, arrebatando-lha. Voltou-se então para o dono, de sobrolho franzido.

— Vá, mata-o — instou Vas. — Há dúzias de onde esse saiu, já tu tens um número limitado de filhos.

O lábio de Aoseh estava aberto e sangrava, mas ele lambeu o sangue com a ponta da língua e olhou para Vas por cima do ombro.

— Não sei onde ela está — disse Aoseh. — Devias ter procurado no templo. Este é o último sítio onde ela viria, sabendo que vocês se dirigiam para cá.

Vas sorriu para a espada que empunhava.

— É melhor assim — disse em Shotet, olhando para o soldado

que segurava Akos com uma mão e pressionava Eijeh contra a parede, com a outra. — A prioridade são as crianças.

— Sabemos qual é o mais novo — replicou o soldado, na mesma língua, puxando Akos pelo braço, novamente. — Mas qual dos outros dois é o segundo?

— Pai! — clamou Akos, em desespero. — Eles querem saber do Filho Mais Novo. Querem saber qual deles é o mais novo...

O soldado libertou Akos, mas só para o esbofetear com as costas da mão, atingindo-o mesmo na bochecha. Akos tropeçou e embateu estrondosamente contra a parede e Cisi chorava convulsivamente, debruçada sobre o irmão, acariciando-lhe a cara com os dedos.

Aoseh gritou a plenos pulmões e lançou-se, espetando a espada roubada profundamente no corpo de Vas, até debaixo da armadura.

Vas nem sequer se mexeu. Limitou-se a esboçar um meio sorriso, pegou no cabo da espada e desenterrou-a. Aoseh estava demasiado pasmado para o impedir. O sangue jorrava da ferida, ensopando as calças escuras de Vas.

— Sabes o meu nome, mas desconheces o meu dom? — inquiriu Vas, suavemente. — Não sinto dor, lembras-te?

Agarrou Aoseh pelo cotovelo e puxou-lhe o braço. Então, enterrou-lhe a faca na parte mais carnosa do braço e empurrou, fazendo-o gemer como Akos nunca antes o ouvira. O sangue espalhou-se pelo chão. Eijeh voltou a gritar e debateu-se; o rosto de Cisi denotava angústia, mas ele não proferiu som algum. Akos não suportava a cena. Permanecia de pé, com a cara ainda dolorosa e sem possibilidade de se mexer, ou fazer o que quer que fosse.

— Eijeh — disse, calmamente. — Foge.

E lançou o corpo sobre Vas, pretendendo espetar os dedos na ferida do homem, mais e mais fundo, até ser capaz de lhe arrancar os ossos, de lhe arrancar o coração.

Lutas, gritos, pranto. Tantas as vozes que se combinavam aos ouvidos de Akos, um cúmulo de horror. Em vão, ele esmurrava a armadura que cobria o corpo de Vas. O choque provocava-lhe palpitações na mão. O soldado da cicatriz dirigiu-se a ele, atirando-o ao chão como se fosse um saco de farinha. Pousou a bota na cara de Akos e pressionou. Ele sentiu os grãos de sujidade na pele.

— Pai! — gritava Eijeh. — Pai!

Akos era incapaz de mexer a cabeça, mas quando elevou os olhos, viu o pai no chão, a meio caminho entre a parede e o vão da porta, o cotovelo dobrado num ângulo estranho. O sangue espraiava-se como uma auréola à volta da sua cabeça. Cisi acocorou-se ao lado de Aoseh, as mãos trémulas pairando sobre a ferida na garganta. Vas estava de pé por cima dela, com a faca ensanguentada.

Akos esmorecera.

— Deixa-o pôr-se de pé, Suzao — disse Vas.

Suzao, cuja bota encurralava o rosto de Akos, levantou o pé e arrastou Akos até este se erguer. Não conseguia desviar os olhos do corpo do pai, de como a sua pele se tinha fendido tal como a mesa da sala de estar, da quantidade de sangue que o rodeava (*como pode uma pessoa ter tanto sangue*?), daquela cor escura, laranja-vermelho-acastanhada.

Vas ainda segurava a lâmina manchada de sangue; tinha as mãos molhadas.

— Tudo em ordem, Kalmev? — perguntou Vas ao Shotet mais alto, cuja resposta não passou de um grunhido. Já tinha agarrado e algemado Eijeh, incapaz de resistir agora como antes fizera. Estava arrasado, limitando-se a olhar, apático, para o pai estendido no chão da sala.

— Obrigado por teres respondido à minha pergunta sobre quais dos teus irmãos andamos à procura — Vas disse a Akos. — Em virtude dos vossos destinos, parece que afinal vocês os dois nos vão acompanhar.

Suzao e Vas rodearam Akos, empurrando-o. Nesse instante, ele foi-se abaixo, ajoelhando-se ao lado do pai e tocando-lhe a cara. Aoseh estava morno e húmido. Com os olhos ainda abertos, a vida esvaía-se-lhe em instantes, como a água a escoar pelo ralo. Os olhos focaram Eijeh, a meio caminho da porta da frente, pressionado pelos soldados Shotet.

— Eu vou trazê-lo de volta a casa — Akos afirmou, virando ligeiramente a cabeça do pai para que o pudesse encarar. — Eu vou trazê-lo.

Akos já não estava presente quando a vida abandonou por fim o pai. Akos já estava nos campos de esparto, à mercê dos inimigos.

2

CAPÍTULO 3 | CYRA

EU TINHA APENAS SEIS ESTAÇÕES de idade quando tive a minha primeira peregrinação.

Quando saí, esperava que houvesse sol; em vez disso, mergulhei nas sombras da nave da peregrinação, que cobria a cidade de Voa, capital de Shotet, qual nuvem massiva. Não era mais comprida do que larga, com o nariz ligeiramente inclinado e coberto por painéis de vidro inquebrável. O desgaste de mais de uma década de viagens espaciais era bem visível na barriga metalizada, onde algumas das placas exibiam um aspeto polido, por terem sido alvo de substituição. Em breve estaríamos no interior, como a comida mastigada no interior do estômago de uma grande besta. O terminal por onde embarcaríamos ficava perto dos motores traseiros.

A maioria das crianças Shotet obtinha autorização para participar na primeira peregrinação, o nosso ritual mais significativo, às oito estações de idade. Mas como descendente do soberano, Lazmet Noavek, estava preparada para a minha primeira viagem pela galáxia, duas estações antes. Resumia-se em seguir o fluxocorrente ao redor do contorno da galáxia, até que se convertia em azul-escuro, descendo então até à superfície de um planeta para vasculhar e reciclar, a segunda parte do ritual.

Rezava a tradição que o soberano e família entrassem na nave da peregrinação antes. Ou, pelo menos, era tradição desde que assim o ditara a minha avó, a primeira líder Noavek dos Shotet.

— Este cabelo faz-me comichão — disse à minha mãe, tocando nas tranças apertadas com a ponta do dedo. Eram só umas poucas, puxadas para trás e entrançadas umas nas outras, para que o cabelo não me caísse na cara. — O que tem de mal o meu cabelo normal?

A minha mãe sorriu. Envergava um vestido feito de esparto, cujos caules lhe abraçavam o corpete e emolduravam o rosto. A minha precetora Otega, entre outras coisas, ensinou-me que os Shotet tinham plantado um oceano de esparto que nos separava dos nossos inimigos, os Thuvhesit, impedindo que invadissem a nossa terra. O vestido da minha mãe homenageava-o; tudo o que a mãe fazia refletia a nossa história.

— Hoje — disse-me ela —, é o primeiro dia que vais aparecer à maioria dos Shotet e ao resto da galáxia. A última coisa que queremos é que eles só vejam o teu cabelo. Ao apanhá-lo, tornámo-lo invisível, percebeste?

Eu não percebia, mas não insisti, embevecida que estava com o cabelo da minha mãe. Era escuro, como o meu, mas de uma textura diferente; o dela era tão encaracolado que prendia os dedos, ao passo que o meu, de tão liso, permitia que os dedos deslizassem.

— O resto da galáxia? — Teoricamente, eu conhecia a vastidão da galáxia; sabia que possuía nove planetas importantes e inúmeros outros periféricos, tal como estações aninhadas em rochedos implacáveis de luas fraturadas, e naves em órbita, tão imensas que eram nações-planetas. Mas, para mim, os planetas continuavam a não me parecerem maiores do que a casa onde passara praticamente a totalidade da minha existência.

— O teu pai autorizou que a gravação da Procissão fosse enviada para o canal geral de notícias, ao qual todos os planetas da Assembleia têm acesso — retorquiu a minha mãe. — Qualquer um que sinta curiosidade pelos nossos rituais vai estar a ver.

Mesmo com aquela idade, eu não concebia que os demais planetas fossem como o nosso. Sabia que éramos únicos na nossa perseguição da corrente pela galáxia, que o nosso desapego de lugares e bens era peculiar. Naturalmente que os outros planetas sentiam curiosidade relativamente a nós. Talvez até sentissem inveja.

Os Shotet cumpriam a peregrinação uma vez por estação, desde que o nosso povo existia. Uma vez, Otega tinha-me dito que a peregrinação se centrava na tradição e que a reciclagem que vinha a seguir estava ligada à renovação, o passado e o futuro aliados num único ritual. Mas eu ouvi o meu pai dizer, com amargura, que «sobrevivíamos à conta do lixo dos outros planetas». O meu pai tinha uma maneira muito própria de despojar as coisas de beleza.

O meu pai, Lazmet Noavek, caminhava à nossa frente; foi o primeiro a transpor os enormes portões que separavam a mansão dos Noavek das ruas de Voa, acenando à laia de cumprimento. Ao avistá-lo, a multidão palpitante congregada no exterior da nossa casa irrompeu numa ovação. O gentio era tão denso que não me permitia ver a luz através dos ombros das pessoas reunidas perante nós ou ouvir os meus próprios pensamentos no meio da cacofonia de aplausos. Aqui, no centro de Voa, a apenas algumas ruas de distância do anfiteatro onde se realizavam os desafios de arena, as ruas estavam limpas, as pedras sob os meus pés intactas. Os edifícios eram um mosaico de antigo e moderno, cantarias lisas e portas altas e estreitas, misturadas com intrincadas construções metálicas, de vidro. Era uma amálgama eclética, tão natural para mim como o meu próprio corpo. Sabíamos como conciliar a beleza do antigo com a beleza do moderno, sem perder nenhuma das duas.

Foi a minha mãe, não o meu pai, que obteve o clamor mais estridente daquele mar de súbditos. Estendeu as mãos para as pessoas que a alcançavam, tocando nas pontas dos dedos estendidos com os próprios e sorrindo. Eu observava, confusa, com os olhos lacrimejantes, ao vê-la ali sozinha enquanto vozes sentimentais entoavam o seu nome. *Ylira, Ylira, Ylira.* Arrancou um ramo de esparto da bainha do vestido e prendeu-o atrás da orelha de uma menina. *Ylira, Ylira, Ylira.*

Corri para apanhar o meu irmão, Ryzek, dez estações mais velho do que eu, que envergava uma armadura de imitação (ainda não obtivera a armadura feita da pele de um Encouraçado abatido, símbolo de estatuto para o nosso povo), que lhe dava um ar mais encorpado do que o normal, que suspeitei ser propositado. O meu irmão era alto, mas liso que nem uma tábua.

— Porque é que gritam o nome dela? — perguntei a Ryzek, quase a correr para o poder acompanhar.

— Porque a amam — disse Ryz. — Tal como nós a amamos.

— Só que eles não a *conhecem* — disse eu.

— É verdade — admitiu ele. — Mas eles acham que sim e às vezes isso basta.

Os dedos da minha mãe estavam manchados de tinta, de tocar tantas mãos estendidas e decoradas. Pensei então que eu não gostaria de tocar tantas pessoas ao mesmo tempo.

Avançávamos flanqueados por soldados de armadura, que nos abriram um caminho estreito. Porém, realmente acho que nem precisávamos deles, pois o gentio afastava-se do meu pai como se fosse uma faca cortante, pronta a fatiá-los. Podiam não gritar o nome dele, mas curvavam a cabeça à sua passagem, desviando os olhos. Pela primeira vez, percebi quão fina era a linha entre o medo e o amor, entre a reverência e a adoração. Fora traçada entre os meus pais.

— Cyra — chamou o meu pai e fiquei rígida, quase paralisada à medida que se virava para mim. Deu-me a mão, eu dei-lha a ele, embora não quisesse. O meu pai era o tipo de homem a quem simplesmente se *obedecia*.

Então, pegou-me ao colo, rápido e forte. Segurava-me de lado contra a armadura, com um só braço, como se eu nada pesasse. A sua cara estava perto da minha e cheirava a ervas, e coisas queimadas, a bochecha áspera pela barba. O meu pai, Lazmet Noavek, soberano de Shotet. A minha mãe chamava-lhe «Laz», quando pensava que ninguém a ouvia, e falava-lhe em poesia Shotet.

— Acho que queres ver o teu povo — sentenciou o meu pai,

balançando-me ligeiramente enquanto mudava o meu peso para a curva do cotovelo. O outro braço estava marcado do ombro ao pulso com cicatrizes pintadas de escuro, para se salientarem. Tinha-me dito, em tempos, que eram um registo de vidas roubadas, mas eu não sabia o que isso significava. A minha mãe também tinha algumas, mas nem metade das do meu pai.

— Esta gente anseia por força — disse o meu pai. — E eu e a tua mãe vamos dar-lha. Um dia, será a tua vez. Agora, acena-lhes.

A tremer ligeiramente, estiquei a mão, imitando o meu pai. Olhei-os, atordoada, perante a multidão que retribuía o gesto.

— Ryzek — chamou o meu pai.

— Vem cá, pequena Noavek — disse Ryzek. Não era preciso que o meu pai lhe dissesse para me tirar do colo dele; ele via-o na sua postura, tão certo como eu o via na forma inquieta de mudar o peso, de lado. Pus os braços à volta do pescoço de Ryzek e trepei para as suas cavalitas, prendendo as pernas às tiras da armadura.

Olhei-lhe para a bochecha sardenta, com covinhas devido ao sorriso.

— Pronta para correr? — perguntou-me, elevando a voz para o poder ouvir por cima da multidão.

— Correr? — indaguei eu, segurando-o com mais força.

Em resposta, segurou-me os joelhos com força contra os flancos e correu pelo caminho aberto pelos soldados, a rir. Os seus passos saltitantes sacudiam-me o riso e então a multidão — o nosso povo, o meu povo — juntou-se a nós, enchendo-me a vista de sorrisos.

Vi uma mão esticada para mim e toquei-lhe com a ponta dos dedos, tal como a minha mãe faria. A minha pele ficou húmida de suor. Descobri que não me importava tanto como julgava. Tinha o coração cheio.

CAPÍTULO 4 | CYRA

EXISTIAM CORREDORES OCULTOS nas paredes da mansão Noavek, construídos para a passagem dos criados, sem nos incomodarem e aos nossos convidados. Eu percorria-os frequentemente, aprendidos os códigos que os criados usavam para navegar, esculpidos nos cantos das paredes e no topo das entradas e saídas. Ocasionalmente, Otega repreendia-me por ir às aulas coberta de teias de aranha e sujidade, mas na maioria das vezes ninguém se importava com a forma como ocupava os tempos livres, desde que não incomodasse o meu pai.

Ao cumprir as sete estações de idade, as minhas passeatas conduziram-me às paredes atrás do gabinete do meu pai. Ia no encalço do som de uma algazarra, mas ao ouvir a voz do meu pai, alterada pela raiva, detive-me e agachei-me.

Por uns instantes, acalentei a ideia de regressar pelo mesmo caminho até estar a salvo no meu quarto. Nada de bom vinha da voz elevada do meu pai; nunca viera. A única pessoa que o conseguia serenar era a minha mãe, mas nem ela o conseguia controlar.

— Diz lá — instou o meu pai. Colei a orelha à parede, para ouvir melhor. — Diz-me *exatamente* o que lhe contaste.

— Eu, eu pensei... — A voz entrecortada de Ryz indicava que estava à beira das lágrimas, o que também não era nada bom. O meu pai detestava choros. — Pensei que, estando ele a treinar para ser meu mordomo, seria de confiança.

— Diz-me o que lhe contaste!

— Contei-lhe... Contei-lhe que o meu destino, conforme declarado pelo oráculo, era render-me à família Benesit. Que eles são uma das duas famílias Thuvhesit. Mais nada.

Afastei-me da parede. Trazia uma teia de aranha presa à orelha. Nunca tinha ouvido o destino de Ryzek antes. Sabia que os meus pais o tinham partilhado com ele, quando a maioria das crianças predestinadas descobre os seus destinos: Ao desenvolverem um dom-corrente. Eu descobriria o meu dentro de uma mão cheia de estações. Mas estar a par do destino de Ryzek, saber que ele se *renderia* à família Benesit, que se manteve a si própria escondida durante tantas estações que nem sequer sabíamos as suas alcunhas ou planeta de residência, era um dom esquisito. Ou um fardo.

— Imbecil. Mais nada? — questionou o meu pai, com desdém. — Achas que te podes dar ao luxo de confiar, com um destino tão cobarde como o teu? Tens de manter a boca fechada. Ou perecer às tuas fraquezas!

— Desculpa. — Ryz pigarreou. — Nunca mais me esqueço. Não o faço outra vez.

— Tens toda a razão, não o voltas a fazer. — A voz do meu pai tornou-se mais profunda e monocórdica, o que era bem pior do que gritar. — Temos é de trabalhar duro para encontrar uma saída, não temos? Das centenas de futuros que existem, vamos encontrar um em que não te convertas numa perda de tempo. Entretanto, vais esforçar-te por parecer o mais forte possível, mesmo diante dos teus parceiros mais próximos. Percebido?

— Sim, senhor.

Permaneci ali agachada, a ouvir as vozes abafadas deles, até que a poeira no túnel me deu vontade de espirrar. Interrogava-me sobre o meu destino, se me fortaleceria ou me limitaria. Só que agora era mais assustador do que anteriormente. Tudo o que o meu pai queria era conquistar Thuvhe e Ryzek estava predestinado ao fracasso, condenado a deixar mal o meu pai.

Era perigoso irritar o meu pai, com uma coisa impossível de mudar.

Compadeci-me de Ryz, ali no túnel, à medida que me encaminhava de volta ao quarto. Compadeci-me, antes de saber mais.

CAPÍTULO 5 | CYRA

UMA ESTAÇÃO MAIS TARDE, quando eu tinha oito, o meu irmão irrompeu pelo meu quarto, ofegante e ensopado pela chuva. Eu tinha acabado de colocar o último dos meus bonecos no tapete, aos pés da cama. Tinham sido reciclados na peregrinação em Othyr, da estação anterior, onde eram apreciadores de objetos pequenos e inúteis. Alguns deles tombaram quando ele atravessou o quarto; eu protestei, o meu exército estava destruído.

— Cyra — disse ele, acocorado ao meu lado. Apesar das dezoito estações de idade, o terror fazia-o parecer mais novo, com braços e pernas muito compridos e borbulhas na testa. Pus-lhe a mão no ombro.

— O que foi? — perguntei, oprimida.

— O pai alguma vez te levou a algum sítio só para… te mostrar uma coisa?

— Não — Lazmet Noavek nunca me levava a lado nenhum; mal olhava para mim, quando estávamos na mesma sala. Não me incomodava. Mesmo assim, eu sabia que ser alvo do olhar fixo do pai não era boa coisa. — Nunca.

— Isso não é lá muito justo, pois não? — concluiu Ryz, impulsivamente. — Tu e eu somos os dois filhos dele e devíamos ser tratados de maneira igual, não achas?

— Eu… acho que sim — disse eu. — Ryz, o que…

Mas Ryz acabava de colocar a palma da mão na minha face.

O meu quarto, com as opulentas cortinas azuis e os painéis de madeira escura, desapareceu.

«— Hoje, Ryzek — disse a voz do meu pai —, vais dar tu a ordem.

Encontrava-me numa sala pequena e escura, com paredes de pedra e uma janela imensa à minha frente. O meu pai estava ao meu lado esquerdo, mas parecia mais pequeno do que habitualmente. Eu só lhe chegava ao peito, mas naquela sala olhava-lhe diretamente para a cara. As minhas mãos estavam cerradas à minha frente, os dedos longos e esguios.

— Queres… — A respiração saía-me superficial e rápida. — Queres que eu…

— Acalma-te — rosnou o meu pai, agarrando a frente da minha armadura e empurrando-me para a janela.

Através dela vi um homem velho, enrugado e de cabelo branco. Esquelético e de olhar mortiço, tinha as mãos algemadas. A um gesto de assentimento do pai, os guardas da sala ao lado aproximaram-se do prisioneiro. Um deles segurou-lhe nos ombros para o manter imóvel e outro enrolou-lhe uma corda à garganta, atando-a com força na nuca. O prisioneiro não protestou; os membros pesavam-lhe mais do que o normal, como se o sangue fosse sólido.

Estremeci e não mais parei de estremecer.

— Este homem é um traidor — esclareceu o pai. — Conspira contra a nossa família, espalhando mentiras sobre o facto de roubarmos a ajuda externa aos esfomeados e doentes de Shotet. Quem injuria a nossa família não merece apenas morrer, merece morrer lentamente. E tens de estar preparado para o ordenar, inclusive, deves estar preparado para o fazeres tu próprio, embora essa seja uma lição posterior.

O pavor deslizava-me pelo estômago, qual verme.

O meu pai proferiu um som frustrado no fundo da garganta, enfiando-me uma coisa na mão. Era uma ampola lacrada a cera.

— Se não te conseguires acalmar, isto fá-lo-á por ti — disse ele. — Mas de uma forma ou de outra, farás o que eu disser.

Apalpei o rebordo da cera, descolei-a e despejei o conteúdo da ampola na boca. O tónico calmante abrasou-me a garganta, mas em poucos instantes o meu batimento cardíaco diminuiu e o contorno do meu pânico suavizou-se.

Fiz um gesto de assentimento para o meu pai, que ligou o interruptor dos amplificadores da sala do lado. Demorei um pouco a encontrar as palavras na bruma que me enchia a mente.

— Executem-no — ordenou numa voz estranha.

Um dos guardas deu um passo atrás e puxou pela extremidade da corda, que correu por um aro metálico no teto, como uma linha pelo buraco de uma agulha. Puxou a corda até os pés do prisioneiro mal tocarem o chão. Observei a cara do homem a ficar vermelha, depois arroxeada. Agonizava. Queria desviar o olhar, mas não podia.

— Nem tudo o que é eficaz deve ser feito em público — disse o pai descontraidamente, enquanto desligava os amplificadores novamente. — Os guardas segredarão o que estás disposto a fazer àqueles que falarem mal de ti, essas pessoas segredá-lo-ão a outras e assim a tua força e poder serão sobejamente conhecidos por todo Shotet.

Um grito estava a formar-se dentro de mim e contive-o na garganta, como um pedaço de comida demasiado grande para ser engolido.

A pequena sala escura esfumou-se.

Eu estava numa rua alegre, repleta de pessoas. Estava junto da anca da minha mãe, e abraçava-lhe a perna. O pó erguia-se no ar à nossa volta, na capital da nação-planeta Zold, chamada Zoldia City, que tinha visitado na minha primeira peregrinação, tudo estava coberto por uma camada fina de pó cinzento, nesta altura do ano. Não provinha das rochas ou da terra, como tinha deduzido, mas de um vasto campo de flores que cresciam a leste daí e que se desintegravam com os fortes ventos sazonais.

Eu reconhecia o lugar, o momento. Era uma das minhas memórias preferidas, da minha mãe e de mim.

A mãe inclinou a cabeça para o homem que foi ter com ela na rua, a mão dela a afagar-me o cabelo.

— Obrigada, Vossa Excelência, por acolher a nossa reciclagem tão

benevolamente — disse-lhe a mãe. — Assegurar-me-ei de que levamos apenas o que vocês já não precisarem.

— Agradeço-lhe. Alguns relatórios mencionam pilhagens durante a última reciclagem dos soldados Shotet. Nada menos que em hospitais — respondeu o homem, asperamente. A pele brilhava com o pó, inclusive, parecia cintilar com a luz do sol. Encarei-o com fascínio. Envergava uma longa veste cinzenta, quase como se pretendesse assemelhar-se a uma estátua.

— A conduta desses soldados foi terrorífica e severamente punida — disse a mãe, com firmeza. Voltou-se para mim: — Cyra, minha querida, este é o líder da cidade capital de Zold. Vossa Excelência, esta é a minha filha Cyra.

— Gosto do seu pó — disse eu. — Mete-se nos olhos?

— Constantemente. Quando não recebemos visitas, usamos óculos. — O homem pareceu suavizar-se um pouco, ao responder.

Tirou um par de óculos do bolso e ofereceu-mos. Eram grandes, com vidros de um verde pálido, como lentes. Experimentei-os e caíram-me de imediato dos olhos para o pescoço, tendo de segurá-los com a mão. A minha mãe riu-se com leveza e o homem também.

— Faremos o melhor para honrar a vossa tradição — disse o homem à minha mãe. — Embora confesse que não a entendo.

— Bom, perseguimos a renovação, acima de tudo — explicou ela. — E encontramos o que deve ser renovado naquilo que foi previamente descartado. Nada de proveito deve desperdiçar-se. Com certeza que concordamos neste aspeto.»

E então, as palavras dela ouviram-se de trás para a frente e os óculos subiam para os meus olhos, depois para a cabeça, até à mão do homem outra vez. Era a minha primeira reciclagem e desbobinava-se, revelava-se na minha cabeça. Depois de a memória ter passado de trás para a frente, desapareceu.

Estava de volta ao meu quarto, com os bonecos a rodearem-me, e soube que tinha tido uma primeira peregrinação, que tínhamos estado com o líder de Zoldia City, mas já não era capaz de visualizar essas imagens. Em vez delas, estava o prisioneiro com a corda ao pescoço e a voz baixa do pai ao meu ouvido.

Ryz tinha trocado uma das suas memórias por uma das minhas. Já o vira fazê-lo anteriormente, uma vez a Vas, seu amigo e mordomo, e uma vez à nossa mãe. Cada vez que vinha de um encontro com o pai, parecia que o tinham rasgado em bocados. Então, ele punha a mão no amigo ou na mãe e pouco depois endireitava-se, de olhos secos, aparentando uma fortaleza de que antes carecia. E eles ficavam... vazios, de alguma forma. Como se tivessem perdido alguma coisa.

— Cyra — disse Ryz. As lágrimas tingiam-lhe as faces. — É justo. É mais do que justo que partilhemos este fardo.

Ele alcançou-me outra vez. Algo nas minhas profundezas ardia. Quando pousou a mão na minha cara, veias escuras espalharam-se pela minha pele como se fossem insetos com muitas patas, como teias de sombra. Deslocaram-se, rastejando pelos meus braços, levando o rubor à minha face. E dor.

Gritei, como nunca antes gritara na vida, e a voz de Ryz juntou-se à minha, quase em harmonia. As veias escuras tinham-me produzido dor; a escuridão *era* dor e eu era feita dela, eu era a própria dor.

Ele retirou a mão, mas as sombras na pele e a agonia permaneceram, o meu dom-corrente a revelar-se precocemente.

A minha mãe acorreu ao quarto, a camisa meio abotoada, a cara a pingar. Viu as marcas negras na minha pele e correu para mim, pondo-me as mãos nos braços um instante antes de recuar. Também ela tinha sentido a dor. Tornei a gritar, arranhando as teias escuras com as unhas.

A minha mãe teve de me drogar, para que me acalmasse.

Incapaz de lidar bem com a dor, Ryz nunca mais me tocou, não se o pudesse evitar. Nunca mais ninguém me tocou.

CAPÍTULO 6 | CYRA

— ONDE VAMOS?

Persegui a minha mãe ao longo dos corredores polidos, os pavimentos brilhando com o meu reflexo tracejado a sombras. À minha frente, ela segurava as saias, a espinha reta. A minha mãe respirava sempre elegância; usava vestidos com chapas de armaduras incrustadas nos corpetes, cobertas com tecido para que aparentassem uma maior leveza. Sabia traçar um risco perfeito na pálpebra que dava a ilusão de que tinha umas longas pestanas, vistas de qualquer ângulo. Tentei imitá-la uma vez, mas fui incapaz de manter a mão imóvel o tempo suficiente para traçar o risco e tive de parar várias vezes, para ofegar de dor. Agora, preferia a simplicidade à elegância, vestidos largos, sapatos sem atacadores, calças sem botões e camisolas que me tapassem a maior parte da pele. Tinha quase nove estações de idade e já me despojara de frivolidades.

A dor era simplesmente parte integrante da minha vida. Tarefas simples demoravam o dobro, porque tinha de parar para respirar. As pessoas não me tocavam, logo, tinha de fazer tudo por mim própria. Experimentei medicamentos leves e poções de outros planetas, na esperança vã de me eliminarem o dom, mas ficava sempre doente.

— Caluda — disse a minha mãe, levando o dedo aos lábios.

Abriu uma porta e chegámos à pista de aterragem no telhado da mansão Noavek, onde uma nave de transporte pairava, qual pássaro a descansar a meio do voo, as portas de embarque abertas para nós. Ela olhou em volta uma vez, depois agarrou-me o ombro, coberto com tecido para não a magoar, e empurrou-me para a nave.

Uma vez lá dentro, sentou-me num dos lugares e apertou-me com força os cintos sobre o meu colo e peito.

— Vamos ter com alguém que talvez te possa ajudar — disse ela.

O letreiro na porta do especialista dizia *Dr. Dax Fadlan*, mas ele disse-me que lhe chamasse Dax. Chamei-lhe Dr. Fadlan. Os meus pais tinham-me infundido o respeito pelas pessoas que detinham poder sobre mim.

A minha mãe era alta, com um longo pescoço inclinado para a frente, como se estivesse sempre a fazer reverências. Nesse instante, os tendões sobressaíam-lhe da garganta e eu conseguia ver-lhe a pulsação que latejava mesmo à superfície da pele.

Os olhos do Dr. Fadlan eram atraídos pelo braço da minha mãe. Ela exibia as suas marcas de assassinatos com uma certa beleza, não com brutalidade, cada linha direita, espaçada a igual distância da linha seguinte. Eu não sabia que o Dr. Fadlan, um Othyrian, atendia tantos Shotet no consultório.

Era um espaço estranho. À chegada, enfiaram-me numa sala cheia de brinquedos desconhecidos e brinquei com alguns dos pequenos bonecos, parecidos aos que Ryzek e eu temos em casa, quando ainda brincávamos juntos. Eu alinhava-os como se fossem um exército e marchava para a batalha contra o animal gigante e mole, no canto do quarto. Após uma hora, o Dr. Fadlan disse-me para sair, que tinha terminado a sua análise. Só que eu ainda não tinha feito nada.

— Com oito estações é um pouco precoce, claro está, mas a Cyra não é a criança mais nova cujo dom já vi manifestar-se — disse o Dr. Fadlan, à minha mãe. A dor surgiu e tentei respirar, como se dizia aos soldados Shotet para fazerem quando precisavam de pontos numa ferida e não havia tempo para um agente anestésico. Tinha visto gravações disso. — Normalmente, surge em circunstâncias extremas, como medida de proteção. Faz alguma ideia de quais possam ser essas circunstâncias? Podem elucidar-nos acerca do motivo do desenvolvimento deste dom em particular.

— Como lhe disse — afirmou a minha mãe —, não sei.

Estava a mentir; eu tinha-lhe dito o que Ryzek me fizera, mas sabia que não deveria contradizê-la agora. Quando a minha mãe mentia, era sempre por um bom motivo.

— Lamento informá-la que a Cyra não está a desenvolver o dom — disse o Dr. Fadlan. — Aparenta ser a manifestação plena do mesmo. E as implicações são, no mínimo, perturbadoras.

— O que quer dizer? — Nunca pensei que a minha mãe se pudesse sentar mais direita do que se sentava.

— A corrente flui por todos nós — disse o Dr. Fadlan, suavemente. — E como o metal líquido a escorrer para um molde, assume um aspeto diferente em cada um de nós, mostrando-se de forma diversa. Com o crescimento, as mudanças sofridas podem alterar o molde através do qual a corrente flui, pelo que o dom também se pode ver alterado, embora as pessoas normalmente não mudem a um nível tão fundamental.

O Dr. Fadlan tinha o braço sem marcas e não falava a língua reveladora. Possuía umas linhas finas à volta da boca e dos olhos, que se acentuavam quando olhava para mim. A sua pele tinha o mesmo tom da pele da minha mãe, sugerindo uma linhagem comum. Muitos Shotet eram mestiços, logo, não constituía uma surpresa. A minha própria pele era de um castanho médio, quase dourado, conforme a luz.

— O facto de o dom da sua filha fazer com que ela inflija dor a si própria e aos outros, é revelador do que lhe vai por dentro — disse o Dr. Fadlan. — Careceria de um estudo mais aprofundado para saber o que é. Mas a apreciação superficial denota que, de certa forma, ela se julga merecedora da dor. E sente que os outros também a merecem.

— Está a dizer que este dom é culpa da minha filha? — A pulsação na garganta da minha mãe latejava mais depressa. — Que ela quer que seja assim?

O Dr. Fadlan debruçou-se, olhando diretamente para mim.

— Cyra, o dom vem de ti. Se tu mudares, o dom também mudará.

A minha mãe indignou-se.

— É uma criança. Isto não é culpa dela, não é o que ela quer para si própria. Lamento termos perdido o nosso tempo aqui, Cyra.

Ela estendeu-me a mão enluvada e eu dei-lha, trémula. Não estava acostumada a vê-la tão agitada. Fazia com que as sombras sob a minha pele se movessem mais depressa.

— Como pode constatar, — frisou o Dr. Fadlan —, piora quando se perturba.

— Cale-se! — disparou a minha mãe. — Não quero que lhe envenene a cabeça mais do que já fez.

— Com uma família como a sua, o meu receio é que ela já tenha visto demasiado para que possa ter salvação possível — redarguiu ele, enquanto nós abandonávamos a sala.

A minha mãe voou pelos corredores, rumo ao cais de embarque. Quando chegámos à pista de aterragem, vários soldados de Othyr rodeavam a nossa nave. As armas que exibiam pareceram-me fracas, mocas finas com uma corrente escura enrolada à volta, prontas para atordoar em vez de matar. Igualmente patéticas eram as armaduras, feitas de material sintético acolchoado, que deixava as laterais expostas.

A minha mãe ordenou-me que entrasse na nave e parou para falar com um deles. Atrasei o trajeto até à porta, para ouvir o que diziam.

— Estamos aqui para vos escoltar até ao espaço extraterrestre — esclareceu o soldado.

— Sou a mulher do soberano de Shotet. Deveriam tratar-me por «minha senhora» — disparou a minha mãe.

— As nossas desculpas, dona, mas a Assembleia dos Nove Planetas não reconhece nenhuma nação Shotet e, por extensão, o respetivo soberano. Se abandonar o planeta rapidamente, não lhe causaremos nenhum problema.

— Nenhuma nação Shotet. — A minha mãe riu-se. — Virá o dia em que desejarão não terem proferido semelhantes palavras.

Pegou nas saias para as levantar e dirigiu-se à nave. Eu esgueirei-me rapidamente para o interior até ao meu lugar; ela sentou-se ao meu lado. A porta fechou-se atrás de nós e à nossa frente o piloto deu o sinal para a descolagem. Desta feita, apertei eu própria os cintos à volta do peito e do colo, dado que o tremor nas mãos da minha mãe a impedia de o fazer por mim. Nessa altura, eu não sabia, mas era a última estação que passava com ela; faleceu após a peregrinação seguinte, quando eu tinha nove.

Queimámos uma pira por ela, no centro da cidade de Voa, mas a nave da peregrinação transportou as suas cinzas para o espaço. Estando a nossa família enlutada, o povo de Shotet juntou-se a nós na nossa dor.

Ylira Noavek permanecerá para sempre na estela da corrente, disse o padre, à medida que as cinzas eram lançadas atrás de nós. *Transportada num caminho de glória.*

Durante as estações vindouras, nem sequer pude proferir o seu nome. Afinal, ela partira por minha culpa.

CAPÍTULO 7 | CYRA

A PRIMEIRA VEZ QUE VI OS IRMÃOS Kereseth foi no passadiço dos criados, paralelo ao Salão de Armas. Eu tinha já várias estações de idade, aproximando-me a passos largos da idade adulta.

O meu pai fora fazer companhia à minha mãe na vida depois da morte, somente umas estações atrás, morto num ataque, no decurso de uma peregrinação. O meu irmão Ryzek percorria o caminho que o meu pai trilhara para ele, rumo à legitimação de Shotet, quem sabe se até ao domínio de Shotet.

A minha anterior precetora, Otega, fora a primeira a mencionar-me os Kereseth, pois os criados da nossa casa andavam a bichanar a história entre tachos e panelas, na cozinha, e ela contava-me sempre os boatos dos criados.

— Foram trazidos pelo mordomo do teu irmão, o Vas — dizia ela, enquanto verificava se o meu ensaio tinha erros gramaticais. Ainda me ensinava literatura e ciência, mas eu tinha-a ultrapassado nas restantes disciplinas e estudava por conta própria, ao passo que ela retornara à gestão das nossas cozinhas.

— Eu achava que o Ryzek tinha enviado soldados para capturarem a antiga oráculo, a antiga — disse eu.

— E enviou — disse Otega. — Mas a oráculo suicidou-se durante a luta, para evitar a captura. De qualquer forma, o Vas e o seu séquito tinham ordens para capturar os irmãos Kereseth. Ouvi dizer que o Vas os arrastou ao longo da Divisória, aos pontapés e aos berros. Mas o mais novo, Akos, soltou-se, roubou uma arma e virou-se contra um dos soldados do Vas. Matou-o.

— Qual deles? — perguntei. Conhecia bem os homens que tinham acompanhado Vas; havia um que gostava de doces, outro tinha o ombro esquerdo fragilizado e outro ainda que tinha treinado um pássaro de estimação, para comer a ração da sua boca. Era bom saber essas coisas das pessoas. À cautela.

— Kalmev Radix.

O guloso.

Franzi o sobrolho. Kalmev Radix, integrante da elite de confiança do meu irmão, fora morto por um rapaz Thuvhesit? Não era propriamente uma morte honrosa.

— Porque capturaram os irmãos? — perguntei-lhe.

— Os destinos. — Otega franziu o sobrolho. — É o que reza a história. E como os destinos deles são desconhecidos para todos, salvo Ryzek, é mesmo uma história.

Eu não conhecia os destinos dos rapazes Kereseth, nem nenhum outro além do meu, embora tivessem sido transmitidos uns dias antes, no *feed* de notícias da Assembleia. Ryzek tinha desligado as notícias pouco depois de o Líder da Assembleia ter aparecido no ecrã. O anúncio fora feito em Othyrian, a língua de Othyr, e apesar de a proibição de falar e aprender outras línguas, salvo Shotet, ter sido banida há mais de dez estações, era mais seguro assim.

O meu pai tinha-me informado do meu destino após a manifestação do dom-corrente, sem grande cerimónia: *A segunda filha da família Noavek atravessará a Divisória*. Um destino estranho para uma filha predestinada, mas só por ser tão desenxabido.

Nessa altura, já não deambulava tanto pelo passadiço dos criados, aconteciam coisas na casa que eu não queria ver, mas para espreitar os irmãos Kereseth... bom, teria de fazer uma exceção.

Tudo o que sabia do povo Thuvhesit, à parte do facto de serem nossos inimigos, era que possuíam uma pele fina, fácil de perfurar com uma espada, e que tinham um exagero de flores de gelo, a força vital da economia local. Tinha aprendido a língua deles por insistência da minha mãe, já que a elite Shotet estava naturalmente isenta da proibição do meu pai acerca da aprendizagem de línguas, mas fora custoso, estando a minha língua habituada aos sons fortes e ásperos do Shotet, em vez dos sons sussurrados e rápidos do Thuvhesit.

Sabia que Ryzek ordenaria que levassem os Kereseth para o Salão de Armas, portanto, agachei-me nas sombras e deslizei o painel de parede, deixando somente uma fresta para espreitar. Foi então que ouvi passos.

A divisão era como todas as restantes da mansão Noavek, as paredes e o chão de madeira escura, tão polida que mais parecia revestida por uma película de gelo. Do alto teto pendia um sofisticado lustre, composto por quebra-luzes de vidro e metal retorcido. Minúsculos insetos *fenzu* esvoaçavam no seu interior, difundindo uma luz sinistra e itinerante pelo salão. O espaço estava praticamente vazio e todas as confortáveis almofadas de chão, equilibradas sobre umas estruturas baixas, de madeira, de tanto pó tinham passado de cremes a cinzentas. Os meus pais costumavam dar festas aqui, mas o Ryzek só destinava o espaço para as pessoas que pretendia intimidar.

Antes de mais vi o Vas, o mordomo do meu irmão. O lado comprido do seu cabelo estava oleoso e flácido, o lado rapado estava vermelho, da abrasão do barbear. Ao lado dele, arrastava-se um rapaz, muito mais pequeno do que eu, cuja pele era um mosaico de contusões. De ombros estreitos, era baixo e magro. Tinha a pele clara e uma espécie de tensão desconfiada no corpo, como quem está numa atitude defensiva.

Soluços abafados provinham de trás dele, onde um segundo rapaz de cabelo espesso e encaracolado vinha a cambalear. Era mais alto e forte do que o primeiro Kereseth, mas ao estar encolhido aparentava ser mais baixo.

Eram os irmãos Kereseth, as crianças predestinadas da geração deles. Não era uma visão demasiado impressionante.

O meu irmão esperava por eles no fundo do salão, o seu longo corpo cobrindo os degraus que conduziam a uma plataforma elevada. Tinha o peito revestido por uma armadura, mas os braços nus, exibindo uma fila de marcas de assassinatos que lhe subiam por toda a parte traseira do antebraço. Essas mortes tinham sido ordenadas pelo meu pai, para debelar quaisquer rumores acerca da fraqueza do meu irmão, que pudessem ter sido difundidos no seio das classes mais baixas. Empunhava uma pequena espadacorrente na mão direita, que girava constantemente na palma da mão, segurando-a pelo cabo. Nessa luz azulada, a sua pele afigurava-se de uma palidez tal que quase parecia um cadáver.

Sorriu ao avistar os prisioneiros Thuvhesit, arreganhando os dentes. O meu irmão chegava a ser bonito quando sorria, mesmo que isso significasse que estava prestes a matar.

Reclinou-se, oscilando nos cotovelos, a cabeça inclinada.

— Ora bem — começou ele, com uma voz profunda e rouca, como se tivesse passado a noite a gritar a plenos pulmões —, com que então é *este* o rapaz sobre o qual tenho ouvido tantas histórias? — Ryzek acenou com a cabeça para o rapaz Kereseth, ferido. Falava num Thuvhesit claro. — O rapaz Thuvhesit que teve direito a uma marca ainda antes de o termos enfiado na nave? — Riu-se.

Olhei de esguelha para o braço do ferido. Havia um corte fundo na parte exterior do braço, junto ao cotovelo, e um fio de sangue que tinha escorrido entre as articulações e ali secara. Uma marca de morte, inacabada. E muito recente, pertencente a Kalmev Radix, se os boatos não fossem infundados. Então, tratava-se de Akos e o que fungava era Eijeh.

— Akos Kereseth, o terceiro filho da família Kereseth. — Ryzek ergueu-se, rodando a faca na mão, e desceu os degraus. Ele eclipsava até Vas. Era como um homem de estatura normal, esticado até ficar mais alto e mais magro do que deveria ser, com os ombros e as ancas demasiado estreitos para suportarem a própria altura.

Eu também era alta, mas aí acabavam as semelhanças com o

meu irmão. Não era invulgar que os irmãos Shotet fossem desiguais, dada a mestiçagem existente, mas nós éramos mais diferentes do que a maioria.

O rapaz, Akos, levantou o olhar para Ryzek. Eu vira pela primeira vez o nome «Akos» num livro de história Shotet. Pertencera a um líder religioso, um clérigo que se suicidara para não desonrar a corrente, ao empunhar uma espadacorrente. Então, este rapaz Thuvhesit tinha um nome Shotet. Porventura, teriam os pais ignorado as origens dele? Ou pretenderiam simplesmente homenagear o há muito esquecido sangue Shotet?

— Porque estamos aqui? — Akos inquiriu, rouco, em Shotet.

Ryzek limitou-se a sorrir mais e retorquiu na mesma língua.

— Pelo visto os boatos são verdadeiros, sabes falar a língua reveladora. Que fascinante. Pergunto-me se será pelo teu sangue Shotet? — Pressionou o canto do olho de Akos, na ferida, fazendo-o estremecer. — Estou a ver que recebeste um belo castigo pelo assassinato de um dos meus soldados. Imagino que a tua caixa torácica se esteja a ressentir.

Ryzek recuou um pouco ao falar, algo que só alguém que o conhecesse há muito poderia ter notado. Ryzek detestava observar a dor, não por empatia para com a pessoa que sofria, mas porque não gostava que lhe recordassem que a dor existia, que ele era tão vulnerável como qualquer outra pessoa.

— Quase tive de o trazer ao colo até aqui — disse Vas. — E, decididamente, tive de o carregar até à nave.

— Normalmente, não se sobrevive ao gesto de desafio de matar um dos meus soldados — disse Ryzek, dirigindo-se a Akos num tom paternalista, como se fosse uma criança. — Mas se o teu destino é morrer ao serviço da família Noavek, morrer a servir-me *a mim*, prefiro aproveitar-te durante umas quantas estações, percebes?

Percebia a tensão em Akos, desde que depositei os olhos nele. Entretanto, toda essa dureza parecia ter-se derretido, convertendo-o em tão vulnerável como uma criança pequena. Tinhas os dedos encolhidos, mas não os punhos cerrados. Passivamente, como se estivesse a dormir.

Acho que ele não seria conhecedor do próprio destino.

— Isso não é verdade — disse Akos, como se esperasse que Ryzek lhe dissipasse o medo. Pressionei uma dor aguda no estômago, com a palma da mão.

— Oh! Garanto-te que é. Queres que leia a transcrição do anúncio? — Ryzek tirou um papel do bolso de trás (aparentemente, tinha vindo preparado para a devastação emocional) e desdobrou-o. Akos estava a tremer.

— O terceiro filho da família Kereseth — leu Ryzek, em Othyrian, a língua mais comummente falada na galáxia. De alguma forma, ao ouvir o destino na língua em que tinha sido anunciado, tornou-o mais real para mim. Perguntava-me se Akos, que estremecia a cada sílaba, estava a sentir o mesmo. «Morrerá ao serviço da família Noavek».

Ryzek deixou cair o papel no chão. Akos pegou nele tão rudemente que quase se rasgou. Permaneceu agachado enquanto lia as palavras, uma e outra vez, como se lê-las repetidamente mudasse alguma coisa. Como se a morte e o serviço à nossa família não estivessem fadados.

— Não acontecerá — disse Akos, com mais convicção, desta vez, levantando-se. — Preferia... preferia *morrer* a...

— Oh, acho que não é verdade — disse Ryzek, baixando a voz quase até ao murmúrio e inclinado até perto da cara de Akos, cujos dedos furavam o papel, muito embora ele permanecesse imóvel. — Sei bem o aspeto que têm as pessoas que querem morrer; conduzi muitas delas até esse ponto. E tu ainda estás bastante desesperado para sobreviver.

Akos respirou fundo e os olhos encontraram os do meu irmão com uma perseverança renovada.

— O meu irmão não tem nada a ver contigo, não lhe reivindicas nada. Liberta-o e eu... eu não serei um problema para ti.

— Pareces ter chegado a inúmeras conclusões erradas acerca

do que tu e o teu irmão estão a fazer aqui — disse Ryzek. — Nós não atravessámos a Divisória só para acelerar o teu destino. O teu irmão não constitui um dano colateral, mas *tu* sim. Fomos buscá-lo a ele.

— Tu não atravessaste a Divisória — refutou Akos. — Estavas aqui sentado, enquanto os teus lacaios faziam todo o trabalhinho por ti.

Ryzek virou-se e amarinhou para o topo da plataforma. A parede acima de si estava revestida com armas de todos os tamanhos e feitios, sobretudo espadascorrentes, tão longas quanto o meu braço. Escolheu uma faca comprida e grossa, com um cabo robusto, qual cutelo de carne.

— O teu irmão tem um destino especial — disse Ryzek, olhando por cima da faca. — Deduzo que, não sabendo tu o teu próprio destino, também não saibas o dele?

Ryzek esboçou um sorriso aberto, como fazia sempre que era conhecedor de algo que os outros desconheciam.

— Ver o futuro da galáxia — citou Ryzek, desta feita em Shotet. — Por outras palavras, ser o próximo oráculo deste planeta.

Akos ficou em silêncio.

Encostei-me à fenda da parede, fechando os olhos contra a linha de luz para poder pensar.

Para o meu pai e o meu irmão, todas as peregrinações, desde que Ryzek era pequeno, se tinham centrado na procura de um oráculo. E cada procura fora em vão. Naturalmente, por ser quase impossível capturar alguém que previa a chegada deles. Ou alguém disposto a esfaquear-se para evitar ser capturado, como a oráculo mais velha fizera, na mesma invasão que redundara na detenção dos Kereseth.

Finalmente, Ryzek parecia ter dado com a solução: Fora atrás de dois oráculos, em simultâneo. Uma evitara a captura pela morte. E o outro, Eijeh Kereseth, não sabia o que era. Ainda estava suficientemente fraco e flexível para poder ser formatado conforme a crueldade dos Noavek.

Tornei a chegar-me à frente para ouvir Eijeh a falar, com o cabelo encaracolado caído para a frente.

— Akos, o que é que ele está a dizer? — perguntou Eijeh, num Thuvhesit escorregadio, limpando o nariz com as costas da mão.

— Está a dizer que não foi a Thuvhe por minha causa — disse Akos, sem olhar para trás. Era estranho ver alguém a falar duas línguas com tanta perfeição, sem sotaque. Invejei-lhe semelhante aptidão. — Foram atrás de ti.

— De mim? — Os olhos de Eijeh eram de um verde-pálido. Uma cor invulgar, semelhante às asas iridescentes dos insetos ou ao fluxocorrente, depois do período da Morte. Com a sua pele castanho-clara, como a terra leitosa do planeta Zold, quase cintilavam. — Porquê?

— Porque és o próximo oráculo deste planeta — Ryzek esclareceu Eijeh na língua materna do rapaz, descendo da plataforma, de faca na mão. — Vais ver o futuro nas suas muitas, muitas facetas. E há uma faceta em particular que me interessa, especialmente.

Uma sombra percorreu as costas da minha mão como um inseto, o meu dom-corrente fazia com que as articulações me doessem com tal intensidade que mais parecia que se estavam a fraturar. Abafei um gemido. Eu sabia que futuro queria Ryzek: Governar Thuvhe, além de Shotet, conquistar os inimigos, ser reconhecido como líder legítimo pela Assembleia. Mas o destino pairava tão pesadamente sobre ele como Akos pairava agora, dizendo-lhe que Ryzek se renderia aos inimigos, em vez de reinar sobre eles. Carecia de um oráculo, se pretendia evitar semelhante fracasso. E agora já tinha um.

Eu queria que Shotet fosse reconhecido como uma nação, em vez de como uma série de ameaças de rebelião, tanto quanto o meu irmão queria. Então, porque é que a dor do meu dom, sempre presente, me assolava em crescendo, a cada segundo?

— Eu... — Eijeh estava atento à faca na mão de Ryzek. — Não sou um oráculo, nunca tive uma visão, não sou capaz... não consigo...

Pressionei novamente o estômago.

Ryzek baloiçava a faca na palma da mão, dando-lhe toques para a virar, oscilante, movendo-se num círculo lento. «*Não, não, não*», dei por mim a pensar, sem saber porquê.

Akos interpôs-se entre Ryzek e Eijeh, como se pudesse parar o meu irmão só com o corpo.

Ryzek observava os movimentos da faca, enquanto se aproximava de Eijeh.

— Então, tens de aprender rapidamente a ver o futuro — afirmou Ryzek. — Porque quero que me encontres a versão do futuro que eu preciso, que me digas o que é que tenho de fazer para o obter. Porque não começamos com uma versão do futuro em que Shotet, e não Thuvhe, controla este planeta?

Acenou a Vas, que forçou Eijeh a ajoelhar-se. Ryzek pegou na faca pelo cabo e tocou na cabeça de Eijeh com a extremidade, mesmo abaixo da orelha. Eijeh lamuriou-se.

— Não consigo... — afirmou Eijeh. — Não sei como se convocam as visões, não sei...

De súbito, Akos avançou para o meu irmão; não era suficientemente grande para derrubar Ryzek, mas apanhou-o desprevenido e Ryzek tropeçou. Akos puxou o cotovelo atrás, para o esmurrar. «Que estupidez», pensei eu, com os meus botões. Mas Ryzek era muito rápido. Pontapeou-o do chão, atingindo Akos no estômago, e ergueu-se, agarrando-o pelo cabelo, puxando-lhe a cabeça dolorosamente para trás e rasgando-lhe o maxilar, da orelha até ao queixo. Akos gritou.

Era um dos lugares preferidos de Ryzek, para esfaquear as pessoas. Quando decidia obsequiar alguém com uma cicatriz, queria que fosse visível. Inevitável.

— Por favor — suplicou Eijeh. — Por favor, não sei fazer o que me pedes, por favor não o magoes, não me magoes, por favor...

Ryzek olhou fixamente para Akos, que estava agarrado à cara, o pescoço repleto de sangue.

— Não conheço essa expressão Thuvhesit, «por favor» — disse Ryzek.

Mais tarde, nessa mesma noite, ouvi um grito que ecoou pelas paredes silenciosas da mansão Noavek. Sabia que não pertencia a Akos, que tinha sido enviado para o nosso primo Vakrez para «curtir a pele», como Ryzek dizia. Reconheci no grito a voz de Eijeh, elevada pela dor, enquanto o meu irmão tentava descortinar o futuro, tirando-lho da cabeça.

A posteriori, sonhei repetidamente com isso.

CAPÍTULO 8 | CYRA

ACORDEI COM UM GEMIDO. Alguém estava a bater à porta.

O meu quarto parecia um quarto de hóspedes, sem toques pessoais, todas as roupas e objetos queridos escondidos em gavetas ou atrás das portas de armários. Esta casa cheia de correntes de ar, com os seus soalhos de madeira polidos e grandes candelabros, continha demasiadas más recordações. Ontem à noite, uma dessas recordações (a do sangue de Akos Kereseth a escorrer-lhe pelo pescoço, duas estações atrás) tinha entrado nos meus sonhos.

Não queria criar raízes neste sítio.

Sentei-me e arrastei a zona protuberante da palma das mãos sobre o rosto, para limpar as lágrimas. Chamar-lhe chorar teria sido inadequado; era mais um derramar involuntário, provocado por surtos particularmente fortes de dor, frequentemente enquanto dormia. Passei os dedos pelo cabelo e cambaleei até à porta, cumprimentando Vas com um grunhido.

— O que foi? — disse eu, enquanto caminhava. Às vezes, ajudava caminhar pelo quarto, apaziguava-me, era como ser embalada.

— Estou a ver que te vim encontrar de bom humor — disse Vas. — Estavas a dormir? Tens noção de que estamos a meio da tarde?

— Não espero que compreendas — disse eu. Afinal, Vas não sentia dor. Isso significava que era a única pessoa que eu encontrara, desde que tinha desenvolvido o meu dom-corrente, que me podia tocar diretamente com as mãos. E ele gostava de garantir que eu me lembrava disso. *Quando fores mais velha*, dizia ele às vezes, quando Ryzec não estava a ouvir, *poderás ver valor no meu toque, pequena Cyra*. E eu dizia-lhe sempre que preferia morrer sozinha. Era verdade.

Que ele não conseguisse sentir dor também significava que não conhecia o espaço cinzento mesmo debaixo da consciência, que a tornava mais suportável.

— Ah — disse Vas. — Bom, a tua presença foi requisitada na sala de jantar, esta noite, para uma refeição com os apoiantes mais próximos do Ryzek. Veste-te de forma elegante.

— Não estou mesmo com vontade nenhuma de encontros sociais, neste momento — disse eu, de dentes cerrados. — Transmite-lhes as minhas desculpas.

— Eu disse «requisitada», mas talvez devesse ter escolhido mais cuidadosamente as minhas palavras — disse Vas. — «Exigida» foi a palavra que o teu irmão usou.

Fechei os olhos, abrandando o ritmo dos passos por um instante. Sempre que Ryzek exigia a minha comparência, era para intimidar, mesmo quando estava a jantar com os seus próprios amigos. Havia um ditado Shotet: *Um bom soldado não janta desarmado nem sequer com amigos*. E eu armava-o.

— Vim preparado. — Vas estendeu uma pequena garrafa castanha, fechada com cera. Não tinha etiqueta mas, de qualquer forma, eu sabia o que era: O único analgésico suficientemente forte para me tornar apta a ser uma companhia educada. Ou, pelo menos, suficientemente apta.

— Como é que é suposto jantar, estando sob o efeito dessa coisa? Vou vomitar em cima dos convidados. — Isso poderia melhorar alguns deles.

— Não comas — retorquiu Vas, encolhendo os ombros. — Mas não consegues realmente funcionar sem isto, pois não?

Arranquei a garrafa da mão dele e, com o tornozelo, fechei a porta de um empurrão.

Passei boa parte da tarde agachada na casa de banho, debaixo de um jato de água quente, a aliviar a tensão dos músculos. Não ajudou.

Por isso, destapei a garrafa e bebi.

Como vingança, vesti um dos vestidos da minha mãe para o jantar dessa noite. Era azul-claro e caía-me a direito até aos pés, o corpete bordado com um pequeno padrão geométrico, que me recordava penas dispostas em camadas, umas sobre as outras. Sabia que magoaria o meu irmão ver-me com ele, ver-me com qualquer coisa que ela algum dia tivesse vestido, mas não poderia dizer-me nada sobre isso. Afinal de contas, estava vestida de forma elegante. Como ele tinha ordenado.

Tinha demorado dez minutos a apertá-lo, porque as pontas dos meus dedos estavam dormentes com o analgésico. E, enquanto caminhava pelos corredores, conservava uma mão na parede, para me conseguir manter direita. Tudo se virava, balançava e rodopiava. Transportava os sapatos na minha outra mão, pois iria calçá-los mesmo antes de entrar na sala, para não escorregar no soalho de madeira polido.

As sombras espalhavam-se pelos meus braços nus, do ombro até ao pulso, depois envolviam os dedos, reunindo-se debaixo das unhas. A dor queimava-me onde quer que elas fossem, enfraquecida por medicamentos, mas não eliminada. Abanei a cabeça para o guarda que estava junto das portas da sala de jantar, para impedir que ele as abrisse, e calcei os sapatos.

— Ok, podes abrir — disse eu e ele puxou as maçanetas, afastando-as.

A sala de jantar era majestosa, mas quente, iluminada por candeias que brilhavam na mesa comprida e pelo fogo junto à parede do fundo. Ryzek estava de pé, banhado pela luz, com uma bebida na mão, e Yma Zetsyvis à sua direita. Yma era casada com um amigo íntimo da minha mãe, Uzul Zetsyvis. Embora ela fosse relativamente jovem (mais jovem do que Uzul, pelo menos) o seu cabelo era de um branco brilhante, os seus olhos de um azul surpreendente. Estava sempre a sorrir.

Sabia os nomes de toda a gente que estava reunida à volta deles: Vas, claro, à esquerda do meu irmão. O seu primo, Suzao Kuzar, rindo avidamente de algo que Ryzek dissera momentos antes; o nosso primo Vakrez, que treinava os soldados, e o seu marido, Malan, que engolia o resto da bebida de um trago; Uzul e a filha já crescida deste e de Yma, Lety, com a sua trança clara e comprida; e, finalmente, Zeg Radix, que eu vira pela última vez no funeral do seu irmão Kalmev. O funeral do homem que Akos Kereseth assassinara.

— Ah, cá está ela — disse Ryzek, gesticulando na minha direção. — Penso que todos se lembram da minha irmã, Cyra.

— A usar as roupas da mãe — assinalou Yma. — Que linda.

— O meu irmão disse-me que me vestisse de forma elegante — disse eu, esforçando-me por articular, embora os meus lábios estivessem dormentes. — E ninguém dominava a arte de vestir bem como a nossa mãe.

Os olhos de Ryzek brilharam com malícia. Ergueu o copo.

— À Ylira Noavek — disse ele. — A corrente transportá-la-á num caminho de glória.

Toda a gente ergueu o copo e bebeu. Eu recusei a bebida que me foi oferecida pelo criado silencioso, pois a minha garganta estava demasiado apertada para conseguir engolir. O brinde de Ryzek era uma repetição do que o padre dissera no funeral da minha mãe. Ryzek queria lembrar-me disso.

— Anda cá, pequena Cyra, e deixa-me olhar para ti — disse Yma Zetsyvis. — Suponho que já não és assim tão pequena. Que idade tens?

— Fiz dez peregrinações — disse eu, utilizando a referência temporal tradicional, destacando aquilo a que tinha sobrevivido em vez de há quanto tempo existia. Depois, clarifiquei: — Mas comecei cedo, vou fazer dezasseis estações daqui a alguns dias.

— Oh, ser jovem e pensar em termos de dias! — riu Yma. — Então, ainda uma criança, mesmo sendo tão alta.

Yma tinha um dom para insultos elegantes. Chamar-me criança era um dos seus mais suaves, tinha a certeza. Aproximei-me da luz do fogo com um pequeno sorriso.

— Lety, conheces a Cyra, não conheces? — disse Yma à sua filha. Lety Zetsyvis era mais baixa do que eu uma cabeça, embora fosse várias estações mais velha, e um amuleto pendia da cavidade do seu pescoço, um *fenzu* preso em vidro. Ainda brilhava, embora morto.

— Não, não conheço — disse Lety. — Eu apertava-te a mão, Cyra, mas...

Encolheu os ombros. As minhas sombras, como que respondendo à sua chamada, atravessavam como setas o meu peito e a minha garganta. Abafei um gemido.

— Esperemos que nunca sejas merecedora desse privilégio — disse eu, friamente. Os olhos de Lety arregalaram-se e toda a gente se calou. Demasiado tarde, apercebi-me que estava apenas a fazer o que Ryzek queria; queria que eles me temessem, embora eles o seguissem devotamente, e eu estava a fazer isso acontecer.

— A tua irmã tem dentes afiados — disse Yma a Ryzek. — Isso é mau para aqueles que se opuserem a ti.

— Mas não é melhor para os meus amigos, ao que parece — disse Ryzek. — Ainda não lhe ensinei quando não morder.

Olhei para ele com ar carrancudo. Mas antes de poder voltar a morder, por assim dizer, a conversa continuou.

— Que tal é o nosso lote mais recente de recrutas? — perguntou Vas, ao meu primo Vakrez. Ele era alto, bonito, mas suficientemente velho para ter rugas nos cantos dos olhos, mesmo quando não estava a sorrir. Uma cicatriz profunda, em forma de meio círculo, estava gravada no centro da sua face.

— Razoável — disse Vakrez. — Melhor, agora que já ultrapassaram a primeira fase.

— Foi por isso que voltaste para uma visita? — perguntou Yma. O exército treinava mais perto da Divisória, no exterior de Voa, pelo que tinham sido necessárias algumas horas de viagem para Vakrez estar aqui.

— Não. Tive de entregar o Kereseth — disse Vakrez, fazendo um gesto afirmativo com a cabeça, para Ryzek. — O Kereseth mais novo, isto é.

— A pele dele está mais curtida do que quando te chegou? — perguntou Suzao. Era um homem baixo, mas era duro como uma armadura de pele, riscado com cicatrizes. — Quando o levámos, era tocar-lhe e *pum*! Mais uma contusão.

Os outros riram-se. Eu recordei a aparência de Akos Kereseth quando tinha sido arrastado pela primeira vez para dentro desta casa, o irmão a soluçar aos seus pés, ainda com sangue seco na mão, da sua primeira marca de assassinatos. A mim não me tinha parecido fraco.

— Não tem a pele assim tão fina — disse Zeg Radix, asperamente. — A não ser que estejas a sugerir que o meu irmão Kalmev morreu tão facilmente?

Suzao afastou o olhar.

— Tenho a certeza — disse Ryzek, suavemente — que ninguém pretende insultar o Kalmev, Zeg. O meu pai foi morto por alguém que também não era digno dele. — Deu um gole na sua bebida. — Agora, antes de comermos, providenciei um pouco de entretenimento para nós.

Fiquei tensa enquanto as portas se abriam, certa de que, fosse o que fosse aquilo a que Ryzek chamava «diversão», era muito pior do que soava. Mas era apenas uma mulher, vestida da garganta até ao tornozelo com um tecido escuro e justo, que mostrava cada músculo, cada articulação ossuda. Os seus olhos e lábios estavam contornados por algum tipo de giz pálido, extravagante.

— As minhas irmãs e eu, do planeta Ogra, oferecemos aos Shotet as nossas saudações — disse a mulher, com voz rouca. — E apresentamos-lhes uma dança.

Com a sua última palavra, juntou as mãos numa palmada brusca. Subitamente, o fogo na lareira e o brilho instável dos *fenzu* desapareceram, deixando-nos no escuro. Ogra, um planeta rodeado de sombra, era, na nossa galáxia, um mistério para a maioria. Os Ograns não permitiam muitos visitantes e nem mesmo a tecnologia de vigilância mais sofisticada conseguia penetrar na sua atmosfera. O máximo que toda a gente sabia sobre eles era pela observação de espetáculos como estes. Por uma vez, estava agradecida por quão livremente Ryzek se entregava às ofertas de outros planetas, enquanto proibia o resto de Shotet de fazer o mesmo. Sem essa hipocrisia, nunca conseguiria ter visto isto.

Ansiosa, inclinei-me para a frente em bicos de pés e esperei. Elos de luz enrolados à volta das mãos unidas da bailarina Ogran, entrelaçando-se entre os seus dedos. Quando afastou as palmas das mãos, as línguas de fogo cor de laranja da lareira ficaram na palma de uma mão e as esferas azuladas do brilho dos *fenzu* ficaram a pairar na outra. A luz ténue fazia com que o giz à volta dos seus olhos e boca se destacasse, e quando sorria os dentes eram presas na escuridão.

Duas outras bailarinas preenchiam o espaço atrás dela. Ficaram longamente imóveis e o movimento veio devagar, quando veio. A bailarina mais à esquerda batia levemente no peito, mas não era o som de pele com pele que provinha do movimento, era o som de um tambor completamente cheio. A bailarina ao lado movia-se ao som daquele ritmo desordenado, o estômago contraído e as costas arredondadas quando os ombros se curvavam. O seu corpo encontrou uma forma curva e, então, a luz estremeceu-lhe o esqueleto, fazendo a espinha brilhar, cada vértebra visível durante alguns segundos oscilantes.

Suspirei, juntamente com muitos dos demais.

A manejadora de luz torceu as mãos, dobrando a luz do fogo em redor da luz dos *fenzu*, como se tecesse com elas uma tapeçaria. O brilho das luzes revelava movimentos complexos, quase mecânicos, nos seus dedos e pulsos. À medida que o ritmo da baterista de peito mudava, a manejadora de luz juntava-se à terceira, àquela cujos ossos brilhavam, numa dança cambaleante, aos tropeções. Contraí-me a observá-las, sem estar certa se deveria estar perturbada ou maravilhada. De vez em quando, sentia que elas iam perder o equilíbrio e cair no chão, mas apanhavam-se sempre umas às outras, balançando e inclinando, levantando e torcendo, brilhando com luz multicolor.

Estava sem fôlego quando o espetáculo acabou. Ryzek conduziu-nos no nosso aplauso, ao qual eu me juntei relutantemente, porque me parecia que não fazia justiça ao que acabara de ver. A manejadora de luz enviou as chamas de volta ao nosso fogo e o brilho de volta às nossas luzes *fenzu*. As três mulheres uniram as mãos e fizeram uma vénia para nós, sorrindo com os lábios fechados.

Queria falar com elas, embora não soubesse o que poderia dizer, mas elas já estavam a sair em fila. Quando a terceira bailarina se encaminhava para a porta, no entanto, beliscou-me o tecido da saia entre o polegar e o indicador. As suas «irmãs» pararam com ela. A força de tantos olhos cravados em mim ao mesmo tempo era avassaladora, as suas íris eram negras como o breu e ocupavam mais espaço do que o habitual, tinha a certeza. Queria encolher-me perante elas.

— Ela própria é uma pequena Ogra — disse a terceira bailarina, os ossos dos dedos cintilantes de luz, tal como as sombras enroladas aos meus braços como pulseiras. — Toda vestida de escuridão.

— É um dom — disse a manejadora de luz.

— É um dom — repetiu a baterista de peito.

Eu não concordava.

O fogo na sala de jantar eram só brasas. O meu prato estava cheio de comida debicada, pedaços de pássaro-morto assado, picles de frutassal e algum tipo de poção de folhas, coberta de especiarias em pó. E a minha cabeça latejava. Mordisquei o canto de uma fatia de pão e ouvi Uzul Zetsyvis a gabar-se dos seus investimentos.

A família Zetsyvis era responsável pela criação e apanha dos *fenzu* nas florestas a norte de Voa há quase cem estações. Em Shotet, usávamos com mais frequência os insetos bioluminescentes para termos luz do que os aparelhos canalizadores de corrente, ao contrário do que acontecia no resto da galáxia. Era um vestígio da nossa história religiosa, agora em declínio; só os verdadeiramente religiosos não usavam a corrente de forma casual.

Talvez por causa da indústria da família Zetsyvis, Uzul, Yma e Lety eram altamente religiosos, recusando-se a tomar flor do silêncio mesmo como medicamento, o que significava abster-se da maioria dos medicamentos. Diziam que qualquer substância que alterasse o «estado natural» de uma pessoa, mesmo a anestesia, desafiava a corrente. Também não queriam viajar em motores movidos a corrente, exceto na nave das peregrinações, claro, que eles definiam como um ritual religioso. Os seus copos estavam todos cheios de água, em vez de esparto fermentado.

— Claro, foi uma estação difícil — disse Uzul. — Neste ponto da rotação do nosso planeta, o ar não fica suficientemente quente para estimular devidamente o crescimento dos *fenzu*, por isso, temos de introduzir sistemas de aquecimento itinerantes...

Entretanto, à minha direita, Suzao e Vakrez estavam a ter algum tipo de discussão tensa sobre armamento.

— O que eu estou a dizer é que, independentemente daquilo em que os nossos antepassados acreditavam, as espadascorrentes não são suficientes para todas as formas de combate. Combate de longo alcance ou no espaço, por exemplo.

— Qualquer idiota consegue disparar uma explosão-corrente — rebentou Suzao. — Queres que baixemos as nossas espadascorrentes e nos tornemos suaves e moles de estação para estação, como a Assembleia das nações-planetas?

— Não são assim tão moles — disse Vakrez. — O Malan traduz Othyrian para o *feed* de notícias de Shotet; ele mostrou-me os relatórios. — A maioria das pessoas nesta sala, pertencendo à elite de Shotet, falava mais de uma língua. Fora desta sala, isso era proibido. — As coisas estão a ficar tensas entre os oráculos e a Assembleia, e há murmúrios de que os planetas estão a escolher lados. Nalguns casos, a preparar-se para um conflito maior do que alguma vez vimos. E quem sabe que tipo de tecnologia de armamento terão eles, quando esse conflito acontecer. Queres mesmo que fiquemos para trás?

— Murmúrios — troçou Suzao. — Dás demasiado valor a mexericos, Vakrez, sempre deste.

— Há um motivo pelo qual o Ryzek quer uma aliança com os Pithar e não é porque gosta da vista para o oceano — disse Vakrez. — Eles têm algo que podemos *usar*.

— Estamos a sair-nos muito bem apenas com a valentia dos Shotet, é aí que quero chegar.

— Vai e diz isso ao Ryzek. Tenho a certeza de que te vai dar ouvidos.

À minha frente, os olhos de Lety estavam focados nas teias de cor escura que me manchavam a pele, despontando em novos lugares sempre que passavam alguns segundos, na dobra do meu cotovelo, no alto da minha clavícula, no canto do meu maxilar.

— O que é que elas te fazem sentir? — perguntou ela, quando o meu olhar se cruzou com o seu.

— Sei lá, como é que qualquer dom nos faz sentir? — disse eu, irritada.

— Bem, eu só me lembro de coisas. De tudo. Vividamente — disse ela. — Por isso, o meu dom faz-me sentir o mesmo que a qualquer pessoa. Como se tocassem campainhas nos meus ouvidos, como energia.

— Energia. — Ou agonia. — Isso parece-me certo.

Engoli um pouco do esparto fermentado do meu copo.

A cara dela era um pontinho preto fixo, com tudo a girar à sua volta; lutei para me focar nela, vertendo alguma da bebida no meu queixo.

— Acho-te fasci... — fiz uma pausa. *Fascinação* era uma palavra difícil de dizer, com tanto analgésico a correr pelas minhas veias. — A tua *curiosidade* sobre o meu dom é um pouco estranha.

— As pessoas têm tanto medo de ti — disse Lety. — Eu quero simplesmente saber se também devia ter.

Estava prestes a responder quando Ryzek se levantou no fundo da mesa, os dedos compridos a rodear o prato vazio. Ter-se erguido era um sinal para toda a gente sair e começaram a sair a conta-gotas, primeiro Suzao, depois Zeg, por fim Vakrez e Malan.

Mas quando Uzul começou a deslocar-se na direção da porta, Ryzec parou-o com uma mão.

— Queria falar contigo e com a tua família, Uzul — disse Ryzec.

Pus-me em pé com dificuldade, usando a mesa para me equilibrar. Atrás de mim, Vas colocou uma barra nas maçanetas das portas, trancando-nos lá dentro. Trancando-*me* lá dentro.

— Oh, Uzul — disse Ryzek, com um sorriso ténue. — Receio que esta noite vá ser muito difícil para ti. Sabes, a tua mulher contou-me uma coisa interessante.

Uzul olhou para Yma. O seu sorriso sempre presente tinha finalmente desaparecido e agora ela parecia, em igual medida, acusatória e temerosa. Tinha a certeza de que não tinha medo de Uzul. Até a aparência dele era inofensiva; de estômago redondo, sinal da sua riqueza, e pés que se viravam um bocadinho para fora quando andava, dando um ligeiro coxear ao seu andar.

— Yma? — Uzul questionou, de forma débil, a mulher.

— Não tive outra hipótese — disse Yma. — Estava à procura de uma morada da rede e vi o teu histórico de contactos. Vi lá coordenadas e lembrei-me de teres falado sobre a colónia dos exilados...

A colónia dos exilados. Quando era criança, era apenas uma piada que as pessoas contavam, que muitos dos Shotet que se tinham deparado com o desagrado do meu pai tinham montado casa noutro planeta, onde não podiam ser descobertos. À medida que fui crescendo, a piada tornou-se num rumor, num rumor sério.

Mesmo agora, a sua menção fez com que Ryzek movesse o maxilar como se estivesse a tentar arrancar uma dentada de carne velha. Ele considerava os exilados, enquanto inimigos do meu pai e até mesmo da minha avó, uma das maiores ameaças existentes à sua soberania. Cada Shotet tinha de estar sob o seu controlo ou nunca se sentiria seguro. Se Uzul os tinha contactado, isso era traição.

Ryzek puxou uma cadeira da mesa e gesticulou na sua direção.

— Senta-te.

Uzul fez o que lhe disseram.

— Cyra — disse-me Ryzek. — Anda cá.

Primeiro, fiquei de pé no meu lugar à mesa, agarrando no copo de esparto fermentado. Contraí o queixo, enquanto o meu corpo se enchia de sombras, como sangue negro de veias quebradas.

— Cyra — disse Ryzek, calmamente.

Ele não precisava de me ameaçar. Eu pousaria o copo e caminharia na sua direção, e faria tudo o que ele me dissesse. Eu faria sempre isso, enquanto ambos vivêssemos, ou Ryzek diria a toda a gente o que eu tinha feito à nossa mãe. Aquele conhecimento era uma pedra no meu estômago.

Pousei o copo. Caminhei na sua direção e quando Ryzek me disse para pôr as mãos em Uzul Zetsyvis, até que ele desse toda a informação que Ryzek precisava de saber, eu fi-lo.

Senti a ligação que se formava entre mim e Uzul, e a tentação de forçar toda a sombra para dentro dele, manchá-lo de negro como o espaço e acabar com a minha própria agonia. Podia matá-lo, se quisesse, apenas com um toque. Já o fizera antes. Queria fazê-lo novamente, fugir disto, da força horrível que me carcomia os nervos como ácido.

Yma e Lety estavam agarradas, a chorar; Yma puxava Lety para trás, quando ela tentava lançar-se contra mim. Os nossos olhos encontraram-se enquanto eu empurrava a dor e a escuridão de tinta para o corpo do seu pai, e apenas vi ódio nela.

Uzul gritou. Gritou durante tanto tempo que deixei de ouvir o som.

— Para! — gemeu ele, eventualmente, e quando Ryzek assentiu com a cabeça tirei as mãos da sua cabeça. Cambaleei para trás, a ver manchas, com as mãos de Vas pressionadas contra os meus ombros, para me equilibrar.

— Tentei encontrar os exilados — disse Uzul. A sua cara estava escorregadia de suor. — Queria fugir de Shotet, ter uma vida livre desta... tirania. Ouvi dizer que estavam em Zold, mas o contacto que encontrei lá fracassou. Não tinham nada. Portanto desisti, eu desisti.

Lety estava a soluçar, mas Yma Zetsyvis estava quieta, com o braço à volta do peito da filha.

— Acredito em ti — disse Ryzek, suavemente. — A tua honestidade percebe-se. A Cyra irá agora administrar o teu castigo.

Queria que as sombras do meu corpo escorressem como água de um pano torcido. Queria que a corrente me deixasse e nunca mais regressasse; blasfémia. Mas havia um limite para a minha vontade. Perante o olhar de Ryzek, as sombrascorrentes espalharam-se, como se ele as controlasse mais do que eu. E talvez controlasse.

Não esperei pelas suas ameaças. Fiz a minha pele tocar na de Uzul Zetsyvis, até os seus gritos preencherem todos os espaços vazios do meu corpo, até Ryzek me dizer que parasse.

CAPÍTULO 9 | CYRA

VI ONDE estava apenas indistintamente, o degrau macio debaixo do meu pé, agora descalço, pois devo ter perdido um sapato na sala de jantar, e a luz oscilante dos *fenzu* refletida nas tábuas do soalho, e as teias escuras percorrendo os meus braços para cima e para baixo. Os meus dedos pareciam tortos, como se os tivesse partido, mas era só o ângulo em que estavam todos dobrados, escavando o ar como por vezes escavavam as palmas das minhas próprias mãos.

Ouvi um grito abafado que vinha algures das profundezas da mansão Noavek e o meu primeiro pensamento foi para Eijeh Kereseth, embora não ouvisse a sua voz há muito tempo.

Tinha visto Eijeh apenas uma vez, desde a sua chegada. Fora de passagem, num corredor perto do escritório de Ryzek. Era magro, de olhar mortiço. Enquanto um soldado o levava à força à minha frente, eu olhara fixamente para os buracos sobre a sua clavícula, fossas profundas, agora esvaziadas de carne. Ou Eijeh Kereseth tinha uma vontade de ferro ou realmente não sabia como exercer o seu dom-corrente, tal como alegava. Se tivesse de apostar numa ou noutra, seria na última.

— Manda-o buscar — rosnou Ryzek a Vas. — Afinal de contas, é para isto que ele serve.

A parte de cima do meu pé deslizou pela madeira escura. Vas, o único que podia tocar-me, estava praticamente a carregar-me de volta para o quarto.

— Mandar buscar quem? — murmurei, mas não ouvi a resposta. Uma onda de agonia envolveu-me e eu deixei-me cair no aperto de Vas, como se isso me ajudasse a escapar.

Não funcionou. Obviamente.

Ele soltou os dedos dos meus braços, deixando-me escorregar para o chão. Apoiei-me nas mãos e nos joelhos, no meu quarto. Um pingo de suor ou lágrimas, era difícil dizer, caiu-me do nariz.

— Quem... — disse asperamente. — Quem estava a gritar?

— Uzul Zetsyvis. O teu dom tem um efeito prolongado, evidentemente — respondeu Vas.

Encostei a minha testa ao chão frio.

Uzul Zetsyvis colecionava carapaças de *fenzu*. Tinha-me mostrado, uma vez, as mais coloridas, presas num quadro no seu escritório, etiquetadas segundo o ano em que tinham sido apanhadas. Eram iridescentes, multicolores, como se contivessem fios do próprio fluxocorrente. Ele tinha-as tocado como se fossem as coisas mais requintadas da sua casa, que estava a rebentar pelas costuras de riqueza. Um homem gentil e eu... eu tinha-o feito gritar.

Algum tempo depois, não sei quanto, a porta abriu-se novamente e eu vi os sapatos de Ryzek, pretos e limpos. Tentei sentar-me, mas os meus braços e pernas tremeram, pelo que tive de me contentar com virar só a cabeça para olhar para ele. Hesitando no corredor atrás dele estava alguém que eu reconheci de forma distante, como se o reconhecesse de um sonho.

Era *alto,* quase tão alto como o meu irmão. E estava de pé como se fosse um soldado, com as costas direitas, como se se conhecesse a ele próprio. Contudo, apesar daquela postura de soldado, era magro, esquelético, na verdade, com pequenas sombras que encharcavam a parte inferior das maçãs do seu rosto e a sua cara estava, uma vez mais, sarapintada com velhos cortes e contusões. Havia uma cicatriz fina que lhe percorria o maxilar, da orelha até ao queixo, e uma ligadura branca enrolada à volta do braço direito. Uma marca recente, se tivesse de adivinhar, ainda a cicatrizar.

Ele ergueu os olhos cinzentos na direção dos meus. Foi a cautela deles, a cautela *dele*, que me fez recordar quem ele era. Akos Kereseth, o terceiro filho da família Kereseth, agora quase um homem adulto.

Toda a dor que se tinha estado a desenvolver em mim voltou rapidamente de uma só vez e eu agarrei na cabeça com as duas mãos, reprimindo o choro. Mal conseguia ver o meu irmão através da névoa das lágrimas, mas tentei focar-me no seu rosto, que era pálido como o de um cadáver.

Havia rumores sobre mim por todo Shotet e Thuvhe, encorajados por Ryzek, e talvez esses rumores tivessem viajado por toda a galáxia, uma vez que todas as bocas adoravam tagarelar sobre as linhagens predestinadas. Falavam da agonia que as minhas mãos podiam provocar, de um braço repleto de marcas de assassinatos, do pulso até ao ombro e novamente até ao pulso, e da minha mente confusa, até ao ponto da insanidade. Eu era temida e odiada ao mesmo tempo. Mas esta versão de mim, esta rapariga que caía e choramingava, não era a pessoa do rumor.

A minha cara ardia, de outra coisa que não a dor: humilhação. Ninguém me devia ver assim. Como podia Ryzek trazê-lo aqui, quando sabia como eu me sentia sempre depois de... bom, depois?

Tentei engolir a minha raiva, para que Ryzek não a ouvisse na minha voz.

— Porque o trouxeste aqui?

— Não vamos atrasar isto — disse Ryzek, gesticulando na direção de Akos, para que avançasse. Ambos se aproximaram de mim, o braço direito de Akos encostado ao seu corpo, como se tentasse permanecer o mais longe possível do meu irmão, sem lhe desobedecer.

— Cyra, este é o Akos Kereseth. O terceiro filho da família Kereseth. Nosso — Ryzek fez um sorriso falso — criado *fiel*.

Estava a referir-se, claro, ao destino de Akos, de morrer pela nossa família. Morrer *ao serviço*, conforme proclamara o *feed* da Assembleia há duas estações. A boca de Akos contorceu-se com a lembrança.

— O Akos tem um dom-corrente peculiar, que penso que te vai interessar — disse Ryzek.

Fez um gesto afirmativo com a cabeça na direção de Akos, que se agachou ao meu lado, depois esticou as mãos, com as palmas para cima, para que eu as agarrasse.

Olhei fixamente para ele. Quase não sabia o que ele queria dizer com aquilo, no início. Queria que eu o magoasse? Porquê?

— Confia em mim — disse Ryzek. — Vais gostar.

Quando me estiquei na direção de Akos, a escuridão espalhou-se sob a minha pele como tinta derramada. Encostei a minha mão à dele e esperei pelo seu grito.

Em vez disso, todas as sombrascorrentes correram para trás e desapareceram. E, com elas, foi-se também a minha dor.

Não era como o remédio que tinha engolido antes, que me fazia vomitar, na pior das hipóteses, e entorpecia todas as sensações, na melhor. Era como voltar a mim, ao ser que tinha sido antes de o meu dom se desenvolver; não, mesmo essa nunca fora tão calma e sossegada como me sentia agora, com a minha mão na dele.

— O que é isto? — perguntei.

A sua pele era áspera e seca, como um seixo que ainda não tinha sido amaciado pela maré. Ainda assim, havia nela algum calor. Olhei fixamente para as nossas mãos unidas.

— Eu interrompo a corrente. — A sua voz era surpreendentemente profunda, mas entrecortava-se, como era suposto na sua idade. — Independentemente do que ela faz.

— O dom da minha irmã é substancial, Kereseth — disse Ryzek —, mas ultimamente perdeu a maior parte da utilidade, devido ao muito que a incapacita. Parece-me que é *esta* a melhor forma de cumprires o teu destino. — Curvou-se para se aproximar do ouvido de Akos. — Claro, nunca deves esquecer quem realmente manda nesta casa.

Akos não se mexeu, embora um olhar de repulsa passasse pelo seu rosto.

Sentei-me novamente nos calcanhares, com cuidado, para manter a palma da mão na de Akos, embora não conseguisse olhá-lo nos olhos. Era como se ele me tivesse surpreendido enquanto estava a mudar de roupa; tinha visto mais do que eu alguma vez deixava as pessoas verem.

Quando me levantei, ele levantou-se comigo. Embora eu fosse alta, só lhe chegava ao nariz.

— O que queres que façamos, que dêmos as mãos em todo o lado aonde formos? — disse eu. — O que é que as pessoas vão pensar?

— Vão pensar que ele é um criado — disse Ryzek. — Porque é isso que ele é.

Ryzek caminhou na minha direção, erguendo a mão. Eu recuei, puxando a minha mão da mão de Akos e enchendo-me de teias pretas, novamente.

— Será que deteto ingratidão? — perguntou Ryzek. — Não aprecias os esforços que fiz para assegurar o teu conforto, aquilo de que estou a abdicar ao oferecer-te o nosso criado predestinado para ser o teu acompanhante constante?

— Aprecio. — Tinha de ser cuidadosa para não o provocar. A última coisa que queria era mais memórias do Ryzek a substituírem as minhas. — Obrigada, Ryzek.

— Claro. — Ryzek sorriu. — Tudo para manter o meu melhor general em excelente condição.

Mas ele não me via como um general; eu sabia disso. Os soldados chamavam-me «Flagelo de Ryzek», o instrumento de tormento na sua mão e, de facto, o modo como ele olhava para mim era o mesmo modo como olhava para uma arma impressionante. Era apenas uma espada para ele.

Fiquei quieta até Ryzek sair e, então, quando eu e Akos estávamos a sós, comecei a caminhar, da secretária até aos pés da cama, aos armários fechados que continham as minhas roupas, novamente até à cama. Apenas a minha família (e Vas) tinham estado neste quarto. Não gostava da forma como Akos olhava fixamente para tudo, como se estivesse a deixar pequenas impressões digitais em todo o lado.

Ele franziu o sobrolho para mim.

— Há quanto tempo vives desta forma?

— Que forma? — indaguei eu, mais rudemente do que pretendia. Só conseguia pensar em como devia ter parecido quando ele me viu, curvada no chão, estriada de lágrimas e encharcada em suor, como algum tipo de animal selvagem.

A voz dele suavizou-se, com pena.

— Assim, mantendo o teu sofrimento em segredo.

A pena, eu sabia-o, era apenas desrespeito disfarçado de bondade. Tinha de me ocupar dela, em breve, ou tornar-se-ia incómoda com o tempo. O meu pai tinha-me ensinado isso.

— Descobri o meu dom quanto tinha vivido só oito estações. Para grande satisfação do meu irmão e do meu pai. Concordámos que manteria a minha dor privada, pelo bem da família Noavek. Pelo bem de Shotet.

Akos deixou escapar um pequeno resfôlego. Bem, pelo menos a pena tinha acabado. Não tinha demorado muito.

— Estende a tua mão — disse eu, calmamente. A minha mãe falava sempre calmamente, quando estava zangada. Dizia que isso fazia as pessoas ouvirem. Eu não tinha o seu toque leve; tinha a subtileza de um punho na cara. Mas, mesmo assim, ele ouviu, esticando a mão com um suspiro resignado, com a palma para cima, como se quisesse aliviar a minha dor.

Levei o meu pulso direito para o interior do dele, agarrei-o debaixo do ombro com a minha mão esquerda e virei-me, bruscamente. Era como uma dança, uma mão movendo-se, uma transferência de peso e eu estava atrás dele, torcendo-lhe o braço com força, forçando-o a dobrar-se.

— Posso ter dores, mas não sou fraca — sussurrei. Ele permaneceu quieto sob o meu domínio, mas eu conseguia sentir-lhe a tensão nas costas e no braço. — Tu és conveniente, mas não és necessário. Percebes?

Não esperei por uma resposta. Larguei-o, caminhando para trás; as sombrascorrentes voltaram com uma dor lancinante que me humedeceu os olhos.

— Aqui ao lado há um quarto, com uma cama — disse eu. — Sai.

Depois de o ouvir sair, inclinei-me para o estrado da cama, de olhos fechados. Não queria isto; não queria mesmo nada isto.

CAPÍTULO 10 | CYRA

NÃO ESPERAVA QUE AKOS Kereseth regressasse, não sem ser arrastado. Mas ele estava à minha porta, na manhã seguinte, com uma guarda persistente alguns passos atrás dele, e tinha um grande frasco de líquido vermelho-arroxeado na mão.

— *Minha senhora* — disse ele, em tom de gozo. — Pensei que, uma vez que nenhum de nós quer manter contacto físico constante, podias experimentar isto. É o último da minha reserva.

Endireitei-me. Quando a dor era muito forte, eu era apenas uma coleção de partes do corpo, tornozelo e joelho, cotovelo e coluna, cada um deles a esforçar-se para me pôr direita. Puxei o cabelo emaranhado para cima do ombro, subitamente consciente de quão estranha devia parecer, ainda na minha camisa de noite, ao meio-dia, uma manga de armadura à volta do meu antebraço esquerdo.

— Um analgésico? — perguntei. — Já experimentei esses. Ou não funcionam, ou são piores do que a dor.

— Experimentaste analgésicos feitos a partir da flor do silêncio? Num país que não gosta de os utilizar? — perguntou ele, de sobrolho erguido.

— Sim — respondi, concisamente. — Medicamentos Othyrian, os melhores disponíveis.

— Medicamentos Othyrian. — Estalou a língua. — Podem

ser os melhores para a maioria das pessoas, mas o teu problema não é como os problemas da «maioria das pessoas».

— Dor é dor.

Calmo, bateu ao de leve com o frasco no meu braço.

— Experimenta. Poderá não te livrar inteiramente da dor, mas vai aliviar-te a tensão e não vai ter muitos efeitos secundários.

Franzi um olho na sua direção e depois chamei a guarda que estava no corredor. Ela veio, conforme solicitado, inclinando a cabeça para mim ao chegar à entrada da porta.

— Prova isto, sim? — disse eu, apontando para o frasco.

— Achas que estou a tentar envenenar-te? — disse Akos, voltando-se para mim.

— Acho que essa é uma de muitas possibilidades.

A guarda pegou no frasco, com os olhos arregalados de medo.

— Não há problema, não é veneno — disse-lhe Akos.

A guarda engoliu algum do analgésico, limpando a boca com as costas da mão. Ficámos todos ali de pé, durante alguns segundos, à espera que alguma coisa, qualquer coisa acontecesse. Quando ela não caiu no chão, peguei no frasco das mãos dela, sombrascorrentes avolumavam-se nos meus dedos, portanto, eles arranhavam e picavam. Ela afastou-se assim que o fiz, recuando para longe de mim, como faria com um Encouraçado.

O analgésico cheirava a malte e a podre. Engoli-o todo de uma vez, certa de que iria ter um sabor tão nojento como estas poções costumavam ter, mas o sabor era floral e picante. Cobriu a minha garganta e, pesado, alagou o meu estômago.

— Deve demorar uns minutos a fazer efeito — disse ele. — Usas essa coisa para dormir? — Apontou para a bainha de armadura à volta do meu braço. Cobria-me do pulso até ao cotovelo, feita com a pele de um Encouraçado. Estava arranhada em alguns sítios, dos golpes com espadas afiadas. Só a vestia para tomar banho. — Estavas à espera de um ataque?

— Não. — Lancei bruscamente o frasco vazio novamente para as suas mãos.

— Cobre as tuas marcas de assassinatos. — Franziu o sobrolho. — Porque iria o Flagelo de Ryzek querer esconder as suas marcas?

— Não me chames isso. — Senti uma pressão dentro da cabeça, como se alguém estivesse a puxar as minhas têmporas de ambos os lados. — Nunca me chames isso.

Uma sensação fria estava a espalhar-se pelo meu corpo, a partir do centro, como se o meu sangue se estivesse a transformar em gelo. No início, pensei que era apenas raiva, mas era demasiado *física* para isso, demasiado... indolor. Quando olhei para os meus braços, as manchas-sombra ainda ali estavam, debaixo da minha pele, mas estavam lânguidas.

— O analgésico funcionou, não foi?

A dor ainda lá estava, afligindo e queimando por onde quer que as sombrascorrentes viajassem, mas era mais fácil de ignorar. E embora estivesse a começar a sentir-me também um pouco sonolenta, não me importava. Talvez, finalmente, conseguisse ter uma boa noite de sono.

— Um pouco — admiti.

— Ainda bem — disse ele. — Porque tenho um acordo para te propor e depende de que o analgésico seja útil para ti.

— Um acordo? — disse eu. — Achas que estás em posição de fazer acordos comigo?

— Sim, acho — disse ele. — Por muito que insistas, não precisas da minha ajuda com a tua dor, tu queres a minha ajuda, eu sei que queres. E, ou podes tentar bater-me até que eu me submeta para a conseguires, ou podes tratar-me como uma *pessoa*, ouvir o que tenho para dizer e, talvez, conseguir a minha ajuda facilmente. A escolha, obviamente, é tua, *minha senhora*.

Era mais fácil pensar quando os seus olhos não pendiam sobre os meus, por isso, fitei as linhas de luz que chegavam através das persianas das janelas, mostrando a cidade às tiras. Para lá da vedação que mantinha a mansão Noavek isolada, as pessoas estariam a caminhar pelas ruas, a desfrutar do calor, com pó a flutuar à sua volta porque as ruas de terra estavam secas.

Tinha começado a minha relação com Akos numa posição de fraqueza, literalmente debruçada no chão, aos seus pés. E tinha tentado forçar o meu regresso a uma posição de força, mas não estava a funcionar; não conseguia apagar o que era tão óbvio para qualquer pessoa que olhasse para mim: Estava coberta de sombras-correntes e, quanto mais sofria por causa delas, mais difícil era viver uma vida que valesse alguma coisa para mim. Talvez esta fosse a minha melhor opção.

— Vou ouvir-te — disse eu.

— OK. — Levou uma mão à cabeça, tocando no cabelo. Era castanho e claramente espesso, a julgar pela forma como os dedos se amarravam nele. — Ontem à noite, aquela... *manobra* que fizeste. Tu sabes lutar.

— Isso — disse eu — é dizer pouco.

— Ensinavas-me, se eu te pedisse?

— Para quê? Para continuares a insultar-me? Para tentares e não conseguires matar o meu irmão?

— Presumes, simplesmente, que eu quero matá-lo?

— Não queres?

Ele fez uma pausa.

— Quero levar o meu irmão para casa. — Dizia cada palavra com cuidado. — E para fazer isso, para sobreviver aqui, tenho de conseguir lutar.

Não sabia o que era amar tanto um irmão, já não sabia. E, pelo que vira de Eijeh, uma ruína frágil de pessoa, ele não parecia merecedor do esforço. Mas Akos, com a sua postura de soldado e as suas mãos imóveis, parecia seguro.

— Não sabes já como lutar? — disse eu. — Porque é que o Ryzek te mandou para o meu primo Vakrez durante duas estações, se não foi para te tornar competente?

— Eu sou competente. Quero é ser *bom*.

Cruzei os braços.

— Não chegaste à parte do acordo que me beneficia.

— Em troca da tua instrução, eu podia ensinar-te a fazer aquele analgésico que acabaste de beber — disse ele. — Não terias de depender de mim. Nem de mais ninguém.

Era como se ele me conhecesse, como se conhecesse a única coisa que poderia dizer para me tentar ao máximo. Não era alívio da dor o que eu queria acima de tudo, mas autossuficiência. E ele estava a oferecer-me isso num frasco de vidro, numa poção de flor do silêncio.

— Tudo bem — disse eu. — Aceito.

Pouco depois, conduzi-o através do corredor para um pequeno compartimento no final, com uma porta trancada. Esta ala da mansão Noavek não estava renovada; as fechaduras ainda aceitavam chaves, em vez de abrir com um toque ou uma picada de um dedo, como as fechaduras de genes que abriam as divisões onde Ryzek passava a maior parte do tempo. Pesquei a chave do meu bolso, tinha vestido roupa verdadeira, calças largas e uma camisola.

A divisão tinha um balcão comprido, com prateleiras em cima e em baixo, repletas de frascos, provetas, facas, colheres e tábuas de cortar, e uma fila comprida de potes brancos, marcados com os símbolos Shotet para flores de gelo. Mantínhamos uma pequena reserva delas, até mesmo da flor do silêncio, embora Thuvhe não exportasse quaisquer bens para Shotet há mais de vinte estações, pelo que tinham de ser importados ilegalmente, recorrendo a terceiros, bem como outros ingredientes reciclados de toda a galáxia. Panelas, todas de um tom de vermelho-alaranjado quente, pendiam de uma prateleira por cima dos queimadores, à direita, a maior delas maior do que a minha cabeça e a mais pequena do tamanho da minha mão.

Akos pegou numa das panelas e colocou-a em cima de um queimador.

— Porque é que aprendeste a lutar, se podias ferir com um simples toque? — disse ele. Encheu a proveta com água do cano que havia na parede e despejou-a na panela. Depois, acendeu o queimador debaixo dela e tirou uma tábua de cortar, e uma faca.

— Faz parte da educação Shotet. Começamos quando somos crianças. — Hesitei por um momento, antes de acrescentar: — Mas continuei porque gostava.

— Tens flor do silêncio aqui? — disse ele, examinando os potes brancos com o dedo.

— Em cima, à direita — disse eu.

— Mas os Shotet não a usam.

— Os Shotet não — disse eu, rigidamente. — Nós somos a exceção. Temos tudo aqui. As luvas estão debaixo dos queimadores.

Ele grunhiu um pouco.

— Bem, *Excecional*, tens de arranjar uma forma de conseguir mais. Vamos precisar.

— Tudo bem. — Esperei um pouco antes de perguntar: — Ninguém no treino do exército te ensinou a ler?

Presumira que o meu primo Vakrez lhe tinha ensinado mais do que habilidades de combate competentes. Linguagem escrita, por exemplo. A «língua reveladora» referia-se apenas à linguagem falada, não à escrita; todos tínhamos de aprender os caracteres Shotet.

— Eles não se importavam com coisas como essas — disse ele. — Diziam «vai» e eu ia. Diziam «para» e eu parava. Era só isso.

— Um rapazinho Thuvhesit fraco não se devia queixar de ser transformado num homem Shotet rijo — disse eu.

— Não posso transformar-me num Shotet — disse ele. — Sou Thuvhesit e sempre serei.

— O facto de estares a falar comigo em Shotet, neste preciso momento, sugere o contrário.

— O facto de eu estar a falar Shotet, neste preciso momento, é uma peculiaridade da genética — disse ele, asperamente. — Mais nada.

Não me dei ao trabalho de discutir com ele. Tinha a certeza de que mudaria de ideias, com o tempo.

Akos esticou-se para alcançar o pote da flor do silêncio e retirou uma das flores com os dedos sem luvas. Partiu um pedaço de uma das pétalas e pô-lo na boca. Eu estava demasiado espantada para me conseguir mexer. Aquela quantidade de flor de gelo, naquele nível de potência, deveria tê-lo deitado ao chão instantaneamente. Ele engoliu, fechou os olhos por um momento e depois virou-se para trás, para a tábua de cortar.

— Também és imune a elas — disse eu. — Como o meu dom-corrente.

— Não — disse ele. — Mas os efeitos para mim não são tão fortes.

Interroguei-me como teria descoberto isso.

Ele virou a flor do silêncio ao contrário e pressionou a lâmina da faca contra o local onde as pétalas se uniam. A flor desconjuntou-se, separando-se, pétala por pétala. Ele percorreu cada pétala com a ponta da faca até ao centro e elas abriram-se, uma a uma, achatando-se. Parecia magia.

Observei-o enquanto a poção borbulhava, primeiro vermelha, como a flor do silêncio, depois cor de laranja quando juntou a frutassal com mel e castanha, quando entraram os caules de *sendes*, apenas caules, sem folhas. Ao polvilhar com um pouco de pó de inveja, toda a poção se tornou novamente vermelha, o que não fazia sentido, era impossível. Deslocou a mistura para o queimador ao lado, para arrefecer, e voltou-se para mim.

— É uma arte complexa — disse ele, fazendo um gesto com a mão para abarcar os frascos, as provetas, as flores de gelo, as panelas, tudo. — Particularmente, o analgésico, porque usa a flor do silêncio. Se preparares um elemento incorretamente, podes envenenar-te. Espero que saibas ser precisa, como sabes ser brutal.

Apalpou o interior da panela com a ponta do dedo, apenas um toque leve. Não podia evitar admirar o seu movimento rápido, puxando rapidamente a sua mão para fora quando o calor se tornava demasiado, com os músculos a enrolarem-se. Já era capaz de dizer em que escola de combate ele tinha treinado: Zivatahak, escola do coração.

— Presumes que sou brutal por causa do que ouviste — disse eu. — Bom, e então o que eu ouvi de ti? Tens a pele fina, és um cobarde, um tonto?

— Tu és uma Noavek — disse ele, teimosamente, dobrando os braços. — A brutalidade está-te no sangue.

— Eu não escolhi o sangue que me corre nas veias — respondi. — Não mais do que tu escolheste o teu destino. Tu e eu tornámo-nos naquilo que fomos feitos para nos tornarmos.

Bati com as costas do meu pulso contra a ombreira da porta, armadura contra madeira, ao sair.

Na manhã seguinte, acordei quando o efeito do analgésico passou, mesmo antes do nascer do sol, quando a luz era ténue. Saí da cama como normalmente fazia, aos solavancos, parando para inspirar profundamente como uma mulher idosa. Vesti as minhas roupas de treino, que eram feitas de tecidos sintéticos de Tepes, leves mas soltos. Ninguém sabia como manter o corpo fresco como o povo Tepessar, cujo planeta era tão quente que nunca ninguém caminhava à sua superfície com a pele à mostra.

Inclinei a minha testa contra a parede enquanto entrançava o cabelo, de olhos fechados, os dedos sentindo cada madeixa. Já não penteava o meu cabelo escuro e espesso, pelo menos não da forma como quando era criança, tão meticulosamente, esperando que cada passagem das cerdas da escova o persuadisse a ordenar-se em caracóis perfeitos. A dor despojara-me de tais indulgências.

Quando terminei, levei uma pequena espadacorrente, desligada, para que os tentáculos negros de corrente não se enrolassem em redor do metal afiado, para o compartimento da botica ao fundo do corredor, para onde Akos levara a sua cama; pus-me de pé sobre ele e pressionei-lhe a espada contra a garganta.

Os seus olhos abriram-se, depois arregalaram-se. Ele protestou, mas quando empurrei com mais força a sua pele, ficou quieto. Fiz-lhe um sorriso falso.

— Estás maluca? — disse ele, com a voz rouca do sono.

— Não venhas com essa agora, deves ter ouvido os rumores! — disse eu, alegremente. — No entanto, mais importante do que isso: *Tu* estás louco? Aqui estás tu, a dormir um sono pesado, sem sequer te teres dado ao trabalho de barrar a porta, a um corredor de distância dos teus inimigos? Isso ou é loucura, ou é estupidez. Escolhe uma.

Ele levantou o joelho bruscamente, procurando atingir-me de lado. Dobrei o meu braço para bloquear o golpe com o cotovelo, apontando a espada ao seu estômago.

— Perdeste antes de acordar — disse eu. — Primeira lição: A melhor forma de ganhar uma luta é evitar ter uma. Se o teu inimigo tem o sono pesado, corta-lhe a garganta antes de ele acordar. Se tiver o coração mole, apela à sua compaixão. Se tiver sede, envenena-lhe a bebida. Percebes?

— Então, atiro a honra pela janela.

— Honra — disse eu com um grunhido. — Não há lugar para a honra quando se trata de sobrevivência.

A frase, citada de um livro Ogran que lera em tempos, traduzida para Shotet, claro, (quem conseguia ler Ogran), pareceu dispersar o sono dos seus olhos de uma forma que nem mesmo o meu ataque tinha conseguido.

— Agora levanta-te — disse eu. Endireitei-me, embainhei a espada no fundo das costas e saí do quarto para ele poder mudar de roupa.

Quando acabámos de tomar o pequeno-almoço, o sol tinha-se levantado e eu conseguia ouvir os criados nas paredes, carregando lençóis e toalhas limpas para os quartos, através dos passadiços que corriam paralelamente a cada corredor, de leste para oeste. A casa fora construída para excluir aqueles que a organizavam, exatamente como a própria Voa com a mansão Noavek no centro, rodeada dos ricos e dos poderosos, e o resto nas bordas, lutando para entrar.

O ginásio, ao fundo do corredor do meu quarto, era claro e

espaçoso, uma parede de janelas de um lado, uma parede de espelhos do outro. Um candelabro dourado pendia do teto, a sua delicada beleza contrastando com o soalho sintético preto e as pilhas de proteções e armas de treino ao longo da parede mais afastada. Era a única divisão da casa que a minha mãe permitira que fosse modernizada, enquanto era viva; tirando isso, insistira em preservar a «antiguidade histórica» da casa, até aos canos que por vezes cheiravam a podre e às maçanetas manchadas.

Eu gostava de treinar, não porque me tornasse numa lutadora mais forte, embora fosse um benefício colateral bem-vindo, mas porque gostava da sensação. O calor a acumular-se, o coração a bater, a dor produtiva de músculos cansados. A dor que eu *escolhia*, em vez da dor que me escolhera. Uma vez tentara lutar com os soldados que estavam a treinar, tal como tinha feito Ryzek quando estava a aprender, mas a tinta da corrente, atravessando cada parte do meu corpo, causou-lhes demasiada dor, pelo que, depois disso, fui abandonada aos meus próprios aparelhos.

Durante o ano anterior, lera textos Shotet sobre a nossa forma de combate há muito esquecida, a escola da mente, Elmetahak. Tal como muitas coisas na nossa cultura, era reciclada, utilizando alguma da ferocidade de Ogra, da lógica de Othyr e o nosso próprio engenho, fundindo-os até serem inextrincáveis. Quando Akos e eu fomos para a sala de treino, agachei-me sobre o livro que tinha deixado junto da parede no dia anterior, *Princípios da Elmetahak: Filosofia Subjacente e Exercícios Práticos*. Estava no capítulo «Estratégia Centrada no Adversário».

— Então, no exército treinaste na Zivatahak — disse eu, para começar.

Quando me respondeu com um olhar inexpressivo, continuei.

— Altetahak, escola do braço. Zivatahak, escola do coração. Elmetahak, escola da mente — disse eu. — Os que te treinaram não te disseram em que escola foste treinado?

— Não se preocupavam em ensinar-me os nomes das coisas — respondeu Akos. — Como já te disse.

— Bem, treinaste na Zivatahak, consigo perceber pela forma como te mexes.

Isto pareceu surpreendê-lo.

— A forma como me mexo — repetiu. — Como é que me mexo?

— Suponho que não deveria ficar surpreendida com o facto de um Thuvhesit mal se conhecer a si próprio — disse eu.

— Saber como se luta não é conhecer-se a si próprio — retorquiu. — Lutar não é importante, se as pessoas com quem vives não forem violentas.

— Oh? E que pessoas míticas são essas? Ou são imaginárias? — Abanei a cabeça. — Todas as pessoas são violentas. Algumas resistem aos impulsos e outras não. É melhor reconhecê-lo, usá-lo como um ponto de acesso ao resto do teu ser, do que mentir a ti próprio em relação a isso.

— Eu não estou a *mentir a mim próprio.* — Fez uma pausa e suspirou. — Não importa. Estavas a dizer, ponto de acesso?

— Tu, por exemplo. — Notava que ele não concordava comigo, mas pelo menos estava disposto a ouvir. Era um progresso. — És rápido e não particularmente forte. És reativo, antecipando ataques de qualquer pessoa, de toda a gente. Isso significa Zivatahak, escola do coração: Velocidade. — Bati no peito. — Velocidade requer resistência. Resistência do coração. Tirámos isso dos guerreiros ascéticos de Zold. A escola do braço, Altetahak, significa «força». Adaptada do estilo dos mercenários marginais. A última, Elmetahak, significa «estratégia». A maioria dos Shotet já não a conhece. É um mosaico de estilos, de lugares.

— E em qual estudaste tu?

— Sou uma estudante de todas — disse eu. — De tudo. — Endireitei-me, afastando-me do livro. — Vamos começar.

Abri a gaveta da parede mais afastada. Chiou quando a madeira velha raspou contra a madeira velha e a maçaneta manchada estava solta, mas dentro da gaveta estavam espadas de treino, feitas de um material novo, sintético, duro, mas também flexível. Marcariam uma pessoa, se usadas eficazmente, mas não rasgariam a sua pele, Atirei uma a Akos e tirei uma para mim, segurando-a de lado, afastada do corpo.

Ele imitou-me. Conseguia vê-lo ajustando-se, dobrando os joelhos e movendo o seu peso para se parecer mais comigo. Era estranho ser observada por alguém tão ávido por aprender, alguém que sabia que a sua sobrevivência dependia de o quanto conseguisse absorver. Fazia-me sentir útil.

Desta vez, fiz o primeiro movimento, dando-lhe um golpe na cabeça. Cheguei-me para trás antes de efetivamente estabelecer contacto e rosnei:

— Há alguma coisa de fascinante nas tuas mãos?

— O quê? Não.

— Então, para de olhar para elas e olha para o teu adversário.

Ele levantou a mão, o punho no rosto, e depois moveu a espada de treino na direção da parte lateral do meu corpo. Eu afastei-me e voltei-me, rápida, atingindo-o na orelha com a parte achatada do cabo da faca. Recuando, ele voltou-se para tentar atingir-me quando estava desequilibrada. Parei-lhe o punho e agarrei-o com firmeza, bloqueando-o.

— Já sei como te ganhar — disse eu. — Porque tu sabes que eu sou melhor do que tu, mas continuas de pé, *aqui*. — Movi a minha mão, gesticulando para a área à frente do meu corpo. — Esta área é a parte de mim com mais potencial para te magoar, a parte onde todos os meus golpes terão o máximo impacto e concentração. Tens de me manter em movimento, para poderes atacar *fora* desta área. Vai para a parte de fora do meu cotovelo direito para ser difícil para mim bloquear-te. Não te limites a ficar aí de pé, a deixar que eu te corte todo.

Em vez de me responder com um comentário sarcástico, fez um gesto afirmativo com a cabeça e voltou a colocar as mãos para cima. Desta vez, quando me movi para o «cortar», arrastou os pés para fora do meu caminho, esquivando-me. E eu sorri um pouco.

Movemo-nos dessa forma durante algum tempo, girando em

círculos um sobre o outro. E quando notei que estava sem fôlego, mandei-o parar.

— Então, fala-me das tuas marcas — disse eu. Afinal, o meu livro ainda estava aberto no capítulo sobre «Estratégia Centrada no Adversário». Não havia nenhum adversário como um que se marcasse no braço.

— Porquê? — Ele apertou o pulso esquerdo. Hoje, não tinha a ligadura e ostentava uma marca de assassinato antiga, junto do seu cotovelo, a mesma que eu vira há algumas estações no Salão de Armas, mas agora estava terminada, manchada com a cor do ritual da marcação, um azul tão escuro que era quase preto. Havia outra marca ao lado, ainda a cicatrizar. Dois cortes no braço de um rapaz Thuvhesit. Uma visão única.

— Porque conhecer os teus inimigos é o início da estratégia — disse eu. — E, aparentemente, já enfrentaste alguns dos teus inimigos, visto que já foste marcado duas vezes.

Afastou o braço do seu corpo para poder franzir o sobrolho na direção dos cortes e disse, como se estivesse a recitar:

— O primeiro foi um dos homens que invadiu a minha casa. Matei-o enquanto me arrastavam e ao meu irmão através do esparto.

— Kalmev — disse eu. Kalmev Radix fora um dos integrantes da elite selecionada do meu irmão, um capitão das peregrinações e um tradutor do *feed* de notícias. — Falava quatro línguas, incluindo Thuvhesit.

— Conhecia-lo? — disse Akos, contorcendo-se um pouco.

— Sim — disse eu. — Era amigo dos meus pais. Conheci-o quando era criança e vi a sua mulher a chorar no jantar em memória dele, depois de o teres matado. — Inclinei a cabeça perante a recordação. Kalmev fora um homem duro, mas tinha doces nos bolsos. Tinha-o visto a levá-los sorrateiramente à boca durante jantares elegantes. Mas não tinha chorado a sua morte — ele não era, afinal, meu para chorar. — E a segunda marca?

— A segunda...

Engoliu com força. Tinha-o aturdido. Ótimo.

— ... foi o Encouraçado cuja pele roubei para meu próprio estatuto.

Eu ganhara a minha própria armadura há três estações. Tinha-me agachado nas ervas baixas perto do campo militar, até a luz do dia diminuir, depois cacei uma das criaturas na noite. Tinha rastejado para debaixo dela enquanto dormia e tinha-me curvado para cima, para esfaquear a zona mole onde a sua perna se unia ao corpo. Demorara horas a sangrar até à morte e os seus terríveis gemidos tinham-me provocado pesadelos. Mas nunca pensei em gravar a marca do Encouraçado na minha pele, como ele tinha feito.

— As marcas de assassinatos são para pessoas — disse eu.

— O Encouraçado bem podia ter sido uma pessoa — disse ele, em voz baixa. — Estava a olhar para os olhos dele. Ele sabia o que eu era. Dei-lhe veneno e adormeceu com o meu toque. Chorei-o durante mais tempo do que chorei a morte do homem que privou a minha irmã de dois irmãos e de um pai.

Tinha uma irmã. Quase me esquecera disso, embora tivesse ouvido o seu destino através de Ryzek: *O primeiro filho da família Kereseth sucumbirá à espada*. Era quase um destino tão sinistro quanto o do meu irmão.

— Devias pôr um cardinal sobre a tua segunda marca — disse eu. — Diagonal, a atravessar a parte de cima. É isso que as pessoas fazem para perdas que não são assassinatos. Abortos, cônjuges levados pela doença. Pessoas que fogem e nunca mais voltam. Qualquer... dor relevante.

Ele limitou-se a olhar para mim, curioso, e ainda assim com aquela ferocidade.

— Então, o meu pai...

— O teu pai está registado no braço de Vas — disse eu. — Uma perda não pode ser marcada duas vezes.

— É um *assassinato* que está marcado. — Franziu o sobrolho. — Um homicídio.

— Não, não é — disse eu. — Marca de assassinato é um termo

erróneo. São sempre registos de perda. Não de triunfo. — Sem querer, levei a minha mão direita a atravessar o meu corpo para agarrar a proteção do meu antebraço, prendendo os meus dedos nas suas tiras. — Independentemente do que alguns Shotet tolos te possam dizer.

As pétalas da flor do silêncio, na tábua à minha frente, estavam firmemente enroladas sobre si mesmas. Arrastei a faca até ao centro da primeira pétala, atrapalhando-me um pouco com as luvas postas. As luvas não eram necessárias para *ele*, mas não éramos todos resistentes às flores do silêncio.

A pétala não se achatou.

— Tens de atingir a nervura, mesmo no centro — disse ele. — Procura a linha mais vermelho-escura.

— Parece-me tudo *vermelho*. De certeza que não estás a ver coisas?

— Tenta outra vez.

Era assim que ele respondia de cada vez que eu perdia a paciência. Dizia apenas, calmamente:

— Tenta outra vez. — Fazia-me ter vontade de o esmurrar.

Todas as noites, ao longo das últimas semanas, tínhamos estado de pé sobre este balcão de botica e ele ensinou-me sobre as flores de gelo. Estava calor e havia silêncio no quarto de Akos, sendo o único som o borbulhar da água posta a ferver e o repicar da faca. A sua cama estava sempre feita, com os lençóis desbotados esticados sobre o colchão e dormia muitas vezes sem uma almofada, que atirava para o canto, onde acumulava pó.

Cada flor de gelo tinha de ser cortada com a técnica certa: As flores do silêncio tinham de ser persuadidas a achatarem-se, as flores da inveja tinham de ser cortadas de tal forma que não rebentassem em nuvens de pó e a nervura rija e indigesta da folha de *harva* tinha de ser primeiro solta e depois puxada pela base — *Sem demasiada força. Mas com mais força do que isso*, dissera Akos, enquanto eu olhava furiosamente.

Era habilidosa com a faca, mas não tinha paciência para ser subtil com ela e o meu nariz era praticamente inútil como instrumento. No nosso treino de combate, a situação era inversa. Akos ficava frustrado se insistíssemos muita na teoria ou na filosofia, que eu considerava fundamentais. Ele era rápido e eficaz quando conseguia estabelecer contacto, mas descuidado, com pouca aptidão para ler o adversário. Mas era mais fácil para mim lidar com a dor do meu dom quando o estava a ensinar, ou quando ele me estava a ensinar.

Toquei outra flor do silêncio com a ponta da faca e arrastei-a numa linha reta. Desta vez, a pétala abriu com o meu toque, achatando-se sobre a tábua. Fiz um sorriso rasgado. Os nossos ombros roçaram um no outro e eu afastei-me nervosamente, pois o toque não era algo a que estivesse acostumada. Duvidava que alguma vez voltasse a estar.

— Muito bem — disse Akos e varreu uma pilha de folhas secas de *harva* para dentro de água. — Agora, faz isso mais umas cem vezes e começará a parecer-te fácil.

— Só cem? E eu que pensava que isto ia ser demorado — disse eu, olhando-o de soslaio. Em vez de revirar os olhos ou dizer algo agressivo, sorriu um pouco.

— Troco cem cortes de flores do silêncio por cem das flexões que me estás a obrigar a fazer — disse ele.

Apontei a faca manchada de flor do silêncio na sua direção.

— Um dia, vais agradecer-me.

— Eu, agradecer a uma Noavek? Nunca.

Era suposto ser uma piada, mas também era um lembrete. Eu era uma Noavek e ele era um Kereseth. Eu era da nobreza e ele era um prisioneiro. Qualquer à-vontade que sentíssemos juntos, fora construído a ignorar os factos. Ambos os nossos sorrisos se desvaneceram e regressámos às nossas respetivas tarefas, em silêncio.

Algum tempo depois, quando eu tinha feito quatro pétalas, só faltam noventa e seis, ouvi passos no corredor. Rápidos, com intencionalidade, não como o movimento de um guarda a vaguear na sua ronda. Pousei a faca e tirei as luvas.

— O que foi? — perguntou Akos.

— Vem aí alguém. Não dês a entender o que realmente estamos a fazer aqui — disse eu.

Ele não teve tempo de perguntar porquê. A porta do compartimento da botica abriu-se e Vas entrou, com um homem jovem atrás. Reconheci-o como sendo Jorek Kuzar, filho de Suzao Kuzar, primo em segundo grau de Vas. Era baixo e magro, com pele morena e quente, e um tufo de pelo no queixo. Mal o conhecia, pois Jorek escolhera não seguir o caminho do pai como soldado e tradutor e, consequentemente, era visto tanto como uma desilusão como um perigo para o meu irmão. Quem não entrasse entusiasticamente ao serviço de Ryzek era suspeito.

Jorek acenou com a cabeça na minha direção. Eu, repleta de sombrascorrentes ao ver Vas, mal pude retribuir o aceno. Vas apertou as mãos atrás das costas e olhou divertido para a pequena divisão, para os dedos manchados de verde de Akos e para a panela que borbulhava no queimador.

— O que te traz à mansão, Kuzar? — perguntei eu a Jorek, antes que Vas pudesse fazer comentários. — Certamente, não é para visitar o Vas. Não imagino que alguém fizesse isso por prazer.

Jorek passeou o olhar de Vas, que me fitava furiosamente, para mim que lhe sorria, e para Akos com os olhos cravados de forma determinada nas mãos, que apertavam a ponta do balcão. No início, não tinha notado quão tenso tinha ficado Akos, no momento em que Vas apareceu. Conseguia ver os músculos dos seus ombros a agruparem-se onde a sua camisa se esticava, apertada, sobre eles.

— O meu pai está reunido com o soberano — disse Jorek. — E pensou que o Vas podia enfiar-me algum juízo na cabeça, entretanto.

Eu ri-me.

— E enfiou?

— A Cyra tem muitas qualidades que são úteis para o soberano, mas bom senso não é uma delas; eu não levaria a opinião dela sobre mim muito a sério — disse Vas.

— Embora eu adore as nossas pequenas conversas, Vas — disse eu —, porque é que não me dizes de uma vez o que queres?

— O que estás a preparar? Um analgésico? — Vas esboçou um sorriso falso. — Pensava que apalpar o Kereseth fosse o teu analgésico.

— O que — repeti, bruscamente, desta vez, — queres?

— Tenho a certeza de que te apercebeste que o Festival da Peregrinação começa amanhã. O Ryz queria saber se vais assistir aos desafios na arena, ao lado dele. Ele queria lembrar-te, antes de responderes, que te ofereceu os serviços de Kereseth, em parte, para te sentires recuperada, para poderes assistir a eventos como estes, em público.

Os desafios na arena. Não assistia a eles há anos, alegando a dor como desculpa. Mas, na verdade, simplesmente não queria ver pessoas a matarem-se umas às outras por estatuto social ou vingança, ou dinheiro. Era uma prática legal, até mesmo celebrada nos dias que correm, mas isso não queria dizer que eu precisasse de acrescentar essas imagens às imagens violentas que já existiam na minha mente. Entre elas, o ar carrancudo de Uzul Zetsyvis a derreter-se.

— Bom, ainda não estou bem «recuperada» — disse eu. — Transmite as minhas desculpas.

— Muito bem. — Vas encolheu os ombros. — É melhor ensinares o Kereseth a descontrair-se um bocado ou vai acabar por distender um músculo sempre que me vir.

Olhei de relance para Akos, para os seus olhos curvados sobre o balcão.

— Vou pensar nisso.

Mais tarde, nesse dia, quando o *feed* de notícias circulou através dos planetas à vez, os relatos sobre o nosso planeta incluíam o comentário: «Proeminente produtor Shotet de *fenzu,* Uzul Zetsyvis, encontrado morto na sua casa. Investigações preliminares sugerem que a causa da morte é suicídio por enforcamento.» Nas legendas, em Shotet, lia-se: *Shotet chora a perda do querido cuidador de fenzu Uzul Zetsyvis. Investigações sobre a sua morte sugerem um assassinato Thuvhesit, com o objetivo de eliminar fonte de energia essencial de Shotet.* Claro. As traduções eram sempre mentiras e só pessoas em quem Ryzek já confiava sabiam suficientes línguas para serem as mais sensatas. Claro que ele culparia Thuvhe da morte de Uzul, em vez de a si próprio.

Ou a mim.

Recebi uma mensagem, entregue pela guarda do corredor, mais tarde, nesse dia. Dizia:

Grava a perda do meu pai. É a ti que ela pertence.
— Lety Zetsyvis

Ryzek podia ter culpado Thuvhe da morte de Uzul, mas a filha de Uzul sabia onde residia realmente a culpa. Em mim, na minha pele.

O meu dom-corrente, quando experienciado por longos períodos, ficava no corpo durante muito tempo, mesmo depois de retirar as minhas mãos. E quanto mais tempo tocasse em alguém, mais tempo se prolongava, a não ser, claro, que se afogassem na flor do silêncio. Mas a família Zetsyvis não acreditava em tomar flor do silêncio. Algumas pessoas, quando enfrentam a escolha entre morte e dor, escolhem a morte. Uzul Zetsyvis era uma dessas pessoas. Religioso ao ponto da autodestruição.

Gravei mesmo a marca de Uzul no meu braço, imediatamente antes de queimar a mensagem de Lety até restarem apenas cinzas. Pintei a ferida recente com extrato de raízes de esparto, que ardiam tanto que me levaram lágrimas aos olhos e sussurrei o seu nome, sem me atrever a dizer o resto das palavras do ritual porque eram uma oração. E sonhei com ele, nessa noite. Ouvi os seus gritos e vi os seus olhos inchados, raiados de sangue. Perseguiu-me através de uma floresta escura, iluminada pelo brilho dos *fenzu*. Perseguiu-me até ao interior de uma caverna onde Ryzek esperava por mim, com os seus dentes como pontas de facas.

Acordei encharcada em suor e a gritar, com a mão de Akos no meu ombro. O seu rosto estava próximo do meu, o seu cabelo e camisa amarrotados de dormir. Os seus olhos estavam sérios e cautelosos, e fizeram-me uma pergunta.

— Eu ouvi-te — foi tudo quanto ele disse.

Senti o calor da sua mão através da camisa. As pontas dos seus dedos esticaram-se por cima do colarinho, afagando a minha garganta despida, e mesmo aquele toque leve era suficiente para extinguir o meu dom-corrente e aliviar a minha dor. Quando os seus dedos se afastaram quase gritei, demasiado cansada para coisas como dignidade e orgulho, mas ele estava apenas à procura da minha mão.

— Anda — disse ele. — Vou ensinar-te a livrares-te dos sonhos.

Nesse momento, com os nossos dedos entrelaçados e a sua voz calma no meu ouvido, teria feito o que quer que ele sugerisse. Assenti com a cabeça e libertei as minhas pernas dos lençóis torcidos.

Ele acendeu as luminárias do seu quarto e colocámo-nos de pé, lado a lado, no balcão, com os potes, agora marcados com letras Thuvhesit, empilhados por cima de nós.

— Como quase tudo — disse ele — esta mistura começa com a flor do silêncio.

CAPÍTULO 11 | CYRA

O FESTIVAL DA PEREGRINAÇÃO COMEÇAVA, a cada estação, com o rufar de tambores, ao nascer do sol. Os primeiros sons vinham do anfiteatro no meio da cidade e propagavam-se para o exterior à medida que os participantes fiéis se juntavam à celebração. Era suposto as batidas dos tambores simbolizarem os nossos inícios: O primeiro bater dos nossos corações, os primeiros sinais de vida que nos tinham conduzido até à força que hoje possuíamos. Durante uma semana celebraríamos os nossos inícios e, depois, aqueles que entre nós eram fisicamente aptos amontoar-se-iam na nave da peregrinação, para perseguirem a corrente pela galáxia. Seguiríamos o seu caminho até que o fluxocorrente se tornasse azul e depois desceríamos sobre um planeta para reciclar e regressaríamos a casa.

Sempre tinha adorado o som dos tambores, porque significava que partiríamos em breve. Sentia-me sempre mais livre no espaço. Mas, com Uzul Zetsyvis ainda nos meus sonhos, esta estação tinha ouvido os tambores como se fosse o bater do seu coração a abrandar.

Akos tinha aparecido à minha porta, com o cabelo castanho curto espetado em todas as direções, inclinando-se para a madeira.

— O que é — perguntou ele, de olhos arregalados — esse som?

Apesar da dor da corrente que percorria o meu corpo, dei uma gargalhada. Nunca o tinha visto assim tão desmazelado. As suas calças apertadas com cordão estavam torcidas e o rosto ostentava a impressão avermelhada de um lençol enrugado.

— É só o início do Festival da Peregrinação — disse eu. — Tem calma. Endireita as calças.

As maçãs do seu rosto ficaram ligeiramente cor-de-rosa e ele endireitou o cós das calças.

— Bom, como é que era suposto eu saber isso? — replicou, irritado. — Da próxima vez que uma coisa que soa extraordinariamente como tambores de guerra me for acordar de madrugada, será que podias avisar-me, talvez?

— Estás decidido a privar-me de toda a diversão.

— Isso é porque, aparentemente, a tua versão de «diversão» é fazeres-me acreditar que estou em perigo de morte.

Sorrindo um bocadinho, fui até à janela. As ruas estavam inundadas de pessoas. Observei-as a levantarem pó, enquanto se encaminhavam em direção ao centro de Voa para participar nas festividades. Estavam todas vestidas de azul, a nossa cor preferida, e roxo e verde; armadas e com armaduras; os rostos pintados, pescoços e pulsos cobertos de joias falsas ou coroas, ou flores frágeis. Aqui, ao longo do equador do planeta, as flores não tinham de ser tão resistentes como as flores de gelo, para sobreviver. Desfaziam-se entre os dedos de uma pessoa e tinham um cheiro doce.

O festival apresentaria desafios públicos no anfiteatro, visitantes de outros planetas e reconstituições de momentos significativos na história Shotet, tudo isso enquanto a tripulação da nave da peregrinação trabalhava nas limpezas e reparações. No último dia, Ryzek e eu desfilaríamos da mansão Noavek até à nave transportadora, que nos levaria à nave da peregrinação como os seus dois primeiros passageiros oficiais. Todos os demais embarcariam depois de nós. Era um ritmo que eu conhecia bem e até adorava, embora os meus pais já não estivessem lá para me guiar através dele.

— O governo da minha família é relativamente recente, sabes — disse eu, inclinando a cabeça. — Quando eu nasci, Shotet já tinha mudado, sob o reinado do meu pai. Ou, pelo menos, foi isso que li.

— Lês muito? — perguntou-me.

— Sim. — Eu gostava de caminhar e ler. Ajudava-me a distrair-me. — Acho que é nestes momentos que mais nos aproximamos das coisas como elas eram antes. O festival. A nave da peregrinação. — Havia crianças a correr ao longo da nossa vedação, de mãos dadas, a rir. Outros rostos, desfocados à distância, voltavam-se na direção da mansão Noavek. — Em tempos, fomos viajantes, não...

— Assassinos e ladrões?

Agarrei no meu braço esquerdo e a armadura enterrou-se na palma da minha mão.

— Se gostas tanto do festival, porque não vais? — perguntou-me.

Eu bufei.

— E estar ao lado do Ryzek o dia todo? Não.

Ele pôs-se ao meu lado, a observar através do vidro. Uma velhota caminhava de forma arrastada pelo meio da rua e enrolava um lenço de cor viva à volta da cabeça; tinha-se soltado no meio do caos e os seus dedos eram trapalhões. Enquanto a observávamos, um homem novo, com os braços carregados de coroas de flores, colocou uma sobre a sua cabeça, por cima do lenço.

— Não percebo as viagens, a reciclagem — disse Akos. — Como é que decidem onde ir?

Os tambores ainda palpitavam a pulsação de Shotet. Por baixo deles, ouvia-se um rugir surdo, ao longe, e música sobreposta sobre si própria.

— Posso mostrar-te, se quiseres — disse eu. — Devem estar prestes a começar.

Pouco depois, mergulhámos nos passadiços ocultos da mansão Noavek, através da porta secreta da parede do meu quarto. À nossa frente, um globo de luz de *fenzu* dava-nos alguma coisa na direção da qual caminhar mas, ainda assim, dava cada passo cuidadosamente, pois algumas das tábuas aqui estavam soltas, com pregos a saírem das vigas de suporte em ângulos estranhos. Fiz uma pausa no local onde o túnel se dividia em dois e apalpei a viga em busca dos códigos indicadores. Um código na viga da esquerda significava que conduzia ao primeiro andar. Estiquei-me para trás para tocar em Akos, encontrando a parte da frente da sua camisa, e fi-lo vir atrás de mim enquanto seguia o caminho da esquerda.

Ele tocou-me no pulso, guiando a minha mão para a dele, por isso caminhámos com os dedos entrelaçados. Esperei que o ranger das tábuas do soalho disfarçasse o som da minha respiração.

Caminhámos pelos túneis até ao compartimento onde os Examinadores trabalhavam, perto do Salão de Armas, onde tinha visto Akos pela primeira vez. Empurrei o painel para a frente, depois fi-lo deslizar apenas o suficiente para nos deixar sair. O quarto estava tão escuro que os Examinadores não repararam em nós. Estavam de pé, entre os hologramas no centro da divisão, a medir as distâncias com raios finos de luz branca ou a consultar os ecrãs de pulso, gritando coordenadas. Ainda assim, o meu orgulho levou-me a afastar-me dele, soltando a mão.

Estavam a calibrar o modelo da galáxia. Depois de verificarem a precisão do modelo, começariam a sua análise da corrente. O seu fluxo e refluxo diziam-lhes onde seria a próxima reciclagem.

— O modelo da galáxia — disse eu, suavemente.

— Galáxia — repetiu Akos. — Mas mostra só o nosso sistema solar.

— Os Shotet são viajantes — lembrei-lhe eu. — Fomos muito para lá das fronteiras do nosso sistema e só encontrámos estrelas. Tanto quanto sabemos, este sistema solar está sozinho na galáxia.

O modelo era um holograma que enchia o compartimento de um canto ao outro, o sol brilhando no centro e fragmentos de lua fraturada a flutuar nas extremidades. Os hologramas pareciam sólidos até um Examinador caminhar através deles, para medir outra coisa qualquer, e então eles flutuavam como se estivessem a expirar. O nosso planeta passou à minha frente enquanto eu observava aquele que era, de longe, o mais branco de todos os planetas simulados, como uma esfera de vapor. A flutuar mais perto do sol ficava a estação da Assembleia, uma nave ainda maior do que a nossa nave da peregrinação, o centro do governo da nossa galáxia.

— Tudo calibrado, assim que acertares a distância de Othyr em relação ao sol — disse um dos Examinadores. Era alto, com ombros arredondados, como se os estivesse a enrolar para proteger o coração. — Um *izit* ou dois.

— Uma medição extremamente precisa — respondeu outro supervisor, este pequeno, com uma pequena pança a borbulhar no topo das calças. — «Um *izit* ou dois», francamente. Isso é como dizer um planeta ou dois.

— 1.467IZ — disse o primeiro supervisor. — Como se isso fizesse diferença para a corrente.

— Nunca adotaste verdadeiramente a subtileza desta arte — disse uma mulher, andando a passos largos na direção do sol, para medir a distância deste em relação a Othyr, um dos planetas mais próximos do centro da galáxia. Tudo nela era severo, começando pela linha do cabelo curto, passando pelo maxilar até aos ombros engomados do casaco. Por um momento, ficou encerrada dentro de uma luz branco-amarelada, de pé, no meio do sol. — E é uma arte, embora alguns lhe chamem ciência. Menina Noavek, quanta honra tê-la aqui connosco. E o seu... companheiro?

Não olhou para mim enquanto falava, apenas se dobrou para apontar o raio de luz na linha do equador de Othyr. Os outros Examinadores sobressaltaram-se ao ver-me e, em uníssono, recuaram um passo, embora já estivessem do outro lado da sala. Se soubessem o esforço que estava a fazer para estar de pé no mesmo sítio, sem me mexer e chorar, talvez não se tivessem preocupado.

— É um criado — disse eu. — Continuem, estou só a observar.

Assim o fizeram, de certo modo, mas a sua tagarelice despreocupada tinha desaparecido. Fechei as mãos e meti-as entre as costas e a parede, apertando com tanta força que as unhas se cravaram nas palmas das mãos. Mas esqueci-me da dor quando os Examinadores ativaram o holograma da corrente; ziguezagueou através dos planetas simulados como uma cobra, mas sem forma, etérea. Tocou em cada planeta da galáxia, tanto nos que eram governados pela Assembleia como nos que se encontravam na borda, e depois formou uma faixa forte à volta da extremidade do quarto, como uma correia a segurar os planetas lá dentro. A sua luz oscilava sempre, tão forte nalguns lugares que me magoava os olhos olhar para ela e tão ténue noutros que era apenas um fio.

Otega tinha-me trazido aqui quando eu era criança, para me ensinar como funcionava a reciclagem. Estes Examinadores passariam dias a observar o fluxo da corrente.

— A luz e a cor da corrente é sempre mais forte sobre o nosso planeta — disse a Akos, em voz baixa. — Passa três vezes à volta dele, diz a lenda Shotet; e é por isso que os nossos antepassados Shotet escolheram fixar-se aqui. Mas a sua intensidade flutua à volta de outros planetas, ungindo um após outro, sem qualquer padrão discernível. Cada estação, seguimos até onde ela nos guia e depois aterramos, e reciclamos.

— Porquê? — murmurou Akos, em resposta.

Selecionamos a sabedoria de cada planeta e tomamo-la como nossa, tinha dito Otega, agachada ao meu lado durante uma das nossas lições. *E quando fazemos isso, mostramos-lhes aquilo que neles é digno do seu apreço. Revelamo-los a si próprios.*

Como se respondessem à recordação, as sombrascorrentes moveram-se mais depressa sob a minha pele, avolumando-se e recuando, com a dor seguindo-as para onde quer que fossem.

— Renovação — disse eu. — A reciclagem tem a ver com renovação. — Não sabia de que outra forma explicar. Nunca tivera de o fazer antes. — Encontramos coisas que outros planetas descartaram e damos-lhes uma nova vida. É... aquilo em que acreditamos.

— Estou a ver atividade em redor de P1104 — disse o primeiro Examinador, curvando-se ainda mais para baixo, sobre um dos pedaços de pedra perto da extremidade da galáxia. O seu corpo parecia quase como se fosse um inseto morto, enrolado na sua casca. Tocou uma secção da corrente onde a cor, verde agora, com laivos de amarelo, girava mais escura.

— Como uma onda que está prestes a alcançar a costa — ronronou a mulher de extremidades afiadas. — Pode crescer ou extinguir-se, depende. Marca o local para observação. Mas, neste momento, o meu palpite relativamente ao melhor planeta para realizar a reciclagem ainda é Ogra.

A reciclagem é uma bondade, sussurrara Otega, ao meu ouvido de criança. *Para eles, tanto quanto para nós. A reciclagem é um dos propósitos da corrente para nós.*

— Serve de muito, o teu palpite — disse o primeiro supervisor. — Não disseste que Sua Majestade pediu especificamente informação sobre a atividade da corrente sobre Pitha? Quase não há um fio lá, mas duvido que isso lhe importe.

— Sua Majestade tem as suas razões para pedir informação e não faz parte do nosso papel questioná-las — disse a mulher, olhando para mim de relance.

Pitha. Havia rumores sobre esse lugar. Que enterradas bem fundo, debaixo da água dos oceanos do planeta, onde as correntes não eram tão fortes, havia armas avançadas, diferentes de tudo o que já tínhamos visto. E com Ryzek determinado a reivindicar não apenas a nacionalidade de Shotet, mas a controlar o planeta inteiro, as armas seriam certamente úteis.

A dor estava a aumentar, atrás dos olhos. Era assim que começava, quando o dom-corrente estava prestes a atingir-me com mais força do que o habitual. E, ultimamente, atingia-me com mais força do que o habitual sempre que pensava em Ryzek a declarar guerra a sério, enquanto eu permanecia passiva, ao seu lado.

— É melhor irmos andando — disse a Akos. Voltei-me para

os Examinadores. — Boa sorte para as vossas observações. — Então, por impulso, acrescentei: — Não façam com que nos desorientemos.

Akos estava calado, enquanto regressávamos através dos passadiços. Apercebi-me de que Akos estava sempre calado, a não ser que estivesse a fazer perguntas. Não sabia que poderia estar tão curiosa sobre alguém que detestava, embora talvez fosse essa a questão: Ele estava a tentar decidir se me odiava.

Lá fora, o bater dos tambores esgotava-se, como acontecia sempre. Mas o silêncio parecia indicar algo a Akos. Parou debaixo de uma das luzes de *fenzu*. Apenas um inseto ainda vagueava na esfera de vidro acima de nós, brilhando com um azul muito pálido, um sinal de que estava perto da morte. Havia uma pilha de carapaças debaixo dele, insetos com as pernas fletidas no ar.

— Vamos ao festival — disse ele. «Era demasiado magro», pensei. Havia sombras debaixo das maçãs do rosto, onde devia haver carne, num rosto tão jovem. — Sem o Ryzek. Só tu e eu.

Olhei fixamente para a palma da sua mão voltada para cima. Oferecia-me o toque tão livremente, sem se aperceber de quão raro isso era. Quão raro *ele* era, para uma pessoa como eu.

— Porquê? — disse eu.

— O quê?

— Tens sido simpático comigo, nos últimos tempos. — Franzi o sobrolho. — Estás a ser simpático comigo, agora. Porquê? O que ganhas com isso?

— Crescer aqui perverteu-te mesmo, não foi?

— Crescer aqui — esclareci — fez-me ver a verdade sobre as pessoas.

Suspirou, como se discordasse de mim, mas não se deu ao trabalho de discutir. Suspirava muito, dessa forma.

— Passamos muito tempo juntos, Cyra. Ser simpático é uma questão de sobrevivência.

— Vão-me reconhecer. As sombrascorrentes são memoráveis, mesmo que a minha cara não seja.

— Não vais ter sombrascorrentes. Vais estar comigo. — Inclinou a cabeça para o lado. — Ou sentes-te realmente assim tão desconfortável em tocar-me?

Era um desafio. E talvez uma manipulação. Mas imaginei a minha pele a ser neutra numa densa multidão, com pessoas a encostarem-se a mim sem sentirem dor, cheirando o suor no ar, deixando-me desaparecer no meio delas. A última vez que tinha estado perto de uma multidão como essa tinha sido antes da minha primeira peregrinação, quando o meu pai me pegou ao colo. Mesmo que Akos tivesse outros motivos, talvez valesse a pena o risco, se com isso conseguisse ir ao exterior.

Pus a minha mão na dele.

Pouco tempo depois, estávamos de volta aos passadiços, vestidos com roupas de festival. Eu tinha um vestido roxo, não ao nível da elegância da minha mãe, desta vez, mas algo barato que não me importava de estragar, e pintara o rosto para o disfarçar, com uma risca grossa na diagonal que cobria completamente um olho e a maior parte do outro. Tinha apertado o meu cabelo firmemente e tinha-o pintado de azul, para o manter no lugar. Sem as sombrascorrentes, não iria parecer a Cyra Noavek que a cidade de Voa conhecia.

Akos estava vestido de preto e verde mas, como não era reconhecível, não se tinha dado ao trabalho de se disfarçar.

Quando me viu, ficou a olhar fixamente para mim. Durante muito tempo.

Eu sabia como era a minha aparência. O meu rosto não era um alívio para os olhos, como eram os rostos das pessoas descomplicadas; era um desafio, como a cor ofuscante do fluxocorrente. A minha aparência não era importante, particularmente, porque era sempre obscurecida pelas veias mutantes da corrente. Mas era estranho vê-lo sequer a reparar.

— Mete os olhos para dentro, Kereseth — disse eu. — Estás a envergonhar-te.

Os nossos braços apertaram-se da mão ao cotovelo, conduzi-o pelo lado leste da casa e pelas escadas abaixo. Apalpei as vigas em busca dos círculos gravados, que avisavam de saídas secretas. Como a que havia junto da cozinha.

Aí, o esparto crescia mesmo até à casa e tínhamos de o empurrar para o atravessar e alcançar o portão, que estava trancado com um código. Eu sabia qual era. Era o aniversário da minha mãe. Todos os códigos de Ryzek estavam relacionados com a minha mãe, de alguma forma (o dia do nascimento, o dia da morte, o dia do casamento dos meus pais, os seus números favoritos), exceto os que ficavam mais perto dos quartos dele, onde as portas estavam trancadas com sangue Noavek. Não me aproximava de lá, não passava mais tempo com ele do que o necessário.

Senti os olhos de Akos na minha mão, enquanto digitava o código. Mas era só o portão das traseiras.

Descemos por uma viela estreita que desembocava numa das principais estradas de Voa. O meu corpo contraiu-se por um momento, quando os olhos de um homem se demoraram no meu rosto. E os de uma mulher. E os de uma criança. Os olhos de todos se cruzavam com os meus e depois desviavam-se.

Agarrei no braço de Akos e puxei-o, para sussurrar:

— Estão todos a olhar para mim. Sabem quem eu sou.

— Não — disse ele. — Estão todos a olhar para ti porque tens tinta azul viva na cara toda.

Toquei no rosto, ao de leve, onde a tinta secara. A minha pele estava áspera e escamada. Não me ocorrera que hoje era indiferente se as pessoas olhassem para mim.

— És um bocado paranoica, sabes? — disse-me.

— E tu começas a parecer um bocado convencido, para alguém que eu espanco, habitualmente.

Ele riu-se.

— Então, aonde vamos?

— Conheço um sítio — disse eu. — Vamos.

Conduzi-o por uma rua com menos gente, à esquerda, longe do centro da cidade. O ar estava cheio de pó, mas em breve a nave da peregrinação levantaria voo e teríamos a nossa tempestade. Limparia a cidade, manchá-la-ia de azul.

As atividades do festival, oficialmente sancionadas pelo governo, ocorriam no anfiteatro do centro de Voa e nas suas imediações, mas esse não era o único local onde as pessoas celebravam. Enquanto nos esquivávamos dos cotovelos, numa rua estreita onde os edifícios estavam juntos como amantes, havia pessoas a dançar e a cantar. Uma mulher adornada com joias falsas parou-me com a mão, um luxo do qual eu nunca desfrutara. Pôs-me uma coroa de flores *fenzu* (assim chamadas porque eram da mesma cor azul-acinzentada dos insetos) na cabeça, com um sorriso rasgado.

Virámos para um mercado lotado. Por todo o lado havia tendas baixas ou barracas com toldos gastos, pessoas a discutir e mulheres jovens que tocavam em colares que não conseguiam comprar. Ziguezagueando entre a multidão havia soldados Shotet, com a armadura a brilhar à luz do dia. Cheirou-me a carne cozinhada e a fumo, e virei-me para sorrir a Akos.

A expressão dele era estranha. Confusa, quase, como se isto não fosse um Shotet que algum dia tivesse imaginado.

Caminhámos de mãos dadas pelo corredor, por entre as barracas. Detive-me numa banca de facas simples, as lâminas não eram feitas de material condutor pelo que a corrente não fluía à volta delas, com cabos esculpidos.

— A senhora sabe como utilizar uma faca simples? — perguntou-me, em Shotet, o velhote da barraca. Usava as pesadas togas cinzentas de um líder religioso Zoldan, com mangas compridas e soltas. Os Zoldans religiosos usavam facas simples, porque acreditavam que as espadascorrentes era um uso frívolo da corrente, que merecia mais respeito, a mesma crença básica dos Shotet mais religiosos. Mas, ao contrário de um líder religioso Shotet, este homem não encontraria a sua prática religiosa no quotidiano, refazendo o mundo à sua volta. Era provavelmente um ascético; em vez disso, recolhia-se.

— Melhor do que o senhor — disse-lhe eu, em Zoldan. Falava mal Zoldan e isso já era uma forma otimista de ver a questão, mas gostava de praticar.

— Ai é? — Riu-se. — O seu sotaque é terrível.

— Ei! — Um soldado Shotet aproximou-se de nós e bateu com a ponta da espadacorrente contra a mesa do velhote. O homem Zoldan olhou para a arma com repulsa. — Só é permitido falar Shotet. Se ela te responder na tua língua... — O soldado grunhiu um pouco. — Ela vai ver o que é bom para a tosse.

Baixei a cabeça para que o soldado não olhasse para o meu rosto com muita atenção.

O homem Zoldan disse no seu Shotet desajeitado:

— Desculpe. A culpa foi minha.

O soldado manteve ali a espada durante um momento, com o peito inchado, como se estivesse a exibir penas de acasalamento. Então, embainhou a arma e continuou a andar através da multidão.

O velhote virou-se para trás, na minha direção, agora com um tom mais de negociante:

— Estas são as melhores que vai encontrar na praça...

Falou-me sobre como as facas eram feitas, de metal forjado no polo norte de Zold e madeira recuperada das velhas casas da Cidade de Zoldia. E parte de mim estava a ouvir, mas a outra parte estava com Akos, enquanto ele olhava para fora da praça.

Comprei um punhal ao velhote, um robusto, com a lâmina escura e um cabo feito para dedos compridos. Ofereci-o a Akos.

— De Zold — disse eu. — É um lugar estranho, semicoberto de pó cinzento dos campos de flores. Mas o metal é estranhamente flexível, apesar de ser tão forte... O que foi? O que se passa?

— Todas estas coisas — disse ele, gesticulando para a própria praça —, são de outros planetas?

— Sim. — A palma da minha mão estava a transpirar, no lugar onde estava pressionada contra a dele. — Os vendedores extraplanetários estão autorizados a vender em Voa durante o Festival da Peregrinação. Algumas das coisas são recicladas, claro, ou não seríamos Shotet. Dar um novo uso ao que é descartado e tudo isso.

Ele tinha parado no meio de tudo e tinha-se virado para mim.

— Sabes de onde é tudo, só de olhar para as coisas? Estiveste em todos esses sítios? — disse ele.

Examinei o mercado com o olhar, uma vez. Alguns dos vendedores estavam cobertos de tecido da cabeça aos pés, alguns brilhantes, outros baços; alguns usavam adornos na cabeça para chamar a atenção ou falavam num Shotet alto e tagarela que eu mal percebia, por causa dos sotaques. Luzes irrompiam de uma barraca, na ponta, enchendo o ar de faíscas que desapareciam tão depressa como tinham chegado. A mulher que estava de pé atrás delas quase brilhava, devido a toda a pele pálida que tinha à mostra. Outra banca estava rodeada por uma nuvem de insetos, tão densa que quase não conseguia ver o homem que lá estava sentado. Interrogava-me sobre que uso alguém teria para um enxame de insetos.

— Todas as nove nações-planetas da Assembleia — disse eu, assentindo com a cabeça. — Mas não. Não consigo dizer de onde é tudo. Algumas coisas, no entanto, são óbvias. Olha para isto...

Pousado num balcão próximo de nós havia um instrumento delicado. Era uma forma abstrata, diferente quando vista de cada ângulo, composta por minúsculos painéis de um material iridescente, com uma textura algures entre a pedra e o gelo.

— Sintético — disse eu. — Tudo o que vem de Pitha é sintético, uma vez que está coberto de água. Importam materiais dos vizinhos e combinam-nos...

Bati ao de leve num dos pequenos painéis minúsculos e um som similar ao de um relâmpago veio do interior do instrumento. Passei os dedos sobre o resto e eles deixaram música atrás da sua passagem, como ondas. A melodia era leve, tal como o fora o meu toque, mas quando bati num dos painéis de vidro soaram tambores. Cada painel parecia brilhar com algum tipo de luz interna.

— É suposto simular o som da água, para viajantes que tenham saudades de casa — disse eu.

Quando olhei para ele, novamente, estava a sorrir para mim hesitantemente.

— Adora-los — disse ele. — Todos estes lugares, todas estas coisas.

— Sim — disse eu. Nunca pensara nisso dessa forma. — Suponho que sim.

— E Thuvhe? — disse ele. — Também adoras Thuvhe?

Quando ele disse o nome da sua casa, confortável com as sílabas escorregadias nas quais eu teria tropeçado, foi mais fácil recordar que, embora ele falasse Shotet fluentemente, não era um de nós, não verdadeiramente. Crescera encerrado no gelo, com a casa iluminada por pedras ardentes. Provavelmente, ainda sonhava em Thuvhesit.

— Thuvhe — repeti. Nunca estivera no país gelado, a norte, mas estudara a sua língua e cultura. Vira fotografias e vídeos. — Flores de gelo e edifícios feitos de vidro, com chumbo. — Eram pessoas que adoravam padrões geométricos intrincados e cores vivas que se destacavam na neve. — Cidades flutuantes e um branco interminável. Sim, há coisas que eu adoro em Thuvhe.

Ele pareceu subitamente afetado e interroguei-me se o teria feito ter saudades de casa.

Pegou no punhal que eu lhe tinha oferecido e examinou-o, testando a lâmina com a ponta do dedo e envolvendo o cabo com a mão.

— Entregaste esta arma com tanta facilidade — disse ele. — Mas eu podia usá-la contra ti, Cyra.

— Podias *tentar* usá-la contra mim — corrigi-o, tranquilamente. — Mas não acho que o vás fazer.

— Acho que talvez estejas a mentir a ti própria, acerca do que sou.

Tinha razão. Às vezes, era demasiado fácil esquecer que ele era um prisioneiro na minha casa e que, quando estava com ele, estava a servir como uma espécie de diretor da prisão.

Mas, se o deixasse fugir neste momento, para tentar levar o irmão para casa, como ele queria, estaria a entregar-me novamente a uma vida inteira de agonia. Mesmo enquanto pensava nisso, não o conseguia suportar. Eram demasiados anos, demasiados Uzul Zetsyvises, demasiadas ameaças veladas de Ryzek e noites semiembriagada, ao seu lado.

Comecei de novo a caminhar pelo corredor.

— Está na hora de visitar o Contador de Histórias.

Enquanto o meu pai estava ocupado a moldar Ryzek, para que se tornasse num monge, a minha educação fora confiada nas mãos de Otega. De vez em quando, ela tinha-me vestido dos pés à cabeça com tecido grossos, para disfarçar as sombras que me queimavam, e levado a partes da cidade onde os meus pais nunca me teriam permitido ir.

Este lugar era um deles. Ficava no interior de uma das zonas mais pobres de Voa, onde metade dos edifícios estava a desmoronar-se e os outros pareciam estar prestes a fazê-lo. Aqui também havia mercados, mas eram mais temporários, apenas filas de coisas arrumadas em mantas, para que pudessem ser recolhidas e levadas a qualquer momento.

Akos puxou-me pelo cotovelo quando passávamos por uma delas, uma manta roxa com garrafas brancas em cima. Ainda tinham cola das etiquetas arrancadas, atraindo uma penugem roxa.

— Isso é remédio? — perguntou-me. — Parecem ser de Othyr.

Fiz um gesto afirmativo com a cabeça, não confiando em mim mesma para falar.

— Para que transtorno? — perguntou ele.

— Q900X — respondi. — Conhecido mais coloquialmente como «arrepia e cai». Tu sabes, porque afeta o equilíbrio.

Franziu o sobrolho para mim. Detivemo-nos ali, na viela, com os sons do festival bem longe.

— Essa doença pode prevenir-se. Não dão vacinas contra ela?

— Percebes que estamos num país pobre, certo? — Devolvi-lhe o sobrolho franzido. — Não temos verdadeiras exportações e quase não temos recursos naturais suficientes para nos sustentarmos de forma independente. Alguns outros planetas enviam ajuda, entre eles Othyr, mas essa ajuda cai nas mãos erradas e é distribuída com base no estatuto, em vez da necessidade.

— Eu nunca... — fez uma pausa. — Nunca tinha pensado nisso.

— Porque haverias de pensar? — disse eu. — Não está no topo da lista de preocupações de Thuvhe.

— Eu também cresci abastado, num lugar pobre — disse ele. — Isso é algo que temos em comum.

Pareceu surpreendido por termos o que quer que fosse em comum.

— Não podes fazer nada por estas pessoas? — disse ele, gesticulando para os edifícios à nossa volta. — És a irmã de Ryzek, não podes...

— Ele não me ouve — disse eu, na defensiva.

— Já tentaste?

— Dizes isso como se fosse fácil. — Senti a cara quente. — Tem simplesmente uma reunião com o meu irmão e diz-lhe que reorganize o sistema inteiro dele, que ele faz isso.

— Eu não disse que era *fácil*...

— Os Shotet de estatuto elevado são o isolamento do meu irmão contra uma insurreição — disse eu, ainda mais acalorada. — E, em troca da sua lealdade, ele dá-lhes remédios, comida e os adornos de riqueza que outros não recebem. Sem eles como isolante, morre. E, com o meu sangue Noavek, eu morro com ele. Por isso, não... não, não embarquei em nenhuma missão magnífica para salvar os doentes e os pobres de Shotet!

Soei zangada, mas por dentro estava a encolher-me de vergonha. Tinha quase vomitado, da primeira vez que Otega me tinha trazido aqui, devido ao cheiro de um corpo morto à fome, numa das vielas. Ela tinha-me tapado os olhos enquanto passávamos por ele, por isso, não pude ver de perto. Aquela era eu: O Flagelo de Ryzek, virtuosa do combate, levada ao vómito simplesmente pela visão da morte.

— Não devia ter falado neste assunto — disse ele, com a mão gentil no meu braço. — Vamos. Vamos visitar esse... Contador de Histórias.

Assenti com a cabeça e continuámos a andar.

Enterrado profundamente no labirinto de vielas estreitas, havia um portal baixo, pintado com padrões azuis, intrincados. Bati à porta e esta abriu-se com um rangido, apenas o suficiente para soltar um fio de fumo branco, que cheirava a açúcar queimado.

Tinha-se a sensação de que este lugar era como uma expiração; tinha-se a sensação de que era sagrado. Num certo sentido, talvez fosse. Tinha sido aqui que Otega me tinha trazido primeiro, para aprender a nossa história, há muitas estações, no primeiro dia do Festival da Peregrinação.

Um homem alto e pálido abriu a porta, com o cabelo tão curto que deixava ver o escalpe. Ergueu as mãos e sorriu.

— Ah, pequena Noavek — disse ele. — Pensei que nunca mais te voltaria a ver. E quem me trouxeste?

— Este é o Akos — disse eu. — Akos, este é o Contador de Histórias. Pelo menos, é assim que ele prefere que lhe chamem.

— Olá — disse Akos. Conseguia ver que ele estava nervoso pela forma como a sua postura se alterou, com o soldado que existia nele a desaparecer. O sorriso do Contador de Histórias abriu-se e, gesticulando, chamou-nos para dentro.

Descemos para a sala de estar do Contador de Histórias. Akos dobrou-se para caber debaixo do teto curvo, que se arqueava até uma esfera de *fenzu* brilhante, no seu vértice. Havia um fogão enferrujado, com um tubo exaustor que se estendia até à única janela da sala, para deixar sair o fumo. Eu sabia que o chão era feito de terra batida, porque tinha espreitado debaixo dos suaves tapetes entrançados quando era criança, para ver o que havia debaixo deles. As fibras rijas tinham-me provocado comichão nas pernas.

O Contador de Histórias conduziu-nos para uma pilha de almofadas, onde nos instalámos, de forma algo estranha, com as nossas mãos agarradas entre nós. Soltei-me de Akos para limpar a palma da mão no vestido e, enquanto as sombrascorrentes inundavam de novo o meu corpo, o Contador de Histórias voltou a sorrir.

— Aí estão elas — disse ele. — Quase não te reconheci sem elas, pequena Noavek.

Colocou uma panela de metal na mesa, à nossa frente, na verdade dois bancos aparafusados, um de metal e um de madeira, e um par de canecas vidradas que não condiziam. Servi o chá para nós. Era roxo pálido, quase cor-de-rosa, e explicava o cheiro doce no ar.

O Contador de Histórias sentou-se à nossa frente. A tinta branca na parede, sobre a sua cabeça, estava a descamar, revelando tinta amarela por baixo, de outros tempos. No entanto, até aqui havia o omnipresente ecrã das notícias, fixado de forma torta na parede, junto do fogão. Esta casa estava cheia até rebentar de objetos reciclados, o bule escuro de metal claramente Tepessar, a grelha do fogão feita com pavimento Pithar e a própria roupa do Contador de Histórias sedosa, como a de qualquer abastado Othyrian. No canto, havia uma cadeira cuja origem não me era familiar, que o Contador de Histórias estava a meio de reparar.

— O teu companheiro… Akos, não era? Cheira a flor do silêncio — disse o Contador de Histórias, pela primeira vez, enrugando a sobrancelha.

— É Thuvhesit — disse eu. — Não pretende ofender.

— Ofender? — disse Akos.

— Sim, não permito que pessoas que tenham ingerido recentemente a flor do silêncio ou qualquer outra substância que altere a corrente, entrem na minha casa — disse o Contador de Histórias. — Embora sejam bem-vindas, se voltarem depois de ela ter saído do seu sistema. Afinal de contas, não tenho o hábito de rejeitar visitantes, completamente.

— O Contador de Histórias é um líder religioso Shotet — disse eu a Akos. — Chamamos-lhes clérigos.

— Ele é um Thuvhesit a sério? — O Contador de Histórias franziu o sobrolho e fechou os olhos. — Certamente, está enganado senhor. Fala a nossa língua sagrada como um nativo.

— Acho que conheço a minha própria casa — respondeu Akos, irritado. — A minha própria identidade.

— Não queria ofendê-lo — disse o Contador de Histórias. — Mas o seu nome é Akos, que é um nome Shotet, por isso consegue perceber por que motivo estou confuso. Pais Thuvhesit não dariam ao filho um nome com um som tão áspero sem um propósito. Quais são os nomes dos seus irmãos, por exemplo?

— Eijeh — disse Akos, respirando de forma sonora. Obviamente, não tinha pensado nisto antes. — E Cisi.

A mão dele apertou-se à volta da minha. Não me pareceu que ele tivesse consciência disso.

— Bem, não interessa — disse o Contador de Histórias. — Obviamente, vocês vieram aqui com um propósito e não têm muito tempo antes da tempestade para o conseguirem cumprir. Portanto, continuemos. Pequena Noavek, a que devo esta visita?

— Pensei que pudesse contar ao Akos a história que me contou quando era criança — disse eu. — Eu não sou muito boa a contar histórias.

— Sim, calculo que isso seja verdade. — O Contador de Histórias pegou na própria caneca do chão, aos seus pés, que estavam descalços. O ar estava fresco lá fora, mas aqui dentro estava quente, quase sufocante. — Quanto à história, não tem verdadeiramente um começo. Não nos apercebemos de que a nossa língua era reveladora, transportada no sangue, porque estávamos sempre juntos, movendo-nos como um só pela galáxia, como viajantes. Não tínhamos casa, nem permanência. Seguíamos a corrente pela galáxia, onde quer que ela considerasse que nos devia levar. Isto, acreditávamos nós, era a nossa obrigação, a nossa missão.

O Contador de Histórias deu um gole no chá, pousou-o e agitou os dedos no ar. Quando o vira pela primeira vez a fazer isto, tinha dado risadinhas, pensando que ele estava a agir de forma estranha. Mas agora sabia o que esperar: Formas ténues e nebulosas apareceram à sua frente. Eram de fumo, não iluminadas como os hologramas da galáxia que tínhamos visto antes, mas a imagem era a mesma. Planetas ordenados à volta de um sol, com uma linha de corrente branca a envolvê-los a toda a volta.

Os olhos cinzentos de Akos, da mesma cor do fumo, arregalaram-se.

— Então, um dos oráculos teve uma visão, de que a nossa família governante nos conduziria a um lar permanente. E eles assim fizeram, conduziram-nos a um planeta desabitado e frio, ao qual chamámos «Urek» porque significa «vazio».

— Urek — disse Akos. — Esse é o nome Shotet para o nosso planeta?

— Bem, não estavas à espera que chamássemos a tudo «Thuvhe» como o teu povo faz, pois não? — grunhi eu. — Thuvhe era o nome oficial, reconhecido pela Assembleia, para o nosso planeta, que continha tanto o povo Thuvhesit como o Shotet. Mas isso não significava que *nós* tivéssemos de lhe chamar isso.

A ilusão do Contador de Histórias mudou, focando-se numa única esfera de fumo denso.

— A corrente era mais forte ali do que em qualquer outro lado onde já tivéssemos estado. Mas não quisemos esquecer a nossa história, a nossa impermanência, a nossa recuperação de objetos partidos, por isso começámos a ir na peregrinação. Cada estação, todos os que entre nós fossem capazes voltariam à nave que nos transportara pela galáxia durante tanto tempo e seguiriam a corrente, novamente.

Se não estivesse a segurar na mão de Akos, teria conseguido sentir a corrente a zumbir no meu corpo. Nem sempre pensava nisso, porque juntamente com aquele zumbido vinha a dor, mas era o que eu tinha em comum com todas as pessoas da galáxia. Bom, todas as pessoas exceto a que estava ao meu lado.

Perguntei-me se ele algum dia sentia falta disso, se se lembrava do que se sentia.

A voz do Contador de Histórias tornou-se baixa e sombria, enquanto continuava:

— Mas, numa das peregrinações, aqueles que se tinham instalado a norte de Voa para colher flores de gelo, que se autodenominavam Thuvhesit, aventuraram-se demasiado para sul. Vieram para dentro da nossa cidade e viram que tínhamos deixado muitas das nossas crianças aqui, à espera do regresso dos pais da peregrinação. E levaram as nossas crianças das suas camas, das suas mesas da cozinha, das suas ruas. Roubaram os nossos jovens e levaram-nos para norte, como prisioneiros e criados.

Os seus dedos pintavam uma rua achatada, o esboço de uma figura a correr por ela, perseguido por uma nuvem que rolava. No final da rua, a pessoa que corria foi engolida pela nuvem.

— Quando os nossos peregrinos regressaram a casa, para irem ao encontro dos filhos desaparecidos, iniciaram uma guerra pelo seu regresso. Mas não estavam treinados para a batalha, apenas para reciclar e para viajar, e foram mortos em grande número. E, assim, acreditámos que essas crianças se tinham perdido para sempre — disse ele. — Mas uma geração mais tarde, numa peregrinação, um dos nossos aventurou-se sozinho pelo planeta Othyr e aí, entre aqueles que não conheciam a nossa língua, uma criança falou com ele em Shotet. Era a filha de um prisioneiro Thuvhesit, que recolhia alguma coisa para os seus amos e nem sequer se apercebeu de que tinha trocado uma língua pela outra. A criança foi Recuperada, trazida de volta para nós.

Inclinou a cabeça.

— E então — disse ele — erguemo-nos e tornámo-nos soldados, para nunca mais sermos vencidos.

Enquanto sussurrava, enquanto o fumo das suas ilusões desaparecia, os tambores do centro da cidade batiam cada vez mais alto e tambores por todo o setor pobre juntavam-se a ele. Rugiam e ribombavam, e eu olhava para o Contador de Histórias, de boca completamente aberta.

— É a tempestade — disse ele. — O que vem mesmo a calhar, porque a história acabou.

— Obrigada — disse eu. — Desculpe por...

— Vai, pequena Noavek — disse o Contador de Histórias, com um sorriso torto. — Não a percas.

Agarrei no braço de Akos e levantei-o. Ele estava a olhar para o Contador de Histórias com ar carrancudo. Não tinha tocado na chávena do doce chá roxo que eu lhe servira. Puxei-o com força, para conseguir que ele me seguisse pelos degraus da casa do Contador de Histórias e para a viela. Mesmo daqui, conseguia ver a nave a flutuar em direção a Voa, ao longe. Conhecia o seu formato do mesmo modo que tinha conhecido a silhueta da minha mãe, mesmo à distância. Como se curvava para fora na barriga e ficava mais fina na proa. Sabia que as reciclagens tinham feito ceder as suas placas desniveladas, por estarem tão gastas ou pelas suas tonalidades cor de laranja, azuis e pretas. A nossa nave de retalhos, suficientemente grande para deixar toda a Voa na sombra.

A toda a volta, por toda a cidade, ouvia festejos.

Por hábito, levantei a minha mão livre para o céu. Um som alto e brusco como o estalar de um chicote vinha de algum lado perto da porta de embarque da nave e nervuras azul-escuras espalhavam-se a partir dela, em todas as direções, envolvendo as próprias nuvens e formando novas. Era como tinta lançada dentro de água, separada no início e depois misturando-se, unindo-se até toda a cidade estar coberta por um manto de nevoeiro azul-escuro. O presente da nave para nós.

Então, tal como ocorrera em todas as estações da minha vida, começou a chover azul.

Mantendo a mão firmemente na mão de Akos, virei a palma da outra mão para apanhar algum do azul. Era escuro e, onde quer que deslizasse sobre a minha pele, deixava uma leve mancha. As pessoas no final da viela riam, sorriam e balançavam-se. O queixo de Akos estava virado para trás. Olhava para a barriga da nave e depois para a mão, para o azul a deslizar sobre as articulações dos dedos. Os seus olhos encontraram os meus. Estava a rir-me.

— O azul é a nossa cor preferida — disse eu. A cor do fluxo-corrente quando reciclamos.

— Quando era criança — respondeu com ar sonhador —, também era a minha cor preferida, embora todo Thuvhe a odeie.

Peguei na água azul que tinha recolhido e que enchera a palma da minha mão e esfreguei-a no seu rosto, manchando-o de mais escuro. Akos sacudiu-se, vertendo alguma dela no chão. Ergui as sobrancelhas, à espera da sua reação. Ele pôs a mão de fora, apanhando um fio de água que caía do telhado de um edifício e lançou-se na minha direção.

Corri pela viela, não com a rapidez suficiente para evitar a água fria a deslizar pelas minhas costas, com um guincho de criança. Agarrei no braço dele pelo cotovelo e corremos juntos através da multidão que cantava, passando por idosos que se balançavam, por homens e mulheres que dançavam demasiado próximos, por visitantes de fora do planeta, irritados, que tentavam cobrir os seus bens no mercado. Salpicámo-nos em poças de azul vivo, ensopando as nossas roupas. E, por uma vez, estávamos ambos a rir.

CAPÍTULO 12 | CYRA

NESSA NOITE, ESFREGUEI a mancha azul da pele e do cabelo, depois juntei-me a Akos no balcão da botica, para preparar o analgésico que me permitiria dormir. Não lhe perguntei o que pensava do relato da história de Shotet, do Contador de Histórias, que culpava Thuvhe e não Shotet pela hostilidade entre os nossos povos. Ele não exibiu qualquer reação. Quando acabámos de fazer o analgésico, transportei-o para o meu quarto e sentei-me na ponta da cama para o beber. E essa era a última coisa de que me lembrava.

Quando acordei, estava caída de lado na cama, em cima dos cobertores. Ao meu lado, a caneca semivazia de analgésico tinha-se entornado e os lençóis estavam manchados de roxo, nesse local. O sol estava a começar a nascer, a julgar pela luz pálida que chegava através das cortinas.

Com o corpo a doer, levantei-me com esforço.

— Akos?

O chá tinha-me deixado inconsciente. Pressionei a minha mão contra a testa. Mas eu tinha ajudado a prepará-lo; tê-lo-ia feito demasiado forte? Atravessei o corredor aos tropeções e bati à sua porta. Não, não podia tê-lo preparado demasiado forte. Só tinha preparado os caules de *sendes*. Ele tinha feito o resto.

Tinha-me drogado.

Ninguém respondeu à sua porta. Empurrei para a abrir. O quarto de Akos estava vazio, com as gavetas abertas, sem as roupas, e o punhal tinha desaparecido.

Tinha suspeitado da sua gentileza quando me persuadira a sair de casa. E tinha razão.

Puxei o cabelo para trás e apertei-o para não me cair no rosto. Regressei ao meu quarto, enfiando os pés nas botas, sem me dar ao trabalho de as apertar.

Tinha-me *drogado.*

Andei às voltas e procurei na parede mais afastada o painel que tínhamos empurrado juntos, ontem, para sairmos discretamente da casa. Havia uma pequena falha entre ele e o resto da parede. Cerrei os dentes para controlar a dor. Ele tinha querido que eu saísse de casa com ele, para lhe mostrar como fugir. E eu tinha-o armado com a faca Zoldan, tinha-lhe confiado a minha poção e agora... Agora, iria sofrer por isso.

Acho que estás a mentir a ti própria acerca do que sou, tinha dito.

Não há lugar para a honra quando se trata de sobrevivência, tinha-lhe ensinado eu.

Saí a correr para o corredor. Já havia um guarda a caminhar na minha direção. Apoiei-me contra a porta. O que é que ele vinha dizer-me? Não sabia o que esperar, a fuga de Akos ou a sua captura.

O guarda parou pouco antes da porta e curvou a cabeça. Era um dos mais baixos e mais novos, com cara de bebé e transportando uma espada. Um dos que ainda olhava fixamente, de olhos arregalados, para os meus braços, quando as linhas escuras se espalhavam sobre eles.

— O que é? — perguntei, cerrando os dentes. A dor tinha voltado, quase tão má como depois de ter torturado Uzul Zetsyvis. — O que se passa?

— O administrador do soberano, Vas Kuzar, manda dizer que o seu criado foi descoberto a tentar fugir com o irmão, ontem à noite — disse o guarda. — Neste momento, está detido, à espera do castigo determinado pelo soberano. O Vas solicita a sua presença em audiência privada, daqui a duas horas, no Salão de Armas.

Com o irmão. Isso significava que Akos descobrira uma forma de libertar também Eijeh. Lembrei-me dos gritos de Eijeh quando tinha chegado aqui e estremeci.

Fui para a audiência privada totalmente armada, vestida como um soldado. Ryzek deixara as cortinas corridas no Salão de Armas, por isso estava escuro como breu, com a sala apenas iluminada pela luz oscilante dos *fenzu,* em cima. Ele estava de pé, sobre a plataforma, de mãos atrás das costas, olhando fixamente para a parede de armas acima dele. Não havia mais ninguém na sala. Ainda.

— Esta era a preferida da nossa mãe — disse ele, enquanto a porta se fechava atrás de mim. Tocou no bastão-corrente, suspenso da parede numa diagonal. Era um pau longo e estreito, com lâminas em cada uma das pontas. Cada uma das lâminas continha uma haste condutora para que, se a arma tocasse na pele, as sombras escuras de corrente se enrolassem à volta de toda a arma, de uma ponta à outra. Era quase da minha altura.

— Uma escolha elegante — disse ele, ainda sem se virar. — Mais para exibição do que para outra coisa; sabias que a nossa mãe não era particularmente proficiente no combate? O pai disse-me. Mas era esperta, estratégica. Encontrava formas de evitar altercações físicas, reconhecendo a sua fraqueza.

Virou-se. Ostentava um sorriso presunçoso.

— Devias ser mais como ela, irmã — disse ele. — És uma excelente lutadora. Mas aqui em cima... — Bateu ao de leve na parte lateral da cabeça. — Bom, não é o teu forte.

As sombras viajavam mais rápido debaixo da minha pele, estimuladas pela minha raiva. Mas mantive a boca fechada.

— Deste uma arma ao Kereseth? Levaste-o através dos túneis? — Ryzek abanou a cabeça. — Dormiste enquanto ele fugia?

— Ele drogou-me — disse eu, abruptamente.

— Oh? E como é que ele fez isso? — disse Ryzek, de forma ligeira, ainda com um sorriso falso. — Prendeu-te e deitou a poção na tua boca? Não me parece. Acho que a bebeste, confiando nele. Bebeste uma droga poderosa, preparada pelo inimigo.

— Ryzek... — comecei eu.

— Quase nos custaste o nosso oráculo — explodiu Ryzek. — E porquê? Porque foste suficientemente insensata para deixar o teu coração palpitar pelo primeiro analgésico que te apareceu?

Não discuti. Ele passara muito tempo à procura de um oráculo pela galáxia, com o meu pai e sem ele. Numa noite, aquele oráculo quase tinha escapado. Por causa da minha irresponsabilidade. E talvez ele tivesse razão. Talvez qualquer escassa confiança que tinha sentido por Akos, qualquer encanto que ele pudesse ter tido, tivesse vindo do facto de ele me proporcionar alívio. Porque estava tão agradecida pela suspensão temporária da dor e do isolamento, que o meu coração tinha amolecido. Tinha sido estúpida.

— Não podes censurá-lo por querer salvar o irmão ou por querer sair daqui — disse eu, com a voz a tremer de medo.

— Não percebes mesmo, pois não? — disse Ryzek, rindo-se um bocadinho. — As pessoas vão querer sempre coisas que nos vão destruir, Cyra. Isso não significa que as deixemos simplesmente agir de acordo com o que querem.

Ryzek apontou para o lado da sala.

— Põe-te ali e não digas uma palavra — disse ele. — Trouxe-te aqui para observares o que acontece quando não se mantêm os criados sob controlo.

Estava a tremer, a arder e parecia estar debaixo de um dossel de videiras, marcada pelas sombras. Dirigi-me aos tropeções para o lado da sala, com os braços apertados com força, à minha volta. Ouvi Ryzek a mandar entrar.

As portas enormes do outro lado da sala abriram-se. Vas entrou primeiro, de armadura, com os ombros para trás. Atrás dele, flanqueado por soldados, estava a forma vergada e aos tropeções de Akos Kereseth. Metade da sua cara estava coberta de sangue, vindo de um corte no sobrolho. Tinha a cara inchada, o lábio aberto. Já tinha sido espancado mas, pensando bem, ele tinha-se tornado bom a suportar espancamentos.

Atrás dele caminhava Eijeh, também a sangrar e espancado, mas mais do que isso... ausente. O seu rosto era rude, com uma barba irregular, e estava esquelético, uma sombra do jovem que eu vira a partir do meu ponto de observação oculto, há duas estações.

Conseguia ouvir Akos a respirar do sítio onde estava, a balbuciar. Mas endireitou-se, ao ver o meu irmão.

— Vejam só que espetáculo — disse Ryzek, descendo os degraus lentamente. — Até onde é que ele chegou, Vas? Para lá da vedação?

— Nem sequer isso — disse Vas. — Apanhei-o nas cozinhas, a sair dos túneis.

— Bom, deixa-me esclarecer o teu erro de cálculo, para o futuro, Kereseth — disse Ryzek. — Só porque a minha falecida mãe gostava da aparência antiga desta casa, isso não significa que eu não a tenha dotado das mais avançadas medidas de segurança possíveis, depois da sua morte. Incluindo sensores de movimento à volta dos quartos protegidos, como o do teu irmão.

— Porque o manténs aqui? — disse Akos, de dentes cerrados. — Ele *tem* mesmo um dom-corrente? Ou também o mataste à fome?

Vas, de forma casual, preguiçosa, esbofeteou Akos com as costas da mão. Este estatelou-se no chão, agarrando o rosto.

— Akos — disse Eijeh. A sua voz era como um toque leve. — Não faças isso.

— Porque não lhe dizes, Eijeh? — disse Ryzek. — Desenvolveste um dom-corrente?

Akos espreitou para lá dos dedos, para o irmão. Eijeh fechou os olhos por um momento e, ao abri-los, assentiu com a cabeça.

— Oráculo em ascensão — murmurou Akos, em Shotet. No início, não percebi o que queria dizer, pois não era uma frase que usássemos. Mas o Thuvhesit tinha palavras diferentes para os três oráculos: Um em queda, próximo de se retirar; um sentado, a fazer profecias a partir do templo; e um em ascensão, a chegar à plenitude do seu poder.

— Estarias correto ao assumir que não fui capaz de o fazer usar o dom para meu benefício — disse Ryzek. — Pelo que, em vez disso, pretendo tirar-lho.

— Tirar-lho? — inquiriu Akos, ecoando os meus próprios pensamentos.

Ryzek aproximou-se de Akos e agachou-se à sua frente, com os cotovelos apoiados nos joelhos.

— Sabes qual é o *meu* dom-corrente? — disse ele, com ligeireza.

Akos não respondeu.

— Conta-lhe, Cyra querida — disse Ryzek, fazendo um movimento brusco com a cabeça, na minha direção. — Estás intimamente familiarizada com ele.

Akos, apoiado numa mão, ergueu os olhos para mim. Havia lágrimas misturadas com sangue no seu rosto.

— O meu irmão consegue trocar memórias — disse eu. Soava vazia. Sentia-me vazia, também. — Dá-te uma das dele e leva uma das tuas, em troca.

Akos ficou imóvel.

— O dom de uma pessoa provém de quem ela é — disse Ryzek. — E quem ela é consiste naquilo em que o seu passado a tornou. Se se tiram as memórias de uma pessoa, tiram-se as coisas que a formaram. Tira-se o seu dom... — Rizek percorreu a parte lateral do rosto de Akos com o dedo, recolhendo sangue. Esfregou-o entre o polegar e o indicador, examinando-o. — Afinal, não terei de depender de outra pessoa para me dizer o futuro.

Akos lançou-se contra Ryzek, movendo-se rapidamente para evitar os soldados, com as mãos esticadas. Pressionou com força o lado da garganta de Ryzek com o polegar, prendendo o seu braço direito com o outro, de dentes à mostra. Animal.

Vas estava em cima dele, em segundos, puxando-o pelas costas da camisa e dando-lhe fortes socos nas costelas. Quando Akos ficou deitado de costas, no chão, Vas pressionou-lhe a garganta com o sapato e ergueu o sobrolho.

— Um dos meus soldados fez-te isto, uma vez — disse Vas. — Antes de eu matar o teu pai. Pareceu eficaz, na altura. Fica quieto ou esmago-te a traqueia.

Akos contraiu-se, mas parou de se debater. Ryzek levantou-se, massajando a garganta, sacudindo o pó das calças e inspecionando as tiras da sua armadura. Depois, aproximou-se de Eijeh. Os soldados que tinham entrado com Akos estavam agora a flanquear Eijeh, cada um agarrando-lhe firmemente um dos braços. Como se fosse necessário. Eijeh parecia tão atordoado, que fiquei surpreendida por ainda estar acordado.

Ryzek levantou ambas as mãos e pô-las sobre a cabeça de Eijeh, de olhos fixos e faminto. Faminto por escapar.

Não havia muito para ver. Apenas Ryzek e Eijeh unidos pelas mãos de Ryzek, com os olhares cravados um no outro, durante muito tempo.

Quando vi Ryzek a fazer isto pela primeira vez, era demasiado nova para entender o que se estava a passar, mas lembrava-me que demorava apenas um instante a trocar uma memória. As memórias ocorrem em lampejos, não tão extensos como a realidade, e parecia estranho que algo tão importante, tão essencial para uma pessoa, pudesse desaparecer tão rapidamente.

Sem fôlego, não podia fazer nada salvo assistir.

Quando Ryzek soltou Eijeh, foi com um olhar estranho, confuso. Deu um passo para trás e olhou à sua volta, como se não estivesse bem certo de onde estava. Apalpou o seu corpo, como se não tivesse a certeza de quem era. Perguntei-me se ele tinha pensado naquilo que trocar as suas memórias lhe poderia custar ou se teria simplesmente assumido que era uma personalidade tão potente que havia mais do que suficiente dele para poder funcionar.

Eijeh, entretanto, olhava para o Salão de Armas como se tivesse acabado de o reconhecer. Estaria eu apenas a imaginar a familiaridade nos seus olhos, enquanto eles seguiam os degraus que subiam até à plataforma?

Ryzek fez um gesto com a cabeça na direção de Vas, para que retirasse o pé da garganta de Akos. Vas obedeceu. Akos ficou imóvel, olhando fixamente para Ryzek, que se agachou junto dele novamente.

— Ainda coras com facilidade? — disse Ryzek, suavemente. — Ou foi algo que eventualmente te passou?

O rosto de Akos contorceu-se.

— Não voltas a desrespeitar-me com planos de fuga idiotas — disse Ryzek. — E o teu castigo por esta primeira e única tentativa é que vou manter o teu irmão aqui, tirando pedaço atrás de pedaço dele, até que já não seja alguém que queiras salvar.

Akos pressionou a sua testa contra o chão e fechou os olhos,

E, sem espanto, era como se Eijeh Kereseth tivesse desaparecido.

CAPÍTULO 13 | CYRA

NESSA NOITE, NÃO tomei um analgésico. Afinal de contas, já não podia depender de Akos para o preparar e não confiava verdadeiramente em mim própria para o preparar sozinha.

Quando voltei para o quarto, encontrei o punhal que oferecera a Akos na almofada. Calculei que tivesse sido deixado ali por Ryzek, à laia de aviso. Tranquei o quarto de Akos por fora.

Era difícil dizer se era ele que não falava comigo ou eu que não falava com ele. De qualquer modo, não trocámos uma palavra. O Festival da Peregrinação continuou por todo o lado, à nossa volta, e fui chamada para aparecer ao lado do meu irmão em algumas das festividades, com marcas escuras e calada. Akos estava sempre nas minhas costas, com o seu toque ocasional obrigatório e o olhar distante. Cada vez que a pele dele roçava na minha, para me proporcionar alívio, começava sempre por me afastar, sobressaltada: Toda a confiança tinha desaparecido.

Passava a maior parte do tempo na arena, a presidir desafios ao lado de Ryzek. Os desafios na arena, um contra um, combates públicos, eram uma tradição Shotet de longa data, que originalmente pretendia ser um desporto para aperfeiçoar as nossas habilidades de combate, no tempo em que éramos fracos e abusados por quase toda a gente na galáxia. Agora, durante a semana do Festival da

Peregrinação, era legal desafiar quase qualquer pessoa de quem se tivesse motivo de queixa para lutar ou até que uma das pessoas se rendesse, ou até à morte.

Contudo, uma pessoa não podia desafiar outra cujo estatuto social, decidido arbitrariamente por Ryzek ou por alguém nomeado por ele, excedesse o seu. Em consequência, as pessoas decidiam, frequentemente, provocar os seus verdadeiros inimigos, atingindo as pessoas à sua volta, amigos e seres queridos, até que o outro as desafiasse. À medida que o festival avançava, as lutas tornavam-se mais sangrentas e mais mortíferas.

Por isso, sonhava com morte e a morte preenchia os meus dias.

No dia depois de ter cumprido dezasseis estações, no dia antes de embarcarmos na nave da peregrinação e cinco dias depois de Ryzek ter começado a trocar memórias com Eijeh, Akos Kereseth recebeu a armadura que ganhara há muito tempo, quando estava no campo militar.

Eu tinha acabado de fazer algumas corridas no ginásio, por isso estava a caminhar para trás e para a frente no quarto, a recuperar o fôlego, com suor a escorrer pela parte de trás do pescoço. Vas bateu à porta, com um colete de armadura polida a balançar numa das mãos.

— Onde está o Kereseth? — indagou Vas.

Levei-o pelo corredor e destranquei a porta de Akos. Estava sentado na cama e, a julgar pelo olhar distraído, drogado com flor do silêncio, que consumia agora, pétala por pétala, crua. Armazenava as pétalas nos bolsos.

Vas atirou a armadura na direção de Akos, que a apanhou com ambas as mãos. Manuseou-a como se se fosse quebrar, virando-a ao contrário e percorrendo cada um dos painéis azuis-escuros com os dedos.

— Ouvi dizer que isso foi tudo quanto ganhaste, enquanto estavas a ser treinado pelo Vakrez, na última estação — disse Vas.

— Como está o meu irmão? — perguntou Akos, com uma voz gutural.

— Já não precisa de fechadura para ficar no quarto — disse Vas. — Fica de livre vontade.

— Isso não é verdade. Não pode ser.

— Vas — disse eu. — Vai-te embora.

Conseguia identificar a tensão em crescendo, quando a sentia. E não queria, de forma alguma, ver o que aconteceria quando se desatasse.

Vas inclinou a cabeça enquanto olhava para mim, depois curvou-se ligeiramente e saiu.

Akos levantou a armadura até à luz. Tinha sido feita para ele, com correias ajustáveis para se adaptar ao seu inevitável crescimento, flexibilidade na caixa torácica e enchimento extra na zona do estômago, que ele se esquecia sempre de proteger quando treinávamos. Havia uma bainha no ombro direito, para que pudesse desembainhar a arma, passando o braço esquerdo por cima da cabeça. Era uma honra elevada, utilizar este tipo de armadura, especialmente quando se era tão novo.

— Agora, vou trancar-te outra vez — disse eu.

— Há alguma forma de desfazer o que o Ryzek faz? — perguntou Akos, como se não me tivesse ouvido. Parecia que tinha perdido a força para se manter em pé. Pensei em recusar-me a responder-lhe.

— A não ser pedir com gentileza ao Ryzek para voltar a trocar as memórias e esperar que ele esteja com uma disposição generosa, não.

Akos pôs-se de pé e deixou cair a armadura sobre a cabeça. Quando tentou apertar a primeira correia sobre a caixa torácica, retraiu-se, abanando a mão. As correias eram feitas do mesmo material que o resto e eram difíceis de manusear. Agarrei na correia entre os dedos, puxando-o na minha direção. Os meus dedos já estavam calejados.

Puxei a correia para trás e para a frente, até estar bem apertada.

— Não queria envolver-te — disse Akos, suavemente.

— Oh, não me trates com condescendência — disse eu, com brusquidão. — Manipular-me foi uma parte fundamental do teu plano. E era exatamente o que eu esperava.

Acabei de apertar as correias e dei um passo atrás. *Oh*, pensei. Era alto, tão alto e forte, e de armadura, com a pele azul-escura da criatura que ele caçara ainda de cor viva. Parecia um soldado Shotet, como alguém que eu podia ter amado, se tivéssemos encontrado uma forma de confiar um no outro.

— Tudo bem — disse Akos, novamente, numa voz suave. — Queria envolver-te. Mas não esperava sentir-me mal com isso.

Senti-me sufocada. Não sabia porquê. Ignorei a sensação.

— E agora queres que te ajude a sentires-te menos mal, é isso? — disse eu. Antes que ele pudesse responder saí, fechando a porta atrás de mim.

Diante de mim e de Akos estavam as ruas poeirentas de Voa, atrás uma vedação alta de metal. Uma multidão numerosa e estridente esperava por nós. Ryzek saiu da casa com o seu braço pálido e comprido levantado, para os saudar, e eles soltaram um grito desafinado.

O Festival da Peregrinação estava quase a terminar. Hoje, todos os Shotet fisicamente aptos e com idade adequada embarcariam na nave da peregrinação e, pouco depois, deixaríamos este planeta para trás.

Vas seguiu Ryzek para o exterior e, atrás dele, vestido com uma camisa branca lavada e aparentando estar mais presente do que eu alguma vez o vira, Eijeh. Os seus ombros estavam de volta, os seus passos mais largos, como se pertencessem a um homem mais alto, o canto da boca levantado. Os olhos de Eijeh passaram sobre o irmão e percorreram a rua para lá da mansão Noavek.

— Eijeh — disse Akos, com a voz entrecortada.

O rosto de Eijeh deixou perceber algum reconhecimento,

como se tivesse avistado o irmão a uma enorme distância. Virei-me na direção de Akos.

— Mais tarde — disse eu, rispidamente, agarrando a parte da frente da sua armadura. Não podia deixar que se fosse abaixo aqui, com todas estas pessoas a observar-nos. — Aqui não, agora não. Ok?

Quando me afastei e o larguei, vi a garganta dele a engolir em seco. Tinha uma sarda debaixo do queixo, perto da orelha; nunca a tinha visto antes.

Com os olhos cravados em Eijeh, Akos assentiu com a cabeça.

Ryzek desceu as escadas e nós seguimo-lo. A nave da peregrinação cobria-nos de sombra, assim como à cidade de Voa. Dezenas de estações de peregrinações tinham produzido a cidade que nos rodeava, um mosaico de estruturas antigas, de pedra, reforçadas com argila e tecnologia recente, reciclada de outras culturas e terras. Edifícios baixos com pináculos de vidro construídos no topo, que refletiam imagens de outros planetas; ruas poeirentas de terra batida, com naves refletoras polidas, planando sobre elas; carrinhos de rua vendendo talismãs condutores de corrente, junto a outros vendendo implantes de ecrãs que podiam ser introduzidos sob a pele.

Nessa manhã, entre ataques de dor, tinha contornado e ensombrado os olhos escuros com pó azul e entrançado o cabelo espesso. Vesti a armadura que ganhara no limite da Divisória quando era mais nova e coloquei a proteção à volta do antebraço.

Olhei para trás, para Akos. Também ele envergava armadura, claro, com umas botas pretas novas e uma camisa cinzenta de manga comprida, que lhe ficava demasiado estreita nos antebraços. Parecia assustado. Tinha-me dito, naquela manhã, enquanto caminhávamos para a entrada da mansão, que nunca tinha estado fora do planeta. E depois havia Eijeh, mudado, a caminhar mesmo à nossa frente. Havia muito para temer.

Enquanto passávamos pelo portão, fiz-lhe um gesto com a cabeça e ele soltou-me o braço. Estava na hora da minha décima primeira Procissão e queria chegar à nave transportadora com a minha própria força.

A caminhada passou numa névoa. Gritos, aplausos, os dedos de Ryzek a encontrarem mãos esticadas e a apertá-las. O seu riso, a minha respiração, as mãos a tremer de Akos. Pó no ar e fumo de comida cozinhada.

Finalmente, consegui chegar ao interior da nave transportadora, onde Eijeh e Vas já estavam à espera. Eijeh estava a ajustar as suas próprias correias com o à-vontade de alguém que já o fizera uma dúzia de vezes antes. Puxei Akos na direção de um lugar nas traseiras, querendo mantê-lo longe do irmão. Um enorme rugido soou da multidão, enquanto Rysek acenava da entrada.

Logo depois de a portinhola se fechar, Eijeh deixou-se cair nas correias que o prendiam ao lugar, de olhos arregalados, mas também inexpressivos, como se estivesse a olhar para alguma coisa que nenhum de nós conseguia ver. Ryzek, que tinha estado a apertar as próprias correias, desapertou-as e sentou-se mais à frente, com o rosto a poucos centímetros do de Eijeh.

— O que é? — disse Ryzek.

— Uma visão de problemas — disse Eijeh. — Um ato de provocação. Público.

— Evitável? — Era quase como se já tivessem tido esta exata conversa antes. Se calhar, tinham.

— Sim, mas neste caso deves deixá-lo acontecer — disse Eijeh, fixando-se agora em Ryzek. — Podes usá-lo em teu benefício. Tenho um plano.

Ryzek franziu os olhos.

— Conta lá.

— Eu contava, mas temos público. — Eijeh fez um gesto com a cabeça, na direção das traseiras da nave, onde Akos estava sentado à minha frente.

— Sim, o teu irmão é um incómodo, não é? — Ryzek estalou a língua.

Eijeh não discordou. Reclinou-se para trás no assento e fechou os olhos enquanto levantávamos voo.

O cais de embarque da nave da peregrinação era um dos meus

lugares preferidos, vasto e aberto, um labirinto de metal. Diante de nós, uma frota de naves transportadoras, prontas para nos levar até à superfície de um planeta, perfeitamente polidas, agora, mas que em breve regressariam riscadas de pó, fumo, chuva e poeira estelar, insígnias dos sítios onde tinham estado.

Não eram redondas e achatadas como os flutuadores de passageiros, ou pontiagudas e enormes como a nave da peregrinação. Em vez disso, eram lisas e aerodinâmicas, como pássaros apanhados a meio de uma descida, com as asas dobradas para trás. Cada uma era multicolor, formada a partir de diferentes metais e suficientemente grande para albergar pelo menos seis passageiros, embora algumas fossem maiores.

Mecânicos de macacões azuis-escuros aglomeraram-se em redor da nossa nave, quando esta aterrou. Ryzek saiu primeiro, saltando para o exterior ainda antes de os degraus terem descido da portinhola.

Akos tinha-se posto de pé, com as mãos apertadas com tanta força que eu conseguia ver os tendões a destacarem-se do osso das articulações.

— Ainda aí estás? — perguntou Akos a Eijeh, discretamente.

Eijeh suspirou e arrastou uma unha debaixo de outra. Observei-o atentamente. Ryzek era obcecado com as unhas limpas e antes preferia partir uma unha, do que andar com elas cheias de terra. Seria este gesto, Eijeh a limpar as unhas, algo que também lhe pertencia, ou seria de Ryzek, um sinal da transformação de Eijeh? Quanto do meu irmão palpitava agora dentro de Eijeh Kereseth?

Ele respondeu.

— Não percebo o que queres dizer.

— Percebes, sim. — Akos pressionou uma mão contra o peito do irmão e empurrou-o contra a parede de metal da nave, não violentamente mas com urgência, encostando-se a ele. — Lembras-te de mim? Da Cisi? Do pai?

— Lembro-me... — Eijeh pestanejou lentamente, como quem está a acordar. — Lembro-me dos teus segredos. — Olhou para

Akos com uma expressão carrancuda. — Lembro-me daquela vez que foste roubar com a nossa mãe, depois de o resto de nós se ter ido deitar. Lembro-me de como me seguias sempre para todo o lado, porque não te sabias desenvencilhar sozinho. É a isso que te referes?

As lágrimas brilharam nos olhos de Akos.

— Isso não é a história completa — disse Akos. — Não é só isso que eu sou para ti. Tens de saber isso. Tu...

— Chega. — Vas caminhou até às traseiras da nave. — O teu irmão vem comigo, Kereseth.

As mãos de Akos contraíram-se, desejando estrangular. Agora, era da altura de Vas, por isso, os seus olhos encontravam-se no mesmo plano, mas tinha metade do volume dele. Vas era uma máquina de guerra, um homem de músculo. Nem sequer conseguia imaginar os dois a lutarem; só conseguia ver Akos no chão, fraco.

Akos saltou bruscamente para a frente e eu também. A sua mão estava mesmo a dirigir-se para a garganta de Vas quando cheguei ao pé deles, com uma mão em cada peito, empurrando para os afastar. Foi a surpresa e não a força que fez com que o meu movimento fosse eficaz; ambos se chegaram para trás e eu enfiei-me entre eles.

— Vem comigo — disse eu a Akos. — Agora.

Vas riu-se.

— É melhor dares-lhe ouvidos, Kereseth. Não são pequenas tatuagens de corações que ela esconde debaixo dessa proteção de braço.

Então, pegou no braço de Eijeh e, juntos, abandonaram a nave. Esperei até já não conseguir ouvir os seus passos, antes de recuar.

— Ele é um dos melhores soldados em Shotet — disse a Akos. — Não sejas idiota.

— Não fazes ideia — explodiu Akos. — Alguma vez te importaste o suficiente com uma pessoa, para odiares quem ta roubou, Cyra?

Uma imagem da minha mãe veio-me à mente e a veia na testa

inchou, como acontecia sempre que estava zangada. Estava a repreender Otega por me ter levado a partes perigosas da cidade durante as nossas lições ou por me cortar o cabelo pelo queixo, não conseguia lembrar-me de qual delas era. Eu amava-a tanto, até nesses momentos, porque sabia que ela me prestava atenção, ao contrário do meu pai, que nem sequer me olhava nos olhos.

Disse-lhe:

— Atacar o Vas por causa do que aconteceu ao Eijeh só vai servir para te magoares e para eu ficar irritada. Por isso, toma um bocado de flor do silêncio e controla-te, antes que eu te expulse pelas portas do cais de embarque.

Por um momento, pareceu que ia recusar, mas depois, a tremer, levou uma mão ao bolso e tirou uma das pétalas de flores do silêncio cruas que aí guardava. Pressionou-a contra o rosto.

— Isso — disse eu. — Está na hora de irmos.

Afastei o cotovelo do corpo e ele passou a mão à volta dele. Juntos, caminhámos pelos corredores vazios da nave da peregrinação, que eram de metal polido, barulhentos com ecos de pés e vozes distantes.

Os meus aposentos na nave de guerra não se pareciam nada com a minha ala na mansão Noavek: A última tinha soalhos escuros e polidos, paredes brancas e limpas, impessoais, mas os primeiros estavam repletos de objetos de outros mundos. Havia plantas exóticas conservadas em resina e penduradas no teto como um lustre. Insetos brilhantes, mecânicos, zumbiam em círculos à volta delas. Pedaços de tecido que mudavam de cor, dependendo da hora do dia. Um fogão respingado de manchas e uma arca frigorífica para não ter de me deslocar ao refeitório.

Ao longo da parede mais afastada, passando a mesinha onde fazia as refeições, havia centenas de discos velhos, que continham hologramas de danças, lutas e desportos noutros lugares. Adorava imitar as técnicas impressionantes de quedas e desmaios das bailarinas Ogra ou os rituais de dança rígidos e estruturados de Tepes. Ajudava-me a focar durante a dor. Havia também lições de história entre os discos e filmes de outros planetas. Emissões antigas de noticiários; documentários áridos sobre ciência e língua; gravações de concertos. Eu já os tinha visto todos.

A minha cama ficava no canto, debaixo de uma escotilha e de uma rede de pequeníssimas candeias de pedras ardentes, com os cobertores ainda amarrotados da última vez que tinha dormido nela. Não permitia que ninguém entrasse nos meus aposentos, na nave da peregrinação, nem sequer para limpar.

Pigarreei.

— Vais ficar deste lado — disse eu, atravessando o espaço cheio de coisas. Passei a mão sobre o sensor junto a uma porta fechada; esta deslizou e abriu-se, para revelar outro quarto, também com uma única escotilha para o exterior. — Antigamente, isto era um armário obscenamente grande. Estes eram os aposentos privados da minha mãe, antes de ela morrer. — Estava a balbuciar. Já não sabia como falar com ele, agora que ele me tinha drogado e se tinha aproveitado da minha amabilidade, agora que ele tinha perdido aquilo por que lutava e eu não tinha feito nada para o impedir. Era esse o meu padrão: Permanecer passiva, enquanto Ryzek semeava destruição.

Akos parara junto à porta, para observar a armadura que decorava a parede. Não era nada como uma armadura Shotet, volumosa ou desnecessariamente decorada, mas parte dela era linda, feita de metal cor de laranja, brilhante ou ornamentada com tecido preto, resistente. Encaminhou-se lentamente para o quarto ao lado.

Parecia-se muito com aquele que deixara para trás na mansão Noavek: Todos os mantimentos e equipamento necessários para preparar venenos e poções se encontravam ao longo da parede, arrumados da forma como ele gostava. Na semana anterior à sua traição, eu tinha enviado, antecipadamente, uma fotografia da sua organização, para que fosse copiada de forma exata. Havia uma cama com lençóis cinzentos-escuros; a maioria dos tecidos de Shotet era azul, pelo que os lençóis tinham sido difíceis de encontrar.

As pedras ardentes nas candeias, por cima da cama, tinham

sido polvilhadas com pó de inveja, para que irradiassem uma luz amarela. Havia livros sobre a elmetahak e a cultura Shotet na estante baixa, junto à cama. Carreguei num botão ao lado da porta e um mapa holográfico enorme, da nossa localização, espalhou-se pelo teto. Nesse momento, exibia Voa, já que ainda planávamos sobre ela, mas mostraria o caminho através da galáxia, enquanto viajássemos.

— Eu sei que os aposentos aqui são próximos — disse eu. — Mas o espaço na nave é limitado. Vou tentar fazer com que seja suportável para nós os dois.

— *Tu* preparaste este lugar? — disse ele, voltando-se na minha direção. Não conseguia ler a sua expressão. Fiz um gesto afirmativo com a cabeça.

— Infelizmente, vamos ter de partilhar a casa de banho. — Ainda a balbuciar. — Mas não é por muito tempo.

— Cyra — interrompeu ele. — Nada é azul. Nem sequer as roupas. E as flores de gelo estão etiquetadas em Thuvhesit.

— O teu povo acha que o azul está amaldiçoado. E tu não sabes ler Shotet — disse eu, tranquilamente. As minhas sombrascorrentes começaram a mover-se mais depressa debaixo da pele, a acumular-se debaixo das minhas bochechas. A cabeça latejava-me com tanta força que tive de piscar os olhos para não chorar. — Infelizmente, os livros sobre a elmetahak estão em Shotet, mas há um dispositivo de tradução ao lado deles. Coloca-o simplesmente sobre a página e...

— Mas, depois do que eu te fiz... — começou ele.

— Eu já tinha enviado as instruções, antes disso — respondi.

Akos sentou-se na ponta da cama.

— Obrigado — disse ele. — Desculpa, por... tudo. Eu só queria tirá-lo daqui. Só conseguia pensar nisso.

A sua sobrancelha era uma linha direita e baixa sobre os olhos, que fazia com que fosse demasiado fácil perceber a sua tristeza ou raiva. Tinha cortado o queixo ao barbear-se.

Havia um ruído no seu murmúrio.

— Ele era a última coisa que me restava.

— Eu sei — respondi, mas não sabia, não verdadeiramente. Tinha visto Ryzek a fazer coisas que me revolviam o estômago. Mas para mim era diferente de para Akos. Eu pelo menos sabia que era capaz de horrores semelhantes. Ele não tinha forma de entender aquilo em que Eijeh se tinha tornado.

— Como consegues continuar a fazer isto? — disse ele. — Continuar a andar para a frente, quando tudo é tão horrível?

Horrível. Era isso que a vida era? Nunca lhe tinha atribuído uma palavra. A dor tinha uma forma de fragmentar o tempo. Pensava no próximo minuto, na próxima hora. Não havia espaço suficiente na minha mente para juntar todas as peças, para encontrar palavras para resumir o conjunto. Mas, para a parte de «continuar a andar para a frente», eu conhecia as palavras.

— Arranja outro motivo para continuar — disse eu. — Não tem de ser um motivo bom, nem um motivo nobre. Tem se ser apenas um motivo.

Eu sabia qual era o meu: Existia uma fome dentro de mim, que sempre tinha existido. Essa fome era mais forte do que a dor, mais forte do que o horror. Corroía-me até mesmo depois de tudo o resto dentro de mim ter desistido. Não era esperança; não elevava; deslizava, agarrava e arrastava, e não me deixava parar.

E, quando finalmente o nomeei, encontrei algo muito simples: O desejo de viver.

Essa noite era a última noite do Festival da Peregrinação, em que as últimas naves transportadoras aterravam no cais de embarque e todos participavam juntos num banquete, na nave da peregrinação. Era suposto as pessoas que trazíamos connosco já estarem cheias de energia, nesse momento, com a confiança e determinação reforçadas pelos eventos festivos da semana anterior, e parecia-me que estavam. A multidão que me transportava a mim e a Akos na sua maré, em direção ao cais de embarque, era animada e barulhenta. Tive cuidado para manter a pele que não estava coberta de roupa longe deles; não queria chamar a atenção, causando dor às pessoas.

Caminhei para a plataforma onde Ryzek estava de pé, apoiado no corrimão, com Eijeh à sua direita. Onde estava Vas?

Envergava a minha armadura Shotet, polida na perfeição, sobre um vestido preto, comprido, sem mangas. O tecido roçava nas pontas das minhas botas, enquanto me movia.

As marcas dos assassinatos de Ryzek estavam em exibição plena; mantinha o seu braço fletido, para as mostrar no seu melhor. Algum dia, começaria uma segunda fila, como o meu pai. Quando cheguei, dedicou-me um sorriso, o que me fez estremecer.

Assumi o meu lugar à sua esquerda, na balaustrada. Era suposto exibir o meu dom-corrente em alturas como esta, para recordar a todas as pessoas à nossa volta que, apesar do charme de Ryzek, não deviam meter-se connosco. Tentei aceitar a dor, absorvê-la como fazia com o vento frio, quando me esquecia de vestir o casaco certo, mas tive dificuldade em concentrar-me. À minha frente, a multidão expectante oscilava e deslizava. Não era suposto eu recuar; não o faria, não o faria.

Expirei, aliviada, quando as duas últimas naves transportadoras entraram pela porta aberta do cais. Toda a gente aplaudiu quando as portinholas das naves se abriram e o último grupo Shotet entrou. Tinha chegado o momento do discurso de boas-vindas.

Mas, assim que Ryzek abriu a boca, uma jovem mulher que fazia parte do grupo que tinha acabado de deixar a nave transportadora avançou na nossa direção. Tinha uma trança loira, comprida, e envergava não as cores vivas dos Shotet mais comuns, que compunham a multidão em baixo, mas um cinzento-azulado, elegante e subtil, a condizer com os seus olhos. Era uma cor popular entre os abastados de Shotet.

Era Lety Zetsyvis, a filha de Uzul. Empunhava uma espada-corrente bem alto no ar e tinha tentáculos negros, enrolados à volta das mãos como cordões, prendendo a espada ao seu corpo.

— O primeiro filho da família Noavek — gritou ela — render-se-á à família Benesit!

Era o destino do meu irmão, claramente enunciado.

— Esse é o teu destino, Ryzek Noavek! — gritou Lety. — Falhar-nos e cair.

Vas, que tinha furado por entre a multidão, agarrava agora o pulso dela, com a certeza de um guerreiro bem treinado. Debruçou-se sobre ela, pressionando a sua mão para trás, o que a forçou a ajoelhar-se. A sua espadacorrente retinia no chão.

— Lety Zetsyvis — disse Ryzek, de forma cadenciada. A sala estava tão silenciosa que nem sequer teve de levantar a voz. Sorria, enquanto ela se debatia contra o domínio de Vas, com os dedos a ficarem brancos debaixo da pressão deste.

— Esse destino... é uma mentira contada por pessoas que nos querem destruir — começou. Ao lado dele, Eijeh balançava um pouco a cabeça, como se a voz de Ryzek fosse uma canção que ele sabia de cor. Talvez fosse por isso que Ryzek não parecia surpreendido por ver Lety de joelhos, abaixo de nós. Porque Eijeh o tinha previsto. Graças ao seu oráculo, Ryzek já sabia o que dizer, o que fazer.

— São pessoas que nos temem por causa da nossa força e procuram lesar-nos: A Assembleia. Thuvhe — continuou Ryzek. — Quem te ensinou a acreditar em tais mentiras, Lety? Pergunto-me por que motivo partilhas a mesma visão das pessoas que foram a tua casa, assassinar o teu pai?

Então, era assim que Ryzek subvertia as coisas. Agora, em vez de Lety estar a declarar o destino do meu irmão, como uma cruzada pela verdade, estava a espalhar as mesmas mentiras que os nossos inimigos Thuvhesit supostamente diziam. Era uma traidora, possivelmente, até uma traidora que tinha deixado que assassinos penetrassem na casa da sua família para lhe matarem o pai. Ridículo, na verdade, mas às vezes as pessoas acreditavam, simplesmente, naquilo que lhes era dito. Era mais fácil sobreviver assim.

— O meu pai não foi assassinado — disse Lety, com voz grave.

— Acabou com a própria vida, porque tu o torturaste com essa *coisa* a que chamas irmã e a dor estava a dar com ele em doido.

Ryzek sorriu na sua direção, como se fosse ela a louca, cuspindo disparates. Olhou em redor, para todas as pessoas que esperavam pela sua resposta, sustendo a respiração.

— Isto — disse ele, apontando para Lety. — *Isto* é o veneno que os nossos inimigos querem usar para nos destruir, a partir de dentro e não de fora. Contam mentiras sobre nós para nos virarem uns contra os outros, para nos virarem contras as nossas próprias famílias e amigos. É por isso que temos de nos proteger, não apenas contra as suas potenciais ameaças às nossas vidas, mas também contra as suas palavras. Somos um povo que já foi fraco. Não podemos voltar a sê-lo.

Senti o arrepio que percorreu a multidão, ao ouvir as suas palavras. Tínhamos acabado de passar uma semana a recordar de quão longe os nossos antepassados tinham vindo, espancados por toda a galáxia, com as nossas crianças a serem-nos roubadas, as nossas crenças sobre reciclagem e renovação ridicularizadas, universalmente. Tínhamos aprendido a resistir através da luta, estação após estação. Embora eu soubesse que as verdadeiras intenções de Ryzek não eram proteger Shotet, mas antes *a si próprio* e à dinastia Noavek, quase fui conquistada pela emoção na sua voz e pelo poder que nos oferecia, como uma mão esticada.

— E não há golpe mais eficaz do que atacar-me a mim, o líder do nosso grandioso povo. — Abanou a cabeça. — Não podemos permitir que este veneno continue a espalhar-se pela sociedade. Tem de ser esvaziado, gota a gota, até já não poder fazer-nos mal.

Os olhos de Lety estavam cheios de ódio.

— Porque és filha de uma das nossas famílias mais queridas e porque estás claramente a sofrer, depois da perda do teu pai, vou dar-te uma hipótese de lutares pela vida na arena, em vez de simplesmente a perderes. E, uma vez que atribuíste alguma dessa suposta culpa à minha irmã, é ela quem te vai enfrentar — disse Ryzek. — Espero que vejas isto como o ato de misericórdia que é.

Eu estava demasiado espantada para protestar, demasiado consciente de quais seriam as consequências, se o fizesse: A ira de Ryzek. Parecer uma cobarde diante de todas estas pessoas. Perder a minha reputação como alguém a temer, que era a minha única vantagem. E depois, claro, a verdade sobre a minha mãe, que pairava sempre, ameaçadora, sobre mim e Ryzek.

Lembrei-me de como as pessoas cantaram o nome da minha mãe, quando caminhámos pelas ruas de Voa, durante a minha primeira Procissão. O povo tinha-a amado, amado a forma como ela equilibrava força e misericórdia. Se soubessem que eu era responsável pelo seu falecimento, iriam destruir-me.

Veias escuras mancharam-me a pele, enquanto fitava Lety, mais abaixo. Ela cerrou os dentes e olhou fixamente para mim. Dava para perceber que acabaria com a minha vida, com prazer.

Enquanto Vas puxava Lety para a pôr de pé, as pessoas na multidão gritavam-lhe:

— Traidora!

— Mentirosa!

Eu não sentia nada, nem sequer medo. Nem sequer a mão de Akos a agarrar o meu braço, para me sossegar.

— Estás bem? — perguntou-me Akos.

Abanei a cabeça.

Estávamos de pé na antessala, mesmo à entrada da arena. Estava sombria, mas com o brilho da nossa cidade através da escotilha ainda a refletir a luz do sol por mais algumas horas. A divisão estava adornada com retratos da família Noavek, por cima da porta: A minha avó, Lasma Noavek, que tinha assassinado todos os seus irmãos e irmãs para assegurar que a sua linhagem era predestinada; o meu pai, Lazmet Noavek, que atormentara a bondade do meu irmão por causa do seu destino fraco; e Ryzek Noavek, pálido e jovem, o produto de duas gerações cruéis. A minha pele mais escura e a constituição mais robusta significavam que saía à família da minha mãe, um ramo da linhagem Radix, com uma relação distante com o primeiro homem que Akos assassinara. Todos os retratos mostravam os mesmos sorrisos moderados, unidos pelas molduras de madeira escura e roupas elegantes.

Ryzek e todos os soldados Shotet que conseguiam caber no *hall* aguardavam lá fora. Conseguia ouvi-los a tagarelar através das paredes. Os desafios não eram permitidos durante a peregrinação mas, de qualquer forma, havia uma arena na nave, para jogos de treino e o ocasional espetáculo. O meu irmão tinha declarado que o desafio teria lugar logo após o seu discurso de boas-vindas, mas antes do banquete. Afinal, não havia nada como uma boa luta até à morte, para abrir o apetite dos soldados Shotet.

— O que a mulher disse era verdade? — perguntou Akos. — Fizeste aquilo ao pai dela?

— Sim — disse eu, porque pensei que era melhor não mentir. Mas não foi melhor; pelo menos, não me fez sentir melhor.

— O Ryzek está-te a ameaçar com o quê? — disse Akos. — Para te levar a fazer coisas que mal consegues suportar admitir?

A porta abriu-se e eu estremeci, pensando que tinha chegado a hora. Mas Ryzek fechou a porta atrás dele, pondo-se de pé debaixo do próprio retrato. Já não se parecia exatamente com ele, pois o rosto do retrato estava demasiado redondo e manchado.

— O que queres? — disse-lhe. — Isto é, além da execução que ordenaste, sem sequer me teres consultado.

— O que é que eu ganharia em consultar-te? — disse Ryzek. — Teria de ouvir os teus protestos irritantes primeiro e, depois, quando te lembrasse de quão idiota tinhas sido por confiares neste — neste ponto, apontou com a cabeça na direção de Akos — e como essa idiotice quase me tinha feito perder o meu oráculo, quando te oferecesse este desafio de arena para me compensares, concordarias em fazê-lo.

Fechei os olhos, brevemente.

— Vim dizer-te que tens de deixar aqui a tua faca — disse Rizek.

— Sem *faca*? — perguntou Akos. — Ela pode ser esfaqueada, antes de ter sequer a oportunidade de tocar naquela mulher. Queres que ela morra?

Não, disse na minha própria cabeça. Queria que eu matasse. Simplesmente, não com uma faca.

— Ela sabe o que eu quero — disse Ryzek. — E sabe o que acontecerá, se não mo der. Boa sorte, irmãzinha.

Saiu da sala. Tinha razão. Eu sabia, sabia sempre. Ele queria que toda a gente visse que as sombras que viajavam debaixo da minha pele eram boas para algo mais do que dor: Também me tornavam letal. Não era apenas o Flagelo de Ryzek. Estava na hora da minha promoção a Carrasco de Ryzek.

— Ajudas-me a tirar a armadura? — murmurei.

— O quê? O que estás para aí a dizer?

— Não me questiones — explodi. — Ajuda-me a tirar a armadura.

— Não queres a armadura? — disse Akos. — Vais deixar que ela simplesmente te mate?

Comecei a desapertar a primeira correia. Os meus dedos estavam calejados, mas as correias estavam tão apertadas que, mesmo assim, me aleijavam os dedos. Forcei-as para trás e para a frente em ligeiros aumentos, com movimentos convulsivos e frenéticos. Akos cobriu a minha mão com a sua.

— Não — disse eu. — Não preciso de armadura. Não preciso de uma faca.

Rodopiando em redor das minhas articulações estavam as sombras, densas e escuras como tinta.

Tinha-me esforçado muito para garantir que mais ninguém descobria o que tinha acontecido à minha mãe, o que eu lhe tinha feito. Mas era melhor que Akos soubesse, antes que sofresse mais por me conhecer, mais do que já tinha sofrido. Era melhor que nunca mais me olhasse com simpatia, do que acreditar numa mentira.

— Como achas que a minha mãe morreu? — Dei uma gargalhada. — Toquei-lhe e empurrei toda a luz e toda a dor para dentro dela, tudo porque estava zangada, por ter de ir ao médico para outro tratamento ineficaz para o meu dom-corrente. Ela só queria ajudar-me, mas eu fiz birra e matei-a. — Arranquei a proteção do braço. A minha primeira marca de assassinato. — O meu pai gravou a marca. Odiava-me por ela, mas também estava... *orgulhoso.*

Engasguei-me com a palavra.

— Queres saber com o que é que o Ryzek me anda a ameaçar? — Ri-me, novamente, desta vez entre lágrimas. Desapertei a última correia da minha armadura de peito, puxei-a por cima da cabeça e atirei-a contra a parede, com as duas mãos. Quando colidiu contra o metal, o som foi ensurdecedor dentro da pequena sala.

A armadura caiu no chão, intacta. Nem sequer tinha perdido a forma.

— A minha mãe. A minha querida e venerada mãe foi-lhe roubada, foi roubada a Shotet — berrei-lhe. Alta, a minha voz era alta. — Eu roubei-a. Roubei-a a mim própria.

Teria sido mais fácil se ele me tivesse olhado com ódio ou nojo. Não o fez. Esticou-se na minha direção, com as mãos transportando alívio e eu saí da antessala, indo para a arena. Não queria alívio. Merecia esta dor.

A multidão rugiu quando eu saí. O chão preto da arena brilhava como vidro; possivelmente, fora polido para a ocasião. Vi as minhas botas refletidas nele, com as fivelas desapertadas. Erguendo-se à minha volta, havia filas de bancos de metal, repletas de assistentes, com as caras demasiado escuras para conseguir vê-las claramente. Lety já lá estava, vestida com a sua armadura Shotet, usando uns sapatos pesados, com solas de metal, abanando as mãos.

Avaliei-a imediatamente, de acordo com os ensinamentos da elmetahak: Era mais baixa do que eu uma cabeça, mas musculada. O cabelo loiro estava apanhado atrás da cabeça, para não a incomodar. Era uma estudante da zivatahak, por isso seria rápida, ágil, nos segundos antes de perder.

— Nem sequer te deste ao trabalho de vestir a armadura? — Lety sorriu desdenhosamente, na minha direção. — Isto vai ser fácil.

Sim, ia ser.

Sacou a espadacorrente com a mão envolta em corrente escura, da mesma cor que as minhas sombrascorrentes, mas não com o mesmo formato. Nela, embora estivessem embrulhadas à volta do pulso, nunca lhe tocavam a pele. Mas a minha corrente estava enterrada dentro de mim. Ela fez uma pausa, à espera que eu puxasse da minha arma.

— Continua — disse eu e fiz um gesto para a chamar.

A multidão rugiu, novamente, e então deixei de os conseguir ouvir. Estava concentrada em Lety, na forma como ela avançava devagar na minha direção, procurando ler estratégia nas minhas ações. Mas eu estava simplesmente ali, parada, com os braços moles, deixando a força do meu dom-corrente crescer juntamente com o meu medo.

Finalmente, decidiu fazer o primeiro movimento, vi-o nos seus braços e pernas antes de se mexer e afastei-me para o lado quando investiu contra mim, arqueando-me para longe dela como uma bailarina Ogra. O movimento apanhou-a desprevenida; avançou aos tropeções, até se apoiar na parede da arena.

As minhas sombrascorrentes eram agora tão densas, tão dolorosas, que mal conseguia ver em condições. A dor rugia através de mim e eu dava-lhe as boas-vindas. Lembrei-me do rosto de Uzul Zetsyvis a contorcer-se entre as minhas mãos manchadas e vi-o na sua filha, de sobrolho franzido, a concentrar-se.

Arremeteu novamente na minha direção, desta vez apontando a espada às minhas costelas, e eu golpeei-a para o lado com o antebraço, depois estiquei-me e agarrei-lhe no pulso. Torci-o com força e forcei-a a baixar a cabeça. Pus-lhe o joelho no rosto. Sangue escorreu sobre os seus lábios e gritou. Mas não por causa do ferimento. Por causa do meu toque.

A espadacorrente caiu entre nós. Mantendo a minha mão num

dos seus braços, empurrei-a com a outra até ela ficar de joelhos e movi-me para trás dela. Encontrei Ryzek na multidão, sentado na plataforma elevada com as pernas cruzadas, como se estivesse a assistir a uma palestra ou a um discurso, em vez de um assassinato.

Aguardei até os seus olhos se cruzarem com os meus e depois empurrei, empurrei todas as sombras, toda a dor, para dentro do corpo de Lety Zetsyvis, não conservando nada disso para mim. Foi fácil, tão fácil e rápido. Fechei os olhos enquanto ela gritava e tremia, e depois ela foi-se.

Por um momento, ficou tudo escuro. Soltei o seu corpo mole, depois voltei-me para caminhar até à antessala, novamente. Toda a multidão estava em silêncio. Enquanto passava através da soleira da porta que conduzia à antessala estava, por uma vez, livre de sombras. Era apenas temporário. Regressariam, em breve.

Após ter desaparecido da vista de todos, Akos esticou os braços e puxou-me para ele. Pressionou-me contra o seu peito, num movimento parecido com um abraço, e disse-me algo na língua dos meus inimigos:

— Já acabou — disse, em Thuvhesit sussurrado. — Agora, já acabou.

Mais tarde, nessa noite, barrei a porta para os meus aposentos, para que ninguém pudesse entrar. Akos esterilizou uma faca sobre os queimadores do seu quarto e arrefeceu-a com água da torneira. Coloquei o braço na mesa, depois abri os fechos da proteção do antebraço, um por um, começando no pulso e acabando no cotovelo. A proteção era rígida e dura, e apesar do forro fazia com que, no final do dia, a minha pele ficasse húmida de suor.

Akos sentou-se à minha frente, com a faca esterilizada na mão, e observou-me a puxar as pontas da proteção de pulso para trás, para revelar a pele nua por baixo. Não lhe perguntei o que é que tinha imaginado. Provavelmente, assumira, como a maioria das pessoas, que a proteção cobria fila após fila de marcas de assassinatos. Que eu escolhera tapá-las porque, de alguma forma, alimentar o mistério em redor delas me tornava mais ameaçadora. Nunca tinha desencorajado esse rumor. A verdade era muitíssimo pior.

Havia marcas para cima e para baixo, no meu braço, do cotovelo até ao pulso, fila após fila, pequenas linhas negras, perfeitamente espaçadas, todas com o mesmo comprimento. E, atravessando cada uma delas, uma marca de um pequeno cardinal na diagonal, anulando-as, segundo a lei Shotet.

Akos franziu o sobrolho e pegou no meu braço com ambas as mãos, agarrando-me apenas com as pontas dos dedos. Virou o braço ao contrário, percorrendo com os dedos uma das filas. Quando chegou ao final, tocou com o dedo indicador num dos cardinais, virando o braço para o comparar com o seu. Tremi ao ver a nossa pele lado a lado, a minha morena, a dele pálida.

— Isto não são assassinatos — disse ele, calmamente.

— Só marquei o falecimento da minha mãe — disse eu, igualmente calma. — Não te deixes enganar, sou responsável por mais mortes, mas parei de as registar, depois dela. Pelo menos, até Zetsyvis.

— E em vez disso registas... o quê? — Apertou o meu braço. — A que se referem todas estas marcas?

— A morte é uma bênção, comparada com a agonia que eu causei, por isso, mantenho um registo de dor, não de mortes. Cada marca é alguém que eu magoei, porque Ryzek me disse para o fazer. — No início, contava as marcas, tinha sempre a certeza dos números. Na altura, não sabia durante quanto tempo, exatamente, Ryzek me utilizaria como sua interrogadora. Com o tempo, contudo, parara de contar. Saber o nome só tornava tudo ainda pior.

— Que idade tinhas, a primeira vez que te pediram para fazer isto?

Não percebia o tom da sua voz, com tanta suavidade. Acabara de lhe mostrar a prova da minha monstruosidade e, ainda assim, os seus olhos estavam cravados nos meus com compaixão, em vez de julgamento. Certamente, não entendia o que eu lhe estava a dizer, para olhar para mim assim. Ou pensava que eu estava a mentir, ou a exagerar.

— Idade suficiente para saber que era errado — explodi eu.

— Cyra. — Suave, novamente. — Que idade?

Recostei-me na cadeira.

— Dez — admiti. — E foi o meu pai, não Ryzek, quem mo pediu primeiro.

A cabeça dele balançava. Tocou com a ponta da faca na mesa e rodou o cabo em círculos rápidos, marcando a madeira.

Finalmente, disse:

— Aos dez, eu ainda não sabia o meu destino. Por isso, queria ser um soldado Hessa, como os que patrulhavam os campos da flor de gelo do meu pai. Ele era agricultor. — Akos equilibrou o queixo numa mão, enquanto olhava para mim. — Mas, um dia, uns criminosos entraram nos campos enquanto ele estava a trabalhar, para roubar parte da colheita. E o pai tentou impedi-los, antes que os soldados chegassem lá. Veio para casa com um corte enorme a atravessar-lhe o rosto. A mãe começou a gritar com ele. — Riu-se um pouco. — Não faz muito sentido, pois não, gritar com alguém por se magoar?

— Bom, teve medo por ele — disse eu.

— Sim. Eu também tive medo, acho eu, porque nessa noite decidi que não queria nunca ser soldado, se o meu trabalho fosse levar cortes assim.

Não consegui evitar rir um bocadinho.

— Eu sei — disse ele, com um meio sorriso. — Mal sabia eu como passaria os dias, agora.

Bateu ao de leve na mesa e reparei pela primeira vez como as suas unhas eram pontiagudas, e notei todos os cortes que tinha nas cutículas. Tinha de o fazer parar com o hábito de roer as próprias mãos.

— Onde quero chegar — continuou — é que, quando tinha dez, tinha tanto medo até de *ver* dor, que mal a conseguia suportar. Entretanto, quando tu tinhas dez, estavam a pedir-te que infligisses dor, vezes sem conta, e quem to pedia era alguém muito mais poderoso do que tu alguma vez foste. Alguém que devia estar a cuidar de ti.

Por um instante, o pensamento magoou-me. Mas apenas por um instante.

— Não tentes absolver-me de culpa. — Pretendia soar áspera, como se o estivesse a recriminar, mas em vez disso soei como se estivesse a implorar-lhe algo. Pigarreei. — Ok? Não melhora as coisas.

— Ok — disse ele.

— Ensinaram-te este ritual? — perguntei.

Fez um gesto afirmativo com a cabeça.

— Gravar as marcas — disse eu, com a garganta apertada.

Estiquei o braço, apontando para um quadrado de pele nua nas costas do meu pulso, abaixo do osso escafoide. Tocou aí com a ponta da faca, ajustando-a de forma a ter o mesmo intervalo das outras marcas e depois enterrou-a. Não com demasiada profundidade, mas o suficiente para que o extrato de esparto pudesse assentar.

Vieram-me lágrimas aos olhos, indesejadas, e o sangue borbulhou a partir da ferida. Pingou para a parte lateral do meu braço, enquanto eu procurava atabalhoadamente numa das gavetas da cozinha a garrafa certa. Ele tirou a rolha e eu mergulhei o pequeno pincel que guardava junto dela. Disse o nome de Lety Zetsyvis, enquanto pintava com um líquido escuro a linha que ele tinha gravado.

Ardia. Cada vez que o fazia, pensava que já estaria habituada a quanto ardia e, cada vez que o fazia, estava errada. Era suposto arder, era suposto recordar-nos que não era uma coisa frívola, tirar uma vida, gravar uma perda.

— Não dizes as outras palavras? — disse Akos. Estava a referir-se à oração, ao final do ritual. Abanei a cabeça.

— Eu também não — disse ele.

Enquanto o ardor desaparecia, Akos enrolou a ligadura à volta do meu braço, uma, duas, três vezes, e prendeu-a com um pedaço de fita adesiva. Nenhum de nós se deu ao trabalho de limpar o sangue da mesa. Provavelmente, secaria ali e eu teria de o raspar com uma faca, mais tarde, mas não me importava.

Trepei a corda para o quarto acima de nós, para lá das plantas preservadas em resina e dos escaravelhos mecânicos pousados entre elas, de momento a recarregar. Akos seguiu-me.

A nave da peregrinação estremecia, com os motores a prepararem-se para levantar voo, para a atmosfera. O teto do quarto acima de nós estava coberto de ecrãs, que mostravam o que quer que estivesse acima: Neste caso, o céu de Shotet. Tubos e respiradouros lotavam o espaço de todos os lados. Na verdade, era apenas suficientemente grande para uma pessoa se poder mexer lá dentro, mas ao longo da parede de trás havia assentos rebatíveis, de emergência, dobrados contra a parede. Puxei-os para baixo e eu e Akos sentámo-nos.

Ajudei-o a apertar as correias que atravessavam o seu peito e pernas, que o manteriam estável durante a descolagem e dei-lhe um saco de papel, para o caso de os movimentos da nave o deixarem enjoado. Depois, apertei as minhas próprias correias. Por toda a nave, o resto dos Shotet estariam a fazer o mesmo, reunindo-se nos corredores para puxar os assentos rebatíveis e ajudando-se uns aos outros a apertar as correias.

Juntos, aguardámos que a nave descolasse, ouvindo a contagem decrescente no intercomunicador. Quando a voz chegou ao «Dez», Akos procurou a minha mão e apertou-a com força, até a voz dizer «Um».

As nuvens de Shotet passaram velozmente por nós e a força caiu sobre nós, esmagando-nos contra os nossos assentos. Akos gemeu, mas eu observava simplesmente as nuvens a deslocarem-se para longe e a atmosfera a desvanecer-se na negritude do espaço. A toda a volta, o céu estava estrelado.

— Vês? — disse eu, entrelaçando os dedos nos dele. — É lindo.

CAPÍTULO 14 | CYRA

BATERAM À MINHA PORTA, nessa noite, enquanto estava deitada na cama dos meus aposentos, na nave da peregrinação, com a cara enterrada numa almofada.

Arrastei-me um pouco para cima, antes de responder. Havia dois soldados à espera, no corredor. Um homem e uma mulher, ambos magros. Às vezes, a escola de combate de uma pessoa era óbvia, de imediato. Estes eram alunos da Zivatahak, rápidos e mortíferos. E tinham medo de mim. Não era de espantar.

Akos entrou na cozinha aos tropeções e colocou-se de pé, ao meu lado. Os dois soldados trocaram um olhar cúmplice e lembrei-me do que Otega dissera sobre o facto de as bocas de Shotet adorarem tagarelar. Não havia forma de o evitar. Akos e eu vivíamos em íntima proximidade, por isso, ia haver falatório sobre o que nós éramos e o que fazíamos atrás de portas fechadas. Não me importava o suficiente para desencorajar isso. De qualquer forma, era melhor que falassem de mim por causa disso, do que porque assassinava e torturava.

— Pedimos desculpa por incomodá-la, Menina Noavek. O soberano precisa de falar consigo, imediatamente — disse a mulher. — A sós.

O escritório de Ryzek, na nave da peregrinação, era como o

escritório de Voa, em miniatura. A madeira escura que compunha o soalho e os painéis de parede, polida na perfeição, era originária de Shotet. Crescia em florestas densas ao longo do equador do planeta, separando-nos dos Thuvhesit que tinham invadido o norte há centenas de estações. Na natureza, os *fenzu* que agora mantínhamos fechados no lustre esférico zumbiam no cimo das árvores, mas porque a maioria das casas Shotet mais antigas os usavam para ter luz, a família Zetsyvis, agora encabeçada apenas por Yma, assegurava que havia *fenzu* criados em cativeiro, disponíveis em grande número, para os que estivessem dispostos a pagar um preço elevado por eles. E Ryzek estava; insistia que o seu brilho era mais agradável do que o das pedras ardentes, embora eu não notasse grande diferença.

Quando entrei, Ryzek estava de pé diante de um grande ecrã que, normalmente, mantinha escondido atrás de um painel deslizante. Exibia um denso parágrafo de texto; demorei um pouco a perceber que estava a ler uma transcrição do anúncio dos destinos da Assembleia de Líderes. Nove linhagens de nove famílias, espalhadas por toda a galáxia, com os caminhos dos seus membros predeterminados e inalteráveis. Ryzek normalmente evitava qualquer referência à sua «fraqueza», como o meu pai lhe chamava, o destino que o assombrara desde o nascimento: Que se renderia à família Benesit. Era ilegal em Shotet falar disso ou lê-lo, era punível com prisão ou até mesmo execução.

Se estava a ler os destinos, não estava de bom humor e, a maioria do tempo, isso queria dizer que eu devia tratá-lo com suavidade. Mas, nessa noite, perguntei a mim mesma porque me haveria de dar a esse trabalho.

Ryzek cruzou os braços, inclinou a cabeça e falou:

— Não sabes a sorte que tens, de o teu destino ser tão ambíguo — disse ele. — «O segundo filho da família Noavek atravessará a Divisória». Com que propósito irás atravessar a Divisória para Thuvhe? — Levantou um ombro. — Ninguém sabe e ninguém se importa. Sortuda, sortuda.

Eu ri-me.

— Sou?

— É por isso que é tão importante que me ajudes — continuou Ryzek, como se não me tivesse ouvido. — Podes dar-te a esse luxo. Não precisas de lutar tanto contra aquilo que o mundo espera de ti.

Ryzek comparava a sua vida com a minha, desde que eu era criança. O facto de eu sentir dor constante, de não me poder aproximar de ninguém, de ter experimentado uma profunda perda, tal como ele, não parecia registar-se na sua mente. Só via que o meu pai me ignorara em vez de me ter submetido a horrores e que o meu destino não fazia Shotet duvidar da minha força. Para ele, eu era a filha afortunada e não servia de nada discutir sobre isso.

— O que se passou, Ryzek?

— Queres dizer, além de todo o povo Shotet ser recordado pela Lety Zetsyvis do meu destino ridículo?

Ao ouvir o seu nome, estremeci involuntariamente, lembrando-me de como a sua pele estava quente enquanto morria. Apertei as mãos à minha frente, para as impedir de tremerem. O analgésico de Akos não eliminava completamente as sombras; elas moviam-se, agora vagarosas, debaixo da minha pele, trazendo com elas uma dor aguda.

— Mas tu estavas pronto para isso — disse eu, fixando os olhos no seu queixo. — Ninguém se atreveria a repetir o que ela disse, agora.

— Não é só isso — disse Ryzek e eu ouvi na sua voz a memória de como ele soava antes de o meu pai lhe ter cravado os dentes. — Eu segui o rasto da confissão de Uzul Zetsyvis até uma fonte verdadeira. Há uma colónia de exilados algures, lá fora. Talvez mais de uma. E têm contactos entre nós.

Senti uma excitação no peito. Então, confirmava-se o rumor sobre a colónia dos exilados. Pela primeira vez, a colónia representava para mim não uma ameaça, mas algo como... esperança.

— Uma exibição de força é positiva, mas precisamos de mais.

Precisamos que não haja dúvidas de que eu estou no comando e que vou regressar desta peregrinação ainda mais poderoso do que antes. — Pousou a mão sobre o meu ombro. — Preciso da tua ajuda, agora mais do que nunca, Cyra.

Eu sei o que queres, pensei. Ele queria extrair quaisquer dúvidas e quaisquer murmúrios contra ele, e esmagá-los. E era suposto eu ser o instrumento usado para o fazer. O Flagelo de Ryzek.

Fechei os olhos brevemente, enquanto recordações de Lety vinham até mim. Reprimi-as.

— Por favor, senta-te. — Apontou para uma das cadeiras colocadas perto do ecrã. Eram antigas, com estofos cosidos. Reconheci-as do antigo escritório do meu pai. O tapete debaixo delas era fabricado em Shotet, de ervas entrelaçadas. Na verdade, nada na sala era reciclado. O meu pai odiava essa prática, dizia que nos enfraquecia e que precisava de ser gradualmente abandonada, e Ryzek parecia concordar. Eu era a única que restava, com uma afinidade pelo lixo das outras pessoas. Sentei-me na ponta da cadeira, com os destinos das linhagens predestinadas a brilharem junto da minha cabeça. Ryzek não se sentou à minha frente. Em vez disso, pôs-se de pé, atrás da outra cadeira, apoiado contra as suas costas altas. Tinha puxado para cima a manga do braço esquerdo, exibindo as marcas.

Tocou com o dedo indicador torto num dos destinos, no ecrã, por isso as palavras aumentaram.

Os destinos da família Benesit são os seguintes:

O primeiro filho da família Benesit conduzirá o seu duplo ao poder.

O segundo filho da família Benesit reinará sobre Thuvhe.

— Ouvi murmúrios de que este segundo filho — tocou no segundo destino, com o nó do dedo a roçar sobre a palavra *reinará* — se revelará brevemente e que é Thuvhesit, de nascença — disse

Ryzek. — Não posso ignorar os destinos por mais tempo: Quem quer que esta criança Benesit seja, os destinos dizem que ela governará Thuvhe e será responsável pela minha desgraça. — Ainda não tinha acabado de juntar as peças antes. O destino de Ryzek era render-se à família Benesit e a família Benesit estava destinada a governar Thuvhe. Claro que estava a fixar-se neles agora, que tinha o seu oráculo.

— A minha intenção — acrescentou — é matá-la antes que isso aconteça, com a ajuda do nosso novo oráculo.

Olhei fixamente para o destino escrito no ecrã. Toda a minha vida me tinham ensinado que todos os destinos seriam cumpridos, independentemente do que qualquer pessoa tentasse fazer para o impedir. Mas era exatamente isso que ele estava a propor: Queria impedir o seu destino, matando a pessoa que era suposto fazer com que ele se cumprisse. E tinha Eijeh para lhe dizer como.

— Isso... isso é impossível — disse eu, antes de me conseguir interromper a mim própria.

— Impossível? — Ele ergueu o sobrolho. — Porquê? Porque nunca ninguém o conseguiu fazer? — As suas mãos apertaram as costas da cadeira. — Achas que eu, de todas as pessoas na galáxia, não posso ser o primeiro a desafiar o seu destino?

— Não foi isso que eu quis dizer — disse eu, tentando manter-me controlada perante a sua raiva. — A única coisa que queria dizer era que nunca ouvi falar de isso ter acontecido, só isso.

— Vais ouvir, em breve — explodiu ele, com a facc a contorcer-se num ar sisudo. — E tu vais-me ajudar.

Pensei, subitamente, em Akos a agradecer-me pela forma como tinha preparado o seu quarto, quando chegámos à nave da peregrinação. Na sua expressão calma, enquanto pegava no meu braço marcado. Na forma como se riu, quando corremos atrás um do outro debaixo da chuva azul da peregrinação. Esses foram os primeiros momentos de alívio que eu experienciara desde que a minha mãe tinha morrido. E queria mais desses momentos. E menos... disto.

— Não — disse eu. — Não vou.

A sua velha ameaça, de que, se não fizesse o que ele mandava, diria aos Shotet o que eu tinha feito à minha adorada mãe, já não me assustava.

Cruzei uma perna sobre a outra e dobrei as mãos sobre o joelho.

— Antes que me ameaces, deixa-me dizer-te isto: Não me parece que arriscasses perder-me, neste momento — disse eu. — Não depois de te esforçares tanto por garantir que eles têm pavor de mim.

Era isso que o desafio com Lety tinha sido, afinal de contas. Uma demonstração de poder. Do *seu* poder.

Mas esse poder, na verdade, pertencia-me.

Ryzek aprendera a imitar o meu pai desde que era criança e o meu pai tinha sido excelente a esconder as suas reações. Ele acreditava que qualquer expressão não controlada o tornava vulnerável; tinha consciência de que estava sempre a ser observado, onde quer que estivesse. Ryzek aperfeiçoara essa habilidade desde a juventude, mas ainda não era nenhum mestre. Enquanto olhava para ele, sem pestanejar, o seu rosto contorcia-se. Zangado. E com medo.

— Não preciso de ti, Cyra — disse, em voz baixa.

— Isso não é verdade — disse eu, levantando-me. — Mas, mesmo que fosse verdade... devias lembrar-te do que aconteceria, se eu decidisse colocar uma mão sobre ti.

Mostrei-lhe a palma da minha mão, convocando o meu dom-corrente para a superfície. Por uma vez, respondeu ao meu chamamento, ziguezagueando pelo meu corpo e, durante um momento, enrolou-se em redor de cada um dos meus dedos, como fios negros. Os olhos de Ryzek foram atraídos na sua direção, aparentemente sem permissão.

— Vou continuar a desempenhar o papel da tua irmã leal, desta coisa temível — disse eu. — Mas não vou infligir mais dor por ti.

Com isso, voltei-me. Desloquei-me na direção da porta, com o coração a bater com força.

— Cuidado — disse Ryzek, enquanto me afastava. — Podes vir a arrepender-te deste momento.

— Duvido — disse eu, sem me virar. — Afinal de contas, não sou eu quem tem medo da dor.

— Eu não tenho — disse ele bruscamente — medo da dor.

— Ai sim? — Voltei-me para trás. — Anda cá e agarra na minha mão, então.

Ofereci-lha, com a palma para cima e manchada de sombras, a minha cara a contorcer-se de dor, que ainda se prolongava. Ryzek não se moveu.

— Bem me parecia — disse eu. E saí.

Quando regressei ao meu quarto, Akos estava sentado na cama, com o livro sobre a elmetahak no colo e o tradutor a brilhar sobre uma das páginas. Levantou a cabeça para olhar para mim, com as sobrancelhas franzidas. A cicatriz ao longo do maxilar ainda estava escura, com a linha perfeitamente direita a acompanhar o maxilar. Iria empalidecer, com o tempo, diluindo-se na sua pele.

Entrei na casa de banho para borrifar a cara com água.

— O que é que ele te fez? — disse Akos, enquanto se encostava à parede da casa de banho, junto ao lavatório,

Borrifei de novo a cara e depois debrucei-me sobre o lavatório. A água escorria pelas minhas faces, sobre as minhas pálpebras e pingava para a pia debaixo de mim. Fitei o meu reflexo, olhos selvagens, maxilar contraído.

— Não fez nada — disse eu, agarrando num pano da prateleira ao lado do lavatório e passando-o no rosto. O meu sorriso era quase uma careta de medo. — Não fez nada porque eu não deixei. Ameaçou-me e eu... respondi com uma ameaça.

As teias de cor escura eram densas nas minhas mãos e braços, como salpicos de tinta negra. Sentei-me numa das cadeiras da cozinha e ri-me. Ri-me a partir do interior, ri-me até sentir calor por todo o corpo. Nunca antes enfrentara Ryzek. O fio de vergonha enrolado no meu estômago desenrolou-se um pouco. Já não era tão cúmplice.

Akos sentou-se à minha frente.

— O que... O que quer isso dizer? — disse ele.

— Quer dizer que ele nos deixa em paz — disse eu. — Eu... — As minhas mãos tremiam. — Não sei porque estou tão...

Akos cobriu as minhas mãos com as suas.

— Acabaste de ameaçar a pessoa mais poderosa do país. Acho que se justifica estares um pouco abalada.

As suas mãos não eram muito maiores do que as minhas, embora mais grossas nas articulações, com tendões que se destacavam até aos pulsos. Conseguia ver veias verde-azuladas através da sua pele, que era muito mais pálida do que a minha. Quase como se aqueles rumores sobre os Thuvhesit terem pele fina fossem verdade, só que, o que quer que Akos fosse, não era fraco.

Deslizei as mãos para as retirar das dele.

Agora, com Ryzek fora do caminho e Akos aqui, interroguei-me como ambos preencheríamos os dias. Estava habituada a passar peregrinações, sozinha. Ainda havia alguma coisa salpicada na parte lateral do fogão, da última peregrinação, em que tinha cozinhado para mim todos os dias, fazendo experiências com ingredientes de diferentes planetas, sem sucesso a maior parte das vezes, uma vez que não tinha qualquer talento para cozinhar. Tinha passado as noites a ver vídeos de outros lugares, imaginando outras vidas que não a minha.

Atravessou a divisão para ir buscar um copo ao armário da cozinha e encheu-o de água da torneira. Inclinei a cabeça para trás, para olhar para as plantas penduradas sobre as nossas cabeças, que brilhavam nas suas jaulas de resina. Algumas delas brilhavam quando as luzes estavam apagadas; outras decaíam, mesmo em resina, murchando para cores vivas. Já as observava há três peregrinações.

Akos limpou a boca e pousou o copo.

— Encontrei — disse ele. — Quer dizer, um motivo para continuar.

Fletiu o braço esquerdo, onde a sua primeira marca de assassinato estava registada.

— Sim?

— Sim. — A sua cabeça balançou. — Uma coisa que o Ryzek disse não parava de me incomodar... que ele transformaria o Eijeh em alguém que eu não quereria salvar. Bem, decidi que isso é impossível. — Há alguns dias, ele tinha-me parecido vazio e agora cheio, uma chávena transbordante. — Não há nenhuma versão do Eijeh que eu não queira salvar.

Este era o custo da mesma suavidade que o fizera olhar para mim, mais cedo, nesse dia, com compaixão em vez de nojo: A loucura. Continuar a amar alguém que se encontrava muito para lá de qualquer hipótese de ajuda, para lá de qualquer redenção, era loucura.

— Não fazes nenhum sentido para mim — disse-lhe. — Parece que, quanto mais coisas terríveis descobres sobre uma pessoa, ou quanto mais terrível a pessoa é para ti, melhor és para ela. Isso é masoquismo.

— Quem o diz é a pessoa que faz cicatrizes a ela própria, por causa de coisas que foi forçada a fazer — disse ele, ironicamente.

Não tinha piada, o que ambos estávamos a dizer. E por outro lado tinha. Sorri abertamente e, passado um momento, ele também. Um novo sorriso, não aquele que me disse que tinha orgulho nele próprio ou aquele que tinha forçado quando sentiu que tinha de ser educado, mas um tipo de sorriso sedento, doido.

— Não me odeias, mesmo por isto — disse eu, levantando o braço esquerdo.

— Não, não odeio.

Tinha experienciado apenas umas poucas reações diferentes ao que eu era, ao que eu conseguia fazer. Ódio daqueles que sofreram às minhas mãos; medo daqueles que não tinham sofrido, mas poderiam sofrer; e deleite daqueles que eram capazes de me usar por isso. Nunca vira esta reação antes. Era quase como se ele compreendesse.

— Não me odeias nada — disse eu, quase num sussurro, com medo de ouvir a resposta.

Mas a resposta veio firme, como se fosse óbvia para ele:

— Não.

Foi então que descobri que já não estava zangada pelo que me tinha feito para tirar Eijeh dali. Tinha feito aquilo devido à mesma qualidade nele, que o fazia ser tão compreensivo comigo, agora. Como podia culpá-lo por isso?

— Muito bem — suspirei. — Levanta-te cedo amanhã de manhã, porque temos de treinar com mais intensidade, se esperas tirar o teu irmão daqui.

O copo de água estava marcado com as suas impressões digitais, na base. Tirei-lho.

Ele franziu o sobrolho na minha direção.

— Vais-me ajudar? Mesmo depois do que eu te fiz?

— Sim — despejei o copo de água e voltei a pousá-lo. — Acho que sim.

3

CAPÍTULO 15 | AKOS

AKOS REVIU, VEZES SEM CONTA, a memória da sua quase fuga com Eijeh.

Tinha corrido pelos passadiços das paredes da mansão Noavek, parando onde estas se juntavam para espreitar através das fendas e descobrir onde estava. Tinha passado muito tempo no escuro, a engolir pó e a retirar lascas de madeira dos dedos.

Finalmente, conseguiu chegar ao quarto onde prendiam Eijeh, ativando involuntariamente algum sensor, como Ryzek lhe contou mais tarde. Mas, naquele momento, não o sabia. Enfiara simplesmente os dedos na fechadura que mantinha a porta de Eijeh fechada. A maioria das portas era fechada pela corrente e o seu toque conseguia destrancá-las. As algemas também. Tinha sido dessa forma que se tinha conseguido libertar para matar Kalmev Radix, no esparto.

Eijeh tinha ficado de pé, junto de uma janela trancada que se encontrava bem alto, acima do portão das traseiras da mansão. Também havia esparto ali, tufos a balançar ao vento. Não sabia como o esparto funcionava para as outras pessoas, uma vez que já não tinha qualquer efeito nele.

Eijeh tinha-se virado para ele, examinando-o, pedacinho por pedacinho. Tinham passado apenas duas estações desde que se tinham visto, mas ambos tinham mudado: Akos estava mais alto, mais robusto, e Eijeh tinha ficado macilento e magro, com o cabelo encaracolado emaranhado nalguns lugares. Desequilibrou-se um pouco quando Akos o agarrou pelos cotovelos.

— Akos — sussurrara Eijeh. — Não sei o que fazer, não...

— Tudo bem — disse Akos. — Está tudo bem, eu tiro-nos daqui, não precisas de fazer nada.

— Tu... tu mataste aquele homem. Aquele homem que estava em nossa casa...

— Sim. — Akos sabia o nome do homem: Kalmev Radix, agora apenas uma cicatriz no seu braço.

— Porque é que isto aconteceu? — A voz de Eijeh quebrou-se. O coração de Akos quebrou-se. — Porque é que a mãe não previu isto?

Akos não lhe recordou de que ela, provavelmente, previra tudo aquilo. Não valia a pena, na verdade.

— Não sei — tinha dito ele. — Mas vou tirar-te daqui, nem que tenha de morrer para o fazer.

Akos pôs o braço à volta do irmão, agarrando-o, para que se mantivesse direito enquanto saíam do quarto. A sua mão encontrou o topo da cabeça de Eijeh, quando se agachavam à entrada da passagem, para o impedir de bater nela. Eijeh tinha passos pesados e Akos estava certo de que alguém os ouviria através das paredes.

— É suposto eu salvar-te — sussurrou Eijeh, a certa altura. Ou o mais próximo de um sussurro que ele conseguia fazer; sempre tinha sido péssimo a fazer as coisas sorrateiramente.

— Quem diz isso? Algum manual de conduta fraternal?

Eijeh tinha soltado uma gargalhada.

— Não leste o teu? Típico.

Também a rir-se, Akos tinha empurrado a porta no final da passagem, para a abrir. À espera deles, nas cozinhas, a estalar os dedos, estava Vas Kuzar.

Uma semana depois de a nave da peregrinação ter levantado voo e navegado pelo fluxocorrente, Akos foi à sala de treinos pública, para treinar. Podia ter usado o compartimento vazio por cima dos aposentos de Cyra mas, ultimamente, ela tinha-se acostumado a ver vídeos lá em cima. Eram, principalmente, vídeos de pessoas de outros planetas a lutar, mas há uma semana tinha-a apanhado a imitar uma bailarina Othyrian, com os pés em ponta e os dedos em rodopio. Tinha ficado tão irritada com ele depois disso, que não queria voltar a arriscar.

Nem sequer precisou de consultar o mapa amarrotado que Cyra tinha desenhado para ele, na segunda noite ali. A sala de treinos estava sombria e quase vazia, apenas com umas pessoas a levantar pesos na ponta mais afastada. Ótimo, pensou. As pessoas conheciam-no em Shotet como o Thuvhesit raptado, aquele que o Flagelo de Ryzek não conseguia magoar. Ninguém lhe transmitia nenhum descontentamento, provavelmente, porque tinham medo de Cyra. Mas não apreciava que ficassem a olhar para ele.

Fazia-o corar.

Estava a tentar tocar nos dedos dos pés (ênfase no *tentar*), quando percebeu que alguém estava a observá-lo. Não sabia dizer como mas, quando olhou para cima, Jorek Kuzar estava de pé, à sua frente.

Jorek Kuzar, filho de Suzao Kuzar.

Só se tinham encontrado uma vez, quando Vas trouxera Jorek à ala de Cyra da mansão Noavek. Os seus braços morenos e magros estavam despidos. Akos tinha-se habituado a procurar marcas sempre que conhecia alguém e Jarek não tinha nenhuma. Quando apanhou Akos a olhar fixamente para ele, esfregou a parte lateral do pescoço, causando-lhe marcas vermelhas das unhas.

— Precisas de alguma coisa? — disse-lhe Akos, como se houvesse problema, se precisasse.

— Alguém com quem lutar? — Jorek levantou duas facas de treino como as que Cyra tinha, duras e sintéticas.

Akos examinou-o. Esperava mesmo que Akos, simplesmente... treinasse com ele? Ele, o filho do homem que uma vez tinha colocado a sola de uma bota no rosto de Akos?

— Já estava a ir-me embora — disse Akos.

Jorek arqueou uma sobrancelha.

— Eu sei que tudo *isto* — fez um gesto com a mão, sobre o tronco magro — é absolutamente assustador, mas é só para treinar, Kereseth.

Akos não acreditava que Jorek só quisesse, realmente, «alguém com quem lutar». Mas, já que ali estava, também podia descobrir qual era a verdade. Além disso, uma pessoa não escolhia o seu próprio sangue.

— Está bem — disse Akos.

Caminharam até uma das arenas de treino. Um círculo de tinta definia o espaço, tinta refletora, a descamar em alguns pontos. O ar estava quente, graças à água quente que circulava pelos canos em cima, por isso, Akos já estava a suar. Pegou na faca que Jorek lhe estendeu.

— Nunca vi ninguém a ser tão cauteloso com uma luta falsa — disse Jorek, mas Akos não estava ali para perder tempo com piadas. Golpeou-o, testando a velocidade do adversário, e Jorek deu um salto para trás, sobressaltado.

Akos deslizou por baixo do primeiro golpe de Jorek e deu-lhe uma cotovelada nas costas. Jorek tropeçou para a frente, segurando-se nas pontas dos dedos, virando-se para atacar novamente. Desta vez, Akos agarrou-o pelo cotovelo e arrastou-o de lado, atirando-o para o chão, mas não por muito tempo.

Jorek curvou-se para baixo, apanhando o estômago de Akos com a ponta da faca de treino.

— Não é um bom sítio para apontar, Kuzar — disse Akos. — Numa luta real, teria uma armadura vestida.

— Chamam-me «Jorek», não «Kuzar». Já ganhaste armadura?

— Sim — Akos usou a sua distração contra ele, batendo com a parte achatada da arma na frente da sua garganta. Jorek engasgou-se, batendo com as mãos no pescoço.

— Ok, ok — arfou ele, mostrando a palma da mão. — Isso responde à pergunta.

Akos chegou-se para trás, para a ponta da arena, para criar algum espaço entre ambos.

— Qual pergunta? Sobre a minha armadura?

— Não. Bolas, isso foi *terrível.* — Massajou a garganta. — Vim aqui a questionar-me quanto terias melhorado, ao treinar com a Cyra. O meu pai disse que não sabias distinguir o pé da mão, quando te conheceu.

A raiva de Akos era lenta a chegar, como água a transformar-se em gelo, mas adquiria um certo volume quando chegava. Como naquele momento.

— O teu pai... — começou, mas Jorek interrompeu-o.

— É um homem horrível, eu sei. Era sobre isso que te queria falar.

Akos atirou a faca ao ar, na mão, uma e outra vez, à espera que a resposta certa viesse ou que Jorek continuasse. Contudo, o que quer que ele tivesse a dizer, parecia não sair com facilidade. Akos observou as pessoas que levantavam pesos, na outra ponta da sala. Não estavam a olhar, não pareciam estar a ouvir.

— Eu sei o que o meu pai te fez e à tua família — disse Jorek. — Também sei o que fizeste a um dos homens que lá estava. — Apontou com a cabeça para o braço marcado de Akos. — E quero pedir-te uma coisa.

Tanto quanto Akos sabia, Jorek era uma grande desilusão para a família. Nascido com um nome que fazia parte da elite de Shotet e a trabalhar na manutenção. Estava manchado de gordura, até mesmo naquele momento.

— O quê, exatamente? — disse Akos. Rodou novamente a faca no ar.

— Quero matar o meu pai — disse Jorek, diretamente.

A faca retiniu no chão.

A memória do pai de Jorek era tão próxima para ele como dois fios numa tapeçaria. Suzao Kuzar tinha estado presente quando o sangue do seu pai se infiltrara no soalho da sala de estar. Ele colocara as algemas nos pulsos de Akos.

— Eu não sou idiota, independentemente do que as pessoas possam pensar dos Thuvhesit — explodiu Akos, com a face a ruborizar-se, enquanto pegava na faca de treino. — Achas que vou, simplesmente, deixar que me estendas uma armadilha para eu cair?

— Estou a arriscar tanto como tu — respondeu Jorek. — Tanto quanto sei, podes ir segredar ao ouvido da Cyra Noavek o que acabei de te pedir e isso pode chegar ao Ryzek, ou ao meu pai. Mas estou a escolher confiar no teu ódio. Tal como tu devias confiar no meu.

— Confiar no teu ódio. Pelo teu próprio pai — disse Akos. — Porquê? Por que motivo havias de querer isso?

Jorek era mais baixo do que Akos uma cabeça e nem sequer tão largo quanto ele. Pequeno para a sua idade. Mas os seus olhos eram firmes.

— A minha mãe está em perigo — disse Jorek. — Provavelmente, a minha irmã também. E, como viste, não sou suficientemente habilidoso para o travar eu próprio.

— Então tu, o quê? Passas diretamente para a decisão de o matar? O que é que se passa com vocês, Shotet? — disse Akos, calmamente. — Se a tua família está realmente em perigo, não consegues simplesmente arranjar uma forma de tirar a tua mãe e a tua irmã daqui? Trabalhas na manutenção e há centenas de flutuadores no cais de embarque.

— Elas não iriam. Além disso, enquanto ele estiver vivo, representa um perigo para elas. Não quero que tenham de viver assim, em fuga, sempre com medo — disse Jorek, com firmeza. — Não vou correr riscos desnecessários.

— E não há mais ninguém que te possa ajudar?

— Ninguém consegue forçar o Suzao Kuzar a fazer algo que ele não queira. — Jorek riu-se. — Exceto o Ryzek e vou-te deixar adivinhar o que é que o soberano de Shotet responderia a este pedido.

Akos esfregou as marcas junto ao cotovelo e pensou na selvajaria delas. *Ele não é lá grande coisa*, dissera a mãe de Osno. É simpático, respondera Osno. Bom, nenhum deles soubera o que ele conseguia fazer com uma faca, pois não?

— Queres que mate um homem — disse Akos, pelo menos para testar a ideia na sua mente.

— Um homem que ajudou no teu rapto. Sim.

— O quê, simplesmente pela bondade do meu coração? — Akos abanou a cabeça e estendeu o cabo da faca, para que Jorek o agarrasse. — Não.

— Em troca — disse Jorek —, posso oferecer-te a liberdade. Como disseste, há centenas de flutuadores no cais. Seria simples ajudar-te a apanhar um. Abrir as portas para ti. Garantir que alguém no convés de navegação fazia vista grossa.

Liberdade. Ofereceu-a como alguém que não sabia o que significava, alguém a quem nunca a tinham tirado. Mas ela já não existia para Akos, já não existia desde o dia em que tinha descoberto o seu destino. Talvez até desde o dia em que tinha prometido ao pai levar Eijeh para casa.

Portanto, Akos abanou a cabeça, novamente.

— Nada feito.

— Não queres ir para casa?

— Tenho assuntos por resolver aqui. E devia regressar a eles, por isso...

Jorek ainda não tinha pegado na faca de treino, por isso, Akos deixou-a cair entre eles e encaminhou-se para a porta. Tinha pena da mãe de Jorek, talvez até do próprio Jorek, mas já tinha suficientes problemas familiares e as marcas não estavam a tornar-se mais fáceis de suportar.

— Então e aquele teu irmão? — disse Jorek. — Aquele que inspira quando o Ryzek expira?

Akos parou, cerrando os dentes. *A culpa é tua*, disse para si próprio. *Tu é que lhe deste a pista dos «assuntos por resolver»*. No entanto, de alguma forma, saber isso não tornava as coisas mais fáceis.

— Consigo tirá-lo daqui — disse Jorek. — Garantir que chega

a casa, onde podem resolver o problema daquilo que confundiu o cérebro dele.

Pensou novamente no seu plano de quase fuga, na voz quebrada de Eijeh a perguntar-lhe: «*Porque é que isto aconteceu?*». No seu rosto encovado, na sua pele sem cor. Estava a desaparecer, estação após estação. Em breve, já não restaria muito para resgatar.

— Ok. — Saiu como um sussurro, não como pretendia.

— Ok? — Jorek soava um pouco ofegante. — Queres dizer que aceitas?

Akos forçou a saída da palavra:

— Sim.

Por Eijeh, a resposta era sempre sim.

Não apertaram as mãos, como dois Thuvhesit fariam, para selar o acordo. Aqui, dizer simplesmente as palavras na língua que os Shotet consideravam sagrada era suficiente.

Que houvesse um guarda estacionado no final do corredor de Cyra não fazia muito sentido para Akos. Ninguém levava a melhor sobre Cyra, numa luta. Até o guarda parecia concordar, pois nem sequer revistava Akos em busca de armas, quando ele passava.

Cyra estava agachada à frente do fogão, com uma panela aos pés e uma poça de água no chão. Havia marcas curvas na palma da sua mão, marcas de unhas, de punhos demasiado apertados, e tinha riscos escuros de corrente em toda a pele, que Akos conseguia ver. Correu para ela, escorregando um pouco no chão molhado.

Pegou-lhe nos pulsos e os riscos desapareceram, como um rio a correr em sentido contrário, em direção à nascente. Não sentiu nada, como sempre. Ouvia frequentemente as pessoas a falarem do zumbido da corrente, dos lugares e horas em que diminuía, mas isso era apenas uma memória para ele. E nem sequer era uma memória clara.

Sentiu a pele quente dela nas mãos. Os seus olhos ergueram-se para os dele. Akos cedo descobrira que ela não parecia «transtornada», da mesma forma que as outras pessoas. Ou parecia zangada, ou então nada. Mas, agora que a conhecia melhor, conseguia ver a tristeza a revelar-se através das fendas da sua armadura.

— Estás a pensar na Levy? — disse ele, mudando um pouco a forma como a agarrava para lhe tocar nas mãos, com os primeiros dois dedos metidos na curva do seu polegar.

— Deixei cair aquilo — apontou com a cabeça na direção da panela. — Foi só isso.

Nunca é «só» isso, pensou. Mas não insistiu. Num impulso, passou-lhe a mão sobre o cabelo, alisando-o. Era espesso e encaracolado, e por vezes sentia-se tentado a torcê-lo com os dedos, sem nenhuma razão em particular.

O toque leve trouxe uma facada de culpa com ele. Não era suposto ele fazer coisas assim, não era suposto marchar na direção do seu destino, em vez de ser arrastado. Em Thuvhe, todos os que se cruzassem com ele iriam agora vê-lo como um traidor. Não podia deixar que tivessem razão.

Contudo, às vezes, sentia a dor de Cyra como se fosse sua. O toque dela era suave, curioso. Depois, empurrou-o para trás, para o afastar.

— Vieste cedo — disse ela e agarrou num pano para secar o chão. A água estava a começar a infiltrar-se através das solas dos sapatos de Akos. Estava novamente a ficar com sombras, a encolher-se por causa da dor que lhe provocavam, mas se não queria a sua ajuda não ia forçá-la.

— Sim — disse ele. — Encontrei-me com o Jorek Kuzar.

— O que é que ele queria? — Pisou o pano, para que absorvesse mais água.

— Cyra?

Ela atirou o pano para o lavatório.

— Sim?

— Como é que eu poderia matar o Suzao Kuzar?

Cyra enrugou os lábios, como fazia sempre que estava a refletir sobre alguma coisa. Era perturbador, para ele, fazer aquela pergunta como se fosse normal. Que ela reagisse como se fosse.

Estava muito, muito longe de casa.

— Teria de ser na arena para ser legal, como sabes — disse ela. — E tu queres que seja legal, para não acabares morto. Os desafios de arena são proibidos, quando a nave sai da atmosfera até depois da reciclagem, o que significa que tens de esperar até depois. Mais uma parte do nosso legado religioso. — Franziu o sobrolho. — Mas, mesmo assim, não tens o estatuto para desafiar o Suzao, por isso, tens de o provocar para que ele te desafie.

Era quase como se ela já tivesse pensado nisso antes, só que ele sabia que não tinha. Era em alturas como esta que percebia por que motivo toda a gente tinha medo dela. Ou por que motivo devia ter, mesmo sem o seu dom-corrente.

— Achas que conseguia derrotá-lo, se estivéssemos na arena?

— Ele é um bom lutador, mas não é excelente — disse ela. — Provavelmente, podias derrotá-lo apenas com a tua habilidade, mas a tua verdadeira vantagem é que ele ainda te vê como a criança que foste, em tempos.

Akos fez um gesto afirmativo com a cabeça.

— Portanto, eu devia deixá-lo pensar que ainda sou assim.

— Sim.

Ela pôs a panela agora vazia debaixo da torneira, para voltar a enchê-la. Akos era muito cauteloso, quando Cyra decidia cozinhar; ela queimava quase sempre a comida quando tentava cozinhar, enchendo a divisão de fumo.

— Assegura-te de que é mesmo isto que queres fazer — disse ela. — Não quero ver-te a ficar como eu.

Não o disse como se quisesse que ele a confortasse ou que contestasse o que tinha dito. Disse-o com absoluta convicção, como se a sua crença na própria monstruosidade fosse uma religião, e talvez fosse a coisa mais próxima a uma religião que ela tinha.

— Achas que vou azedar assim, tão facilmente? — disse Akos, experimentando a dicção do Shotet das classes baixas, que ouvira no campo militar. Não soava assim tão mal.

Ela puxou o cabelo para trás e apertou-o com o cordão que

usava à volta do pulso despido. Os seus olhos voltaram a encontrar os dele.

— Acho que toda a gente azeda «assim, tão facilmente».

Akos quase se riu de quão estranho soava, quando ela o dizia.

— Sabes — disse ele —, a condição de amargura ou monstruosidade, como tu lhe chamas, não tem de ser permanente.

Ela pareceu estar a mastigar a ideia. Alguma vez lhe teria ocorrido?

— Deixa-me cozinhar, ok? — Ele tirou-lhe a panela das mãos. A água salpicou, derramando-se em cima dos seus sapatos. — Prometo que não vou pegar fogo a nada.

— Isso aconteceu *uma vez* — disse ela. — Não sou nenhum perigo ambulante.

Tal como tantas coisas que ela dizia sobre si própria, era ao mesmo tempo uma piada e não era uma piada.

— Eu sei que não és — disse ele, seriamente. Depois, acrescentou: — É por isso que vais cortar a frutassal para mim.

Ainda parecia pensativa, com uma expressão estranha para uma cara que franzia com tanta facilidade, enquanto pegava na frutassal da arca frigorífica, no canto, e se instalava no balcão para a cortar.

CAPÍTULO 16 | CYRA

PELA FORMA COMO TINHAM SIDO projetados, os meus aposentos ficavam longe de tudo, exceto da sala dos motores, por isso, era uma longa caminhada até ao escritório de Ryzek. Tinha-me chamado para me dar o meu itinerário de peregrinação: Juntar-me-ia a ele e a alguns outros membros da elite de Shotet num encontro social pré-reciclagem, para o ajudar a fazer política junto dos líderes de Pitha. Concordei com o plano, porque apenas exigiria a minha capacidade de fingir, não o meu dom-corrente.

Tal como o cínico Examinador previra, quando Akos e eu visitámos a sala dos planetas, Ryzek determinara que o destino da nossa peregrinação seria Pitha, o planeta da água, conhecido pelas tecnologias inovadoras em resistência climática. Se os rumores sobre o armazém secreto de armamento avançado de Pitha eram verdade, Eijeh Kereseth tinha-os, certamente, confirmado, agora que estava deformado pelas memórias de Ryzek. E se Eijeh tinha ajudado Ryzek a descobrir algumas das mais poderosas armas da Assembleia, seria simples para o meu irmão iniciar uma guerra contra Thuvhe, como sempre tencionara fazer.

Ainda estava a meio do caminho de regresso aos meus aposentos, quando todas as luzes se apagaram. Ficou tudo escuro. O zumbido distante do centro de controlo de energia da nave deteve-se.

Ouvi o som de algo a bater, num padrão. Um, três, um. Um, três, um.

Virei-me, com as costas contra a parede.

Um, três, um.

As sombrascorrentes subiram velozmente pelos meus braços, para cima dos ombros. Enquanto os traços das luzes de emergência aos meus pés começaram a brilhar, vi um corpo a precipitar-se na minha direção e dobrei-me, levando o cotovelo a qualquer carne que conseguisse encontrar. Praguejei, enquanto o meu cotovelo batia numa armadura, e voltei-me com os pés ligeiros, com as danças que tinha praticado para me divertir a transformarem-se em instinto. Desembainhei a espadacorrente, depois bati violentamente com ela na minha atacante, encostando-a à parede, com a espada na garganta. A faca dela retiniu no chão, entre os seus pés.

Usava uma máscara com uma das aberturas para os olhos cosida. Tapava-lhe a cara, da testa até ao queixo. Um capuz, feito de material pesado, cobria-lhe a cabeça. Era mais baixa do que eu uma cabeça e ganhara a sua armadura, feita a partir da pele de um Encouraçado.

Estava a choramingar com o meu toque.

— Quem és tu? — disse eu.

O intercomunicador de reserva da nave crepitou, voltando à vida, assim que terminei a pergunta. Era antigo, uma relíquia das nossas primeiras peregrinações, e fazia com que as vozes soassem minúsculas, distorcidas.

— O primeiro filho da família Noavek render-se-á à família Benesit — dizia. — A verdade pode ser reprimida, mas nunca pode ser apagada.

Esperei que a voz continuasse, mas o crepitar desapareceu e o intercomunicador desligou-se. A nave começou novamente a zumbir. A mulher cuja garganta estava cativa do meu braço e da minha espada gemia suavemente.

— Devia prender-te — sussurrei. — Prender-te e levar-te para interrogatório. — Inclinei a cabeça. — Sabes como é que o meu irmão interroga as pessoas? Usa-me. Usa *isto*. — Empurrei mais sombras na sua direção, por isso, elas aglomeraram-se em redor do meu antebraço. Ela gritou.

Por um momento, soou exatamente como Lety Zetsyvis.

Soltei-a, afastando-me da parede.

As luzes no chão tinham-se acendido, fazendo com que ambas brilhássemos, iluminadas por baixo. Conseguia ver um único olho brilhante na sua cabeça, fixo em mim. As luzes por cima de nós estalaram ao acender-se e ela correu pelo corredor, desaparecendo ao virar da esquina.

Tinha-a deixado ir.

Cerrei as mãos para impedir que tremessem. Não podia acreditar no que tinha acabado de fazer. Se Ryzek alguma vez descobrisse...

Apanhei a sua faca do chão, se é que se lhe podia chamar isso; era uma vareta de metal pontiaguda, afiada à mão, com fita adesiva enrolada no fundo para fazer um cabo, e comecei a andar. Não sabia bem em que direção estava a ir, apenas que tinha de continuar a andar. Não tinha ferimentos, nenhuma prova de que o ataque tinha acontecido. Com sorte, as gravações de segurança estariam demasiado escuras para se perceber que tinha acabado de deixar uma rebelde escapar.

O que é que tu fizeste?

Corri pelos corredores da nave, com os meus passos a ecoarem durante apenas alguns segundos antes de mergulhar numa multidão, no caos. Tudo era barulhento e apressado, como o meu coração. Enfiei as mãos dentro das mangas, para não tocar em ninguém acidentalmente. Não ia para os meus aposentos. Precisava de ver Ryzek antes que alguém o fizesse, precisava de me assegurar que ele acreditava que eu não tinha participado nisto. Uma coisa era recusar-me a torturar pessoas, outra era participar numa revolta. Pus a faca da rebelde no bolso, escondida.

Os soldados afastaram-se para me deixar passar, quando cheguei aos aposentos de Rizek no lado mais afastado da nave, o mais próximo do fluxocorrente. Encaminharam-me para o seu escritório e, quando cheguei à porta, não tinha a certeza de que me deixaria entrar, mas gritou a ordem imediatamente.

Ryzek estava descalço no escritório, de pé, de frente para a parede. Estava sozinho, com uma caneca de extrato de flor do silêncio diluído na mão. Atualmente, conseguia reconhecê-lo só de vista. Não tinha a armadura vestida e, quando olhou para mim, havia caos nos seus olhos.

— O que é que queres? — perguntou.

— Eu... — Detive-me. Não sabia o que queria, exceto proteger-me. — Vim só saber se estavas bem.

— Claro que estou bem — disse ele. — O Vas matou os dois rebeldes que tentaram entrar nesta parte da nave, antes de eles conseguirem sequer gritar. — Afastou uma das cortinas da escotilha, maior do que a maioria, quase tão alta como ele, e olhou para o exterior, para o fluxocorrente que se tinha tornado verde-escuro. Estava quase azul, quase na hora da invasão, da reciclagem, da tradição dos nossos antepassados. — Achas que os atos infantis de uns quantos rebeldes me podem fazer mal?

Caminhei na sua direção, cautelosa, como se ele fosse um animal selvagem.

— Ryzek, não faz mal ficar um pouco abalado, quando há pessoas que te estão a atacar.

— Eu não estou abalado! — Gritou cada uma das palavras, batendo com a caneca contra uma mesa próxima. A mistura de flor do silêncio entornou-se por todo o lado, manchando o seu punho branco de vermelho.

Enquanto olhava para ele, fui invadida pela memória das suas mãos rápidas e seguras, a apertar as fivelas que atravessavam o meu peito antes da minha primeira peregrinação, e de como ele sorrira enquanto gozava comigo, por eu estar nervosa. Não era culpa dele ter ficado assim, tão aterrorizado, tão criativo com a sua crueldade. O nosso pai tinha-o condicionado a transformar-se nesta pessoa. O maior presente que Lazmet Noavek alguma vez me tinha dado, maior até do que a própria vida, tinha sido deixar-me em paz.

Eu tinha vindo até Ryzek com ameaças, com raiva, com desdém, com medo. Nunca tinha tentado a bondade. Enquanto o meu pai tinha utilizado as ameaças bem dirigidas e o silêncio intimidante como as suas armas, a minha mãe sempre tinha manejado a bondade com a destreza de uma arma. Depois de tanto tempo, eu ainda era mais Lazmet do que Ylira, mas isso podia mudar.

— Sou tua irmã. Não tens de ser assim para mim — disse-lhe, tão gentilmente quanto consegui.

Ryzek estava a olhar fixamente para a mancha no seu punho. Não respondeu, o que eu decidi que era bom sinal.

— Lembras-te como costumávamos brincar com aqueles bonequinhos no meu quarto? — disse eu. — Como me ensinaste a pegar numa faca? Eu apertava sempre com muita força e cortava a circulação da ponta dos dedos, e tu ajudaste-me a corrigir isso.

Franziu o sobrolho. Perguntei-me se se lembraria, ou seria essa uma das memórias que trocara por uma das de Eijeh? Ainda assim, talvez tivesse ficado com alguma da gentileza de Eijeh, quando lhe deu a sua dor.

— Não fomos sempre assim, tu e eu — disse eu.

Perante a sua pausa, permiti a mim mesma ter esperança. Numa alteração tranquila da forma como olhava para mim, na mudança lenta e firme por que a nossa relação podia passar, se ele simplesmente se libertasse do medo. O seu olhar encontrou o meu e estava quase lá, eu conseguia ver, conseguia quase ouvir. Podíamos ser como fôramos, em tempos.

— Depois, mataste a mãe — disse ele, calmamente. — E agora, isto é tudo quanto podemos ser.

Não devia ter-me surpreendido, não me devia ter espantado pela forma como as palavras me podiam atingir, como um forte murro no estômago. Mas a esperança tinha-me tornado numa tola.

Passei toda a noite acordada, temendo o que ele iria fazer em relação ao ataque.

A resposta veio na manhã seguinte, quando a sua voz calma e autoconfiante chegou do ecrã de notícias, na parede mais afastada. Rebolei para fora da cama e atravessei o quarto para poder ligar o vídeo. O meu irmão ocupava o ecrã, pálido e esquelético. A sua armadura refletia a luz, projetando um brilho assustador na sua cara.

— Ontem, experienciámos uma... perturbação. — Os seus lábios sorriram um pouco, como se pensasse que era divertido. Fazia sentido: Ryzek sabia que não devia mostrar medo, para minimizar o mais possível os atos dos rebeldes. — Embora tenham sido infantis, os responsáveis por esta artimanha comprometeram a segurança da nave, ao atrasarem o seu voo, o que significa que têm de ser encontrados e erradicados. — O seu tom tornara-se mais sinistro. — Pessoas de todas as idades serão selecionadas aleatoriamente da base de dados da nave e trazidas aqui, para responderem a algumas questões, a partir de hoje. Haverá um recolher obrigatório em toda a nave, da vigésima hora até à sexta hora, imposto a todos os ocupantes da nave, exceto aos que forem essenciais ao seu funcionamento, até eliminarmos este problema. A peregrinação também será adiada, até garantirmos a segurança da nave.

— Responderem a algumas questões — disse Akos, atrás de mim. — Isso é código para «interrogatório sob tortura»?

Assenti com a cabeça.

— Se souberem alguma coisa sobre as identidades dos indivíduos envolvidos nesta traquinice, é do vosso melhor interesse revelarem-no — disse Ryzek. — Aqueles que forem descobertos a ocultar informação ou a mentir durante os interrogatórios também serão punidos, pelo bem do povo Shotet. Estejam certos de que a segurança da nave da peregrinação e de todas as pessoas no seu interior é a minha maior preocupação.

Akos soprou.

— Se não tiverem nada a esconder, não têm nada a temer — disse Ryzek. — Continuemos a preparar-nos para mostrar aos outros planetas desta galáxia o nosso poder e a nossa unidade.

A sua cabeça permaneceu no ecrã durante mais alguns momentos e, então, o *feed* de notícias voltou, desta vez em Othyrian, que eu conhecia razoavelmente bem. Havia falta de água em Tepes, no continente ocidental. As legendas em Shotet estavam corretas. Por uma vez.

— Mostrar o nosso poder e a nossa unidade — disse eu, citando Ryzek, mais para mim do que para Akos. — É para isso que a peregrinação serve, agora?

— Para que é que serve mais?

A Assembleia estava a debater requisitos adicionais para os oráculos de cada planeta, que seriam sujeitos a votação quarenta dias depois. As legendas em Shotet: «A Assembleia procura exercer um controlo tirânico sobre os oráculos, através de outra medida predatória, a ser promulgada no final do ciclo de quarenta dias». Corretas, mas parciais.

Um grupo qualquer de piratas espaciais fora sentenciado a quinze estações na prisão. As legendas em Shotet: «Grupo de tradicionalistas Zoldan condenado a quinze estações na prisão, por expressar opinião contra os regulamentos desnecessariamente restritivos da Assembleia». Não tão correto.

— É suposto a peregrinação ser um reconhecimento da nossa confiança na corrente e naquele que a governa — disse eu, tranquilamente. — Um ritual religioso, uma forma de honrar os que vieram antes de nós.

— O Shotet que descreves não é aquele que eu vi — disse Akos.

Olhei de relance para ele.

— Talvez vejas o que queres ver.

— Talvez vejamos os dois — disse Akos. — Pareces preocupada. Achas que o Ryzek vai parar de te deixar em paz?

— Se as coisas ficarem suficientemente más.

— E se te recusares novamente a ajudá-lo? Qual é a pior coisa que pode fazer?

Suspirei.

— Acho que não percebes. A minha mãe era adorada. Uma divindade entre mortais. Quando morreu, todo Shotet chorou. Foi como se o mundo tivesse desmoronado. — Fechei os olhos, brevemente, deixando a imagem do seu rosto passar pela minha mente. — Se descobrirem o que eu lhe fiz, vão desfazer-me, membro por membro. O Ryzek sabe isso e vai usá-lo, se ficar demasiado desesperado.

Akos franziu o sobrolho. Não pela primeira vez, perguntei-me como se sentiria, se eu morresse. Não porque pensasse que me odiava, mas porque sabia que o seu futuro ecoava na sua cabeça, sempre que olhava para mim. Eu podia ser a Noavek por quem ele um dia iria morrer, dada a quantidade de tempo que passávamos juntos. E não conseguia acreditar que valia isso, que valia a sua vida.

— Bem — disse ele —, esperemos que não fique, então.

Estava inclinado na minha direção. Havia apenas alguns centímetros entre nós. Estávamos muitas vezes próximos, quando lutávamos, quando treinávamos, quando fazíamos o pequeno-almoço, e ele tinha de me tocar para manter a minha dor afastada. Por isso, não me devia ter sentido estranha pelo facto de a sua anca estar tão próxima do meu estômago, que conseguia ver os seus músculos a destacarem-se do braço.

Mas senti.

— Como está o teu amigo Suzao? — perguntei, enquanto dava um passo para trás.

— Dei um pouco de elixir do sono ao Jorek, para ele o meter no medicamento que toma de manhã — disse Akos.

— O Jorek vai drogar o próprio pai? — disse eu. — Interessante.

— Sim, bom, vamos ver se o Suzao realmente desmaia em cima do almoço. Pode ser que isso o deixe suficientemente zangado, para me desafiar para a arena.

— Se fosse a ti, fazia isso mais algumas vezes antes de me revelar — disse eu. — Ele tem de ficar assustado, além de zangado.

— É difícil imaginar um homem assim, assustado.

— Sim, bem, todos nos assustamos — suspirei. — Os zangados mais do que a maioria, acho eu.

O fluxocorrente fez a lenta transição de verde para azul e, mesmo assim, não descemos sobre Pitha, mesmo assim, Ryzek atrasou a peregrinação. Ficámos em suspensão na extremidade da galáxia, fora do alcance da Assembleia. A impaciência era como uma nuvem húmida que se instalara sobre a nave; respirava-a sempre que saía dos meus aposentos isolados. E, nos dias que corriam, raramente deixava os meus aposentos.

Ryzek não podia atrasar a nossa descida para sempre; não podia esquecer completamente a peregrinação, ou seria o primeiro soberano a ignorar as nossas tradições em mais de cem estações.

Tinha-lhe prometido que iria manter as aparências e foi por esse motivo que dei novamente por mim na reunião dos seus aliados mais próximos, no convés de observação, alguns dias depois do ataque. A primeira coisa que vi, depois de entrar, foi a escuridão do espaço através da janela, aberta para nós como se estivéssemos a planar em direção à boca de uma enorme criatura. Depois, vi Vas a apertar uma caneca de chá, com as articulações dos dedos a sangrar. Quando reparou no sangue, limpou-o com um lenço e voltou a metê-lo no bolso.

— Eu sei que não consegues sentir dor, Vas. Mas há algum valor em cuidar do próprio corpo — disse-lhe.

Ergueu as sobrancelhas para mim e depois pousou a caneca. Os outros estavam reunidos na extremidade oposta da sala, de copos na mão, de pé, em pequenos grupos. A maioria tinha-se juntado à volta de Ryzek, como destroços à volta de um furo de drenagem. Yma Zetsyvis, com o cabelo branco quase a brilhar, pelo contraste com o fundo escuro do espaço, estava entre eles, de corpo rígido, com uma tensão óbvia.

Fora isso, a sala estava vazia, o chão negro e polido, as paredes apenas janelas curvas. Quase que esperava que flutuássemos dali para fora.

— Sabes tão pouco sobre o meu dom, tendo em conta há quanto tempo nos conhecemos — disse Vas. — Sabes que tenho de pôr despertadores para comer e beber? E examinar-me constantemente, para ver se tenho ossos partidos e contusões?

Nunca tinha pensado no que mais Vas tinha perdido, quando perdera a capacidade de sentir dor.

— É por isso que ignoro as feridas pequenas — disse Vas. — É esgotante prestar tanta atenção ao próprio corpo.

— Hum... — disse eu — Acho que sei qualquer coisa sobre isso.

Não pela primeira vez, espantei-me por ver quão opostos éramos e quão semelhantes isso nos tornava, as nossas vidas a girar em torno da dor, de uma forma ou de outra, ambos gastando uma quantidade exorbitante de energia no físico. Fez-me sentir curiosidade por saber se teríamos algo mais em comum.

— Quando é que o desenvolveste? — perguntei. — O que é que estava a acontecer, nesse momento?

— Tinha dez. — Encostou-se contra a parede e passou a mão sobre a cabeça. O seu cabelo estava rapado, próximo do escalpe. Perto da orelha, havia alguns cortes de uma lâmina; provavelmente, ele não os notara. — Antes de ser aceite para o serviço do teu irmão, frequentava uma escola normal. Nessa altura, era magricelas, um alvo fácil. Alguns dos miúdos mais velhos estavam a atacar-me. — Sorriu. — Quando percebi que não conseguia sentir dor, espanquei um deles quase até à morte. Não voltaram a vir atrás de mim.

Estava em perigo e o seu corpo tinha respondido. A sua *mente* tinha respondido. A sua história era igual à minha.

— Achas de mim o mesmo que eu acho do Kereseth — disse Vas. — Achas que sou o animalzinho de estimação do Ryzek, como eu acho que o Akos é o teu.

— Acho que todos servimos o meu irmão — disse eu. — Tu.

Eu. O Kereseth. Somos todos iguais. — Olhei de relance para a multidão reunida à volta de Ryzek. — Porque é que a Yma está aqui?

— Queres dizer, depois de ter sido desgraçada, tanto pelo marido como pela filha? — disse Vas. — Dizem os rumores que se pôs de joelhos, implorando perdão pelas transgressões deles. Talvez isso seja um ligeiro exagero, claro.

Esgueirei-me, passando por ele, e aproximei-me dos outros. A mão de Yma estava no braço de Ryzek, deslizando pelo seu cotovelo. Esperei que ele se afastasse; fazia-o quase sempre, quando as pessoas lhe tentavam tocar. Mas permitiu a carícia, talvez até se tenha entregado a ela.

Como é que ela suportava olhar para ele, depois de ele ter ordenado as mortes da filha e do marido, quanto mais tocar-lhe? Observei-a a rir-se de alguma coisa que Ryzek tinha dito. O seu sobrolho contraiu-se, como se estivesse com dores. *Ou desesperada*, pensei. Muitas vezes, as expressões eram iguais.

— Cyra — disse Yma, fazendo com que a atenção de todos recaísse sobre mim. Tentei obrigar-me a olhá-la nos olhos, mas era difícil, dado o que eu tinha feito a Lety. Sonhava com Yma, quando sonhava com a sua filha. Às vezes, imaginava-a curvada sobre o cadáver de Lety, a gritar a plenos pulmões. — Já há algum tempo que não te via. O que tens andado a fazer?

Encontrei os olhos de Ryzek, apenas por um momento.

— A Cyra tem estado numa missão especial para mim — disse Ryzek, com facilidade. — Ficar perto do Kereseth.

Estava a provocar-me.

— O Kereseth mais novo é assim tão valioso? — perguntou-me Yma. Tinha um sorriso peculiar.

— Ainda falta perceber isso — disse eu. — Mas, afinal de contas, é Thuvhesit de nascença. Sabe coisas sobre os nossos inimigos, que nós não sabemos.

— Ah — disse Yma, com leveza. — Pensei que pudesses ter-te tornado útil durante estes interrogatórios, Cyra, como te tornaste útil antes.

Senti-me como se fosse vomitar.

— Infelizmente, os interrogatórios requerem uma língua mais astuta e uma mente habilidosa, para detetar as subtilezas — disse Ryzek. — Duas coisas que sempre faltaram à minha irmã.

Magoada, não consegui pensar numa resposta. Talvez tivesse razão, quando dizia que a minha língua não era astuta.

Por isso, deixei que as sombrascorrentes alastrassem e, quando a conversa mudou para outro tópico, caminhei até à ponta da sala, para observar a escuridão que nos envolvia.

Estávamos na extremidade da galáxia, pelo que os únicos planetas, ou pedaços de planetas existentes, não tinham população suficiente para participarem na Assembleia. Chamávamos-lhes «planetas periféricos» ou apenas «as margens», mais casualmente. A minha mãe incentivara os Shotet a olhar para eles como os nossos irmãos e irmãs, na mesma luta pela legitimidade. O meu pai troçara da ideia, em privado, dizendo que Shotet era maior do que qualquer prole das margens.

Vi um desses planetas a partir da posição estratégica onde me encontrava, só um pontinho de luz à minha frente, demasiado grande para ser umas das nossas estrelas. Um grande fio do fluxocorrente estendia-se na sua direção e enrolava-se à sua volta, como um cinto.

— P1104 — disse-me Yma Zetsyvis, dando um gole na sua caneca. — É o nome do planeta para onde estás a olhar.

— Já lá estiveste? — Estava tensa, de pé, ao lado dela, mas tentei manter a voz leve. Atrás de nós, os outros desataram às gargalhadas, por algo que o primo Vakrez tinha dito.

— Claro que não — disse Yma. — Os dois últimos soberanos de Shotet proibiram viagens para planetas das margens. Com toda a razão, querem colocar distância entre nós e eles, aos olhos da Assembleia. Não podemos ser associados a uma companhia tão grosseira, se queremos ser levados a sério.

Falou como uma verdadeira integrista Noavek. Ou, melhor dito, uma apologista dos Noavek. Sabia bem o guião.

— Certo — disse eu. — Então... presumo que os interrogatórios ainda não produziram resultados.

— Alguns rebeldes dos níveis mais baixos, sim, mas nenhum dos atores principais. E, infelizmente, estamos a ficar sem tempo.

Estamos?, pensei eu. Incluía-se com tanta confiança no grupo dos aliados mais próximos do meu irmão. Talvez ela tivesse realmente implorado pelo seu perdão. Talvez tivesse encontrado outra maneira de cair nas suas boas graças.

Estremeci com esse pensamento.

— Eu sei. O fluxocorrente está quase azul. A mudar a cada dia que passa — disse eu.

— É verdade. Portanto, o teu irmão precisa de encontrar alguém. Levá-lo a público. Mostrar força antes da peregrinação. A estratégia, claro, é essencial, em tempos instáveis como os atuais.

— E qual é a estratégia, se não encontrar ninguém a tempo?

Yma voltou o seu estranho sorriso para mim.

— Pensava que já sabias qual era a estratégia. O teu irmão não te tem mantido informada, apesar da tua *missão especial*?

Tive a sensação de que ambas sabíamos que a minha «missão especial» era uma mentira.

— Claro — disse eu, secamente. — Mas, sabes, com uma mente tão fraca como a minha, estou constantemente a esquecer-me das coisas. Provavelmente, esqueci-me de desligar o fogão, hoje de manhã.

— Pressinto que não vai ser difícil para o teu irmão encontrar um suspeito, antes de chegar o momento da reciclagem — disse Yma. — Só é necessário que *pareça* um rebelde, certo?

— Ele vai incriminar alguém? — disse eu.

Senti frio perante o pensamento de uma pessoa inocente morrer, porque Ryzek precisava de um bode expiatório. E não tinha a certeza do porquê. Há alguns meses, até mesmo há algumas semanas, isso não me teria perturbado tanto. Mas uma coisa que Akos tinha dito estava a começar a afetar-me: Que a coisa que eu era não tinha de ser permanente.

Talvez eu pudesse mudar. Talvez eu *estivesse* a mudar, só por acreditar que podia.

Pensei na mulher só com um olho que eu tinha deixado ir-se embora, no dia do ataque. Na sua estrutura pequena, nos seus movimentos distintivos. Se quisesse, podia encontrá-la, tinha a certeza disso.

— Um pequeno sacrifício pelo bem do regime do teu irmão. — Yma balançou a cabeça. — Todos temos de fazer sacrifícios, pelo nosso bem.

Virei-me para ela.

— Que tipo de sacrifícios fizeste?

Ela procurou o meu pulso e apertou-o com força. Com mais força do que eu pensava que era capaz. Embora soubesse que o meu dom-corrente devia estar a queimá-la por dentro, não me soltou, puxando-me para mais perto dela, para poder sentir o seu hálito.

— Neguei a mim própria o prazer de te ver a esvaíres-te em sangue — sussurrou.

Soltou-me e voltou a deslocar-se na direção do grupo, pavoneando-se enquanto caminhava. O cabelo claro, comprido, pendia até ao meio das suas costas, perfeitamente liso. Vista de trás, era como um pilar de branco, até mesmo o vestido era de um azul tão claro que quase condizia.

Esfreguei o pulso, pois a minha pele estava vermelha do apertão. Ia ficar com uma contusão, tinha a certeza.

O chocalhar de panelas parou, quando entrei nas cozinhas. Na nave da peregrinação, trabalhava uma seleção mais pequena do nosso pessoal, relativamente aos trabalhadores da mansão Noavek, mas reconheci algumas das caras. E os dons também: Um dos empregados da limpeza estava a fazer as panelas flutuarem, com espuma a pingar nas costas das mãos, e uma das cortadoras de alimentos estava a fazer a tarefa de olhos fechados, com golpes de faca precisos e regulares.

Otega tinha a cabeça enfiada dentro da arca frigorífica. Quando o silêncio se abateu sobre a cozinha, endireitou-se e limpou as mãos ao avental.

— Ah, Cyra — disse ela. — Ninguém consegue silenciar uma divisão como tu.

O resto do pessoal olhava abertamente para ela, espantado pela sua familiaridade, mas eu apenas ri um bocadinho. Mesmo quando já não a via há algum tempo, na última estação eu tinha esgotado a capacidade de Otega me ensinar; agora, só nos víamos raramente, de passagem. Ela entrava novamente nos nossos velhos ritmos, sem dificuldade.

— É um talento único — respondi. — Posso falar contigo em privado, por favor?

— Dizes isso como se fosse uma pergunta, quando na verdade é uma ordem — disse Otega, arqueando as sobrancelhas. — Segue-me. Espero que não te importes que conversemos no armário do lixo.

— Importar-me? Sempre *quis* passar algum tempo no armário do lixo — disse eu, irónica, e segui-a através da cozinha estreita, até uma porta nas traseiras,

O pivete no armário era tão poderoso, que fez os meus olhos chorarem. Pelo que conseguia perceber, vinha de cascas de fruta podres e restos antigos de carne, polvilhados com erva. Só havia espaço para nós as duas, de pé, uma ao pé da outra. Ao nosso lado havia uma enorme porta que dava para um incinerador de lixo; estava calor, o que apenas piorava o mau odor.

Respirei pela boca, subitamente consciente de como devia parecer privilegiada aos seus olhos, de como devia parecer mimada. Com as minhas unhas sempre limpas, a minha camisa branca, ainda brilhante. E Otega, coberta de salpicos de comida, com a aparência de uma mulher que era suposto ser mais robusta, mas que não tinha recebido comida suficiente para o ser.

— O que posso fazer por ti, Cyra?

— Como te sentirias, se te pedisse um favor?

— Depende do favor.

— Implicaria mentir ao meu irmão, se ele alguma vez te fizesse perguntas sobre ele.

Otega cruzou os braços.

— O que é que podes querer de mim, que implique mentir ao teu irmão?

Suspirei. Peguei na faca da rebelde do meu bolso e entreguei-lha.

— Durante o ataque dos rebeldes — disse eu —, atentaram contra a minha vida num corredor isolado. Eu dominei a atacante, mas... deixei-a em liberdade.

— Por que raios fizeste isso? — disse ela. — Pelo amor da corrente que circula, rapariga, nem a tua mãe era tão bondosa.

— Eu não... não interessa. — Virei a faca na minha mão. A fita adesiva que fazia o cabo era leve e flexível, dobrando-se de acordo com os dedos do proprietário. Ela tinha uma mão muito mais pequena do que eu. — Mas quero encontrá-la. Ela deixou cair isto e eu soube que podias utilizar isto, para a encontrar.

O dom-corrente de Otega era um dos mais misteriosos que eu alguma vez encontrara. Com um objeto, ela conseguia localizar a pessoa que o possuía. Os meus pais tinham-lhe pedido para encontrar os proprietários de armas, dessa forma. Às vezes, os rastos eram difíceis de ler, dizia ela, como quando dois ou três proprietários chamavam ao objeto seu, mas ela era perita em interpretá-los. Se alguém conseguia achar a minha rebelde, era ela.

— E não queres que o teu irmão saiba disto — disse ela.

— Sabes o que o meu irmão lhe faria — disse eu. — E a execução seria a parte mais gentil.

Otega enrugou os lábios. Pensei nos dedos hábeis dela no meu cabelo, a puxá-lo para fazer tranças debaixo da supervisão da minha mãe, antes da minha primeira Procissão. No estalo dos meus lençóis ensanguentados, quando os puxou do colchão, no dia em que os meus ciclos começaram e a minha mãe já não era viva para me ajudar.

— Não me vais dizer porque a queres encontrar, pois não?

— Não — disse eu.

— Envolve procurares a tua própria vingança?

— Olha, dizer-te isso seria uma forma de te dizer porque quero encontrá-la, algo que eu acabei de dizer que não ia fazer. — Sorri. — Vá lá, Otega. Tu sabes que eu sei cuidar de mim. Simplesmente, não sou tão severa como o meu irmão.

— Está bem, está bem. — Tirou-me a faca. — Vou precisar de passar algum tempo com ela. Volta cá amanhã, mesmo antes do recolher. Eu levo-te até à proprietária.

— Obrigada.

Ela guiou uma madeixa solta do meu cabelo para trás da orelha e sorriu um pouco, para disfarçar o seu recuo quando me tocou.

— Não és assim tão assustadora, rapariga — disse ela. — Não te preocupes, eu não digo ao resto do pessoal.

CAPÍTULO 17 | AKOS

NÃO SE VIAM MUITAS ESTRELAS na extremidade da galáxia. Cyra adorava, Akos conseguia notar isso pela forma como as sombrascorrentes se mostravam calmas quando ela fitava o exterior, através da janela. Fazia-o tremer, todo aquele espaço, toda aquela escuridão. Mas estavam a aproximar-se da ponta do fluxocorrente, pelo que havia um pouco de roxo no canto do holograma, no teto.

Pitha não era o planeta a que a corrente os conduzira. Cyra e Akos tinham visto isso, no dia em que visitaram os Examinadores que tinham pensado em Ogra, ou até P1104. Mas, aparentemente, Ryzek via a deliberação dos Examinadores como uma mera formalidade. Escolhera o planeta que lhe oferecia a aliança mais útil, disse Cyra.

Ela tinha um bater à porta característico, quatro pequenos toques. Sabia que era ela à entrada da porta, sem sequer olhar para cima.

— Devíamos despachar-nos, senão não vamos conseguir ver — disse ela.

— Tens noção de que estás a ser intencionalmente vaga, certo? — disse Akos, com um sorriso. — Ainda não me disseste o que é que vamos ver.

— Tenho noção disso, sim. — Ela devolveu-lhe o sorriso.

Envergava um vestido azul apagado, com mangas que terminavam mesmo acima do cotovelo, por isso, quando Akos se esticou para a frente para lhe agarrar o braço, assegurou-se de que a agarrava exatamente onde o tecido acabava. «A cor do vestido não tinha muito a ver com ela», pensou ele. Tinha-lhe parecido mais ela de roxo, durante o Festival da Peregrinação, ou com as roupas de treino escuras. Mas, por outro lado, não havia muito que Cyra Noavek pudesse fazer para desvalorizar a sua aparência, e ele tinha quase a certeza que ela sabia disso.

Afinal de contas, não valia a pena negar o óbvio.

Caminharam rapidamente pelos corredores, escolhendo um caminho diferente de todos os que Akos percorrera até ao momento. As placas, afixadas às paredes sempre que os corredores se separavam, diziam que se estavam a dirigir para o convés de navegação. Subiram umas escadas estreitas e Cyra enfiou a mão numa fenda na parede, no cimo das escadas. Duas portas pesadas abriram-se. Uma parede de vidro saudou-os.

E, para lá dela: Espaço. Estrelas. Planetas.

E o fluxocorrente aumentando, tornando-se mais brilhante a cada segundo.

Dezenas de pessoas trabalhavam em filas de ecrãs, mesmo à frente do vidro. De uniformes limpos, pareciam-se um pouco com armaduras Shotet: O mais escuro dos azuis, volumosos nos ombros, mas com tecido flexível, em vez de pele rija de Encouraçado. Um dos homens mais velhos percebeu a presença de Cyra e fez uma reverência na sua direção.

— Menina Noavek — disse ele. — Estava a começar a pensar que desta vez não ia ver.

— Não perderia isto por nada, Navegador Zyvo — disse Cyra. Para Akos, acrescentou: — Venho aqui desde que era criança. Zyvo. Este é o Akos Kereseth.

— Ah, sim — disse o homem mais velho. — Ouvi uma ou duas histórias sobre ti, Kereseth.

A julgar pelo seu tom, Akos teve a certeza que queria dizer muito mais do que «uma ou duas» histórias e isso fê-lo ficar suficientemente nervoso para corar.

— As bocas de Shotet adoram tagarelar — disse-lhe Cyra. — Especialmente, sobre os predestinados.

— Certo — conseguiu dizer Akos. Predestinado: Era isso que ele era, não era? Soava-lhe estúpido, agora.

— Pode ocupar o seu lugar habitual, Menina Noavek — disse Zyvo, lançando uma mão na direção da parede de vidro. Fazia-os facilmente parecer pequenos, curvando-se sobre as suas cabeças à altura do teto da nave.

Cyra foi à frente, até um lugar defronte de todos os ecrãs. Em redor deles, a tripulação gritava direções e números. Akos não fazia a mínima ideia de como interpretar nada daquilo. Cyra sentou-se no chão, com os braços à volta dos joelhos.

— O que estamos aqui a fazer, afinal?

— Em breve, a nave vai passar através do fluxocorrente — disse ela, com um enorme sorriso. — Nunca viste nada como isto, prometo. O Ryzek vai estar no convés de observação com os apoiantes mais próximos, mas eu, em vez disso, tenho a oportunidade de vir para aqui, para não gritar à frente dos convidados. Pode tornar-se bastante... intenso. Vais ver.

À distância, o fluxocorrente parecia uma nuvem de tempestade, inchada de cor em vez de chuva. Toda a gente na galáxia concordava que existia, pois era bastante difícil negar algo que era claramente visível a partir da superfície de qualquer planeta, mas significava coisas diferentes, para diferentes pessoas. Os pais de Akos tinham-lhe falado dele como se fosse um guia espiritual que não entendiam completamente, mas ele sabia que muitos dos Shotet o veneravam, ou a algo maior que o comandava, dependendo da seita. Algumas pessoas pensavam que era apenas um fenómeno natural, sem absolutamente nada de espiritual. Akos nunca tinha perguntado a Cyra o que ela pensava.

Ia fazê-lo, quando alguém avisou:

— Preparem-se!

A toda a volta dele, as pessoas agarraram no que quer que fosse que os conseguisse segurar. A nuvem do fluxocorrente cobriu o vidro à frente dele e, então, quase como se fossem um só, todos, exceto Akos, ofegaram. Cada um dos centímetros da pele de Cyra ficou preto como o espaço. Os dentes brancos, a contrastar com o seu dom-corrente, estavam cerrados, mas parecia quase estar a sorrir. Akos esticou-se para lhe tocar, mas ela abanou a cabeça.

Espirais de azul forte encheram o vidro. Também havia veios de cor mais clara, quase roxos, e de um azul-marinho profundo. O fluxocorrente era enorme e brilhante, e estava por todo o lado, todo o lado. Era como estar abraçado pelos braços de um deus.

Algumas pessoas tinham as mãos levantadas, em adoração; outros estavam de joelhos; outros imóveis, agarrados ao peito ou à barriga. As mãos de um homem brilhavam, tão azuis como o próprio fluxocorrente; pequenos globos, como os *fenzu*, rodopiavam à volta da cabeça de uma mulher. Os dons-correntes estavam descontrolados.

Akos pensou na Floração. Os Thuvhesit não eram tão... *expressivos* como os Shotet durante os seus rituais, mas o sentido era o mesmo. Reunir-se para celebrar algo que só lhes acontecia a eles, entre todos os povos da galáxia, e só num determinado momento. A reverência que tinham por isso, pela sua espécie particular de beleza.

Toda a gente sabia que os Shotet seguiam o fluxocorrente através do espaço, como um ato de fé. Mas, até àquele momento, Akos não tinha percebido porquê, exceto talvez pelo facto de sentirem que tinham de o fazer. Mas, depois de o ver de perto, pensou, era impossível imaginar uma vida sem voltar a vê-lo.

Sentiu-se separado, no entanto, não apenas porque era Thuvhesit e os outros eram Shotet, mas porque eles conseguiam sentir o zumbido vibrante da corrente e ele não. A corrente não passava através dele. Era como se ele não fosse tão real como eles, como se não estivesse tão *vivo*.

No exato momento em que estava a pensar nisso, Cyra estendeu-lhe a mão. Ele agarrou-a para a libertar das sombras e sobressaltou-se ao ver lágrimas nos olhos dela; era difícil dizer se eram de dor ou de assombro.

E então, ela disse algo estranho. Sem fôlego e com reverência, disse:

— Tens o toque do silêncio.

O *feed* de notícias da Assembleia estava a emitir no ecrã dos aposentos de Cyra, quando regressaram. «Cyra devia tê-lo deixado ligado por engano», pensou Akos. E enquanto Cyra se encaminhava para a casa de banho, aproximou-se dele para o desligar. No entanto, antes de tocar no interruptor, reparou no título no fundo do ecrã: *Oráculos reúnem-se em Tepes.*

Akos afundou-se na cama de Cyra.

Talvez pudesse ver a sua mãe.

Metade do tempo, tentava dizer a si próprio que ela e Cisi estavam mortas. Era mais fácil do que recordar que não estavam e que não as veria novamente, sendo o seu destino o que era. Mas não conseguia convencer-se a acreditar numa mentira. Estavam mesmo ali, do outro lado do esparto.

As imagens do *feed* de notícias passaram para Tepes. Tepes era o planeta mais próximo do sol, o planeta de fogo para o planeta de gelo deles. Era necessário usar um fato especial para andar por lá, sabia Akos, mais ou menos da mesma forma como não se podia caminhar no exterior em Hessa, na época do Esmorecimento, sem congelar. Não conseguia imaginá-lo. Imaginar o seu corpo a arder dessa maneira.

— Os oráculos proíbem a intervenção exterior nas suas sessões, mas esta gravação foi enviada por uma criança local, enquanto as últimas naves chegavam — disse uma narração em Othyrian. A maioria das transmissões da Assembleia era em Othyrian, uma vez que a maioria das pessoas fora de Shotet o entendia. — Fontes internas sugerem que os oráculos discutirão outro conjunto de restrições legais impostas pela Assembleia, na passada semana, enquanto a Assembleia se aproxima de requerer que todas as discussões dos oráculos sejam divulgadas ao público.

Era uma velha queixa da sua mãe, que a Assembleia estava sempre a tentar interferir com os oráculos, que não conseguiam suportar que houvesse uma última coisa na galáxia que não conseguiam regular. E não era algo supérfluo, sabia ele, os destinos das famílias predestinadas, o futuro dos planetas na sua infinita variedade. *Talvez alguma regulação não fizesse mal aos oráculos*, pensou Akos. E sentiu como se tivesse cometido uma traição.

Akos não conseguia ler a maioria dos caracteres Shotet no fundo do ecrã, que traduziam a narração. Apenas as que diziam *oráculo* e *Assembleia*. Cyra disse que algo nos caracteres Shotet para *Assembleia* expressava a amargura de Shotet, por não ser reconhecido pela Assembleia. As decisões sobre o planeta, que Thuvhe e Shotet partilhavam, sobre comércio ou assistência, ou viagens, eram tomadas por Thuvhe e apenas por Thuvhe, deixando Shotet à mercê dos inimigos. Tinham suficientes razões para ser amargos, supôs Akos.

Ouviu água a correr. Cyra estava a tomar banho.

O vídeo de Tepes mostrava duas naves. A primeira, claramente, não era uma nave Thuvhesit; era demasiado elegante para isso, toda ela possuía formas aerodinâmicas e discos perfeitos. Mas a outra parecia que podia ter sido uma nave Thuvhesit, com os queimadores de combustível preparados para o frio em vez de calor, com um sistema de respiradouros. Como guelras, sempre tinha pensado ele.

A portinhola dessa nave abriu-se e uma mulher vivaça, com um fato refletor, saltou para o exterior. Quando ninguém se juntou a ela, soube que tinha de ser uma nave Thuvhesit. Afinal, todas as restantes nações-planeta tinham três oráculos, exceto Thuvhe. Com Eijeh em cativeiro e o oráculo em queda morto, durante a invasão Shotet, só restava a sua mãe.

O sol em Tepes enchia o céu, como se o planeta inteiro estivesse a arder, repleto e intenso, com cor. O calor saía da superfície do planeta em ondas. Reconheceu o andar da sua mãe, enquanto ela se encaminhava para o mosteiro onde os oráculos se iam reunir. Depois, desapareceu atrás de uma porta e o vídeo interrompeu-se, com o *feed* a passar para a escassez de comida numa das luas exteriores.

Não sabia como se sentir. Era o primeiro vislumbre real de casa que tinha há muito. Mas também era o vislumbre da mulher que nem sequer tinha avisado a própria família sobre o que lhes ia acontecer. Que não tinha sequer aparecido, enquanto acontecia. Tinha deixado o marido morrer, tinha deixado a oráculo em queda sacrificar-se, tinha deixado o filho (agora a melhor arma de Ryzek) ser raptado, em vez de se oferecer para ser levada no seu lugar. *Malditos destinos*, pensou Akos. Era suposto ela ser a mãe deles.

Cyra abriu a porta da casa de banho para deixar sair o vapor e puxou o cabelo para cima do ombro. Estava vestida, desta vez com roupas de treino escuras.

— O que foi? — perguntou. Seguiu o seu olhar até ao ecrã. — Oh, tu... viste-a?

— Acho que sim — respondeu Akos.

— Lamento muito — disse ela. — Eu sei que estás a tentar evitar sentir-te saudoso.

Saudoso era a palavra errada. *Perdido* era a certa. Perdido no vazio, entre pessoas que não percebia, sem qualquer esperança de levar o irmão para casa, exceto assassinando Suzao Kuzar quando voltasse a ser legal fazê-lo.

Em vez de dizer tudo isso a Cyra, disse-lhe:

— Como sabes isso?

— Nunca falamos em Thuvhesit, embora saibas que eu sei falar. — Levantou um ombro. — É por esse mesmo motivo que eu não tenho nada que lembre a minha mãe, à minha volta. Às vezes, é melhor simplesmente... seguir em frente.

Cyra voltou a entrar na casa de banho. Observou-a enquanto

se aproximava do espelho, para espremer uma borbulha no queixo. Salpicar de água a testa e o pescoço. A mesma coisa que fazia sempre, mas agora ele reparava. Reparava que sabia o que ela fazia, isto é, conhecia as suas rotinas, conhecia-a *a ela.*

E gostava dela.

CAPÍTULO 18 | CYRA

— SEGUE-ME — DISSE OTEGA, quando me encontrei com ela no exterior das cozinhas, nessa noite. A sua mão apertava a faca da rebelde, com a fita adesiva branca à mostra, entre os seus dedos. Tinha encontrado a minha rebelde.

Pus o capuz e caminhei atrás dela. Estava bem tapada, as calças enfiadas nas botas, as mangas do casaco a cobrir-me as mãos e um capuz que me escurecia o rosto, para não ser reconhecida. Nem todos os Shotet sabiam como eu era, já que o meu rosto não era exibido em todos os edifícios públicos e salas importantes como a de Ryzek, mas assim que vissem uma sombracorrente na minha face ou na curva do meu braço, saberiam que era eu. Hoje, não queria ser reconhecida.

Caminhámos na ala Noavek, passámos pelas arenas de treino públicas e pela piscina (aí, alguns Shotet mais novos podiam aprender a nadar, para se prepararem para peregrinações no planeta da água), passámos pelo refeitório que cheirava a pão queimado e por vários armários dos zeladores. Quando os passos de Otega abrandaram e apertou com mais força a faca da rebelde, tínhamos caminhado uma longa distância até ao convés dos motores.

Havia tanto barulho, pela proximidade dos motores, que se

tivéssemos tentado falar uma com a outra teríamos tido de gritar para sermos ouvidas. Tudo cheirava a petróleo.

Otega levou-me para longe do ruído, na direção dos aposentos dos técnicos, perto do cais de embarque. Deparámo-nos com um corredor comprido e estreito, com portas de cada lado, espaçadas alguns centímetros entre si e marcadas com um nome. Algumas estavam decoradas com cordões de luzes de *fenzu* ou pequenas candeias de pedras ardentes, todas de cores diferentes, ou colagens ou esboços cómicos, desenhados nas páginas esquemáticas do motor, ou imagens pixelizadas de familiares e amigos. Sentia como se tivesse entrado noutro mundo, um mundo completamente separado daquilo que sabia ser Shotet. Desejei que Akos estivesse aqui para o ver. Ele teria gostado disto.

Otega parou numa porta escassamente decorada, quase no final. Sobre o nome «Surukta» havia um maço de esparto seco, espetado num lugar com um amuleto da sorte. Havia algumas páginas do que parecia ser um manual técnico, escrito noutra linguagem, Pithar, se tivesse de adivinhar. Eram contrabando: A posse de documentos noutra língua, para qualquer outro propósito que não a tradução aprovada pelo governo, era ilegal. Mas, aqui em baixo, tinha a certeza de que ninguém se dava ao trabalho de fazer cumprir coisas como essa. Havia liberdade em ser insignificante para Ryzek Noavek.

— Ela vive aqui — disse Otega, batendo ao de leve na porta com a ponta da faca. — Embora não esteja aqui agora. Eu seguia-a até aqui, hoje de manhã.

— Então, vou esperar por ela — disse eu. — Obrigada pela tua ajuda, Otega.

— O prazer é todo meu. Vemo-nos demasiado raramente, acho eu.

— Então, vem visitar-me.

Otega abanou a cabeça.

— A linha que divide o teu mundo do meu é grossa. — Ofereceu-me a faca. — Tem cuidado.

Sorri-lhe enquanto se afastava e quando desapareceu ao virar da esquina, no final do corredor, tentei abrir a porta da rebelde. Não estava trancada; duvidava que ela demorasse muito a voltar.

Dentro havia um dos espaços habitacionais mais pequenos em que alguma vez tinha estado. Um lavatório enfiado num canto e uma cama sobre umas estacas de madeira, no outro. Debaixo da cama, havia um caixote virado ao contrário, coberto de fios, interruptores e parafusos. Uma tira magnética colada à parede segurava ferramentas tão pequenas que duvidava que alguma vez eu as conseguisse usar. E, ao lado da cama, havia uma fotografia.

Inclinei-me para a frente, para ver. Nela, uma rapariguinha de cabelo loiro tinha os braços enrolados à volta de uma mulher, com o cabelo tão prateado que parecia uma moeda. Ao lado delas, um rapazinho fazia uma careta de língua esticada para fora, num canto da boca. No fundo, havia mais algumas pessoas, a maioria de cabelo claro, como as restantes, demasiado desfocadas para distinguir.

Surukta. Será que esse nome me era familiar ou estava a enganar-me?

A porta abriu-se atrás de mim.

Era pequena e magra, como eu recordava. O seu uniforme largo de uma peça só estava desabotoado até à cintura, com uma camisola sem mangas por baixo. Tinha o cabelo loiro claro apanhado e usava uma pala no olho.

— O que...

Os dedos dela esticaram-se, tensos. Havia algo no seu bolso de trás, algum tipo de ferramenta. Vi a mão dela a mover-se nessa direção, lentamente, procurando ocultar-me o movimento.

— Anda, puxa da tua chave de fendas ou lá o que é — disse eu. — Não me importo de te bater uma segunda vez.

A pala do olho dela era negra e demasiado grande para o seu rosto. Mas o olho que lhe restava era do mesmo azul intenso que eu recordava do ataque.

— Não é uma chave de fendas, é uma chave inglesa — disse ela. — O que faz a Cyra Noavek no meu humilde habitáculo?

Nunca ouvira o meu nome dito com tanto veneno. O que era assinalável.

O seu olhar de confusão espelhava-se no rosto. Ter-me-ia enganado, se eu não estivesse tão convencida de que a tinha encontrado.

— O teu nome? — disse eu.

— Tu é que invadiste a minha casa e precisas que eu te dê um nome? — Afastou-se um pouco mais e fechou a porta atrás dela.

Era mais baixa do que eu uma cabeça, mas os seus movimentos eram fortes e decididos. Não tinha dúvidas de que era uma lutadora talentosa, o que fora provavelmente o motivo pelo qual os rebeldes a tinham escolhido para ir atrás de mim, naquela noite. Indagava-me se eles teriam querido que ela me matasse. Também já não interessava.

— Vai ser mais rápido se me deres o teu nome.

— Então, é Teka Surukta.

— Ok, Teka Surukta. — Pousei a sua faca rudimentar na ponta do lavatório. — Acho que isto te pertence. Vim devolvê-la.

— Eu... não sei do que estás a falar.

— Não te entreguei naquela noite, por isso, o que te leva a pensar que te vou entregar agora? — Tentei relaxar a postura, imitando a postura dela, mas senti que a posição não era natural para mim. A minha mãe e pai tinham-me ensinado a estar em pé, direita, com os joelhos juntos e mãos cruzadas, quando não estava a utilizá-las. Não existia nada parecido com uma conversa casual quando se era um Noavek, por isso, nunca tinha aprendido a sua arte.

Ela já não parecia confusa.

— Sabes, talvez tenhas mais sorte se transportares contigo algumas das tuas ferramentas como armas, em vez dessa... coisa com fita adesiva. — disse eu, apontando para os delicados instrumentos afixados magneticamente na parede. — Parecem afiados como agulhas.

— São demasiado valiosos — respondeu Teka. — O que queres de mim?

— Suponho que isso depende de que tipo de pessoas tu e os teus cúmplices rebeldes são. — Tudo à minha volta era o som de água a pingar e canos a ranger. Tudo cheirava a bolor e humidade, como um féretro. — Se os interrogatórios não produzirem resultados, nos próximos dias, o meu irmão vai incriminar alguém e executá-lo. Provavelmente, será inocente. Ele não se importa.

— Estou chocada com o facto de tu te importares — disse Teka. — Pensei que era suposto seres algum tipo de sádica.

Senti uma dor aguda, enquanto as sombrascorrentes atravessavam o meu peito e se espalhavam sobre a minha fonte. Vi-as pelo canto do olho e reprimi a vontade de me contrair perante a dor que traziam, uma dor aguda, nos meus seios nasais.

— Suponho que todos vocês conheciam as potenciais consequências das vossas ações quando se alistaram na vossa causa, seja ela qual for — disse eu, ignorando o comentário. — Seja quem for que o meu irmão escolher para arcar com a culpa, essa pessoa não assumiu esse risco calculado. Irá morrer porque vocês quiseram pregar uma partida ao Ryzek Noavek.

— Uma partida? — disse Teka. — É isso que chamas a reconhecer a verdade? Destabilizar o regime do teu irmão? Mostrar que podemos controlar o movimento da própria nave?

— Para o que nos interessa, sim — disse eu. Sombrascorrentes viajavam pelo meu braço acima e enrolavam-se à volta do meu ombro, revelando-se através da minha camisola branca. O olho de Teka seguiu-as. Estremeci e continuei: — Se te importas com a morte de uma pessoa inocente, sugiro que encontres um nome verdadeiro para me dares até ao final do dia. Se não te importas, deixarei o Ryzek escolher o alvo dele. Está inteiramente nas tuas mãos. Para mim, tanto faz.

Ela descruzou os braços e voltou-se, pelo que ambos os ombros estavam contra a porta.

— Que merda! — exclamou ela.

Alguns minutos mais tarde, estava a seguir Teka Surukta através do túnel de manutenção, em direção ao cais de embarque. Saltava a cada barulho, cada rangido, o que nesta parte da nave significava que estava mais vezes a saltar do que não estava. A zona era muito ruidosa, embora estivéssemos longe da maioria da população do navio.

Estávamos numa plataforma de metal elevada, suficientemente larga para duas pessoas magras passarem uma pela outra sem encolherem a barriga, suspensa sobre toda a maquinaria, depósitos de água, caldeiras e motores de corrente que mantinham a nave habitável, e a funcionar. Se me tivesse perdido entre os equipamentos e canos, nunca teria conseguido encontrar o caminho de volta.

— Sabes — disse eu —, se o teu plano é levares-me para longe da maioria das pessoas para me matares, podes vir a descobrir que isso é mais difícil do que imaginas.

— Primeiro, gostava de perceber melhor quem tu és — disse Teka. — Não és exatamente o que eu estava à espera.

— Alguém é? — inquiri eu, carrancuda. — Suponho que seria uma perda de tempo perguntar-te como é que vocês conseguiram desligar as luzes da nave.

— Não, isso é fácil. — Teka parou e tocou com a palma da mão na parede. Fechou o olho e a luz mesmo acima de nós, fechada numa jaula de metal que a protegia, tremeluziu. Uma vez, depois três vezes. O mesmo ritmo que eu ouvira quando ela me atacou.

— Eu consigo afetar tudo o que funcione com corrente — disse Teka. — É por isso que sou técnica. Infelizmente, esse «truque» da luz só funciona na nave da peregrinação: Todas as luzes de Voa são de *fenzu* ou de pedras ardentes, e não há muito que eu consiga fazer com essas.

— Então, deves preferir a nave da peregrinação.

— De alguma forma — disse ela. — Mas esta nave torna-se um bocado claustrofóbica, quando se vive num quarto do tamanho de um armário.

Chegámos a uma zona aberta, uma grelha por cima dos conversores de oxigénio, que tinham três vezes a minha altura e largura. Processavam o dióxido de carbono que emitíamos, que entrava pelos respiradouros da nave, e transformavam-no através de um processo complexo que eu não percebia. Tinha tentado ler um livro sobre isso, na última peregrinação, mas a linguagem era demasiado técnica para mim. Não conseguia ser especialista assim em tantas coisas.

— Fica aqui — disse ela. — Vou chamar uma pessoa.

— Fico aqui? — disse eu, mas ela já tinha desaparecido.

Enquanto esperava em cima da grelha, limpei as gotas de suor do fundo das minhas costas. Conseguia ouvir os passos dela mas, por causa do eco, não conseguia perceber em que direção iam. Iria voltar com uma horda de rebeldes para acabarem o trabalho que ela tinha começado durante o ataque? Ou estaria a ser sincera, quando dizia que já não me queria matar? Entrara nesta situação com tão pouca preocupação com a minha própria segurança e nem sequer tinha a certeza do porquê, a não ser que não queria ver a execução de um inocente, quando havia tantos culpados escondidos.

Quando ouvi o raspa-raspa-raspa de pés nas escadas metálicas, virei-me para ver uma mulher mais velha, alta e magra, a andar a passos largos na minha direção. O seu cabelo comprido brilhava como a parte lateral de um flutuador. Reconheci-a da fotografia, ao lado da cama de Teka.

— Olá, Menina Noavek — disse ela. — O meu nome é Zosita Surukta.

Zosita envergava as mesmas roupas que a filha, com as calças enroladas para cima, para expor os tornozelos. Havia rugas profundas na sua testa, de uma vida inteira de expressões carrancudas. Alguma coisa nela me recordava a minha própria mãe, serena, elegante e perigosa. Não era fácil intimidar-me, mas Zosita fazia-o. As minhas sombras viajaram mais rápido do que o habitual, como se fossem respiração, como se fossem sangue.

— Conheço-te de algum lado? — disse eu. — O teu nome é-me familiar.

Zosita inclinou a cabeça como um pássaro.

— Não sei como é que poderia ter conhecido a Cyra Noavek, antes deste momento.

Não acreditava totalmente nela. Havia qualquer coisa no seu sorriso.

— A Teka disse-te porque é que estou aqui?

— Sim — disse Zosita. — Embora ainda não soubesse o que é que eu vou fazer a seguir, que é entregar-me.

— Quando lhe pedi um nome — disse eu, engolindo em seco com força —, não pensei que seria o da própria mãe...

— Estamos todos preparados para enfrentar as consequências das nossas ações — disse Zosita. — Vou assumir a responsabilidade total pelo ataque e vai ser credível, uma vez que sou uma exilada Shotet. Costumava ensinar crianças Shotet a falar Othyrian.

Alguns dos Shotet mais velhos ainda sabiam outras línguas, dos tempos em que não era ilegal falá-las. Não havia nada que o meu pai ou Ryzek pudessem fazer quanto a isso. Não se podia forçar uma pessoa a desaprender uma coisa, sabia que alguns deles davam aulas e que fazê-lo podia levar ao exílio, mas nunca esperei vir a conhecer uma exilada.

Inclinou a cabeça para o outro lado, desta vez.

— Foi, obviamente, a minha voz que falou através do intercomunicador — acrescentou Zosita.

— Tu... — Pigarreei. — Sabes que o Ryzek te vai executar. Publicamente.

— Tenho consciência disso, Menina Noavek.

— Ok. — Contraí-me, enquanto as sombrascorrentes se espalhavam. — Estás preparada para aguentar o interrogatório?

— Presumi que ele não ia precisar de me interrogar, se fosse até ele por minha própria iniciativa. — Ergueu as sobrancelhas.

— Ele está preocupado com a colónia dos exilados. Vai querer obter o máximo de informação possível de ti, antes de te... — A palavra *executar* ficou presa na minha garganta.

— Matar — disse Zosita. — Ora essa, Menina Noavek. Nem sequer consegue dizer a palavra? É assim tão mole?

Os seus olhos deslocaram-se para a armadura que cobria o meu braço marcado.

— Não — explodi eu.

— Não é um insulto — disse Zosita, com um pouco mais de gentileza. — Os corações moles fazem com que o universo seja um lugar onde vale a pena viver.

Inesperadamente, pensei em Akos, sussurrando uma desculpa em Thuvhesit, instintivamente, quando roçou em mim na cozinha. Tinha ouvido as suas palavras gentis na minha cabeça, vezes sem conta, nessa noite, como se fosse música que não conseguisse tirar da cabeça. Tinham-me chegado de forma igualmente fácil, agora.

— Sei o que é perder uma mãe — disse eu. — Não desejo isso a ninguém, nem mesmo a rebeldes que mal conheço.

Zosita deixou escapar uma pequena gargalhada, abanando a cabeça.

— O que foi? — disse eu, à defesa.

— Eu... celebrei o falecimento da tua mãe — disse ela. Eu gelei. — Tal como celebrei o do teu pai e como teria celebrado o do teu irmão. Talvez até o teu. — Passou os dedos pelo corrimão de metal ao seu lado. Imaginei as impressões digitais da sua filha, impressas naquele sítio uns minutos antes, agora completamente limpas pelo seu toque. — É estranho perceber que os nossos piores inimigos podem ser amados pelas suas famílias.

Não conhecias a minha mãe, queria rosnar-lhe. Como se importasse, agora ou em qualquer outra altura, o que esta mulher pensava de Ylira Noavek. Mas Zosita já quase se tinha desvanecido na minha mente, tal como a sua própria sombra. A marchar, naquele momento, em direção à sua própria perdição. E porquê? Por um golpe bem dirigido contra o meu irmão? Dois rebeldes tinham perecido às mãos de Vas, naquele ataque. Teria *valido* as suas vidas?

— Vale realmente a pena? — disse eu, franzindo o sobrolho. — Perderes a tua vida por isto?

Ela continuava a sorrir, aquele estranho sorriso.

— Depois de ter fugido de Shotet, o teu irmão convocou o que restava da minha família para a sua casa — disse ela. — Tencionava mandar buscar os meus filhos quando chegasse a um lugar seguro, mas ele chegou até eles primeiro, matou o meu filho mais velho e tirou o olho da minha filha, por crimes nos quais eles não tinham tido qualquer intervenção. — Riu-se novamente. — E vês, nem sequer estás chocada. Já o viste fazer pior, sem dúvida, e ao seu pai antes dele. Sim, vale a pena. E valeu a pena para os dois, que morreram a tentar abater o assistente do teu irmão. Não me parece que possas compreender.

Durante muito tempo, ficámos ali, de pé, apenas com o ruído dos canos e os passos distantes para romper o silêncio. Estava demasiado confusa, demasiado cansada para ocultar as contrações e tremuras que o meu dom-corrente me provocava.

— Para responder à tua questão, sim, consigo suportar o interrogatório — disse Zosita. — Consegues dizer mentiras? — Sorriu novamente. — Suponho que esta é uma pergunta estúpida. *Vais* dizer mentiras?

Hesitei.

Em que momento me tornara no tipo de pessoa que ajudava rebeldes? Ela tinha acabado de me dizer que teria celebrado a minha morte. Pelo menos, Ryzek queria manter-me viva; o que me fariam os rebeldes, se conseguissem derrubar o meu irmão?

De algum modo, não me importava.

— Digo mentiras melhor do que digo verdades — disse eu. Era uma citação de um poema que tinha lido numa parede de um edifício, com Otega, numa das nossas excursões. *Sou um Shotet, sou cortante como vidro quebrado e igualmente frágil. Digo mentiras melhor do que digo verdades. Vejo a galáxia inteira e nunca lhe capto um vislumbre.*

— Vamos a um sítio, então — disse Zosita.

CAPÍTULO 19 | AKOS

AKOS DEBRUÇOU-SE SOBRE A panela pousada sobre o queimador, no seu pequeno quarto, na nave da peregrinação, e inspirou alguns dos fumos amarelos. Tudo à sua frente ficou enevoado e a cabeça tombou, pesada, na direção do balcão. Só por um bocadinho, até se recompor.

Está suficientemente forte, então, pensou. Ótimo.

Tivera de pedir a Cyra que lhe arranjasse algumas folhas de *sendes* para tornar a poção mais forte, para que fizesse efeito mais depressa. E tinha funcionado — tinha-a testado na noite anterior e adormecido tão rapidamente, depois de a tomar, que o livro que estava a ler lhe tinha escorregado das mãos.

Apagou as chamas para deixar o elixir arrefecer, depois dirigiu a atenção para o som de alguém a bater à porta. Consultou o relógio. Em Thuvhe, tinha muito mais noção dos ritmos do mundo, escuro durante o período do Esmorecimento e claro aquando do Despertar, da forma como o dia se fechava como se fosse um olho. Aqui, sem o nascer e o pôr do sol, estava sempre a consultar o relógio. Era a décima sétima hora. A hora de Jorek chegar.

O guarda do corredor estava lá quando abriu a porta, com ar crítico. Jorek estava atrás dele.

— Kereseth — disse o guarda. — Este diz que está aqui para falar contigo?

— Sim — disse Akos.

— Não pensei que pudesses receber visitas — disse o guarda, com um sorriso desdenhoso. — Não são os teus aposentos, pois não?

— O meu nome é Jorek *Kuzar* — disse Jorek, destacando com intensidade o seu apelido. — Portanto, desaparece.

O guarda olhou para o uniforme de mecânico de Jorek, com as sobrancelhas erguidas.

— Tem calma com ele, *Kuzar* — disse Akos. — Tem o trabalho mais aborrecido do mundo: Proteger a Cyra Noavek.

Akos voltou a entrar no quarto estreito, do qual provinha um cheiro a folhas e malte. Medicinal. Akos mergulhou um dedo na mistura, para testar o calor. Ainda estava morna, mas já tinha arrefecido o suficiente para ser colocada num frasco. Limpou a poção das calças, para que não fosse absorvida pela pele. Procurou um recipiente limpo nas gavetas.

Jorek estava de pé, mesmo à entrada. A observar. Com a mão pendurada atrás do pescoço, como sempre.

— O que é? — perguntou Akos. Tirou um conta-gotas e tocou com ele na poção.

— Nada, é só que... não esperava que o quarto da Cyra Noavek fosse assim — disse Jorek.

Akos grunhiu um pouco — também não era o que ele esperava — enquanto espremia o elixir amarelo do conta-gotas para o frasco.

— Realmente, *não* dormem na mesma cama — disse Jorek.

Com o rosto quente, Akos fez uma expressão carrancuda na sua direção.

— Não. Porquê?

— Rumores. — Jorek encolheu os ombros. — Quer dizer, vocês vivem juntos. Tocam um no outro.

— Eu ajudo-a com a dor — disse Akos.

— E estás predestinado a morrer pelos Noavek.

— Obrigado por me lembrares disso, quase me tinha esquecido — explodiu Akos. — Queres a minha ajuda ou não?

— Sim, desculpa. — Jorek pigarreou. — Então, mantemos o mesmo plano, desta vez?

Já o tinham feito antes. Jorek tinha drogado Suzao com um elixir para dormir, para que desmaiasse a meio do pequeno-almoço. Agora, Suzao estava nervoso e à procura de quem o drogara, e envergonhara à frente de toda a gente. Akos calculou que não seria preciso muito para fazer com que Suzao ficasse irritado o suficiente para o desafiar a lutar até à morte. Suzao não era exatamente um homem razoável, mas não queria correr riscos, pelo que estava a fazer Jorek drogar o pai, novamente, para ter a certeza. Esperava que Suzao se enfurecesse e, depois da reciclagem, confessaria ter sido ele a arquitetar tudo, e lutaria com ele na arena.

— Dois dias antes da reciclagem, mete isto no remédio dele — disse Akos. — Depois da reciclagem, vou dizer-lhe que sou eu que o tenho estado a drogar, ele vai-me desafiar e eu... acabo com isto. No primeiro dia em que os desafios de arena voltarem a ser legais. Ok?

— Ok. — Jorek mordeu o lábio com força. — Ótimo.

— A tua mãe está bem?

— Hum... — Jorek desviou o olhar para os lençóis amarrotados de Cyra e para as candeias de pedras ardentes, unidas por cima da cama. — Ela vai sobreviver, sim.

— Ainda bem — disse Akos. — É melhor ires.

Jorek pôs o frasco no bolso. Akos teve a sensação de que não queria ir-se embora. Demorou-se junto à ponta do balcão, percorrendo-o com a ponta de um dedo que, provavelmente, acabou por ficar pegajosa. Nem Akos nem Cyra gostavam muito de limpezas.

Quando Jorek finalmente abriu a porta, Eijeh e Vas estavam no corredor, prestes a entrar.

O cabelo de Eijeh estava agora suficientemente comprido para estar apanhado e o seu rosto tinha-se tornado ossudo. E *velho*, como se fosse dez estações mais velho do que Akos, em vez de duas. Ao vê-lo, Akos sentiu um desejo poderoso de agarrar nele e fugir. Não tinha nenhum plano para o que fazer depois, claro, porque estavam numa nave espacial do tamanho de uma cidade, na extremidade da galáxia, mas queria fazê-lo na mesma. Nos dias que corriam, queria muitas coisas que nunca conseguiria.

— Jorek — disse Vas. — Que interessante encontrar-te aqui. O que é que estás aqui a fazer?

— O Akos e eu temos andado a treinar juntos — disse Jorek, sem hesitar. Era um bom mentiroso; Akos calculou que tinha de o ser, crescendo naquela família, com *todas* aquelas pessoas à volta. — Estava a ver se queria juntar-se a mim para mais uma luta.

— A treinar. — Vas riu-se um pouco. — Com o Kereseth? A sério?

— Toda a gente precisa de *hobbies* — disse Akos, como se não tivesse importância. — Talvez amanhã, Jorek. Estou a preparar uma poção.

Jorek acenou e foi-se embora. Com um passo apressado. Akos esperou que dobrasse a esquina, antes de se voltar para Eijeh e Vas.

— A Mãe ensinou-te a fazer isso? — disse Eijeh, apontando com a cabeça para os fumos amarelos que ainda pairavam sobre o queimador.

— Sim. — Akos já estava corado e a tremer, embora não tivesse motivos para ter medo do próprio irmão. — A *Mãe* ensinou-me. — Eijeh nunca lhe tinha chamado «Mãe» na vida. Essa era uma palavra para miúdos Shissa ranhosos ou para os Shotet; não para as crianças de Hessa.

— Que gentil da parte dela, preparar-te para o que te esperava. É uma pena que não tenha sentido necessidade de fazer isso comigo. — Eijeh entrou no quarto de Akos, percorrendo com os dedos os lençóis esticados, a pilha alinhada de livros. Marcando-os de uma forma que não se apagaria. Pegou na faca que estava ao lado e fê-la girar na palma da mão, apanhando-a com o polegar. Akos teria considerado a ação ameaçadora, se não tivesse visto Ryzek a fazê-lo tantas vezes.

— Talvez ela não pensasse que este futuro se concretizaria. — Não acreditava nisso. Mas não sabia o que mais dizer.

— Pensava. Eu sei que pensava. Vi-a a falar disso numa visão.

Eijeh nunca tinha falado com Akos das suas visões, nunca tinha tido essa oportunidade. Akos não conseguia imaginá-lo. O futuro a irromper no seu presente. Com tantas possibilidades que era estonteante. Ver a sua família, mas não saber se as imagens se concretizariam. Não poder falar com eles.

Não que isso ainda parecesse importar a Eijeh.

— Bom — disse ele. — Devíamos ir para casa e perguntar-lhe.

— Estou muito bem aqui — disse Eijeh. — Suspeito que tu também estás, a julgar por estes... aposentos.

— Estás a falar como ele — disse Akos. — Tens noção disso, não tens? Falas como o *Ryzek Noavek*, o homem que matou o Pai. Odeia a Mãe, se quiseres, mas não é possível que odeies o Pai.

Os olhos de Eijeh tornaram-se nebulosos. Não exatamente vazios, mas antes distantes, muito distantes.

— Eu não... Ele estava sempre a trabalhar. Nunca estava em casa.

— Ele estava sempre em casa. — Akos cuspiu as palavras, como se elas tivessem apodrecido. — Fazia o jantar. Via os nossos trabalhos de casa. Contava-nos histórias. Não te lembras?

Mas sabia a resposta para a sua própria questão. Estava nos olhos inexpressivos de Eijeh. Claro, *claro* que Ryzek tinha roubado as memórias de Eijeh do pai: Devia sentir-se tão horrorizado com o seu próprio pai, que roubara o deles.

Subitamente, as mãos de Akos estavam apertadas em punhos na camisa de Eijeh e estava a empurrar o irmão contra a parede, derrubando uma fila de frascos. Parecia tão pequeno entre as mãos de Akos; era tão leve que era fácil levantá-lo. Foi isso, mais do que a sua surpresa frouxa, que fez com que Akos o soltasse tão depressa como o tinha agarrado.

Quando é que eu me tornei tão grande? pensou, fitando os volumosos nós dos dedos. Dedos compridos como os do pai, mas mais grossos. Bons para magoar pessoas.

— Ela ensinou-te a brutalidade dela. — Eijeh endireitou a camisola. — Se não me lembro de uma coisa, achas que consegues abanar-me até ela sair?

— Se conseguisse, já teria tentado fazê-lo. — Akos recuou. — Faria qualquer coisa para que te lembrasses dele. — Virou-se, passando a mão pela parte de trás do pescoço, como Jorek fazia sempre. Já não conseguia olhar para Eijeh, não conseguia olhar para nenhum dos homens que estavam de pé, nos seus aposentos. — Porque é que vieste aqui? Querias alguma coisa?

— Viemos aqui com dois propósitos — disse Eijeh. — Primeiro, há uma mistura de flor de gelo que fomenta o pensamento claro. Preciso dela para cristalizar as minhas visões. Pensei que pudesses saber como prepará-la.

— Com que então, o Ryzek ainda não tem o teu dom-corrente.

— Acho que está satisfeito com o meu trabalho, até agora.

— Estás a enganar-te a ti próprio, se achas que ele vai contentar-se com confiar em ti, em vez de roubar o teu poder — disse Akos, com serenidade. Apoiando-se no balcão, porque sentia as pernas fracas. — Se é que funciona assim. E quanto à tua mistura de flor de gelo... bom, nunca te darei algo que permita ao Ryzek Noavek começar uma guerra contra Thuvhe. Preferia morrer.

— Tanto veneno — disse Vas. Quando Akos olhou para ele, Vas estava a bater ao de leve com a ponta do dedo no gume de uma faca.

Quase se tinha esquecido de que Vas estava ali, a ouvir. O coração de Akos rasgou-se no peito como com uma foice, ao ouvir o som da sua voz. Quando pestanejava, só conseguia ver Vas a limpar o sangue do pai das calças, enquanto saíam da sua casa, em Thuvhe.

Vas aproximou-se do queimador para inspirar os fumos amarelos, agora a desvanecerem-se. Ficou debruçado sobre eles durante um momento, depois voltou-se subitamente de faca na mão e pressionou a ponta contra a garganta de Akos. Akos forçou-se a ficar quieto, o coração ainda como uma foice. A ponta da faca estava fria.

— O meu primo foi drogado, recentemente — disse Vas.

— Eu não acompanho a vida dos teus primos — respondeu Akos.

— Aposto que acompanhas a deste — disse ele. — O Suzao Kuzar. Estava lá quando o teu pai deu o último suspiro.

Akos olhou de relance para Eijeh. À espera de quê? Que o seu irmão o defendesse? Que reagisse ao facto de Vas falar da morte do pai deles como se não fosse nada?

— A Cyra sofre de insónias — disse Akos, com as mãos a bater, inquietas, ao lado do corpo. — É preciso uma poção forte para a fazer dormir. É para isso que a estou a preparar.

A ponta da faca enterrou-se na pele de Akos, mesmo por cima da cicatriz que Ryzek lhe fizera.

— Vas — disse Eijeh, soando um pouco brusco. *Nervoso?*, pensou Akos. Mas era uma esperança tola. — Não podes matá-lo, o Ryzek não iria permitir isso. Por isso, para de fingir que o vais fazer.

Vas grunhiu e afastou a faca.

O corpo de Akos doeu-lhe, enquanto descontraía.

— Hoje há algum feriado Shotet, em que visitam as pessoas que odeiam para lhes infernizar a vida? — Limpou o suor frio da parte de trás do pescoço. — Bom, eu não o estou a celebrar. Deixem-me em paz.

— Não, mas a tua presença foi solicitada para testemunhar o interrogatório de uma rebelde confessa — disse Vas. — Juntamente com a da Cyra.

— Que utilidade é que eu posso ter num interrogatório? — disse Akos.

Vas inclinou a cabeça, com um sorriso a formar-se no rosto.

— Foste trazido para cá, inicialmente, com o objetivo de aliviar a dor da Cyra, de forma regular. Calculo que será para isso que te vão utilizar.

— Certo — disse Akos. — De certeza que é essa a razão.

Vas embainhou a faca; provavelmente, sabia tão bem quanto Akos que não precisava dela para levar Akos a fazer o que ele dizia. Afinal, estavam numa nave. No espaço.

Akos enfiou os pés nas botas e seguiu Vas para o exterior, com Eijeh atrás, a acompanhá-los. A poção que tinha preparado conservar-se-ia até regressar, agora que estava estável, depois de arrefecer. Era intratável enquanto aquecia, no entanto, como a sua mãe gostava de dizer.

As pessoas afastavam-se à passagem de Vas, pelos corredores, não se atrevendo sequer a olhar na sua direção. Contudo, olhavam para Akos. Era quase como se ser Thuvhesit o marcasse. A marca estava no seu mascar de pétalas da flor do silêncio, guardadas nos bolsos; no seu andar cuidadoso em ponta e calcanhar, usado para deslizar no gelo; na forma como usava as camisas abotoadas até à garganta, em vez de abertas no colarinho.

O andar de Eijeh era agora tão pesado como o de qualquer Shotet e usava a camisa desabotoada sob a maçã de Adão.

Akos nunca estivera nessa parte da nave antes. O chão transformava-se, de grades de metal duro para madeira polida. Sentiu como se estivesse de volta à mansão Noavek, engolido pelo soalho escuro e as oscilantes luzes *fenzu*. Com os passos a ecoarem pelo corredor, Vas conduziu-os para uma porta alta e os soldados afastaram-se, para os deixar passar.

O compartimento à sua frente era tão sombrio como o Salão de Armas, onde perdera Eijeh para o dom de Ryzek, O soalho brilhava e a parede mais afastada era toda constituída por janelas, que mostravam uma espiral ténue de fluxocorrente, enquanto a nave se afastava. Ryzek estava de pé, a olhar para o exterior, com as mãos apertadas atrás das costas. Atrás dele, havia uma mulher amarrada a uma cadeira. Cyra também estava nas proximidades e não olhou para Akos quando ele entrou, o que, por si só, já era um aviso. A porta bateu atrás dele e ele permaneceu mesmo junto dela.

— Explica-me, Cyra, como é que encontraste esta traidora — dizia Ryzek, a Cyra.

— Quando o ataque aconteceu, reconheci a voz que vinha do intercomunicador, ainda não sei de onde — disse Cyra, de braços cruzados. — Talvez do cais de embarque. Mas sabia que conseguia encontrá-la através da voz. Então, ouvi. E encontrei-a.

— E não disseste nada sobre esta tua empreitada? — Ryzek franziu o sobrolho, não para a irmã, mas para a rebelde, que olhava para ele. — Porquê?

— Pensava que te ias rir de mim — disse Cyra. — Que ias pensar que me estava a iludir a mim própria.

— Bem — disse Ryzek —, provavelmente, era o que teria feito. Porém, aqui estamos nós.

O seu tom não era o que Akos esperava de alguém que tinha acabado de conseguir o que queria. Era absolutamente brusco.

— Eijeh. — Estremeceu, ao ouvir o nome do irmão na boca do inimigo. — Isto altera o futuro que tínhamos discutido?

Eijeh fechou os olhos. As suas narinas expandiram-se, como faziam por vezes as da sua mãe, quando estava a concentrar-se numa profecia. Estava a copiá-la, provavelmente, a não ser que os oráculos precisassem de inspirar profundamente através do nariz, por alguma razão. Akos não fazia ideia mas, sem querer, estava a empurrar o corpo na direção do irmão, diretamente contra o braço de Vas, que permaneceu firme como uma viga.

— Eijeh — disse Akos. Afinal, tinha de tentar, não era? — Eijeh, não faças isso.

Mas Eijeh já estava a responder:

— O futuro mantém-se firme.

— Obrigado — disse Ryzek. Debruçou-se sobre a rebelde. — Onde, exatamente, Zosita Surukta, estiveste tu durante todas estas estações?

— Por aí, à deriva — disse Zosita. — Nunca cheguei a encontrar os exilados, se é isso que queres saber.

Ainda curvado, Ryzek procurou Cyra e olhou para os riscos pretos nos seus braços. Estava encolhida, com uma mão agarrada à cabeça.

— Cyra. — Ryzek apontou para Zosita. — Vamos descobrir se esta mulher está a dizer a verdade.

— Não — disse Cyra, sem fôlego. — Já falámos sobre isto. Não vou... Não consigo...

— Não consegues? — Ryzek inclinou-se para a frente, mais próximo da sua face, parando quando estava quase a tocá-la. — Ela difama esta família, enfraquece a nossa posição, revigora os nossos inimigos e tu dizes que não consegues? Sou teu irmão e o soberano de Shotet. Consegues pois e vais fazer o que eu disser, entendido?

A escuridão preencheu o castanho dourado da sua pele. As sombras eram como um novo sistema de nervos ou veias, no seu corpo. Produziu um som, como se estivesse a ser asfixiada. Akos também se sentiu asfixiado, mas não se moveu, não conseguia ajudá-la com Vas, de pé, no seu caminho.

— Não! — O grito saiu dela como se tivesse sido arrancado e lançou-se na direção de Ryzek, com os dedos dobrados em garras. Ryzek tentou afastá-la, mas Cyra foi demasiado rápida, demasiado forte; as sombrascorrentes correram para a sua mão como sangue para uma ferida e Ryzek gritou. Contorceu-se. Caiu ajoelhado.

Vas correu na direção dela, torceu-a para a afastar e atirou-a para o lado.

No chão, cravou os olhos no irmão e cuspiu:

— Tira-me o olho, tira-me os dedos, tira-me o que tu quiseres. Não vou fazer isso.

Por um momento, enquanto Cyra se contorcia com a dor da corrente que lhe queimava o corpo, Ryzek permaneceu simplesmente ali, de pé, a olhar para ela. Então, estalou os dois primeiros dedos para Akos, num gesto que queria dizer «anda». E não adiantava desafiá-lo, Akos sabia-o. Conseguiria o que queria, de uma forma ou de outra. Akos estava a começar a perceber por que motivo Cyra tinha passado tantas estações apenas a seguir as suas ordens. A certa altura, desafiá-lo parecia simplesmente uma perda de tempo.

— Calculei que pudesses dizer isso — disse Ryzek. — Vas, agarra na minha irmã, por favor.

Vas agarrou em Cyra pelos braços e pô-la de pé. Os olhos dela encontraram os de Akos, esgazeados de terror.

— Posso ter-te deixado por tua conta durante algum tempo — disse Ryzek. — Mas não deixei de prestar atenção, Cyra.

Ryzek foi para a parte lateral da sala, esfregando um painel de parede com os dedos. Este deslizou para trás, para revelar uma parede de armas, como a que existia na mansão Noavek, mas mais pequena. *Provavelmente, só as suas preferidas*, pensou Akos, sentindo-se desligado do próprio corpo, enquanto Ryzek escolhia uma vara comprida e fina. Ao seu toque, a corrente enrolou-se em redor do metal, fluxos negros muito parecidos com os que atormentavam Cyra.

— Sabes, reparei numa coisa peculiar e gostava de ver se a minha hipótese é correta — disse Ryzek. — Se for, vai resolver um problema, ainda antes de ele se tornar um problema.

Torceu os entalhes no cabo da vara e a corrente tornou-se mais densa. Mais escura. Não era uma arma letal, notou Akos, mas uma arma desenhada para causar dor.

As sombrascorrentes de Cyra tremeluziam e agitavam-se como chamas apanhadas numa corrente de ar. Ryzek riu-se.

— É quase indecente — disse ele, colocando uma mão pesada sobre o ombro de Akos. Resistiu à vontade de a sacudir. Só pioraria as coisas. E só agora começava a entender que a vara era para ele. Talvez fosse essa a razão de o terem trazido aqui: Fazer com que Cyra voltasse a cooperar. Tornar-se no novo instrumento de controlo de Ryzek.

— Talvez seja melhor desistires agora — disse Ryzek para Akos, em voz baixa. — E pôr os pés na terra.

— Vai comer merda — respondeu Akos, em Thuvhesit.

Mas claro, Ryzek tinha uma resposta para isso. Bateu com a vara contra as costas de Akos. A dor guinchou através dele. Ácido. Fogo. Akos gritou.

Fica de pé, pensou. *Fica...*

Ryzek bateu-lhe novamente, desta vez no lado direito, e ele gritou novamente. Ao lado dele, Cyra soluçava, mas Akos observava

Eijeh, passivo, como se estivesse a olhar para o exterior através da janela. Quase como se não soubesse o que estava a acontecer. Ryzek bateu-lhe uma terceira vez e os seus joelhos cederam, mas agora estava calado. O suor escorria-lhe pela nuca e, em volta, tudo rodopiava.

Eijeh tinha-se encolhido, dessa vez.

Outro golpe e Akos caiu para a frente, sobre as mãos. Ele e Cyra gemeram ao mesmo tempo.

— Quero saber o que ela sabe sobre os exilados — disse Ryzek a Cyra, ofegante. — Antes da execução de amanhã.

Cyra contorceu-se para se libertar do domínio de Vas e dirigiu-se para Zosita, que continuava amarrada à cadeira, pelos pulsos. Zosita fez um gesto afirmativo com a cabeça na direção de Cyra, como se estivesse a dar-lhe permissão.

Cyra pôs as mãos na cabeça de Zosita. Akos viu, com o olhar desfocado, as teias escuras nas costas das mãos de Cyra e o rosto contorcido de Zosita, e o sorriso satisfeito de Ryzek. A escuridão preencheu os cantos da sua visão e tentou respirar através da dor.

Zosita a gritar. Cyra a gritar. As suas vozes juntas.

Depois disso, apagou.

Acordou com Cyra ao lado.

— Anda. — O braço dela estava sobre os seus ombros. Levantou-o. — Anda lá, vamos. Vamos.

Pestanejou lentamente. Zosita inspirava de forma irregular, com o cabelo a cobrir-lhe a cara. Vas estava de pé, nas proximidades, com ar aborrecido. Eijeh estava agachado no canto, com a cabeça enterrada nos braços. Ninguém os impediu de sair aos tropeções da sala. Ryzek tinha conseguido o que queria.

Conseguiram chegar ao quarto de Cyra. Ela pousou Akos na ponta da cama, depois correu pelo quarto, a reunir toalhas, gelo e analgésico. Freneticamente, com as lágrimas a escorrerem-lhe pelo rosto. O quarto ainda cheirava a malte, da poção que ele tinha preparado antes.

— Cyra, ela disse-lhe alguma coisa?

— Não. Ela mente bem — respondeu, enquanto lutava para tirar a rolha de um frasco de analgésico, com as mãos a tremer. — Nunca mais vais estar seguro. Sabes disso? Nenhum de nós vai.

Conseguiu tirar a tampa e levou o frasco até aos lábios de Akos, embora ele tivesse podido facilmente segurá-lo sozinho. Akos não lho disse, simplesmente afastou os lábios e engoliu.

— Nunca estive seguro. Tu nunca estiveste segura. — Não percebia por que motivo ela estava tão perturbada. Não era a primeira vez que Ryzek fazia algo terrível. — Não percebo porque é que ele fez questão de me usar a *mim*...

As pernas dela roçaram nas dele, quando se aproximou e se pôs de pé entre os seus joelhos. Eram quase da mesma altura, assim, com ele empoleirado na sua cama alta. E ela estava muito perto; como algumas vezes estava quando lutavam, a rir na sua cara porque o tinha derrubado, mas agora era diferente. Completamente diferente.

Ela não estava a rir-se. O seu cheiro era familiar, como as ervas que queimava para livrar o quarto do cheiro da comida; como o *spray* que usava no cabelo, para amaciar os nós emaranhados. Levou uma mão até ao ombro dele, depois percorreu com dedos trémulos a sua clavícula, até ao esterno. Pressionou uma mão gentil contra o seu peito. Não olhou para o seu rosto.

— Tu — sussurrou ela — és a única pessoa que ele pode utilizar para me manipular, neste momento.

Tocou no queixo dele, para o manter firme enquanto o beijava. A boca dela era quente e molhada, de lágrimas. Os seus dentes marcaram o lábio inferior de Akos, enquanto recuava.

Akos não respirou. Não tinha a certeza se se lembrava de como o fazer.

— Não te preocupes — disse ela, suavemente. — Não volto a fazer isto.

Cyra afastou-se e fechou-se na casa de banho.

CAPÍTULO 20 | CYRA

ASSISTI À EXECUÇÃO DE ZOSITA SURUKTA, no dia seguinte, como era suposto fazer. Era um evento concorrido e barulhento, a primeira celebração permitida desde o Festival da Peregrinação. Estava ligeiramente afastada num dos lados, de pé, com Vas, Eijeh e Akos, enquanto Ryzek fazia um longo discurso sobre lealdade e sobre a força da unidade Shotet, a inveja da galáxia, a tirania da Assembleia. Yma estava de pé, ao seu lado, com as mãos no corrimão, as pontas dos dedos tocando um ritmo cadenciado.

Quando Ryzek arrastou a faca pela garganta de Zosita tive vontade de chorar, mas reprimi as lágrimas. Toda a gente na multidão rugia, enquanto o sangue de Zosita caía, e eu fechei os olhos.

Quando os abri, as mãos de Yma estavam a tremer no corrimão. Ryzek tinha um risco do sangue de Zosita. E, ao longe, na multidão que observava, Teka tinha uma mão sobre a boca.

Enquanto o sangue de Zosita se espalhava pelo chão, como acontecera com o sangue do pai de Akos e tantos outros, senti a injustiça da sua morte como uma camisa que não me servia e que não conseguia tirar.

Foi um alívio ainda conseguir sentir isso.

*****

Por todo o cais de embarque havia macacões cinzentos, amontoados, organizados por tamanho. De onde me encontrava, pareciam uma fila de pedregulhos. Os macacões eram à prova de água, desenhados especificamente para peregrinações a Pitha. Também havia pilhas de máscaras à prova de água, ao longo da parede de trás, para afastar a chuva dos nossos olhos de recicladores. Provisões antigas, de alguma outra peregrinação, mas suficientes.

O veículo de peregrinação de Ryzek, com as suas asas douradas, brilhantes, aguardava junto à portinhola de lançamento. Levá-lo-ia e ele, a mim, a Yma, Vas, Eijeh e Akos, e a mais algumas pessoas até à superfície de Pitha, para fazermos jogos políticos com os líderes de Pitha. Ele queria estabelecer «relações amigáveis», uma aliança. Auxílio militar também, certamente. Ryzek tinha um talento para isso, que o meu pai nunca tivera. Devia tê-lo herdado da minha mãe.

— É melhor irmos — disse Akos, falando por cima do meu ombro. Hoje, mantinha-se de pé com dificuldade, contraindo-se sempre que tinha de levar uma chávena até aos lábios, agachando-se para pegar nas coisas, em vez de se curvar.

Tremi ao ouvir a sua voz. Há alguns dias, tinha pensado que, quando o beijasse, me libertaria de sentimentos como aquele, eliminando o mistério de como seria fazê-lo, mas só tinha piorado as coisas. Agora, conhecia a sensação de estar com ele, o seu sabor, e sofria com o desejo.

— Suponho que sim — disse eu e descemos os degraus até ao andar do cais de embarque, ombro com ombro. À nossa frente, a pequena nave de transporte reluzia debaixo das luzes fortes, como vidro ao sol. O lado polido ostentava o caractere Shotet para *Noavek*.

Apesar do exterior sumptuoso, o interior da nave era tão simples como qualquer outro veículo transportador: Ao fundo, havia uma casa de banho fechada e uma minúscula copa; ladeando as paredes havia assentos rebatíveis, com cintos de segurança; e à frente, na proa da nave, estava a navegação.

O meu pai tinha-me ensinado a pilotar, uma das poucas atividades que alguma vez fizemos juntos. Tinha usado luvas grossas, para que o meu dom-corrente não interferisse com os mecanismos da nave. Era demasiado pequena para a cadeira, por isso, ele tinha arranjado uma almofada para eu me sentar. Não era um professor paciente, gritou comigo mais de uma vez, mas quando acertava dizia sempre «Ótimo», com um aceno de cabeça firme, como se estivesse a martelar o elogio.

Morreu quando eu tinha onze estações, numa peregrinação. Só Ryzek e Vas estavam com ele, nesse momento; foram atacados por um grupo de piratas e tiveram de lutar para conseguirem escapar. Ryzek e Vas regressaram do conflito com os olhos dos inimigos derrotados num jarro, mas Lazmet Noavek não.

Vas pôs-se ao meu lado, enquanto caminhava em direção à nave.

— Fui instruído para te lembrar de montares um bom espetáculo para os Pithar.

— Que foi? Achas que nasci uma Noavek ontem, foi? — explodi. — Sei muito bem como me comportar.

— Podes ser uma Noavek, mas tens-te tornado cada vez mais errática — disse Vas.

— Sai daqui, Vas — disse eu, demasiado cansada para me conseguir lembrar de outra provocação. Felizmente, fez-me a vontade, avançando a passos largos para a frente da nave, onde o meu primo Vakrez estava de pé, com um dos trabalhadores da manutenção. Um lampejo de cabelo claro alertou-me para a presença de Teka, não a trabalhar na nossa nave, obviamente, mas ao lado, com as mãos enterradas num painel de fios. Não tinha qualquer ferramenta na mão; estava apenas a apertar cada fio, à vez, com os olhos fechados.

Hesitei por um momento. Conseguia sentir-me a deslocar-me para a ação, embora não tivesse a certeza de qual seria essa ação.

Sabia apenas que passara demasiado tempo quieta, enquanto outros guerreavam à minha volta, e estava na hora de me mexer.

— Vemo-nos na nave — disse para Akos. — Quero falar um instante com a filha da Zosita.

Hesitou, com a mão perto do meu cotovelo, como se estivesse prestes a confortar-me. Depois, pareceu mudar de ideias, enfiando a mão no bolso e arrastando os pés na direção da nave.

Quando me aproximei de Teka, ela tirou a mão do emaranhado de fios e marcou alguma coisa no pequeno ecrã, equilibrado sobre os joelhos.

— Os fios nunca te dão choque? — disse eu.

— Não — disse ela, sem olhar para mim. — Sinto uma vibração, a não ser que estejam estragados. O que é que queres?

— Uma reunião — disse eu. — Com os teus amigos. Tu sabes quais.

— Ouve — disse ela, virando-se, finalmente. — Basicamente, forçaste-me a entregar a minha própria mãe e depois o teu irmão matou-a à frente de toda gente, ainda nem há dois dias. — O seu olho estava vermelho, de lágrimas. — O que é que nesta situação te leva a pensar que me podes pedir o que quer que seja?

— Não estou a pedir — disse eu. — Estou a dizer o que quero e acho que as pessoas que tu sabes também poderão querer a mesma coisa. Faz o que quiseres mas, na verdade, isto não é sobre ti, pois não?

A pala que tinha por cima do olho era mais grossa do que o habitual e a pele à mostra por cima dela estava brilhante, como se tivesse passado o dia a suar. Talvez tivesse; os aposentos dos trabalhadores da manutenção ficavam perto da maquinaria agitada, que mantinha a nave em funcionamento.

— Como é que é suposto confiarmos em ti? — disse ela, em voz baixa.

— Vocês estão desesperados e eu também — disse eu. — Pessoas desesperadas tomam decisões estúpidas, a toda a hora.

A porta do lado esquerdo da nave transportadora abriu-se, manchando o chão de luz.

— Vou ver o que posso fazer — disse ela. Apontou com o queixo na direção da nave. — Vocês fazem sequer alguma coisa de útil, naquela coisa? Ou limitam-se a ser simpáticos com os políticos? — Abanou a cabeça. — Suponho que vocês, os da realeza, não fazem reciclagens, ou fazem?

— Eu faço, na verdade — disse eu, defensiva. Mas era estúpido fingir com alguém como ela, que a minha vida tinha sido alguma coisa senão privilegiada, em comparação com a dela. Afinal, ela era uma rapariga de um olho, sem família que lhe restasse, que vivia num armário.

Teka grunhiu um pouco e depois virou-se de novo para os fios.

Akos estava a olhar para Vas, sentado à sua frente, como se estivesse prestes a atirar-se à sua garganta. Dois lugares abaixo estava Yma, vestida elegantemente, como sempre, com a escura saia comprida a cobrir-lhe os tornozelos. Parecia que estava a tomar chá no pequeno-almoço de um soberano e não presa a uma cadeira, numa nave espacial. Eijeh estava no lugar mais próximo da casa de banho, de olhos fechados. Havia outros entre Yma e Eijeh: O nosso primo Vakrez e o seu marido, Malan, e Suzao Kusar; a sua mulher estava demasiado doente para fazer a viagem, alegou ele. E ao lado do capitão Rel estava Ryzek.

— Qual foi o planeta que os Examinadores, na verdade, selecionaram, baseados no movimento da corrente? — gritou Yma, para Ryzek. — Ogra?

— Sim, Ogra — disse Ryzek com uma gargalhada, por cima do ombro. — Como se isso nos tivesse trazido alguma coisa de bom.

— Às vezes, a corrente escolhe — disse Yma, inclinando a cabeça para trás. — E, às vezes, escolhemos nós.

Quase soava a sabedoria.

O motor zumbiu ao toque de alguns botões, então Rel puxou a alavanca do mecanismo flutuador e a nave levantou-se do chão, estremecendo um pouco. As portas do cais de embarque abriram-se, exibindo o hemisfério norte do planeta da água, debaixo de nós.

Estava inteiramente coberto de nuvens, o planeta inteiro enredado numa tempestade. As cidades, agora obscurecidas da vista, eram flutuantes, construídas para se moverem com os níveis ascendentes ou descendentes da água, para resistir a ventos fortes, chuva e trovoada. Rel conduziu a nave para a frente e saímos disparados para o espaço, agarrados, por um momento, pelo abraço vazio da escuridão.

Não demorámos nada a entrar na atmosfera. A súbita pressão fez-me sentir que o meu corpo estava a colapsar sobre si próprio; ouvi alguém na parte de trás da nave, a tentar vomitar. Cerrei os dentes e forcei-me a manter os olhos abertos. A descida era a minha parte preferida, quando grandes extensões de terra se abriam debaixo de nós. Ou, neste caso, de água, uma vez que, à exceção de umas poucas porções de terra encharcadas, o lugar estava inteiramente submerso.

Um suspiro de prazer escapou-me, quando rompemos a camada de nuvens. A chuva tamborilava no telhado e Rel ligou o visualizador, para não ter de espreitar através das gotas. Mas, para lá das gotas e do ecrã visualizador, eu via ondas espumosas, gigantescas, azuis-acinzentadas-esverdeadas, e os edifícios esféricos de vidro a flutuar à superfície, resistindo ao impacto da água.

Não consegui evitar: Olhei de relance para Akos, cujo rosto estava paralisado do choque.

— Pelo menos, não é Trella — disse-lhe, esperando trazê-lo de volta a si. — Lá, os céus estão repletos de pássaros. É uma confusão enorme, quando batem todos no para-brisas. Tive de os raspar com uma faca.

— Fizeste isso tu mesma, não foi? — disse Yma. — Que encantador.

— Sim, vais perceber que eu tenho uma tolerância elevada para coisas nojentas — respondi. — Uso-a regularmente, de certeza que tu também.

Yma fechou os olhos, em vez de responder. Mas, antes de o fazer, achei que a tinha visto a olhar de relance para Ryzek. Uma das coisas nojentas que ela tolerava, tinha a certeza.

Tinha de admirar o talento dela para a sobrevivência.

Lançámo-nos sobre as ondas, com a nave algo massacrada pelo vento poderoso, por um longo período de tempo. Vistas de cima, as ondas assemelhavam-se a pele enrugada. A maioria das pessoas considerava Pitha monótona, mas eu adorava como imitava a dispersão do espaço.

Voámos sobre um dos muitos amontoados de lixo flutuante, onde os Shotet em breve aterrariam para reciclar. Era maior do que tinha imaginado, do tamanho de um setor de uma cidade, pelo menos, e coberto de montes de metal com todo o tipo de tons diferentes. Queria, mais do que tudo, aterrar nele, para vasculhar entre os artefactos molhados que continha alguma coisa de valor. Mas continuámos a voar.

A capital de Pitha, o Setor 6 (os Pithar não eram famosos pelos seus nomes poéticos, para não dizer pior), flutuava nos mares negro-acinzentados, perto do equador do planeta. Os edifícios pareciam bolhas à deriva, embora estivessem ancorados numa vasta estrutura de apoio submersa que, ouvira dizer, era um milagre da engenharia, realizado pelos trabalhadores de manutenção mais bem pagos de toda a galáxia. Rel guiou a nossa nave até à plataforma de aterragem e, através das janelas, observei uma estrutura metálica que se prolongava na nossa direção, a partir de uns edifícios nas proximidades: Uma manga, ao que parecia, para nos impedir de ficarmos encharcados no caminho. Era pena, queria sentir a chuva.

Akos e eu seguimos os outros à distância, a partir da nave, deixando apenas Rel no nosso encalço. À frente do grupo, Ryzek, com Yma ao lado, cumprimentou um dignitário Pithar que, em resposta, lhe fez uma reverência rude.

— Em que língua prefere que tratemos dos nossos assuntos? — disse o Pithar, em Shotet, de forma tão desastrada que mal o compreendi. Tinha um bigode branco, fino, que mais parecia bolor do que penugem, e olhos grandes, escuros.

— Somos todos fluentes em Othyrian — disse Ryzek, impacientemente. Os Shotet tinham a reputação de só falar a sua língua, graças à política do meu pai, e agora do meu irmão, de manter o nosso povo ignorante em relação ao verdadeiro funcionamento da galáxia. Mas Ryzek sempre fora sensível em relação à insinuação de que não era multilingue, como se isso quisesse dizer que as pessoas eram estúpidas.

— Isso é um alívio, senhor — disse o dignitário, agora em Othyrian. — Receio que as subtilezas da língua Shotet me escapem. Permitam-me que lhes mostre os aposentos onde irão dormir.

Enquanto passávamos pela manga temporária, debaixo do tamborilar da chuva, senti uma vontade poderosa de agarrar num Pithar que estivesse nas proximidades e suplicar-lhe que me levasse dali, para longe de Ryzek e das suas ameaças, da memória do que ele tinha feito ao meu único amigo.

Mas não conseguia deixar Akos ali e os olhos de Akos estavam, neste momento, fixos na parte de trás da cabeça do irmão.

Tinha havido quatro peregrinações entre a presente e aquela que tirara a vida ao meu pai. A última tinha-nos levado a Othyr, o planeta mais rico da galáxia, e aí Ryzek estabelecera a nova política diplomática de Shotet. Anteriormente, a minha mãe tinha-se encarregado disso, encantando com o seu charme os líderes de cada planeta que visitávamos, enquanto o meu pai liderava a reciclagem. Mas, depois da sua morte, Lazmet descobrira que não tinha talento para o charme, o que não surpreendeu ninguém, e a diplomacia tinha caído no esquecimento, criando tensões entre nós e o resto dos planetas da galáxia. Ryzek procurava aliviar essa tensão, planeta por planeta, sorriso por sorriso.

Othyr tinha-nos recebido com um jantar; cada centímetro da sala de jantar do chanceler era dourado, dos pratos à pintura das paredes, até à toalha que cobria a mesa. Segundo a esposa do chanceler, tinham escolhido aquela sala por considerarem que a cor complementaria a nossa armadura formal, azul-escura. Graciosamente, também admitira a sua aparência pomposa, uma manobra elegantemente calculada que eu tinha admirado, mesmo naquela altura. Na manhã seguinte, tinham-nos proporcionado uma sessão com o seu médico pessoal, sabendo que possuíam a melhor tecnologia médica da galáxia. Eu tinha declinado a oferta. Tinha tido suficientes médicos para uma vida inteira.

Sabia, desde o início, que a receção de Pitha não seria tão frívola como a de Othyr. Cada cultura venerava algo; Othyr, o conforto; Ogra, o mistério; Thuvhe, as flores de gelo; Shotet, a corrente; Pitha, o aspeto prático, e por aí em diante. Eram implacáveis na sua busca pelos materiais e estruturas mais duráveis, flexíveis e multifuncionais. A chanceler, o seu apelido era Natto e eu tinha-me esquecido do seu nome próprio, uma vez que nunca era tratada por ele, vivia num edifício debaixo de água, feito de vidro, grande mas utilitário. Tinha sido eleita através de votação popular, em Pitha.

O quarto que eu partilhava com Akos (o dignitário tinha-nos lançado um olhar sugestivo quando mo ofereceu, e eu tinha-o ignorado) dava para a água, onde se movimentavam criaturas indistintas e tudo parecia calmo, mas essa era a única decoração. À exceção disso, as paredes eram lisas, os lençóis engomados e brancos. A cama desdobrável, no canto, estava colocada sobre pernas de metal, com pés de borracha.

Os Pithar tinham organizado não um jantar elegante, mas algo a que teria chamado um baile, se tivesse envolvido dança. Em vez disso, havia apenas grupos de pessoas de pé, vestidas no que eu imaginava ser a versão Pithar de roupa requintada: Tecidos rígidos, à prova de água, de cores surpreendentemente vivas, as melhores para serem vistas debaixo de chuva, talvez. E nem uma saia ou vestido à vista. Arrependi-me, subitamente, do vestido da minha mãe, que me caía até aos pés, preto, de gola alta, para disfarçar a maioria das minhas sombrascorrentes.

A sala estava cheia de murmúrios. Deslocando-se entre cada grupo havia um criado, com um tabuleiro na mão, a oferecer bebidas ou comida. Os seus movimentos sincronizados eram o que de mais parecido havia aqui com uma dança.

— Está tudo tranquilo, aqui dentro — disse Akos, suavemente, com os seus dedos a enrolarem-se à volta do meu cotovelo. Tremi, tentando ignorar o seu toque. *Está apenas a adormecer a tua dor, é só isso, nada mudou, tudo é igual ao que sempre foi...*

— Pitha não é conhecido pelas suas danças — disse eu. — Nem por qualquer forma de combate.

— Presumo que não sejam os teus preferidos, então.

— Gosto de me mexer.

— Já dei por isso.

Conseguia sentir a sua respiração na parte lateral do pescoço, embora ele não estivesse assim tão perto; a minha perceção dele era mais forte do que alguma vez tinha sido. Puxei o braço e libertei-me, para pegar na bebida que a criada Pithar me estava a oferecer.

— O que é isto? — disse eu, subitamente consciente do meu sotaque. A criada olhou, desconfortável, para o meu braço manchado de sombras.

— Os efeitos são semelhantes à mistura da flor de gelo — respondeu a criada. — Adormece os sentidos, eleva os espíritos. É, ao mesmo tempo, doce e amargo.

Akos também aceitou um, sorrindo para a criada enquanto ela passava por nós.

— Se não é feito de flores de gelo, é feito de quê? — perguntou ele. Os Thuvhesit veneravam as flores de gelo, afinal. O que é que ele sabia de outras substâncias?

— Não sei. Água salgada? Óleo de motor? — disse eu. — Prova, tenho a certeza que não te vai fazer mal.

Ambos bebemos. Do lado oposto da sala, Ryzek e Yma sorriam educadamente para o marido da Chanceler Natto, Vek. O seu rosto tinha um tom acinzentado e a pele pendia-lhe dos ossos, como se fosse semilíquida. Talvez a gravidade fosse mais forte aqui. Sentia-me certamente mais pesada do que o normal, embora isso se devesse provavelmente ao olhar constante de Vas. A assegurar-se de que eu me comportava.

Contorci-me na direção do copo semivazio.

— Que nojo.

— Então, estou curioso — disse Akos. — Quantas línguas falas, realmente?

— Realmente, apenas Shotet, Thuvhesit, Othyrian e Trellan — disse eu. — Mas sei um pouco de Zoldan, algum Pithar e estava a tentar aprender Ogran, antes de teres chegado e me teres distraído.

Ele ergueu as sobrancelhas.

— O que foi? — disse eu. — Não tenho amigos. Isso dá-me muito tempo livre.

— Achas que é tão difícil gostar de ti?

— Eu sei o que sou.

— Ah, sim? E o que é que és?

— Uma faca — disse eu. — Um atiçador a arder. Um prego enferrujado.

— És mais do que qualquer uma dessas coisas — tocou no meu cotovelo, para me virar na sua direção. Sabia que estava a olhar para ele com um olhar estranho, mas não conseguia parar. Era simplesmente a forma como o meu rosto queria estar.

— Quer dizer — disse ele, retirando a mão —, não é como se andasses por aí a...cozer a carne dos teus inimigos.

— Não sejas parvo — disse eu. — Se eu quisesse comer a carne dos meus inimigos, assava-a, não a cozia. Quem é que quer comer carne *cozida*? Que nojo!

Ele riu-se e senti que tudo estava melhor.

— Que parvoíce a minha, claramente não estava a pensar — disse ele. — Lamento dizer-te isto, mas acho que estás a ser convocada pelo soberano.

De facto, quando olhei para Ryzek, os seus olhos estavam em mim. Levantou o queixo.

— Não trouxeste nenhum veneno, pois não? — disse eu, sem

desviar o olhar do meu irmão. — Podia tentar metê-lo na bebida dele.

— Não to dava, mesmo que tivesse trazido — disse Akos. Quando lhe lancei um olhar incrédulo, explicou: — Ele ainda é a única pessoa que me pode restituir o Eijeh. Depois de ele fazer isso, vou envenená-lo, enquanto canto uma canção.

— Ninguém é tão determinado como tu, Kereseth, — disse eu. — A tua tarefa, enquanto eu não estiver aqui, é compor uma canção de envenenamento, para eu poder ouvir quando voltar.

— É fácil — disse ele — Cá vou eu envenenar...

Com um sorriso afetado, engoli o resto do meu terrível óleo de motor Pithar, passei o copo para as mãos de Akos e atravessei a sala.

— Ah, cá está ela! Vek, esta é a minha irmã, Cyra. — Ryzek tinha o seu sorriso mais quente, com o braço esticado para mim, como se quisesse puxar-me para o seu lado. Não queria, claro, porque o teria magoado: As sombrascorrentes estavam lá para o lembrar disso, a manchar o meu rosto e a parte lateral do meu nariz. Em jeito de cumprimento, fiz um gesto com a cabeça para Vek, que olhou para mim com um olhar inexpressivo, sem me saudar.

— O teu irmão estava agora mesmo a explicar a lógica Shotet, por trás de alguns dos relatos de rapto associados com os recicladores Shotet nas últimas dez estações — disse ele. — Disse que podias confirmar a política.

Ai disse?

A minha raiva, nesse momento, foi como uma pilha de cavacos secos, rapidamente incendiada. Não conseguia encontrar um caminho para passar através dela; fitei simplesmente Ryzek, por alguns momentos. Ele sorriu-me, ainda com aquele olhar gentil nos olhos. Ao seu lado, Yma também sorria.

— Por causa da tua familiaridade com o teu criado — disse Ryzek, com leveza. — Claro.

Ah, sim. A minha familiaridade com Akos: O novo instrumento de controlo de Ryzek.

— Certo — disse eu. — Bom, não o consideramos rapto, obviamente. Os Shotet chamam-lhe «Recuperação», porque toda a gente que é levada fala a língua reveladora, a língua Shotet, perfeitamente. Sem sotaque, sem falhas no vocabulário. Não se consegue falar a língua Shotet dessa maneira, de forma tão inata, sem ter sangue Shotet. Sem nos pertencer, de uma forma mais significativa. E eu vi isso... demonstrado.

— De que forma? — perguntou Vek. Enquanto erguia o copo até aos lábios, reparei nos seus anéis, um para cada dedo. Cada um deles liso, sem ornamentos. Perguntei-me por que motivo sequer os usava.

— O meu criado revelou ser um natural de Shotet — disse eu. — Um bom lutador, com jeito para aquilo que distingue o nosso povo. A sua capacidade para se adaptar à nossa cultura é... espantosa.

— Certamente, um sinal do que lhe estava a contar, senhor. — Intrometeu-se Yma. — Que há provas da memória histórica e cultural do sangue Shotet, que assegura que todos os denominados «raptados», pessoas com o dom da língua Shotet, que chegam à nossa terra, na verdade pertencem a ela.

Era tão boa a fingir, que era devota.

— Bom — disse Vek. — É uma teoria interessante.

— Temos também de explicar os crimes passados de um dos... digamos, planetas mais *influentes* da galáxia... contra o nosso povo. Invasão do nosso território, rapto das nossas crianças, violência contra os nossos cidadãos, por vezes, até assassinatos. — Ryzek franziu o sobrolho, como se o mero pensamento o magoasse. — Seguramente que isto não é culpa de Pitha, que sempre prezámos. Mas, certamente, justificam-se algumas compensações. Da parte de Thuvhe, principalmente.

— E, no entanto, ouvi rumores de que os Shotet são responsáveis pela morte de um dos oráculos de Thuvhe e do rapto de outro — replicou Vek, batendo com os anéis uns nos outros, enquanto falava.

— Infundados — respondeu Ryzek. — Quanto ao motivo

pelo qual a mulher que era o oráculo mais velho dos Thuvhesit acabou com a própria vida, não é possível saber qual foi. Não conhecemos os motivos de nada daquilo que os oráculos fazem, pois não?

Ele estava a apelar ao sentido prático Pithar de Vek. Os oráculos aqui não tinham qualquer importância. Eram apenas loucos, a gritar por cima das ondas.

Vek bateu ao de leve com os dedos no copo que tinha na outra mão.

— Sim, talvez *possamos* discutir mais a sua proposta — disse Vek, relutantemente. — Talvez haja espaço para a cooperação entre o nosso planeta e a vossa... nação.

— Nação — disse Ryzek, com um sorriso. — Sim, só pedimos que nos chamem isso. Uma nação independente, capaz de determinar o próprio futuro.

— Desculpa — disse, tocando ao de leve no braço de Ryzek. Esperava que tivesse doído. — Vou buscar outra bebida.

— Claro — respondeu Ryzek. Enquanto me virava e me afastava, ouvi-o a dizer a Vek —: O dom-corrente dela provoca-lhe dor constante. Sabe, estamos sempre à procura de alguma coisa que melhore a sua capacidade funcional. Alguns dias são melhores do que outros...

Cerrando os dentes, continuei a andar até estar demasiado longe para o conseguir ouvir. Senti-me como se fosse vomitar. Tínhamos vindo a Pitha por causa do seu armamento avançado, porque Ryzek queria uma aliança. De alguma forma, tinha acabado de o ajudar a estabelecer uma. E sabia por que motivo Ryzek queria as armas: Para usar contra Thuvhe, não para que nos tornássemos «uma nação independente», como ele queria que Vek acreditasse. Como podia, agora, enfrentar Akos, sabendo que ajudara o meu irmão a começar uma guerra contra a sua terra? Não o procurei.

Ouvi um ribombar profundo, como o de um trovão. Primeiro, pensei que estávamos a ouvir os sons da tempestade através da extensão de água que nos separava da superfície, o que era impossível.

Depois, através de fendas na multidão, vi uma fila de músicos na frente da sala. As luzes superiores faziam com que tudo escurecesse, exceto a parte superior das suas cabeças. Cada um deles estava sentado atrás de uma mesa baixa e em cada uma das mesas havia um dos instrumentos intrincados que eu tinha mostrado a Akos, no mercado de Shotet. Mas estes eram muito maiores e mais complexos do que os que eu tinha visto. Cintilavam sob a luz ténue, à altura da cintura, com os seus vidros iridescentes a medirem metade da largura da palma da minha mão.

Um estalo áspero seguiu-se ao ribombar do trovão, a queda de um relâmpago. Com isso, os outros músicos começaram a tocar, fazendo entrar os sons tilintantes de chuva ligeira, o toque mais profundo de gotas mais espessas. Os outros tocavam o bater das ondas, o desmaiar da água contra uma orla inexistente. A toda a nossa volta havia sons de água, a pingar de torneiras, a jorrar de cascatas. Uma mulher Pithar de cabelo preto, que estava de pé, ao meu lado, fechou os olhos, balançando-se sem sair do lugar.

Sem querer, encontrei Akos na multidão, ainda a pegar em dois copos, ambos agora vazios. Sorriu um bocadinho.

Tenho de te tirar daqui, pensei, como se ele me pudesse ouvir. *E vou fazê-lo.*

CAPÍTULO 21 | AKOS

NUM QUARTO FRIO E VAZIO, na capital de Pitha, Akos desistiu de dormir. Ele e Cyra nunca tinham dormido sem uma porta entre eles, por isso, Akos não sabia que ela rangia os dentes ou que estava sempre a sonhar, a gemer e a murmurar. Tinha passado a maior parte da noite de olhos abertos, à espera que ela sossegasse, só que isso nunca aconteceu. De qualquer forma, ainda estava demasiado dorido para estar confortável.

Nunca tinha estado num quarto tão despido. O chão cinzento dava lugar a paredes pálidas. As camas, sem estrutura, exibiam lençóis brancos. Pelo menos, havia uma janela. Nas primeiras horas da manhã, enquanto a luz regressava ao mundo, conseguiu distinguir, com dificuldade, um labirinto de andaimes submersos, com limos verdes e plantas trepadeiras flexíveis, enroladas à sua volta. A suportar a cidade.

«Bom, isso era uma coisa que os Pithar e os Thuvhesit tinham em comum», pensou. Viviam em lugares que não deviam existir.

Durante aquela madrugada, Akos foi engolido por questões que não o deixavam sossegar: Porque é que não se tinha afastado, quando Cyra o tinha beijado? Não era que o tivesse surpreendido; tinha-se inclinado lentamente, com a mão quente no seu peito, pressionando, quase como se o estivesse a empurrar para o afastar.

Mas ele não tinha movido um músculo. Revira a imagem vezes sem conta, na sua cabeça.

Talvez, pensou, enquanto metia a cabeça debaixo da torneira da casa de banho, para molhar o cabelo, *até tenha gostado*.

Mas tinha medo até de equacionar essa hipótese. Isso significava que o destino que o preocupava, o destino que arrancava os laços que ligavam o seu coração a Thuvhe e a casa, estava subitamente a *izits* da sua face.

— Estás muito calado — disse Cyra, enquanto caminhavam lado a lado para o cais de aterragem. — Aquele óleo de motor que bebeste ontem afetou-te?

— Não — disse ele. De alguma forma, sentiu-se mal em brincar com ela por falar durante o sono, quando sabia o tipo de coisas que provavelmente a assombravam. E não eram trivialidades. — É só...um lugar novo, é só isso.

— Certo, bem, eu continuo a arrotar a amargo, por isso. — Fez uma careta. — Tenho de dizer que não estou apaixonada por Pitha.

— Exceto... — começou, prestes a acrescentar algo sobre o concerto da noite anterior.

Ela interrompeu-o.

— Pela música. Sim.

Os seus nós dos dedos roçaram os dela. Akos afastou-se. Estava demasiado consciente de cada toque, agora, embora Cyra tivesse prometido que não voltaria a fazer nenhum avanço e não tivesse voltado a falar disso.

Chegaram ao corredor da brisa (não era o nome que Akos teria escolhido, mas havia uma placa à entrada da porta, que dizia o que era) onde alguns dos outros estavam a vestir os macacões impermeáveis e a calçar as botas. Ryzek, Yma, Vas, Suzao e Eijeh não estavam lá, mas Vakrez e Malan estavam. Malan à procura das botas certas para o seu tamanho. Era um homem pequeno e magro, com uma barba que era apenas uma sombra debaixo do queixo e olhos brilhantes. Não condizia com Vakrez, o frio comandante militar que se encarregara da educação Shotet de Akos.

— Cyra — disse Malan, fazendo um aceno com a cabeça, enquanto Vakrez olhava para Akos. Akos pôs-se mais direito, levantando o queixo. Ainda conseguia ouvir a voz implacável de Vakrez a repreendê-lo, por ter má postura, por arrastar os pés, por proferir uma asneira que fosse em Thuvhesit.

— Kereseth — disse Vakrez. — Pareces maior.

— Isso é porque eu realmente o alimento, ao contrário da cozinha do teu quartel. — Cyra atirou um macacão verde, marcado com um L, para os braços de Akos. Quando este o desdobrou, pareceu-lhe que tinha quase a mesma medida de largura e de altura, mas não havia razão de queixa, desde que a água não lhe entrasse nas botas.

— Tens muita razão — disse Malan, na sua voz aguda.

— Costumavas comer lá, sem te queixares — disse Vakrez, dando-lhe uma cotovelada.

— Só porque estava a tentar que reparasses em mim — disse Malan. — Repara que não voltei a ir lá, desde essa altura.

Akos observou Cyra a vestir o fato, para perceber como o fazia. Parecia tão fácil para ela, que se indagou se já teria estado em Pitha antes, mas sentiu que era estranho fazer-lhe perguntas, agindo como se tudo estivesse normal, com Vakrez mesmo ali ao lado. Ela entrou para o fato e puxou correias em que ele não tinha reparado antes, apertando-as com força à volta dos tornozelos, juntando o tecido ao corpo. Fez o mesmo com as correias escondidas nos pulsos e depois fechou o fato até à garganta. O fato dela era tão disforme como o seu, feito para alguém que não se tivesse tornado esguio com a vida dura de Shotet.

— Estávamos a planear juntar-nos a um dos pelotões, para a reciclagem — disse Vakrez a Cyra — Mas, se preferires que saiamos numa nave separada...

— Não — disse Cyra. — Preferia tentar misturar-me com os teus soldados. — Nenhum «obrigada», nada de simpatias. Era a maneira de ser de Cyra.

Depois de estarem todos dentro dos respetivos fatos e de botas apertadas, caminharam pelo túnel coberto até uma nave. Não aquela em que tinham voado no dia anterior, mas um flutuador mais pequeno, redondo, com um telhado abobadado, para que a água deslizasse para baixo enquanto voava.

Pouco tempo depois, estavam a pairar sobre as ondas que, num relance, pareciam a Akos montes de neve. Tinham o mesmo capitão do dia anterior, Rel de seu nome, que assinalou o local para onde se dirigiam; uma ilha enorme, aproximadamente do tamanho do setor de uma cidade, com montes altos de sucata. Os Pithar mantinham o lixo a flutuar no mar.

À distância, o monte de lixo parecia uma massa cinzenta-acastanhada, mas depois de se aproximarem, Akos conseguiu ver as peças que o compunham: Enormes folhas de metal torcido, velhas vigas enferrujadas, com pregos e parafusos ainda presos, tecidos de várias cores, completamente encharcados, vidros partidos, tão espessos como a sua mão. Reunido entre alguns dos montes maiores, estava o pelotão de Vakrez, com todos os soldados vestidos com os mesmos fatos coloridos que eles.

Aterraram atrás do pelotão e saíram, em fila, do flutuador, um por um, com Rel no final. O batucar da chuva no telhado dava lugar ao seu salpicar no chão. As gotas eram pesadas, cada uma delas uma palmada forte na cabeça, ombros e braços de Akos. Só conseguia sentir a sua temperatura no rosto. Quente, o que era inesperado.

Alguém na cabeça do pelotão estava a falar:

— A vossa função é localizar coisas que tenham realmente valor. Máquina e motores de corrente mais novos, restos de metal intactos, armas partidas ou descartadas. Não criem problemas e, se virem observadores nativos, sejam corteses e informem-nos, a mim ou ao Comandante Noavek, que acabou de se juntar a nós. Bem-vindo, senhor.

Vakrez acenou com a cabeça na sua direção e acrescentou:

— Lembrem-se, a reputação do vosso soberano, e de Shotet, está aqui em jogo. Veem-nos como bárbaros e ignorantes. Vocês têm de comportar-se como se isso não fosse verdade.

Alguns dos soldados riram-se, como se não tivessem a certeza se deviam, uma vez que Vakrez não estava a sorrir nem um bocadinho. Akos não sabia bem se o rosto do comandante se lembrava de como fazê-lo.

— Mãos à obra!

Uns quantos soldados avançaram à frente, para trepar o monte mesmo defronte deles, feito de peças de flutuador. Akos examinou os que tinham ficado para trás, à procura de rostos que conhecesse do treino, mas era difícil reconhecê-los. Usavam uma cobertura para a cabeça, semelhante a um capacete, e viseiras para proteger os olhos da chuva. Ele e Cyra não tinham; estava constantemente a pestanejar gotas de chuva para dentro dos olhos.

— Capacetes — disse Malan. — Sabia que me tinha esquecido de alguma coisa. Queres que peça a um dos soldados que te dê o dele, Cyra?

— Não — disse Cyra, quase a rosnar. — Quer dizer... não, obrigada.

— Vocês, os Noavek — disse Malan. — Como é que é possível que palavras tão simples como «por favor» e «obrigado» soem tão pouco naturais, vindas de vocês?

— Deve estar no sangue — disse Cyra. — Anda, Akos. Acho que estou a ver uma coisa útil.

Cyra deu-lhe a mão, como se fosse natural. E talvez devesse ter sido, apenas ele a aliviá-la da dor, como era de esperar. Mas, depois da forma como ela lhe tinha tocado, no seu quarto da nave da peregrinação, fervorosamente, reverentemente...depois disso, como é que ele podia voltar a colocar uma mão casual sobre ela? Só conseguia pensar na força com que estava a apertar: Com demasiada força? Sem força suficiente?

Caminharam entre dois montes de peças de flutuador, na direção de uns pedaços de metal, alguns com cores quentes, como pele beijada pelo sol. Akos caminhou até à extremidade da ilha, onde vigas enormes mantinham a forma daquela porção de terra, feita pelo Homem. Não estava à procura de armas ou sucata, ou máquinas. Estava à procura de coisas pequenas, que contassem histórias: Brinquedos partidos, sapatos velhos, utensílios de cozinha.

Cyra agachou-se junto de um poste dobrado, arranhado na base, como se tivesse sido vítima de uma explosão. Quando o puxou, parecia que nunca mais acabava de sair, derrubando latas velhas e canos rachados. Na ponta do poste, que não chegava a ter o dobro da altura de Akos, havia uma bandeira esfarrapada, com um fundo cinzento e um círculo de símbolos no centro.

— Olha para isto — disse-lhe ela, a sorrir. — Esta era a antiga bandeira deles, antes de serem aceites na Assembleia dos Nove Planetas. Tem, pelo menos, trinta estações.

— Como é que não se desintegrou com a chuva? — perguntou ele, apertando o canto desgastado.

— Pitha é especialista em materiais duráveis: Vidro que não se corrói, metal que não enferruja, tecido que não se rasga — disse ela. — Plataformas flutuantes que conseguem transportar uma cidade inteira.

— E linha de pesca?

Ela abanou a cabeça.

— Não existem muitos peixes que estejam suficientemente próximos da superfície para fazer pesca tradicional. Os veículos de profundidade fazem grande parte do trabalho; ouvi dizer que um peixe pode alimentar uma cidade inteira.

— Fazes sempre questão de saber tanto sobre sítios que odeias?

— Como te disse ontem — disse ela —, não tenho amigos. Tenho demasiado tempo. Vamos encontrar mais relíquias lamacentas do passado, sim?

Akos procurou ao longo da extremidade da ilha por... bem, nada em particular, na verdade. Depois de algum tempo, tudo lhe começou a parecer igual, o metal baço tão útil como as coisas brilhantes, todos os tecidos a fundirem-se numa névoa de uma só cor. Perto da extremidade mais afastada viu o esqueleto de um pássaro, semipodre. Tinha patas com membranas, um nadador, portanto, e um bico com uma curva temível.

Ouviu um grito atrás dele e virou-se rapidamente para ver se Cyra estava bem, com as suas costelas doridas a protestarem. Viu um lampejo de dentes; ela tinha um sorriso rasgado e estava a chamar por algum dos outros. Quando voltou para trás, para ir ter com ela, esperava algo brilhante, algo com aparência útil. Mas era apenas mais metal. Cinzento. Baço.

— O que... Comandante Noavek! — disse a soldado que tinha chegado primeiro junto de Cyra, com os olhos arregalados atrás da sua viseira com traços de chuva. Vakrez correu para junto delas.

— Vi um canto a espreitar e cavei mais fundo — disse Cyra, com excitação. — É um pedaço grande, acho eu.

Conseguia ver aquilo de que ela estava a falar: O canto do que quer que fosse que tinha encontrado era espesso e, no monte de tralha atrás, havia lampejos do mesmo tom. Parecia que a folha era tão alta como o poste da bandeira que tinham visto. Não percebia porque estavam tão excitados com aquilo.

— Cy... hã, Menina Noavek? — disse Akos.

— É a substância mais valiosa de Pitha — respondeu, afastando algum tecido molhado do metal. — *Agneto*. Suficientemente forte para resistir a golpes pesados, como asteroides, e aguenta-se bem quando passamos através do fluxocorrente. Há dez estações que é a única coisa que utilizamos para reparar a nave da peregrinação, mas é um achado raro.

Metade do pelotão tinha vindo a correr e, agora, toda a gente estava a ajudar Cyra a desenterrar a folha, a maioria dos soldados com um sorriso tão rasgado como o seu. Akos afastou-se para trás enquanto escavavam, até finalmente conseguirem soltar o suficiente da folha para a conseguirem agarrar bem. Juntos, arrastaram-na para fora do entulho, depois carregaram-na até à nave transportadora que tinha, por baixo, um porão suficientemente grande para transportar o *agneto*.

Não sabia o que pensar ao vê-los a trabalhar todos juntos, Cyra e Vakrez Noavek mesmo ao lado de soldados comuns, como se não fossem realeza. Cyra com aquele olhar que às vezes tinha, quando faziam misturas da flor de gelo juntos e conseguia finalmente acertar em alguma coisa. «Uma espécie de orgulho», pensou ele, «de fazer algo útil».

Ficava-lhe bem.

Quando era miúdo, sonhava com viajar para fora do planeta. Todos os miúdos em Hessa sonhavam com isso porque, na sua maioria, eram demasiado pobres para algum dia o fazerem. A família Kereseth era mais rica do que a maioria em Hessa, mas não tinha nada comparado com os proprietários de quintas em Shissa ou Osoc, a norte. Ainda assim, o pai tinha-lhe prometido que algum dia o levaria ao espaço e visitariam outro planeta. À escolha de Akos.

O planeta da água não teria sido a sua primeira escolha, nem sequer a segunda. Ninguém em Thuvhe sabia nadar, porque praticamente toda a água que tinham era em forma de gelo. Mas agora tinha estado em Pitha. Tinha estado ao alcance do som do bater das ondas, tinha visto a superfície espumosa a partir de cima, tinha sentido a sua própria pequenez enquanto estava de pé, no cais de aterragem, com água em todas as direções e chuva quente a bater-lhe na cabeça.

Então, quando estava a começar a habituar-se, partiram. Estava a pingar água no chão do flutuador, com um frasco de água da chuva na mão. Cyra tinha-lho dado quando estavam a carregar o *agneto* para dentro do veículo de transporte: «Para teres uma lembrança da tua primeira vez noutro planeta», tinha dito ela, com um encolher de ombros, como se não significasse nada. Só que Akos estava a começar a perceber que não havia muita coisa que não significasse nada para Cyra.

No início, não entendera a utilidade de uma lembrança porque, a quem é que a mostraria? Não voltaria a ver a sua família. Iria morrer entre os Shotet.

Mas tinha de ter esperança pelo irmão, pelo menos. Talvez Eijeh pudesse levá-la com ele, quando voltasse para casa, depois de Jorek o conseguir tirar dali.

Cyra tinha dois punhados de bandeira velha no colo e, embora não estivesse a sorrir, tinha uma energia feroz no rosto, por ter encontrado o *agneto*.

— Presumo que tenhas feito uma coisa boa — disse Akos, quando teve a certeza de que Vakrez e Malan não estavam a ouvir.

— Sim. — Assentiu com a cabeça, uma vez. — Sim, fiz. — Passado um bocadinho, acrescentou: — Calculo que tinha de acontecer, algum dia. Já devia ter acontecido antes.

— As tuas sombrascorrentes não estão tão escuras — disse ele, inclinando a cabeça para trás. Então, ela ficou em silêncio. Olhando para os riscos escuros, agora mais cinzentos do que pretos, que lhe percorriam a palma da mão, durante todo o caminho de regresso à nave da peregrinação.

Fizeram um bom tempo na viagem de regresso, todos completamente encharcados do início ao fim. Algumas das outras naves tinham voltado mais cedo da reciclagem, pelo que havia pessoas com roupas molhadas a circular por todo o lado, trocando histórias. Toda a gente despiu os fatos, supostamente impermeáveis, e os depositou em pilhas para serem limpos.

— Então, os Shotet têm simplesmente uma série de roupas impermeáveis à disposição, espalhadas por aí? — perguntou ele a Cyra, enquanto caminhavam de volta para os seus aposentos.

— Já estivemos em Pitha antes — disse ela. — Todos os soberanos têm investigadores que preparam com antecedência as visitas a todos os planetas, mas qualquer pessoa com mais de uma certa idade sabe como sobreviver basicamente, em qualquer ambiente. Deserto, montanha, oceano, pântano...

— Deserto — disse ele. — Nem sequer consigo imaginar como será andar em cima de areia quente.

— Talvez um dia venhas a saber — disse ela.

O sorriso dele desvaneceu-se. Provavelmente, tinha razão. Em quantas peregrinações participaria, antes de morrer pela família dela? Duas, três? Vinte? Sobre quantos mundos caminharia?

— Não era isso que eu queria... — começou ela. Fez uma pausa. — A vida é longa, Akos.

— Mas os destinos são inevitáveis — disse ele, ecoando a sua mãe. Poucos destinos pareciam mais inevitáveis do que o seu. Morte. Serviço. A família Noavek. Era tudo suficientemente claro.

Cyra parou. Estavam perto da sala de treino pública, onde o ar cheirava a sapatos velhos e suor. Envolveu o pulso dele com a mão e apertou com força.

— Se eu te ajudasse a fugir, neste preciso momento — inquiriu ela —, irias?

O coração dele bateu aceleradamente.

— Do que é que estás a falar?

— O cais de embarque está um caos — disse Cyra, inclinando-se na sua direção. Os olhos dela eram muito escuros, notou Akos. Quase pretos. E muito vivos também, como se a dor que afligia o seu corpo lhe desse, igualmente, energia de sobra. — As portas abrem-se de poucos a poucos minutos, para deixar entrar uma nave nova. Achas que eles te conseguiam impedir, se roubasses um flutuador? Estarias em casa daqui a uns dias.

Em casa, daqui a uns dias. Akos inspirou a memória do lugar, como se fosse um cheiro familiar. Cisi, tranquilizadora simplesmente com o seu sorriso. A mãe, a provocá-lo com adivinhas proféticas. A pequena cozinha deles, com o candeeiro vermelho de pedras ardentes. O mar de esparto que crescia mesmo junto à casa, com os tufos a roçarem contra as janelas. As escadas a ranger, que conduziam ao quarto que partilhava com...

— Não — disse ele, abanando a cabeça. — Não sem o Eijeh.

— Foi o que eu pensei... — disse Cyra, tristemente, enquanto o soltava. Trincou o lábio, com preocupação no olhar. Foram todo o caminho até aos aposentos sem falar e, quando chegaram, foi direta à casa de banho, para vestir roupa seca. Akos, movido pelo hábito, estacionou à frente do *feed* de notícias.

Normalmente, Thuvhe era apenas mencionado na série de palavras que deslizavam no fundo do ecrã e, mesmo aí, dizia-lhe Cyra, as notícias eram apenas sobre a produção da flor de gelo. No que dizia respeito ao seu planeta frio, as flores de gelo eram a única coisa que realmente interessava aos outros planetas, visto serem usadas em tantos medicamentos. Mas hoje, uma transmissão em direto mostrava um gigantesco monte de gelo.

Conhecia aquele lugar. Osoc, a cidade mais a norte de Thuvhe, gelada e branca. Lá, os edifícios flutuavam no céu como nuvens feitas de vidro, sustentados por uma tecnologia trazida de Othyr, que ele não percebia. Tinham a forma de gotas de chuva, como pétalas murchas que terminavam em pontos, de ambos os lados. Tinham ido a Osoc visitar os seus primos, uma estação, nos seus agasalhos mais quentes, e tinham ficado no prédio deles, que pendia do céu como um fruto maduro que nunca cairia. As flores de gelo ainda cresciam, mesmo tão a norte, mas estavam muito, muito mais abaixo, apenas manchas coloridas, à distância.

Akos sentou-se na ponta da cama de Cyra, molhando os lençóis com as roupas encharcadas. Tinha dificuldade em respirar. *Osoc, Osoc, Osoc* era o cântico na sua cabeça. Flocos brancos ao vento. Desenhos de geada nas janelas. Caules das flores de gelo, suficientemente quebradiços para se partirem com um toque.

— O que foi? — Cyra estava a entrançar o cabelo, para o afastar do rosto. As suas mãos caíram, quando olhou para o ecrã.

Leu as legendas em voz alta:

— Chanceler Predestinada de Thuvhe Avança.

Akos bateu no ecrã, para aumentar o volume. Em Othyrian, a voz murmurou: «... ela promete uma postura forte contra Ryzek Noavek, em nome dos oráculos de Thuvhe, perdidos há duas estações, alegadamente durante a invasão Shotet a solo Thuvhesit.»

— O vosso chanceler não é eleito? — perguntou Cyra. — Não é por isso que usam a palavra «chanceler», em vez de «soberano», porque o cargo é sujeito a votação, em vez de herdado?

— Os chanceleres Thuvhesit são predestinados. Escolhidos

pela corrente, dizem eles. Dizemos nós — declarou. Se reparou no seu deslize, de ter dito «eles» em vez de «nós», não disse nada. — Nalgumas gerações, não há chanceler e temos apenas representantes regionais; esses são eleitos.

— Ah. — Cyra virou-se para o ecrã, observando, ao lado dele.

Havia uma multidão na plataforma de aterragem, todos agasalhados, embora fosse interior. Uma nave estava pousada na ponta e a porta estava a abrir-se. Enquanto uma mulher de roupa escura descia, a multidão explodiu em vivas. A mira aproximou-se, mostrando o seu rosto, enrolado num lenço que tapava o nariz e a boca. Mas os olhos eram escuros, com um laivo de cinzento mais escuro em redor da pupila e ligeiramente inclinados, e ele conhecia-a. As miras estavam *muito* perto, como moscas à volta da sua cara.

Ele *conhecia-a*.

— Ori — disse ele, sem conseguir respirar.

Mesmo atrás dela havia outra mulher, tão alta e tão magra como ela, e igualmente tapada. Quando as miras se voltaram para ela, Akos viu que as mulheres eram iguais, praticamente, até às pestanas. Não apenas irmãs, mas gémeas.

Ori tinha uma irmã.

Ori tinha um duplo.

Akos procurou alguma diferença nos seus rostos e não encontrou nenhuma.

— Tu conhece-las? — disse Cyra, suavemente.

Por um instante, apenas conseguiu assentir com a cabeça. Depois, interrogou-se se o deveria ter feito. Ori era apenas conhecida como «Orieve Rednalis», não era um nome que devesse pertencer a uma criança predestinada, porque a sua verdadeira identidade era perigosa. O que significava que seria melhor guardá-la para si próprio.

Mas, pensou enquanto olhava para cima, na direção de Cyra, e não terminou o pensamento, deixou apenas que as palavras se precipitassem a sair:

— Era uma amiga da família, quando eu era criança. Quando

ela era criança. Era conhecida por um pseudónimo. Não sabia que ela tinha... uma irmã.

— Isae e Orieve Benesit — disse Cyra, lendo os nomes no ecrã.

As gémeas estavam a caminhar para o interior de um edifício. Ambas tinham uma aparência elegante, com a brisa no interior do edifício a empurrar-lhes os casacos. Não reconheceu o pelo nem o próprio tecido dos casacos pretos e sem neve, até mesmo agora. Um material de outro mundo, de certeza.

— Rednalis era o nome que ela usava — disse ele. — Um nome Hessa. O dia em que os destinos foram anunciados foi o último dia em que a vi.

Isae e Orieve pararam para saudar pessoas a caminho da entrada, mas enquanto se afastavam e as miras as seguiam, viu um lampejo de movimento. A segunda irmã enganchou o braço em volta do pescoço da primeira, aproximando a sua cabeça. Da mesma forma que Ori fazia com Eijeh, quando queria segredar-lhe algo ao ouvido.

Depois, Akos não conseguiu ver muito mais, porque os olhos estavam cheios de lágrimas. Era Ori, que tinha um lugar à mesa da sua família, que o conhecera antes de ele se transformar... *nisto.* Nesta coisa de armadura, vingativa, que tirava vidas.

— O meu país tem uma chanceler — disse ele.

— Parabéns — disse Cyra. Hesitantemente, perguntou: — Porque é que me contaste isso tudo? Provavelmente, não é algo que devas anunciar por aqui. O pseudónimo dela, como a conheces, tudo isso.

Akos pestanejou, para limpar os olhos.

— Não sei. Se calhar, confio em ti.

Ela levantou a mão e hesitou com ela sobre o seu ombro. Depois baixou-a, tocando-o ao de leve. Olharam para o ecrã, lado a lado.

— Nunca te prenderia aqui. Sabes disso, não sabes? — Estava tão serena. Nunca a tinha ouvido tão serena. — Já não. Se quisesses ir embora, eu ajudava-te a ir.

Akos cobriu a mão dela com a sua. Apenas um toque leve, mas estava carregado de energia nova. Como uma dor que ele não se importava de sentir.

— Se... quando, *quando* conseguir tirar o Eijeh daqui — disse ele —, virias comigo?

— Sabes, acho que sim. — Suspirou. — Mas só se o Ryzek estivesse morto.

Enquanto a nave dava a volta para regressar a casa, as notícias em relação ao sucesso de Ryzek, em Pitha, chegavam-lhes aos pedaços. Otega era a fonte da maioria dos mexericos de Cyra, constatou Akos, e tinha um bom conhecimento dos assuntos antes mesmo de eles serem anunciados.

— O soberano está satisfeito — disse Otega, ao levar-lhes uma panela de sopa, uma noite. — Acho que fez uma aliança. Entre uma nação historicamente crente nos destinos como Shotet e um planeta secular como Pitha, isso não é uma façanha pequena. — Depois, tinha lançado a Akos um olhar curioso.

— Kereseth, suponho. A Cyra não me disse que eras tão... — Deteve-se.

As sobrancelhas de Cyra saltaram como se tivessem molas. Estava encostada contra a parede, de braços cruzados, a mastigar uma madeixa de cabelo. Às vezes, metia o cabelo na boca sem se aperceber. Então, cuspia-o, com um ar surpreendido, como se o cabelo tivesse entrado sozinho na sua boca.

— ... alto — terminou Otega. Akos interrogou-se que palavra teria escolhido, se se sentisse à vontade para ser honesta.

— Não sei porque é que ela havia de mencionar isso — respondeu Akos. Era fácil estar confortável junto de Otega; ele deslizou para essa posição, sem pensar muito nisso. — Afinal, ela também é alta.

— Sim. Bastante altos, a maior parte de vocês — disse Otega, de forma distante. — Bem, bom proveito.

Quando saiu, Cyra foi direta ao *feed* de notícias, para traduzir as legendas Shotet para ele. Desta vez, era alarmante quão diferentes eram. As palavras Shotet aparentemente diziam: «A chanceler Pithar abre negociações de apoio amigável, à luz da visita Shotet à capital de Pitha». Mas a voz Othyrian dizia: «A chanceler Benesit de Thuvhe ameaça fazer um embargo ao comércio das flores de gelo com Pitha, na sequência das suas negociações com a liderança Shotet, sobre possibilidades de apoio».

— Aparentemente, a tua chanceler não está satisfeita com o facto de Ryzek ter encantado os Pithar — comentou Cyra. — A ameaçar embargos comerciais e tudo.

— Bem — disse Akos —, o Ryzek *está* a tentar conquistá-la.

Cyra grunhiu.

— Aquela tradução não tem o talento do Malan; devem ter usado outra pessoa. O Malan gosta de dar a volta à informação, não a deixar completamente de fora.

Akos quase se riu.

— Consegues saber quem é, pela tradução?

— Há uma arte na treta Noavek — disse Cyra, enquanto tirava o som ao *feed*. — É-nos ensinada à nascença.

Os aposentos deles (Akos começara a pensar neles dessa forma), por muito que isso o inquietasse, eram o olho da tempestade, tranquilos e estáveis no meio do caos. Toda a gente estava a organizar tudo para a aterragem. Não conseguia acreditar que a peregrinação estava a chegar ao fim; parecia-lhe que tinham acabado de levantar voo.

E então, no dia em que o fluxocorrente perdeu os últimos traços azuis, soube que estava na hora de cumprir a sua promessa a Jorek.

— Tens a certeza que ele não vai simplesmente entregar-me ao Ryzek, por o ter drogado? — perguntou Akos, a Cyra.

— O Suzao, no seu íntimo, é um soldado — disse Cyra, provavelmente pela centésima vez. Virou a página do livro. — Prefere ajustar sozinho as suas contas. Entregar-te seria a manobra de um cobarde.

Com isso, Akos encaminhou-se para o refeitório. Estava consciente do bater apressado do seu coração, dos seus dedos irrequietos. Nesta altura da semana, Suzao comia num dos refeitórios inferiores; era um dos apoiantes próximos de Ryzek com menor estatuto, o que significava que era a pessoa menos importante, na maioria dos lugares que frequentava. Mas, nos refeitórios inferiores, próximo da maquinaria trepidante da nave, podia ser superior, por uma vez. Era o lugar ideal para o provocar: Não podia ser envergonhado por um criado, à frente dos seus inferiores, pois não?

Jorek prometera ajudá-lo com a sua última jogada. Estava à frente do pai na fila, quando Akos entrou no refeitório, uma sala grande e abafada, num dos conveses inferiores da nave. Era apertada e cheia de fumo, mas o cheiro a especiarias que pairava no ar era suculento e fez-lhe crescer água na boca.

Numa mesa, nas proximidades, um grupo de Shotet mais novos do que ele tinham empurrado os tabuleiros para o lado e estavam a jogar um jogo com máquinas pequenas, o suficiente para caberem na palma da mão. Eram conjuntos de engrenagens e fios equilibrados sobre rodas, um com várias pinças fixas no nariz, outro com uma lâmina, um terceiro com um martelo do tamanho de um polegar. Tinham desenhado um círculo na mesa com giz e, dentro dele, as máquinas perseguiam-se umas às outras, controladas por comandos.

Quando chocavam, os espetadores gritavam conselhos:

— Atira-te à roda direita!

— Usa as pinças, para que é que elas servem?

Usavam estranhas roupas azuis, verdes e roxas, armas simples enroladas em fios de várias cores, cabelo rapado e entrançado, amontoado no cimo da cabeça. Um sentimento arrebatou-o, enquanto observava, uma imagem dele próprio enquanto criança Shotet, com um comando na mão ou só encostado à mesa, a olhar.

Nunca tinha acontecido, nunca aconteceria. Mas, por um instante, pareceu-lhe como se pudesse ter sido possível.

Voltou-se para a pilha de tabuleiros perto da fila da comida e pegou num. Tinha um pequeno frasco enterrado no pulso e escapuliu-se para a frente da fila, aproximando-se de Suzao para poder drogar a sua chávena. Mesmo a tempo, Jorek tropeçou na pessoa à sua frente, deixando cair o tabuleiro com estrondo. A sopa atingiu, mesmo entre os ombros, a mulher que estava à frente e ela praguejou. No meio da comoção, Akos despejou o elixir na chávena de Suzao, sem ninguém notar.

Passou por Jorek, enquanto ele ajudava a mulher manchada de sopa a limpar-se. Akos parou, para respirar.

Suzao tinha invadido a sua casa, juntamente com os outros. Tinha ficado parado, a observar, enquanto Vas matava o seu pai. As impressões digitais dele estavam nas paredes da sua casa, as pegadas dele no chão, o seu lugar mais seguro marcado, em todo o lado, pela violência. As memórias, tão vívidas como sempre, deram-lhe coragem para fazer o que tinha de fazer.

Pousou o tabuleiro à frente de Suzao, cujos olhos percorreram o seu braço em sentido ascendente, como uma mão a deslizar, contando as marcas de assassinato que tinha.

— Lembras-te de mim? — disse Akos.

Suzao era mais pequeno do que ele, agora, mas tão largo nos ombros que não parecia, quando estava sentado. O nariz estava manchado de sardas. Não se parecia muito com Jorek, que saía à mãe. O que era bom, também.

— A criança patética que arrastei através da Divisória? — disse Suzao, mordendo os dentes do seu garfo. — E que depois espanquei, antes mesmo de chegarmos às naves transportadoras? Sim, lembro-me. Agora, tira o teu tabuleiro de cima da minha mesa.

Akos sentou-se, cruzando as mãos à frente dele. Uma subida de adrenalina tinha feito com que tudo à volta ficasse negro e apenas conseguisse ver através de um orifício, onde Suzao estava exatamente no centro.

— Como te estás a sentir? Um bocadinho sonolento? — disse, enquanto batia violentamente com o frasco na mesa, à frente dele.

O vidro estalou, mas o frasco ficou inteiro, ainda húmido com o elixir do sono que despejara na chávena de Suzao. O silêncio alastrou pelo refeitório, começando na mesa deles.

Suzao fitou o frasco. O seu rosto ficava mais manchado, a cada segundo que passava. Os olhos estavam vidrados de raiva.

Akos inclinou-se para a frente, sorrindo.

— Os teus aposentos não são tão seguros como provavelmente desejarias. Esta é o quê, a terceira vez que foste drogado, no último mês? Não és muito atento, pois não?

Suzao atirou-se a ele. Agarrou-o pela garganta, levantou-o e arremessou-o com força para cima da mesa, justamente para cima do seu tabuleiro com comida. A sopa queimou Akos através da camisa. Suzao puxou da faca e segurou a ponta sobre a cabeça de Akos, como se a fosse enfiar no seu olho.

Akos viu tudo às manchas.

— Devia matar-te — rosnou Suzao, com salpicos de cuspo a pingarem nos lábios.

— Anda lá, continua — instou Akos, retesando-se. — Mas, se calhar, devias esperar até não estares quase a cair para o lado.

Realmente, Suzao parecia um pouco desconcentrado. Soltou a garganta de Akos.

— Muito bem — disse ele. — Então, desafio-te para a arena. Facas. Até à morte.

O homem não desiludia.

Akos ergueu-se para se sentar, lentamente, fazendo um espetáculo com as mãos a tremer, com a camisa manchada de comida. Cyra tinha-lhe dito para garantir que Suzao o subestimava antes de irem para a arena, se conseguisse. Limpou os salpicos de cuspo do rosto e assentiu com a cabeça.

— Aceito — disse Akos. E, atraídos por algum tipo de magnetismo, os seus olhos encontraram os de Jorek. Que pareciam aliviados.

CAPÍTULO 22 | CYRA

OS REBELDES NÃO ME PASSARAM uma mensagem no refeitório, nem me segredaram qualquer coisa ao ouvido, enquanto caminhava pela nave da peregrinação. Não *hackearam* os meus ecrãs pessoais, nem causaram uma perturbação e me raptaram. Alguns dias depois da reciclagem, estava a caminhar de regresso aos meus aposentos e vi uns cabelos loiros a balançarem à minha frente: Teka, com um trapo sujo nos dedos manchados de óleo. Olhou para trás, de relance, chamando-me com um dedo arqueado e eu segui-a.

Não me conduziu a uma sala ou a uma passagem secreta, mas ao cais de embarque. Estava escuro e as silhuetas das naves transportadoras pareciam enormes criaturas reunidas a dormir. Num canto distante, alguém tinha deixado uma luz acesa, presa à asa de uma das maiores naves transportadoras.

Se a chuva e os trovões eram música para os Pithar, o som da maquinaria era música para os Shotet. Era o som da nave da peregrinação, o som do nosso movimento, lado a lado com o fluxocorrente. Portanto, fazia sentido que, nesta parte da nave, onde a sua conversa seria enterrada pelo zumbir e vibrar da maquinaria, no nível abaixo de nós, houvesse uma reunião pequena, miserável, de rebeldes.

Estavam todos vestidos com os macacões que os trabalhadores da manutenção usavam, talvez fossem realmente trabalhadores da manutenção, agora que pensava nisso, e tinham coberto os rostos com a mesma máscara negra que Teka usara no dia em que me tinha atacado no corredor.

Teka puxou de uma faca e encostou-a à minha garganta. Estava fria e cheirava a doce, não muito diferente do cheiro de uma das misturas de Akos.

— Aproxima-te mais deles e eu mato-te — disse Teka.

— Diz-me que estes não são todos os membros. — Na minha mente, imaginei o que teria de fazer para me libertar, começando por pisar-lhe os pés.

— Achas que arriscaríamos que denunciasses todos os nossos membros ao teu irmão? — disse Teka. — Não.

A luz presa à asa da nave transportadora perdeu uma das suas ligações de metal e balançou no fio, oscilando agora, agarrada apenas a uma presilha.

— Foste tu que quiseste encontrar-te connosco — disse um dos outros. Soava a mais velho, mais áspero. Era um pedregulho de homem, com uma barba suficientemente espessa para se perderem coisas nela. — O que é que queres, exatamente?

Obriguei-me a engolir em seco. A faca de Teka ainda estava na minha garganta, mas não era isso que estava a dificultar-me a fala. Era articular, por fim, aquilo em que tinha estado a pensar durante meses. Era finalmente *fazer* alguma coisa, em vez de apenas pensar nela, pela primeira vez na vida.

— Quero transporte seguro para fora de Shotet, para uma pessoa — disse eu. — Uma pessoa que não quer exatamente ir-se embora.

— Para *uma pessoa* — disse o mesmo homem que tinha falado antes. — Quem?

— O Akos Kereseth — disse eu.

Houve murmúrios.

— Ele não quer ir-se embora? Então, porque queres tirá-lo daqui? — questionou o homem.

— É... complicado — disse eu. — O irmão dele está cá. O irmão dele está quase perdido. Para lá de qualquer esperança de recuperação. — Fiz uma pausa. — Algumas pessoas são tolas por amor.

— Ah — sussurrou Teka. — Estou a ver como é.

Senti como se estivessem todos a rir-se de mim, a sorrir debaixo das máscaras negras. Não gostei. Agarrei no pulso de Teka e torci-o com força, para que não conseguisse apontar-me a faca. Ao meu toque, gemeu e agarrei na parte plana da faca entre os dedos, puxando-a para a soltar. Virei-a numa mão para a agarrar pelo cabo, com os dedos escorregadios do que quer que fosse que a lâmina tivesse.

Antes que Teka se pudesse recompor, ataquei-a, prendendo-a pelo braço contra o meu peito e apontando a faca à parte lateral do seu corpo. Tentei manter o máximo possível da dor do meu dom-corrente para mim, cerrando os dentes para não gritar. Estava a respirar com força, junto ao seu ouvido. Ela ficou imóvel.

— Posso também ser uma tola — disse eu —, mas não sou estúpida. Pensam que não consigo identificar-vos pela vossa postura, pela forma como andam, pela forma como falam? Se vos quiser trair, vou fazê-lo, quer usem máscaras e me apontem uma faca, quer não. E todos sabemos que não posso trair-vos, sem me trair a mim mesma. Portanto — Soprei para afastar uma madeixa do cabelo de Teka da minha boca —, vamos ter esta discussão com confiança mútua ou não?

Soltei Teka e ofereci-lhe a faca. Ela estava a olhar fixamente para mim, apertando o pulso, mas aceitou-a.

— Tudo bem — disse o homem.

Retirou a cobertura que lhe escudava a boca, Por baixo dela, a sua barba espessa estendia-se até à garganta. Alguns dos outros imitaram-no. Jorek foi um deles, de pé, um pouco afastado, à minha direita, de braços cruzados. Não era surpreendente, já que tinha solicitado tão ousadamente a morte do pai, leal aos Noavek, na arena.

Outros não se deram ao trabalho de o fazer, mas não importava: Era o seu porta-voz que me interessava.

— O meu nome é Tos e acho que podemos fazer o que nos pedes — disse o homem. — E acho que tens consciência de que te pediremos algo em troca.

— O que querem que eu faça? — disse eu.

— Precisamos da tua ajuda para entrar na mansão Noavek. — Tos cruzou os braços volumosos. As suas roupas eram feitas de tecido de outros planetas, demasiado leves para o frio Shotet. — Em Voa. Depois da peregrinação.

— És um exilado? — disse eu, franzindo o sobrolho para ele. — Tens um traje de outro mundo vestido.

Estariam os rebeldes em contacto com os exilados, que tinham procurado refúgio do regime Noavek noutro planeta? Fazia sentido, mas não tinha considerado essa ramificação antes. Os exilados eram, indubitavelmente, uma força mais poderosa do que os Shotet rebeldes que se tinham voltado contra o meu irmão. E mais perigosos para mim, pessoalmente.

— Considerando os nossos planos e propósitos, não há diferença entre exilado e rebelde. Ambos queremos a mesma coisa: Derrubar o teu irmão e restaurar a sociedade Shotet, devolvendo-a ao que era antes de a tua família a ter manchado de injustiça — respondeu Tos.

— Manchado de injustiça — repeti eu. — Uma frase elegante, para expressar a situação.

— Não fui eu que a inventei — disse Tos, sem sentido de humor.

— Dizendo as coisas de forma menos elegante — disse Teka —, estão a matar-nos à fome e a apoderar-se dos medicamentos. Para não falar do facto de nos tirarem olhos ou o que quer que seja que faz o Ryzek vibrar, atualmente.

Estava prestes a protestar que *eu* nunca matara ninguém à fome ou impedira que recebessem cuidados médicos adequados mas, subitamente, pareceu-me que não valia a pena discutir. De qualquer forma, não acreditava realmente nisso.

— Certo. Portanto... a mansão Noavek. O que pretendem fazer lá? — Era o único edifício ao qual eu, especificamente, podia ajudar alguém a aceder. Sabia todos os códigos que Ryzek gostava de usar e, além disso, as portas mais seguras estavam trancadas com um código genético, parte do sistema instalado por Ryzek, depois da morte dos nossos pais. O meu sangue conseguia levá-los aonde quer que eles quisessem ir.

— Acho que não precisas dessa informação.

Franzi o sobrolho. Havia apenas um pequeno número de coisas que um grupo de rebeldes, ou exilados, podia querer do interior da mansão Noavek. Decidi avançar com uma especulação.

— Vamos ser claros — disse eu. — Estão a pedir-me que participe no assassinato do meu irmão.

— Isso incomoda-te? — perguntou Tas.

— Não — respondi. — Já não.

Apesar de tudo o que Ryzek me tinha feito, fiquei surpreendida com a facilidade com que a resposta me saiu. Era meu irmão, sangue do meu sangue. Era também a única garantia de segurança que tinha, atualmente. Quaisquer rebeldes que o derrubassem não se preocupariam em poupar a vida da sua irmã, a assassina. Mas, algures entre a ordem para que participasse no interrogatório de Zosita e as ameaças a Akos, Ryzek tinha finalmente perdido qualquer lealdade que ainda me restasse.

— Ótimo — disse Tos. — Então, ficamos em contacto.

Compondo a saia à volta das minhas pernas cruzadas, procurei no *hall* lotado, naquela noite, o regimento de Suzao Kuzar. Estavam todos ali, em fila, ao longo da galeria, trocando olhares frívolos. Ótimo, pensei. Tinham excesso de confiança, o que significava que Suzao também o tinha e seria mais facilmente derrotado.

A sala zumbia com tagarelice, tão cheia como estivera quando tinha lutado com Lety, alguns meses antes, mas com uma multidão muito maior do que a maioria dos desafiadores de Recuperados algum dia esperava atrair. Isso também era bom. Vencer um desafio de arena, tecnicamente, podia sempre dar a alguém um estatuto social mais elevado. Mas, para que isso realmente importasse, toda a gente na sociedade Shotet teria de concordar. Quanto mais pessoas vissem Akos a derrotar Suzao, melhor seria o seu estatuto percebido, o que lhe facilitava a empreitada de conseguir tirar Eijeh dali. O poder num sítio tinha tendência para se transferir para poder noutro sítio; poder sobre as pessoas certas.

Ryzek tinha ficado afastado do desafio desta noite, mas Vas juntou-se a mim, na plataforma reservada para oficiais Shotet de patente mais elevada. Sentei-me num dos lados da mesma e ele sentou-se no outro. Em espaços escuros, era mais fácil para mim evitar olhares, com o meu dom-corrente enterrado na sombra. Mas não conseguia escondê-lo de Vas, que estava suficientemente perto para ver a minha pele a encher-se de teias escuras, cada vez que ouvia o nome de Akos a ser proferido na multidão.

— Sabes, não contei ao Ryzek sobre a forma como falaste com a filha da Zosita no cais de embarque, antes da reciclagem — disse-me Vas, momentos antes de Suzao entrar na arena.

O meu coração começou a bater desenfreadamente. Senti-me como se a reunião dos rebeldes estivesse marcada em mim, visível para qualquer pessoa que olhasse com atenção suficiente. Mas tentei manter-me calma, enquanto respondia.

— Da última vez que verifiquei, não era contra as regras do Ryzek falar com trabalhadores da manutenção.

— Talvez ele não se importasse antes, mas certamente que agora se importa.

— É suposto agradecer-te pela tua discrição?

— Não. É suposto tratares isto como uma segunda oportunidade. Assegura-te de que toda esta insensatez foi só um lapso momentâneo, Cyra.

Virei-me na direção da arena. As luzes reduziram-se e os altifalantes guincharam, como se alguém tivesse ligado os intensificadores que balouçavam por cima dos lutadores, amplificando o som.

Suzao entrou primeiro, aos gritos e vivas da multidão. Levantou os braços para inspirar mais gritos e o gesto cumpriu a sua função: Toda a gente explodiu.

— Arrogante — murmurei. Não por causa do que tinha feito, mas por causa do que tinha vestido. Tinha deixado para trás a armadura Shotet, pelo que estava só em camisa. Acreditava que não precisava de armadura. Mas não via Akos a lutar há muito tempo.

Akos entrou na arena pouco depois, usando a armadura que ganhara e as botas robustas que calçara em Pitha. Foi cumprimentado com provocações e gestos obscenos, mas não pareciam atingi-lo, onde quer que ele realmente estivesse. Até a prudência que havia sempre nos seus olhos se esfumara.

Suzao puxou da faca e o olhar de Akos subitamente endureceu-se, como se tivesse tomado uma decisão. Puxou da própria faca. Sabia qual era; era a que eu lhe tinha dado, a faca simples de Zold.

Ao seu toque, nenhuns tentáculos de corrente se enrolaram à volta da lâmina. Para a multidão, tão habituada a ver pessoas a lutar com espadascorrentes, em vez de facas simples, tinha a certeza de que era como se a faca estivesse empunhada pela mão de um cadáver. Todos os sussurros sobre ele, sobre a sua resistência à corrente, estavam agora confirmados. Tanto melhor que o seu dom os assustasse: O temor dava a uma pessoa um tipo diferente de poder. Eu sabia disso.

Suzao agitou a sua faca para trás e para a frente, fazendo-a girar nas palmas das mãos, ao mesmo tempo. Era um truque que devia ter aprendido com os seus amigos treinados na zivatahak, porque era claramente um estudante da altetahak, com os músculos inchados sob o tecido da camisa.

— Pareces nervosa — disse Vas. — Precisas de uma mão para agarrar?

— Só estou nervosa pelo teu homem — disse eu. — Guarda a tua mão para ti; tenho a certeza de que vais precisar dela mais tarde.

Vas riu-se.

— Imagino que agora já não precises de mim, agora que encontraste outra pessoa que te pode tocar.

— O que é que isso quer dizer?

— Sabes exatamente o que quer dizer. — Os olhos de Vas brilharam de raiva. — É melhor manteres os olhos no teu animalzinho de estimação Thuvhesit. Está prestes a morrer.

Suzao tinha atacado primeiro, lançando-se sobre Akos que, com um passo para o lado, se tinha afastado do movimento preguiçoso, sem pestanejar.

— Oh, és rápido — disse Suzao, com a voz a ecoar pelos amplificadores. — Exatamente como a tua irmã. Quando a apanhei, já quase tinha aberto a porta da frente.

Lançou-se na direção da garganta de Akos, novamente, e tentou levantá-lo para o empurrar contra a parede da arena. Mas Akos levou a parte interior do pulso contra o de Suzao, libertando-se, escapando dele. Eu conseguia ouvir as regras da estratégia elmetahak, a dizer-lhe para se manter à distância de um adversário maior do que ele.

Akos rodopiou a faca uma vez, na palma da mão, num movimento deslumbrante pela sua velocidade. A luz refletiu-se na lâmina, disseminando-se pelo chão, e Suzao seguiu-a com o olhar. Akos aproveitou a distração momentânea e deu-lhe um murro forte com a mão esquerda.

Suzao recuou, aos tropeções, com sangue a escorrer das narinas. Não se tinha apercebido de que Akos era canhoto. Ou que eu o tinha posto a fazer flexões o tempo todo, desde que o tinha conhecido.

Akos foi atrás dele, dobrando-lhe o braço e puxando-o para cima com o cotovelo, golpeando novamente Suzao no nariz. O grito de Suzao ecoou no espaço. Atacou cegamente, agarrando a parte de frente da armadura de Akos e atirando-o para o lado. O equilíbrio de Akos falhou e Suzao empurrou-o para o chão com um joelho, e esmurrou-o com força no queixo.

Encolhi-me. Akos, parecendo atordoado, puxou o joelho para

cima, para a cara, como se fosse tentar atirar Suzao para longe. Em vez disso, puxou de uma faca da parte lateral da bota e espetou a lâmina de lado, no tronco de Suzao, exatamente entre duas costelas.

Suzao, perplexo, caiu, olhando para o cabo que lhe saía do corpo. Akos atingiu-o com a outra faca. Houve um lampejo de vermelho na garganta de Suzao, quando colapsou.

Nem sequer me tinha apercebido de quão tensa estava, até a luta terminar e os meus músculos relaxarem.

A toda a minha volta havia barulho. Akos dobrou-se sobre o corpo de Suzao e arrancou a segunda faca. Limpou a lâmina nas calças e voltou a embainhá-la na bota. Conseguia ouvir a sua respiração a tremer, amplificada pelos intensificadores.

Não entres em pânico, pensei, na sua direção, como se ele conseguisse ouvir.

Limpou o suor da testa com a manga e ergueu os olhos para as pessoas sentadas à volta da arena. Virou-se num círculo lento, como se fitasse cada um deles. Depois, embainhou a outra faca e passou por cima do corpo de Suzao, a caminho da saída.

Esperei alguns segundos e depois saí da plataforma, para o seio da multidão. As minhas roupas pesadas balouçavam para longe do meu corpo, enquanto caminhava. Puxei a saia para cima com ambas as mãos e tentei apanhar Akos, mas ele tinha demasiado avanço; não o vi, enquanto caminhava pelos corredores, em direção aos nossos aposentos.

Depois de ter alcançado a porta, parei com a mão perto do sensor, à escuta.

Primeiro, só ouvi uma respiração pesada, que se transformou num soluçar. Depois, Akos gritou e houve um enorme estrondo, seguido de outro. Gritou novamente e eu encostei o ouvido à porta, para ouvir, com o lábio inferior preso entre os dentes. Mordi-o com tanta força, que senti o sabor de sangue quando os gritos de Akos se transformaram em soluços.

Toquei no sensor, abrindo a porta.

Estava sentado no chão da casa de banho. Havia pedaços de espelho estilhaçado a toda a volta dele. Tinha arrancado as cortinas do chuveiro do teto e o suporte da toalha da parede. Não olhou para mim quando entrei, nem sequer quando caminhei cuidadosamente entre os fragmentos de vidro, para chegar até ele.

Ajoelhei-me entre os cacos e estiquei-me por cima do seu ombro, para abrir o chuveiro. Esperei até que a água estivesse quente e depois puxei-o pelos braços, para debaixo do jato.

Fiquei de pé no chuveiro, junto dele, totalmente vestida. A sua respiração saía em explosões intensas contra a minha bochecha. Pus a mão atrás do seu pescoço e empurrei-lhe o rosto na direção da água. Fechou os olhos e deixou que ela lhe batesse na face. Os seus dedos a tremer procuraram os meus e apertou a minha mão contra o peito, contra a armadura.

Ficámos de pé, juntos, durante muito tempo, até as suas lágrimas se acalmarem. Depois, desliguei a água e conduzi-o até à cozinha, espalhando pedaços de vidro com os pés enquanto caminhava.

Ele olhava fixamente para a distância. Não tinha a certeza se ele sabia onde estava ou o que lhe estava a acontecer. Desapertei as correias da sua armadura e tirei-lha por cima da cabeça; agarrei na costura da sua camisa e puxei a roupa molhada do seu corpo; desabotoei as calças e deixei-as cair no chão, num monte ensopado.

Tinha sonhado acordada com vê-lo assim e até com despi-lo, um dia, retirando algumas das camadas que nos separavam, mas isto não era um sonho. Ele estava a sofrer. Queria ajudá-lo.

Não tinha noção da minha própria dor, mas enquanto o ajudava a secar-se vi as sombrascorrentes a moverem-se, mais depressa do que o faziam há muito tempo. Era como se alguém as tivesse injetado nas minhas veias, por isso, viajavam juntamente com o meu sangue. O Dr. Fadlan tinha dito que o meu dom-corrente era mais forte quando me perturbava. Bom, tinha razão. Não me importava com Suzao, na verdade, estava a planear cuspir na sua pira funerária, só para ouvir o crepitar. Mas importava-me com Akos, mais do que ninguém.

Nessa altura, ele tinha regressado ao seu corpo e mostrava suficiente capacidade de reação para me ajudar a ligar o seu braço e caminhar para o quarto, sozinho. Assegurei-me de que estava debaixo dos cobertores, depois coloquei uma panela sobre um dos queimadores, no balcão da botica. Uma vez, ele tinha preparado uma poção, para me impedir de ter sonhos. Agora, era a minha vez.

CAPÍTULO 23 | AKOS

ESTAVA TUDO A ESCORREGAR para longe de Akos, seda sobre seda, óleo a pingar sobre água. Perdia a noção do tempo, por vezes, com alguns minutos a transformar-se numa hora no chuveiro, e saía com dedos enrugados, e pele brilhante. Ou uma noite de sono, a durar até à tarde seguinte. Perdia a noção do espaço, outras vezes, e estava de pé, no desafio de arena, manchado com o sangue de outro homem, ou estava no esparto, a tropeçar nos esqueletos dos que lá se tinham perdido.

Perdia pétalas de flores do silêncio para o interior da bochecha, para se manter calmo. Ou a estabilidade das suas mãos, quando não paravam de tremer. Ou as palavras a caminho da sua boca.

Cyra deixou-o continuar assim, durante alguns dias. Mas, no dia anterior àquele em que estava previsto aterrarem em Voa, quando ele já tinha saltado várias refeições seguidas, entrou no seu quarto e disse:

— Levanta-te. Agora.

Akos limitou-se a olhar para ela, confuso, como se Cyra estivesse a falar uma língua que não conhecia.

Ela revirou os olhos, agarrou-lhe no braço e puxou. O seu toque ardeu. Ele encolheu-se.

— Merda — disse ela, soltando-o. — Estás a ver o que está a

acontecer? Estás a começar a sentir o meu dom-corrente, porque estás tão fraco que o *teu* dom-corrente está a falhar. É por isso que precisas de te levantar e comer alguma coisa.

— Para poderes recuperar o teu criado, é isso? — explodiu ele. Estava a perder a paciência, também. — Bom, eu desisto. Estou pronto para morrer pela tua família, o que quer que isso signifique.

Ela curvou-se, para que os seus rostos ficassem ao mesmo nível, e disse:

— Eu sei o que é tornarmo-nos algo que odiamos. Sei como isso te magoa. Mas a vida está cheia de dor. — As sombras acumularam-se nas órbitas dos seus olhos, como para o provarem. — E a tua capacidade para a suportar é muito maior do que imaginas.

Os olhos dela agarraram os dele, durante alguns segundos, e depois Akos disse:

— Que tipo de discurso de incentivo é esse, «A vida está cheia de dor»?

— Que eu saiba, o teu irmão ainda cá está — disse ela. — Portanto, se não for por nenhuma outra razão, devias tentar manter-te vivo para o tirares de cá.

— Eijeh. — Soprou. — Como se a questão fosse essa.

Não tinha pensado em Eijeh, desde que tirara a vida de Suzao. A única coisa em que pensava era no quanto tinha desejado que Suzao morresse.

— Então, qual é a questão, exatamente? — Ela cruzou os braços.

— Como é que eu hei de saber? — Abriu os braços, enfaticamente, e bateu com a mão contra a parede. Ignorou a dor nos nós dos dedos. — Foste tu que me fizeste ser assim, porque não mo dizes tu? Não há lugar para a honra, quando se trata da sobrevivência, lembras-te?

Qualquer centelha que houvesse atrás dos olhos dela, apagou-se perante a recordação. Ele estava prestes a tentar agarrar as palavras de volta, quando bateram à porta. Da ponta da sua cama, observou Cyra a abri-la. O guarda com o trabalho mais aborrecido do mundo estava à porta, com Jorek atrás.

Akos inclinou o rosto para a mão.

— Não o deixes entrar.

— Acho que estás a esquecer-te a quem pertencem estes aposentos — disse Cyra, áspera, e afastou-se para trás, para que Jorek pudesse entrar.

— Porra, Cyra! — Pôs-se de pé. A sua visão obscureceu durante alguns instantes e cambaleou até à soleira da porta. Talvez ela tivesse razão; precisava realmente de comer alguma coisa.

Os olhos de Jorek arregalaram-se, ao vê-lo.

— Boa sorte — disse-lhe Cyra e fechou-se na casa de banho.

Jorek olhava para todo o lado, para a parede decorada com armaduras e para as plantas penduradas no teto, para as panelas brilhantes e para as frigideiras empilhadas no fogão frágil. Coçou o pescoço, deixando linhas cor-de-rosa na pele, o seu tique nervoso. Akos moveu-se na sua direção, sentindo cada parte do seu corpo pesada. Estava sem fôlego, quando chegou à cadeira e se sentou.

— O que estás aqui a fazer? — disse, sentindo-se selvagem. Queria cravar as suas unhas bem fundo, recusar-se a deixar que algo mais escorregasse para longe. Nem que isso significasse magoar Jorek, que já tivera mais do que a parte que lhe cabia de dor. — Conseguiste o que querias, não conseguiste?

— Sim, consegui — disse Jorek, calmamente. Sentou-se ao lado de Akos. — Vim agradecer-te.

— Não foi um favor, foi uma transação. Eu matava o Suzao, tu tiravas o Eijeh daqui.

— O que será mais fácil de fazer, quando aterrarmos em Voa — disse Jorek, ainda naquela horrível voz calma, como se estivesse a tentar sossegar um animal. «Talvez», pensou Akos, «fosse exatamente isso que estava a tentar fazer». — Ouve, eu... — Franziu o sobrolho. — Eu não sabia verdadeiramente o que te estava a pedir que fizesses... Pensei... pensei que seria fácil para ti. Parecias ser o tipo de pessoa para quem seria fácil.

— Não quero falar sobre isso. — Akos embalou a cabeça nas mãos. Não conseguia suportar que tivesse sido tão fácil. Suzao não tivera qualquer hipótese, não percebera no que se estava a meter. Akos sentia-se mais como um assassino agora, do que após o seu primeiro assassinato. Pelo menos esse, o assassinato de Kalmev, tinha sido selvagem e louco, quase um sonho. Não como este.

Jorek pousou-lhe uma mão no ombro. Akos tentou sacudi-la, mas ele não deixou, não até que Akos olhasse para ele.

— A minha mãe mandou-me vir aqui, com isto — disse Jorek. Tirou uma longa corrente do bolso, com um anel pendurado. Era feito de um metal brilhante, cor-de-rosa alaranjado, e tinha um símbolo estampado. — Este anel tem um símbolo da família dela. Ela queria dar-to.

Akos percorreu com dedos trémulos a corrente delicada, mas dobrada sobre si mesma para ser mais resistente. Apertou o anel com o punho fechado, para que o símbolo da família da mãe de Jorek ficasse marcado na palma da sua mão.

— A tua mãe — questionou ele — *agradece-me*?

A voz saiu entrecortada. Deixou a cabeça repousar sobre a mesa. Não derramou nenhuma lágrima.

— A minha família agora está segura — disse Jorek. — Vem visitar-nos um dia destes, se puderes. Vivemos numa das extremidades de Voa, entre a Divisória e o campo de treino. Uma pequena povoação mesmo à saída da estrada. Serás sempre bem-vindo entre nós, por aquilo que fizeste.

Akos sentiu calor na parte de trás da cabeça, a mão de Jorek a pressioná-la gentilmente. Era mais reconfortante do que ele imaginara.

— Oh. E... não te esqueças de gravar a marca do meu pai no braço. Por favor.

A porta fechou-se. Akos enrolou os braços à volta da cabeça, com o anel ainda na mão fechada. Os nós dos seus dedos estavam cortados, devido à luta; sentiu as cicatrizes a esticarem-se, quando dobrou os dedos. A porta da casa de banho chiou, quando Cyra a abriu. Fez algum barulho a andar pela cozinha durante alguns minutos e depois pôs um pedaço de pão à frente de Akos. Ele comeu-o tão depressa que quase se engasgou, depois deixou cair o braço esquerdo e virou-o, para que as marcas de assassinatos ficassem de frente para ela.

— Grava a marca — disse ele. Estava tão rouco que as palavras quase não saíram.

— Isso pode esperar. — Cyra passou a mão pelo seu cabelo curto. Ele tremeu com o toque leve. O seu dom-corrente já não o estava a magoar. Talvez, afinal, Jorek lhe tivesse proporcionado algum alívio. Ou fora simplesmente o pão.

— Por favor. — Ele ergueu a cabeça. — Peço-te... fá-lo agora.

Cyra esticou-se para pegar na faca e Akos viu os músculos contraídos do seu braço. Toda ela era músculo, Cyra Noavek, sem grandes reservas. Mas, no interior, cada vez mais suave, era um punho a aprender a abrir-se.

Ela agarrou-lhe no pulso. Os dedos dele repousaram na sua pele, diminuindo as sombras que fluíam através dela. Era mais fácil sem elas, ver como era bonita, com o cabelo em caracóis compridos e soltos a brilhar sob a luz oscilante, com os olhos tão escuros que pareciam pretos. Com o nariz aquilino de ossos finos e a mancha junto à traqueia, uma marca de nascença, com um formato de algum modo elegante.

Colocou a ponta da faca contra o seu braço, ao lado da segunda marca, com o cardinal a atravessá-la.

— Pronto? — disse ela. — Um, dois...

Ao dizer «dois», enterrou sem misericórdia a ponta da faca. Depois, procurou a garrafinha na gaveta, com o respetivo pincel. Ele observou-a a colocar o líquido escuro na sua ferida recente, com toda a subtileza de um pintor, num cavalete. Uma dor aguda percorreu-lhe o braço. Seguiu-se uma vaga de energia, adrenalina, a expulsar a confusão dolorosa e latejante do resto dele.

Ela sussurrou o nome sobre a pele dele:

— Suzao Kuzar.

E ele sentiu-o, sentiu a perda, o peso e a permanência, exatamente como era suposto sentir. Permitiu a si próprio encontrar alívio no ritual Shotet.

— Desculpa — disse ele, sem ter a certeza do motivo pelo qual se desculpava, por ter sido mau com ela momentos antes, por tudo o que acontecera desde o desafio ou por outra coisa. No dia seguinte ao desafio, acordara com ela a varrer o vidro partido da casa de banho e, mais tarde, com ela a aparafusar de novo o suporte da toalha, na parede. Não se lembrava de o ter arrancado. Além disso, ficou perplexo ao ver que ela sabia usar ferramentas, como um plebeu. Mas Cyra era assim, absolutamente cheia de conhecimento aleatório.

— Não estou assim tão exausta, que não me lembre — disse ela, afastando os olhos dele. — Dessa sensação, como se tudo estivesse arruinado. A ruir.

Ela colocou a mão sobre a dele e levantou a outra para tocar no seu pescoço, ao de leve. Ele contraiu-se, no início, depois descontraiu. Ainda tinha a marca no local onde Suzao o tinha estrangulado, no refeitório.

Então, Cyra estava a mover os dedos para trás, na direção da sua orelha, percorrendo a cicatriz que Ryzek cortara no seu pescoço, e ele estava a entregar-se ao toque. Akos estava quente, demasiado quente. Nunca se tinham tocado assim. Ele nunca pensou que desejava que o fizessem.

— Não fazes qualquer sentido para mim — disse ela.

A palma da sua mão estava no rosto dele e então os seus dedos curvaram-se, atrás da sua orelha. Dedos longos, finos, com tendões e veias sempre retesados. Nós dos dedos tão secos, que a pele estava a descamar em alguns sítios.

— Tudo o que te aconteceu tornaria qualquer outra pessoa dura e desesperançada — disse ela. — Por isso, como... como é que tu és sequer possível?

Ele fechou os olhos. Com dor.

— Mesmo assim, Akos, isto é uma guerra. — Ela encostou a

sua testa à dele. Os dedos dela estavam firmes, ajustados aos seus ossos. — Uma guerra entre ti e o povo que destruiu a tua vida. Não tenhas vergonha de lutar.

E então, um tipo diferente de dor. Uma pontada de desejo, profunda, nas suas vísceras.

Ele *queria-a.*

Queria percorrer com os dedos as suas maçãs do rosto, definidas. Queria saborear a marca de nascença elegante da sua garganta e sentir a respiração dela contra a sua boca, e enrolar o cabelo dela à volta dos dedos, até estes ficarem presos.

Voltou a cabeça e pressionou os lábios contra a bochecha dela, com força suficiente para não ser exatamente um beijo. Partilharam um suspiro. Depois, ele chegou-se para trás, pôs-se de pé e virou-se, afastando-se. Limpou a boca. Perguntou-se que raio se passava de errado com ele.

Cyra estava de pé, atrás dele, portanto Akos conseguia sentir o calor do seu corpo nas costas. Ela tocou o espaço entre os seus ombros. Foi o seu dom-corrente que lhe provocou um formigueiro na pele quando lhe tocou, mesmo através da camisa?

— Há uma coisa que tenho de fazer — disse ela. — Não demoro.

E, de repente, tinha desaparecido.

CAPÍTULO 24 | CYRA

CAMINHEI PELOS TÚNEIS da manutenção, com o rosto a latejar. A memória dos seus lábios contra a minha bochecha repetia-se uma e outra vez na minha cabeça. Tentei pisá-la como uma brasa perdida. Não conseguia atiçá-la e, ainda assim, fazer o que tinha de ser feito.

O caminho para o armário apertado de Teka era complicado e conduzia-me mais profundamente para a barriga da nave.

Ela respondeu ao meu bater suave na porta, numa questão de segundos. Usava roupas largas e os seus pés estavam descalços. Apertara um pano sobre o olho que lhe faltava, em vez de o cobrir com uma pala. Por cima do seu ombro, vi a cama suspensa, com a secretária provisória por baixo, agora livre de todos os parafusos, ferramentas e fios, pronta para o regresso a Voa.

— Que diabo! — disse ela e arrastou-me para dentro do quarto. O seu olho estava esgazeado com o susto. — Não podes simplesmente aparecer aqui, sem me avisares, estás maluca?

— Amanhã — disse eu. — O que quer que seja que vocês vão fazer ao meu irmão, devem fazê-lo amanhã.

— Amanhã — repetiu ela. — Amanhã, o dia depois de hoje?

— Que eu saiba, é essa a definição oficial de «amanhã», sim — confirmei eu.

Ela sentou-se no banco frágil ao lado da secretária e pôs os cotovelos nos joelhos. Vi um lampejo de carne, quando a camisa lhe caiu para a frente: Não tinha uma cinta de peito vestida. Era estranho vê-la confortável e no seu próprio espaço. Não nos conhecíamos suficientemente bem para nos vermos uma à outra, assim.

— Porquê? — disse ela.

— Está tudo desorganizado, no dia em que aterramos — disse eu. — O sistema de segurança da casa vai estar vulnerável, toda a gente vai estar exausta e é a altura perfeita para se se esgueirarem lá para dentro.

Teka franziu o sobrolho.

— Tens um plano?

— Portão das traseiras, porta das traseiras, passadiços escondidos, todos esses são fáceis de atravessar, porque eu sei os códigos — disse eu. — Só quando chegarmos aos compartimentos pessoais dele é que os sensores vão exigir o meu sangue. Se conseguirem estar no portão das traseiras, à meia-noite, posso ajudar-vos com o resto.

— E tens a certeza de que estás preparada para isso?

Uma imagem de Zosita estava pendurada na parede, por cima da cabeça de Teka, mesmo sobre a sua almofada. Ao lado, havia outra fotografia, um rapaz que parecia ser seu irmão. Senti a garganta apertada. De uma forma ou de outra, a minha família era responsável por cada uma das perdas que ela tinha sofrido.

— Que pergunta estúpida é essa? — disse, com uma expressão carrancuda. — Claro que estou pronta. Mas vocês estão prontos, para a vossa parte do acordo?

— O Kereseth? Sim — disse ela. — Tu metes-nos lá dentro, nós metemo-lo lá fora.

— Quero fazê-lo em simultâneo; não quero arriscar que ele fique ferido por causa do que eu estou a fazer — disse eu. — Ele é resistente à flor do silêncio, por isso, é necessária uma grande quantidade para o pôr inconsciente. E é um lutador habilidoso, por isso, não o subestimem.

Teka assentiu com a cabeça. E olhou para mim fixamente, mordendo o interior da bochecha.

— O que aconteceu? Pareces toda... desvairada, ou qualquer coisa assim — disse ela. — Tiveram uma discussão?

Não respondi.

— Não percebo — disse ela. — É óbvio que estás apaixonada por ele; porque queres que ele se vá embora?

Ponderei também não responder a isso. A sensação do seu queixo áspero a arranhar o meu rosto e da sua boca quente contra a minha pele, ainda me assombrava. Ele tinha-me beijado. De livre vontade, sem truques. Devia ter ficado feliz, confiante. Mas não era assim tão fácil, pois não?

Tinha dezenas de razões para lhe dar. Akos estava em perigo, agora que Ryzek se apercebera que o podia utilizar para me manipular. Eijeh estava perdido e talvez Akos o conseguisse aceitar quando estivesse em casa, com a mãe e a irmã. Akos e eu nunca seríamos iguais, enquanto ele fosse prisioneiro de Ryzek aqui, por isso, tinha de me assegurar que era libertado. Mas a razão mais forte foi aquela que saiu bruscamente.

— Estar aqui, está a... destruí-lo — disse eu. Mudei o peso do meu corpo de um pé para o outro, desconfortável. — Não aguento mais ver isso a acontecer. Não vou fazê-lo.

— Sim. — A voz dela era suave. — Aconteça o que acontecer, tu metes-nos lá dentro, nós metemo-lo lá fora. OK?

— Ok — disse eu. — Obrigada.

Sempre detestara voltar para casa.

Muitos dos Shotet iam para o convés de observação dar vivas, enquanto o nosso planeta branco voltava a avistar-se. A energia na nave era frenética e alegre, enquanto toda a gente arrumava os seus pertences e se preparava para se reunir com os novos, e os velhos que tinham ficado para trás. Mas eu estava pesarosa.

E nervosa.

Não arrumei muitas coisas. Alguma roupa, algumas armas. Deitei fora a comida perecível e tirei os lençóis e cobertores da cama. Akos ajudou, em silêncio, com uma ligadura ainda enrolada ao braço. O saco com os seus pertences já estava em cima da mesa. Tinha-o visto a arrumar algumas roupas e alguns dos livros que eu lhe tinha dado, com as suas páginas preferidas dobradas. Embora já tivesse lido todos esses livros, quis voltar a abri-los só para procurar as partes que ele mais estimava. Quis lê-las, como se estivesse imersa na sua mente.

— Estás a agir de forma estranha — disse ele, quando acabámos. E apenas nos restava esperar.

— Não gosto de ir para casa — confessei eu. Pelo menos, era verdade.

Akos olhou em redor e encolheu os ombros.

— Parece que *esta* é a tua casa. Há mais de ti aqui do que em qualquer sítio, em Voa.

Tinha razão, claro. Fiquei feliz por ele saber o que era verdadeiramente «mais de mim»; pelo facto de ele, possivelmente, saber tanto de mim através da observação, como eu sabia dele.

E eu realmente conhecia-o. Conseguiria identificá-lo no meio de uma multidão, só pelo andar. Conhecia o tom das veias, que se viam nas costas das suas mãos. E a sua faca preferida, para cortar flores de gelo. E a forma como o seu hálito cheirava sempre a especiarias, como a flor do silêncio e folha de *sendes* misturadas.

— Talvez, da próxima vez, arranje mais coisas no meu quarto — disse ele.

Não vais voltar da próxima vez, pensei eu.

— Sim — forcei um sorriso. — Devias.

A minha mãe tinha-me dito, uma vez, que eu tinha um dom para fingir. O meu pai não gostava de ver dor, por isso, eu escondia a minha dor dele, quando era criança. A minha cara ficava passiva, mesmo com as unhas cravadas na palma da mão. E cada vez que ela me levava a um especialista ou um médico, por causa do meu dom-corrente, as mentiras sobre onde tínhamos ido saíam-me com tanta facilidade como a verdade. Fingir, na família Noavek, era uma questão de sobrevivência.

Usei esse dom enquanto passava pelos movimentos da aterragem e do regresso a casa: Ir para o cais de embarque depois de reentrarmos na atmosfera, entrar para um flutuador de transporte, a caminhada pública de volta à mansão Noavek, atrás de Ryzek. Nessa noite, jantei com o meu irmão e Yma Zetsyvis, fingindo não ver a mão dela no joelho dele, os seus dedos a baterem, nervosos, o olhar desvairado sempre que ele não se ria de uma das suas piadas.

Mais tarde, ela pareceu descontrair e deixaram todo o fingimento para trás, enrolando-se juntos num dos lados da mesa, com os cotovelos a chocarem enquanto cortavam a comida. Eu matara a sua família e agora ela era amante do meu irmão. Teria ficado enojada com a ideia, se não percebesse, tão bem, como era querer viver. *Precisar* disso, a qualquer custo.

Ainda percebia. Mas, agora precisava de outra coisa, mais do que disso: Que Akos estivesse seguro.

Depois, fingi ser paciente enquanto Akos me ensinava como prever quão forte um veneno seria, sem o provar. Tentei guardar cada momento na memória. Precisava de saber como preparar essas poções sozinha porque, em breve, ele não estaria ali. Se os rebeldes e eu fôssemos apanhados na nossa tentativa, nessa noite, provavelmente perderia a vida. Se fôssemos bem-sucedidos, Akos iria para casa e Shotet mergulharia no caos, sem o seu líder. Fosse como fosse, era improvável que o voltasse a ver.

— Não, não — disse Akos. — Não talhes isso assim. Corta às fatias; corta às fatias!

— Estou a cortar às fatias — disse eu. — Talvez, se as tuas facas não fossem tão fracas...

— Fracas? Conseguia cortar-te a ponta de um dedo com esta faca!

Girei a faca na minha mão e agarrei-a pelo cabo.

— Ai sim? Conseguias?

Ele riu-se e passou o braço por cima dos meus ombros. Senti o bater do coração na garganta.

— Não finjas que não és capaz de ser delicada; eu próprio já te vi a sê-lo.

Fiz uma expressão séria e tentei concentrar-me em «cortar às fatias». As minhas mãos estavam a tremer um pouco.

— Viste-me a dançar na sala de treino e achas que já sabes tudo sobre mim.

— Sei o suficiente. Olha, fatias! Eu disse-te.

Levantou o braço, mas deixou ficar a mão nas minhas costas, mesmo por baixo da faca de ombro. Carreguei a sensação comigo o resto da noite, enquanto terminávamos o elixir e nos preparávamos para ir para a cama, e ele fechava a porta entre nós.

Fechei os olhos enquanto o trancava, atravessei o corredor até à minha casa de banho e despejei o meu elixir do sono no lavatório.

Mudei-me para as mesmas roupas que usava para treinar, largas e flexíveis, e sapatos que seriam silenciosos nas tábuas do soalho. Entrancei o cabelo, com tranças bem apertadas para não me atrapalhar, e depois prendi-o em baixo, para que não mo pudessem agarrar e puxar numa luta. Amarrei a faca no fundo das costas, de lado, para poder agarrar o cabo facilmente. Provavelmente, não a usaria; preferia simplesmente as minhas mãos, em momentos de crise.

Depois, esgueirei-me para trás do painel de parede no meu quarto e avancei furtivamente pelos corredores, em direção à porta das traseiras. Sabia o caminho de cor, mas apalpava os códigos em todas as esquinas, de qualquer forma, para me assegurar de que estava no sítio certo. Parei junto do círculo gravado na parede, perto das cozinhas, que assinalava a saída secreta.

Estava mesmo a fazê-lo. A ajudar um grupo de rebeldes a assassinar o meu irmão.

Ryzek vivera a sua vida numa confusão de crueldade, obedecendo às instruções do nosso pai há muito falecido, como se o homem estivesse de pé sobre ele e não fruindo nada dela. Homens como Ryzek Noavek não nasciam; eram feitos. Mas não era possível o tempo andar para trás. Tal como ele tinha sido feito, tinha de ser desfeito.

Empurrei a porta escondida e caminhei a direito através dos caules de esparto, até ao portão. Vi caras pálidas entre as ervas, a de Lety, a de Uzul, a da minha mãe, chamando-me na sua direção. Sussurraram o meu nome e o sussurro soou como o barulho da erva ao vento. Tremendo, digitei a data do aniversário da minha mãe na caixa ao lado do portão e a porta abriu-se com um clique.

À espera, a alguns metros de distância, no escuro, estavam Teka, Tos e Jorek, de rostos cobertos. Inclinei a cabeça para o lado e eles passaram por mim em fila indiana, para o esparto. Fechei o portão atrás deles e depois ultrapassei Teka, para lhes mostrar a porta das traseiras.

Pareceu-me, enquanto os guiava através das passagens para a ala do meu irmão, que uma coisa tão grandiosa não deveria acontecer em silêncio total. Mas, talvez o silêncio reverente fosse um reconhecimento do que estávamos a fazer. Toquei nos cantos, apalpando os sulcos profundos que sugeriam a aproximação das escadas. Avancei, apoiando-me na memória, evitando pregos salientes e tábuas do soalho rachadas.

No lugar onde os corredores se dividiam, o esquerdo conduzindo à minha parte da casa e o direito à de Ryzek, virei-me para Tos.

— Vai pela esquerda, terceira porta — disse. Entreguei-lhe a chave do quarto de Akos. — Isto irá destrancar a porta. Talvez tenhas de ser um pouco vigoroso com ele, antes de o drogares.

— Não estou preocupado — disse Tos. Eu também não estava; Tos era grande como um pedregulho, não interessava quão habilidoso Akos se tornara a defender-se. Observei, enquanto Tos dava um aperto de mão a Teka e Jorek, um de cada vez, e desaparecia pelo corredor da esquerda.

Quando nos aproximámos da parte da casa de Ryzek, movi-

-me mais lentamente, recordando o que Ryzek tinha dito a Akos sobre a segurança avançada perto dos seus compartimentos. Teka tocou-me no ombro e deslizou para a minha frente. Agachou-se e pressionou as palmas das mãos contra o chão. De olhos fechados, inspirou profundamente pelo nariz, várias vezes.

Depois, pôs-se de pé, fazendo um gesto afirmativo com a cabeça.

— Nada neste corredor — disse, suavemente.

Caminhámos nesse sentido durante algum tempo, parando em cada esquina ou curva para Teka poder usar o seu dom-corrente, para sentir o sistema de segurança. Ryzek nunca teria previsto que uma rapariga que vivia besuntada em óleo e coberta de fios pudesse ser a responsável pela sua desgraça.

Então, a passagem interrompeu-se bruscamente. Tapada. Claro: Ryzek provavelmente tinha mandado fechar os corredores mais pequenos, depois de Akos quase ter escapado.

O meu estômago revolveu-se, mas não entrei em pânico. Deslizei o painel da parede atrás de nós e entrei na salinha de estar, à frente. Estávamos apenas a alguns compartimentos do escritório e do quarto de Ryzek. Entre nós e ele, havia pelo menos três guardas e a fechadura que só o meu sangue Noavek poderia abrir. Não seríamos capazes de passar pelos guardas sem causar uma perturbação que atrairia os outros.

Bati ao de leve no ombro de Teka e encostei-me a ela para lhe sussurrar ao ouvido:

— De quanto tempo precisam?

Ela levantou dois dedos.

Assenti com a cabeça e puxei da minha faca. Segurei-a junto da perna, com os músculos tensos, antecipando um movimento repentino. Saímos da sala de estar e o primeiro guarda estava logo ali, a caminhar pelo corredor. Caminhei atrás dele durante alguns segundos, alinhando o meu passo com o dele. Depois, pus a mão esquerda sobre a sua boca e esfaqueei-o com a direita, enfiando a faca por baixo da armadura e espetando-a entre as costelas.

Gritou para dentro da minha mão, que apenas serviu para abafar o grito, não para o silenciar. Deixei-o cair e corri na direção dos aposentos de Ryzek. Os outros seguiram-me, já não se dando ao trabalho de serem silenciosos. Ouvi gritos mais à frente. Jorek passou por mim a correr e precipitou-se sobre outro guarda, derrubando-o, com recurso unicamente à força bruta.

Encarreguei-me do seguinte, agarrando-o pela garganta, com as sombrascorrentes acumuladas na palma da minha mão, arremessando-o contra a parede à minha esquerda. Depois, detive-me à frente da porta de Ryzek, com o suor a escorrer por trás da minha orelha. O sensor de sangue era uma abertura na parede, apenas com largura suficiente para que coubesse uma mão.

Dirigi uma mão na sua direção, com Teka a respirar pesadamente sobre o meu ombro. A toda a nossa volta havia gritos e pessoas a correr, mas ainda ninguém nos tinha alcançado. Senti uma picada enquanto o sensor tirava o meu sangue e esperei que a porta de Ryzek se abrisse.

Não o fez.

Retirei a mão e tentei novamente, com a esquerda.

A porta continuava a não abrir.

— Não consegues abri-la? — disse para ela. — Com o teu dom?

— Se conseguisse, não teríamos precisado de *ti*! — gritou. — Consigo acendê-la e apagá-la, destrancá-la não...

— Não está a funcionar. Vamos!

Agarrei no braço de Teka, demasiado agitada para me importar com a dor que o meu toque lhe causava, e arrastei-a pelo corredor. Ela gritou:

— Corre!

E Jorek atingiu o guarda com quem estava a lutar, com o cabo da espadacorrente. Cortou a armadura de outro guarda e depois seguiu-nos para dentro da salinha de estar. Voltámos a correr pelos corredores.

— Estão nas paredes! — ouvi. Luzes entravam através das fendas de cada porta e painel secretos. Toda a casa estava acordada. Os meus pulmões ardiam, do esforço de correr. Ouvi o som de algo a raspar atrás de nós, enquanto um dos painéis se abria.

— Teka! Vai ter com o Tos e o Akos! — disse eu. — Vira à esquerda, depois à direita, desce as escadas e vira à direita, novamente. O código da porta das traseiras é o 0503. Repete.

— Esquerda, direita, para baixo, direita, 0503 — repetiu Teka. — Cyra...

— Vai! — Gritei, lançando-lhe de volta: — Eu meto-vos cá dentro, vocês metem-no lá fora, lembras-te? Bom, não consegues metê-lo lá fora, se estiveres morta! Por isso, vai!

Lentamente, Teka assentiu com a cabeça.

Pus-me no meio do corredor. Ouvi, mais do que vi, Teka e Jorek a correrem. Os guardas tomaram de assalto o corredor estreito e eu deixei a dor aumentar dentro de mim, até quase não conseguir ver. O meu corpo estava tão repleto de sombras que eu era a manifestação da escuridão, um fragmento da noite, completamente vazia.

Gritei e atirei-me para cima do primeiro guarda. A explosão de dor atingiu-o ao mesmo tempo que a minha mão e gritou, caindo no chão mal lhe toquei. Lágrimas escorriam pelo meu rosto, enquanto corria para o seguinte.

E para o seguinte.

E para o seguinte.

Só precisava de ganhar algum tempo para os rebeldes. Mas era demasiado tarde para mim.

CAPÍTULO 25 | CYRA

— VEJO QUE FIZESTE ALGUMAS obras de modernização, na prisão — disse eu, a Ryzek.

A minha mãe e o meu pai tinham-me levado ali, à fileira de celas por baixo do anfiteatro, quando era criança. Não era a prisão oficial de Voa, mas um complexo especial, escondido, no centro da cidade, destinado apenas a inimigos da família Noavek. A última vez que o tinha visto era de pedra e metal, como algo saído de um livro de história.

Agora, o chão era escuro, feito de um material parecido com vidro, mas mais duro. Não havia mobília na minha cela, exceto um banco de metal, uma sanita e lavatório, escondidos atrás de um biombo. A parede que me separava do meu irmão era feita de vidro espesso, com uma abertura para a comida, agora aberta, para que nos pudéssemos ouvir um ao outro a falar.

Estava no banco, neste momento, enfiada no canto, com as pernas esticadas à minha frente. Estava pesada do cansaço e escura da dor, com contusões onde o Vas me tinha agarrado quando estávamos nos corredores, escondidos, para me impedir de ferir mais guardas. Um galo na parte de trás da cabeça, de quando ele me tinha atirado contra a parede para me deixar inconsciente, latejava.

— Quando é que tu viraste, sua traidora? — Ryzek estava no

corredor, vestido com a armadura. As luzes superiores ténues manchavam-lhe a pele de azul. Pôs o braço contra o vidro que nos separava e inclinou-se para a frente.

Era uma pergunta interessante. Não sentia que tinha «virado», mas antes que me tinha movido finalmente na direção que estava à minha frente. Pus-me de pé e a minha cabeça latejou, mas não era nada, comparado com a dor das sombrascorrentes que tinham ficado descontroladas, movendo-se tão depressa que não conseguia acompanhá-las. Os olhos de Ryzek seguiram-nas pelos meus braços, pernas e rosto, como se fossem a única coisa que ele conseguia ver. Eram a única coisa que ele alguma vez tinha conseguido ver.

— Sabes, nunca chegaste a ter realmente a minha lealdade — disse eu, caminhando na direção do vidro. Estávamos apenas a uns centímetros de distância, mas eu sentia-me intocável. Finalmente, podia dizer-lhe o que quisesse. — Mas, provavelmente, não teria agido contra ti se simplesmente nos tivesses deixado em paz, como te disse para fazeres. No entanto, quando foste atrás do Akos, apenas para me controlar... bom. Foi mais do que eu podia aceitar.

— És uma idiota.

— Não sou, nem de perto nem de longe, tão idiota como pensas.

— Sim, certamente provaste isso. — Riu-se, fazendo um gesto largo para a prisão à nossa volta. — Isto é, claramente, o resultado da tua mente brilhante.

Inclinou-se novamente para a barreira e curvou-se para ficar mais perto da minha cara, com a respiração a embaciar o vidro.

— Sabias — disse Ryzek — que o teu querido Kereseth conhece a chanceler Thuvhesit.

Senti uma pontada de medo. Na verdade, sabia. Akos tinha-me falado de Orieve Benesit quando vimos as imagens da chanceler a autoproclamar-se. Ryzek não sabia disso, claro, mas também não teria falado nisso se Akos tivesse conseguido sair da mansão Noavek com os rebeldes. Então, o que lhe tinha acontecido? Onde estava agora?

— Não — disse eu, com a garganta seca.

— Sim, é um grande inconveniente que as irmãs Benesit sejam gémeas; quer dizer, não sei qual delas atacar primeiro e as visões do Eijeh deixaram bem claro que tenho de as matar numa ordem específica, para conseguir o resultado mais desejável — disse Ryzek, sorrindo. — As visões dele também deixaram claro que o Akos tem a informação de que necessito para cumprir o meu objetivo.

— Então, ainda não roubaste o dom-corrente do Eijeh — disse eu, esperando empatá-lo. Não sabia o que poderia ganhar com empatá-lo, apenas sabia que queria tempo, tanto tempo quanto conseguisse, antes de ter de enfrentar o que tinha acontecido com Akos e com os rebeldes.

— Em breve, vou resolver essa questão — disse Ryzek, sorrindo. — Tenho avançado com cautela, um conceito que tu nunca percebeste muito bem.

Bom, tinha razão nesse ponto.

— Porque é que o meu sangue não funcionou na fechadura de genes? — disse eu.

Ryzek continuou apenas a sorrir.

Depois, disse:

— Devia ter mencionado isto mais cedo, mas apanhámos um dos teus amigos rebeldes, o Tos. Ele disse-nos, depois de alguns incentivos, que estavas a participar num atentado contra a minha vida. Agora, está morto. Receio ter-me entusiasmado um bocadinho demais. — Ryzek fez um sorriso ainda mais rasgado, mas os seus olhos estavam um pouco desconcentrados, como se tivesse tomado flor do silêncio. Embora Ryzek agisse como se fosse insensível, eu sabia o que realmente tinha acontecido. Tinha assassinado Tos porque acreditava que era necessário, mas não tinha conseguido suportá-lo. Tinha tomado flor do silêncio para se acalmar, depois disso.

— O que é que — indaguei eu, inexpressivamente, com dificuldade em respirar — fizeste com o Akos?

— Não pareces ter nenhum arrependimento — continuou Ryzek, como se eu não tivesse falado. — Talvez, se tivesses implorado pelo meu perdão, eu tivesse sido indulgente contigo. Ou com ele, se preferisses. E, no entanto... aqui estamos.

Endireitou-se, enquanto a porta no final do bloco de celas se abria. Vas entrou primeiro, com o rosto pisado no sítio onde eu o tinha atingido com o cotovelo. Eijeh veio a seguir, carregando um homem vergado, ao lado. Reconheci a cabeça pendurada, o corpo comprido e esguio que cambaleava ao seu lado. Eijeh deixou cair Akos no chão do corredor e ele caiu com facilidade, cuspindo sangue no chão.

Pensei ter visto uma centelha de compaixão no rosto de Eijeh, enquanto olhava para baixo, para o irmão, mas um segundo depois tinha desaparecido.

— Ryzek. — Senti-me selvagem. Desesperada. — Ryzek, ele não teve nada a ver com isto. Por favor, não o arrastes para isto; ele não sabia, não sabia de nada...

Ryzek riu-se.

— Eu sei que ele não sabe nada sobre os rebeldes, Cyra. Já não falámos sobre isso? É aquilo que ele sabe sobre a chanceler que me interessa.

Ambas as minhas mãos pressionaram o vidro e afundei-me até ficar de joelhos. Ryzek agachou-se à minha frente.

— É por isto — disse ele — que deves evitar ter ligações. Eu posso usar-te para descobrir o que ele sabe sobre a chanceler e a ele para saber o que tu sabes sobre os rebeldes. Muito direto, muito simples, não achas?

Recuei, com o corpo a latejar pelo bater do meu coração, até que a minha coluna tocou na parede mais afastada. Não podia correr, não podia fugir, mas não tinha de lhes facilitar as coisas.

— Trá-la cá para fora — disse Ryzek, digitando o código para abrir a porta da cela. — Vamos ver se o Kereseth já está suficientemente fraco para isto funcionar.

Afastei-me da parede, atirando-me para cima de Vas com toda a força que consegui, quando ele entrou na cela. Bati-lhe com o ombro na barriga, deitando-o ao chão. Ele tinha-me agarrado pelos ombros, mas os meus braços ainda tinham mobilidade suficiente para lhe arranhar o rosto, arrancando sangue da sua pele, mesmo abaixo do olho. Ryzek interveio, desferindo-me um golpe no queixo, e eu caí para o lado, tonta.

Vas arrastou-me para junto de Akos, por isso, ajoelhámo-nos à frente um do outro, com um espaço entre nós que quase não chegava ao comprimento de um braço.

— Desculpa — foi só no que consegui pensar para lhe dizer. Afinal, a culpa era minha, que ele estivesse ali. Se eu não me tivesse envolvido com os rebeldes... mas era demasiado tarde para esse tipo de pensamento.

Tudo dentro de mim abrandou quando os seus olhos se encontraram com os meus, como se o tempo tivesse parado. Passei os olhos sobre ele, atentamente, como uma carícia, pelo cabelo castanho, despenteado, pelo pó das sardas no nariz e pelos olhos cinzentos, desprotegidos, pela primeira vez, desde que me lembrava. Não vi as contusões ou o sangue que o marcavam. Ouvi a sua respiração. Ouvira-a no meu ouvido logo depois de o ter beijado, cada expiração a explodir um bocadinho, como se não a quisesse soltar.

— Sempre pensei que o meu destino significava que morreria como um traidor do meu país. — A voz de Akos estava rouca, como se a tivesse gastado a gritar. — Mas tu fizeste com que isso não aconteça.

Fez-me um sorriso, um sorriso selvagem.

Soube, então, que ele não daria informação sobre a chanceler, independentemente do que acontecesse. Nunca tinha tido consciência de quão profundamente Akos sentia o seu destino. Morrer pela família Noavek sempre fora uma maldição para ele, certamente, tanto quanto a rendição à família Benesit o tinha sido para Ryzek. Mas, porque eu me tinha posicionado contra o meu irmão, se Akos morresse por mim, agora, isso significava que nunca traíra a sua casa. Portanto, talvez não fosse mau eu ter-nos custado a ambos as nossas vidas, ao ajudar os rebeldes. Talvez isso ainda tivesse algum significado.

Pensando assim, era muito simples. Ambos sofreríamos e depois morreríamos. Aceitei a inevitabilidade dos factos.

— Deixem-me ser claro em relação ao que vai acontecer aqui — Ryzek agachou-se ao nosso lado, equilibrando os cotovelos nos joelhos. Os seus sapatos estavam engraxados; tinha tido tempo de engraxar os sapatos, antes de torturar a irmã?

Engoli um risinho estranho.

— Ambos vão sofrer. Se desistires primeiro, Kereseth, vais-me dizer o que sabes sobre a chanceler predestinada de Thuvhe. E, se tu desistires primeiro, Cyra, vais-me dizer o que sabes sobre os rebeldes e as suas ligações à colónia dos exilados. — Ryzek olhou de relance para Vas. — Começa.

Preparei-me para um golpe, mas ele não chegou. Em vez disso, Vas agarrou no meu pulso e empurrou a minha mão na direção de Akos. No início, deixei isso acontecer, convicta de que o meu toque não o afetaria. Mas, depois, lembrei-me: Ryzek tinha dito que tinha de ver se Akos estava «suficientemente fraco». Isso queria dizer que estavam a fazê-lo passar fome, desde que me tinham prendido; tinham enfraquecido o seu corpo e o seu dom.

Contraí-me contra a mão-torno de Vas, mas não tinha força suficiente. Os meus nós dos dedos rasaram o rosto de Akos. As sombras avançaram na sua direção, mesmo enquanto eu lhes implorava silenciosamente que não se mexessem. Mas eu não era dona delas. Nunca tinha sido. Akos gemeu, com o seu próprio irmão a mantê-lo no sítio, enquanto ele tentava recuar para se afastar.

— Excelente. Funcionou — disse Ryzek, pondo-se de pé. — A chanceler de Thuvhe, Kereseth. Fala-me dela.

Puxei o cotovelo para trás com toda a força que consegui, empurrando e torcendo-me sob o domínio de Vas. Quanto mais me debatia, mais fortes e mais numerosas se tornavam as sombras, como se estivessem a fazer troça de mim. Vas era forte e não havia nada que eu lhe conseguisse fazer, agora; ele agarrava-me firmemente com uma mão e empurrava a palma da minha mão para a frente, com a outra, para que se mantivesse pousada contra a garganta de Akos.

Não conseguia imaginar nada mais horrível do que isto, o Flagelo de Ryzek voltado contra Akos Kereseth.

Senti o calor dele. A dor dentro de mim estava desesperada para ser partilhada; movia-se para dentro dele, mas em vez de diminuir no meu próprio corpo, como costumava acontecer, apenas se multiplicava em nós os dois. O meu braço tremeu, do esforço de tentar afastar-se. Akos gritou e eu também, eu também. Estava escurecida por causa da corrente, o centro de um buraco negro, um pedaço da periferia sem estrelas da galáxia. Cada centímetro de mim ardia, doía, suplicava por alívio.

A voz de Akos e a minha encontraram-se como duas mãos unidas. Fechei os olhos.

«À minha frente havia uma secretária de madeira, com marcas circulares de copos de água. Havia uma pilha de cadernos espalhada sobre ela e todos tinham o meu nome: Cyra Noavek, Cyra Noavek, Cyra Noavek. Reconheci este lugar. Era o escritório do Dr. Fadlan.

— A corrente flui por todos nós. E como o metal líquido a escorrer para um molde, assume um aspeto diferente em cada um de nós — estava ele a dizer. A minha mãe estava sentada à minha direita, com uma postura direita e as mãos cruzadas sobre o colo. A minha recordação dela era detalhada e perfeita, até a madeixa solta de cabelo atrás da orelha e a mancha ténue no queixo, coberta de maquilhagem.

— O facto de o dom da sua filha fazer com que ela inflija dor a si própria e aos outros, é revelador do que lhe vai por dentro — disse ele. — A apreciação superficial denota que, de certa forma, ela se julga merecedora da dor. E sente que os outros também a merecem.

Em vez de explodir, como fizera na altura, a minha mãe inclinou a cabeça. Ainda conseguia ver a sua pulsação na garganta. Virou-se para mim, na cadeira. Era mais bonita do que eu me atrevia a recordar; até as rugas no canto dos seus olhos eram elegantes, suaves.

— O que achas, Cyra? — disse ela e, enquanto falava, transformou-se na bailarina de Ogra, com os olhos contornados de giz e os

ossos a brilharem tão intensamente sob a sua pele que conseguia ver os espaços mínimos das suas articulações. — *Achas que é assim que funciona?*

— *Não sei* — *respondi, na minha voz adulta. Era também o meu corpo adulto que estava sentado na cadeira, embora apenas tivesse estado ali quando era criança.* — *Só sei que a minha dor quer ser partilhada.*

— *Quer?* — *A bailarina sorriu um pouco.* — *Até com o Akos?*

— *A dor não sou eu; ela não descrimina* — *disse eu.* — *A dor é a minha maldição.*

— *Não, não* — *disse a bailarina, com os olhos escuros fixos nos meus. Mas já não eram castanhos, como quando a tinha visto atuar na sala de jantar; eram cinzentos e cautelosos. Os olhos de Akos, familiares para mim, até num sonho.*

Assumira o lugar dela, empoleirado na ponta da cadeira, como se estivesse pronto para levantar voo, com o corpo comprido a tornar a cadeira pequena.

— *Cada dom-corrente carrega uma maldição* — *disse ele.* — *Mas nenhum dom é* apenas *uma maldição.*

— *A sua parte de dom é o facto de ninguém me poder magoar* — *disse eu.*

Mas, mesmo enquanto o dizia, sabia que não era verdade. As pessoas conseguiam magoar-me, mesmo assim. Não precisavam de me tocar para o fazer; nem sequer precisavam de me torturar para o fazer. Enquanto me importasse com a minha vida, enquanto me importasse com a vida de Akos, ou com a vida dos rebeldes que mal conhecia, estava tão vulnerável à dor como qualquer outra pessoa.

Pestanejei na sua direção, enquanto se me ocorria uma resposta diferente.

— *Disseste-me que eu era mais do que uma faca, mais do que uma arma* — *disse eu.* — *Talvez tenhas razão.*

Ele sorriu com aquele sorriso pequeno, familiar, que lhe enrugava a bochecha.

— *O dom* — *disse eu* — *é a força que a maldição me deu.* — *A nova resposta era como uma flor do silêncio a florir, com pétalas a desfraldarem-se. — Consigo suportá-la. Consigo suportar a dor. Consigo suportar tudo.*

Ele esticou-se na direção do meu rosto. Tornou-se na bailarina, na minha mãe e em Otega, uma de cada vez».

E então, estava na prisão, de braço esticado, dedos no rosto de Akos, a mão de Vas a apertar com força o meu pulso, a agarrar-me com firmeza. Os dentes de Akos estavam cerrados. E as sombras, que normalmente estavam confinadas ao espaço debaixo da minha pele, estavam a toda a nossa volta, como fumo. Tão escuro que não conseguia ver Ryzek, Eijeh ou a prisão, com as suas paredes de vidro.

Os olhos de Akos, cheios de lágrimas, cheios de dor, encontraram os meus. Empurrar a sombra na sua direção teria sido fácil, fizera-o muitas vezes antes, cada uma dessas vezes era uma marca no meu braço esquerdo. Apenas tinha de deixar a ligação formar-se, deixar a dor passar entre nós como um suspiro, como um beijo. Deixá-la fluir toda para fora de mim, trazendo-nos alívio aos dois, na morte.

Mas ele não merecia isso.

Desta vez, rompi a ligação, como se fechasse com estrondo uma porta entre nós. Puxei a dor de volta, para dentro de mim, fazendo o meu corpo ficar cada vez mais escuro, como uma garrafa de tinta. Estremeci com a força daquele poder, daquela agonia.

Não gritei. Não tinha medo. Sabia que era suficientemente forte para sobreviver a tudo.

4

CAPÍTULO 26 | AKOS

NO ESPAÇO ENTRE dormir e acordar, pensou ver esparto, balançando ao vento. Imaginou que estava em casa e podia saborear neve no ar, cheirar terra fria. Deixou que a ânsia o perfurasse por todo o lado e voltou a adormecer.

Óleo a pingar sobre água.

Tinha estado ajoelhado no chão da prisão, observando as sombrascorrentes a afastarem-se da pele de Cyra como fumo. A névoa manchou a mão sobre o seu ombro, a mão de Eijeh, de cinzento-escuro. Viu Cyra através dela, apenas indistintamente, de queixo voltado para cima e olhos fechados, como se estivesse a dormir.

E agora, estava deitado num colchão fino, com um aquecedor sobre os pés descalços. Uma agulha no braço. O pulso algemado à estrutura da cama.

A dor e a recordação dela a escorregar para longe dele, para uma dormência.

Contraiu os dedos e a agulha intravenosa moveu-se, afiada, debaixo da sua pele. Franziu o sobrolho. Este lugar era um sonho; tinha de ser, porque ainda estava naquele túmulo, debaixo do anfiteatro de Voa, e Ryzek estava a ordenar-lhe que falasse sobre Ori Rednalis.

— Akos? — a voz da mulher soava suficientemente real. Afinal, talvez não fosse um sonho.

Estava de pé, sobre ele, cabelo completamente direito a emoldurar-lhe o rosto. Conheceria aqueles olhos em qualquer lugar. Tinham olhado para ele do outro lado da mesa de jantar, enrugados nos cantos quando Eijeh dizia uma piada. A sua pálpebra esquerda por vezes contraía-se, quando ficava nervosa. Estava ali, como se pensar nela a tivesse trazido. Ouvir o seu próprio nome trouxe-o de volta a si, já sem escorregar e deslizar.

— Ori? — disse, com voz rouca.

Uma lágrima caiu do olho dela para o lençol. Pôs a sua mão na dele, cobrindo o tubo ligado à agulha intravenosa. A sua manga, feita de lã preta e grossa, tapava-lhe a palma da mão e a roupa era muito apertada, à volta da garganta. Sinais de Thuvhe, onde uma pessoa quase se estrangulava até à morte para impedir qualquer calor de escapar.

— A Cisi vem aí — disse Ori. — Chamei-a e está a caminho. Também chamei a tua mãe, mas ela está do outro lado da galáxia; vai demorar algum tempo.

Estava tão cansado.

— Não vás — disse ele, de olhos fechados.

— Não vou. — A voz dela era seca, mas tranquilizadora. — Não vou.

Sonhou que estava entre as celas de vidro da prisão, com os joelhos a enterrarem-se no chão negro, as entranhas a revolverem-se de raiva.

E acordou no hospital, com Ori caída ao seu lado, de braço estendido sobre as pernas. Pela janela, atrás dela, viu flutuadores a passar, zumbindo, e grandes edifícios pendurados no céu como fruta madura.

— Onde estamos? — disse ele.

Ela pestanejou o sono dos olhos e disse:

— No hospital de Shissa.

— Shissa? Porquê?

— Porque foi aqui que te deixaram — disse ela. — Não te lembras?

No início, quando falou com ele, Ori tinha soado diferente, cuidadosa com cada palavra. Mas, quanto mais falava, mais caía nos ritmos preguiçosos de Hessa, com cada sílaba a deslizar para a seguinte. Deu por ele a fazer a mesma coisa.

— Que me deixaram? Quem?

— Não sabemos. Pensámos que saberias.

Puxou pela memória, mas não conseguia chegar lá.

— Não te preocupes. — Colocou novamente a sua mão na dele. — Tinhas tanta flor do silêncio no corpo que, provavelmente, devias estar morto. Ninguém espera que te lembres. — Sorriu. Tão familiar, com a boca inclinada para a bochecha curva. — Não te deviam conhecer muito bem, para te deixarem em Shissa, como se fosses algum habitante ranhoso da cidade.

Quase se tinha esquecido das piadas deles sobre este sítio. Os miúdos de Shissa, com as cabeças nos céus, não conseguiam sequer reconhecer uma flor de gelo à sua frente, porque estavam habituados a vê-las de cima, a muita distância. Nem conseguiam apertar um casaco em condições. Habitantes do gelo inúteis, todos.

— «Habitante ranhoso da cidade», diz a chanceler predestinada de Thuvhe — disse ele, lembrando-se subitamente. — Ou é a tua gémea? Qual de vocês é a mais velha, afinal?

— Eu não sou a chanceler, sou a outra. Destinada a conduzir a sua irmã ao trono ou... algo do género — disse ela. — Mas, se eu *fosse* ela, estarias, definitivamente, a dirigir-te a mim sem o «respeito adequado para a minha posição».

— Snobe — disse Akos.

— Lixo de Hessa.

— Pertenço à família Kereseth, sabes. Não somos propriamente lixo.

— Sim, eu sei. — O seu sorriso suavizou-se um pouco, como se estivesse a dizer *Como poderia esquecer*? E então, Akos lembrou-se da algema que lhe prendia o pulso à cama de hospital. Decidiu não tocar no assunto, ainda.

— Ori? — disse ele. — Estou mesmo em Thuvhe?

— Sim.

Fechou os olhos. Havia um fogo na sua garganta.

— Tive saudades tuas, Orieve Benesit — disse dele. — Ou seja lá qual for o teu nome.

Ori riu-se. Agora, estava a chorar.

— Então, porque demoraste tanto?

Quando voltou a acordar, já não se sentia tão dormente e, embora tivesse dores, podia dizer, com certeza suficiente, que a agonia aguda que o levara de Voa até Shissa tinha desaparecido. O dom prolongado de Cyra tinha sido expulso pela flor de gelo, sem dúvida.

Simplesmente, pensar no nome de Cyra fez as suas entranhas contorcerem-se de medo. Onde estava ela? As pessoas que o tinham levado para ali teriam também salvado Cyra ou tê-la-iam deixado com Ryzek, para morrer?

A boca soube-lhe a bílis e abriu os olhos.

Uma mulher estava de pé, aos pés da cama. Cabelo escuro, encaracolado, emoldurava-lhe o rosto. Os seus olhos eram grandes. Havia uma pequena mancha no fundo de um deles, onde a pupila sangrava para dentro da íris; um defeito que tinha desde nascença. A sua irmã, Cisi.

— Olá — disse ela. A sua voz era, toda ela, suavidade e luz. Tinha guardado com firmeza a memória dela na sua mente, como se fosse a última semente deixada para plantar.

Era demasiado fácil chorar, agora, deitado e quente como estava.

— Cisi — disse, com rouquidão, pestanejando para afastar as lágrimas.

— Como te sentes?

Isso, pensou ele, é uma interrogação. No entanto, sabia que ela estava a perguntar pela sua dor, por isso, disse:

— Bem. Já estive pior.

Moveu-se de forma fluída nas suas robustas botas Hessa, parando ao lado da cama e batendo suavemente com os dedos sobre algo perto da sua cabeça. A cama moveu-se, inclinando-se para cima na cintura, para que ele pudesse estar sentado.

Ele contraiu-se. As costelas doíam-lhe. Estava tão dormente que quase se esquecera.

Ela tinha sido tão cuidadosa até àquele momento, tão controlada, que se assustou quando se atirou sobre ele, com as mãos agarradas ao seu ombro, à parte lateral do seu corpo. No início não se moveu; não conseguiu. Mas, depois, pôs os seus braços à sua volta e apertou-a com força. Nunca se tinham abraçado muito, quando eram crianças, com exceção do pai não eram uma família afetuosa, em regra, mas o abraço dela foi breve. Ela estava ali, viva. E estavam juntos, novamente.

— Não consigo acreditar. — Ela suspirou. E começou a murmurar uma oração. Há muito tempo que não ouvia uma oração Thuvhesit. As orações de gratidão eram as mais curtas, mas não conseguia obrigar-se a dizê-la com ela. Havia demasiadas preocupações na sua cabeça.

— Nem eu — disse ele, depois de ela ter terminado. Ela afastou-se para trás, ainda agarrando uma das suas mãos e sorrindo para ele. Não, franzindo o sobrolho, agora, ao olhar para as suas mãos unidas. Tocando no rosto, onde lhe caíra uma lágrima.

— Estou a chorar — disse ela. — O que é que... nunca mais consegui chorar desde... desde o meu dom-corrente.

— O teu dom-corrente impede-te de chorar?

— Não deste por isso? — Fungou, limpando o rosto. — Faço as pessoas sentirem-se... tranquilas. Mas parece que também não consigo fazer ou dizer nada que as faça sentirem-se intranquilas, como...

— Chorar — completou ele. Que ela tivesse um dom relacionado com a tranquilidade, com o alívio, não o surpreendia. Mas, pela forma como ela o descrevia, parecia mais uma mão à volta da garganta, a apertá-la. Não conseguia ver que dom havia nisso.

— Bom, o meu interrompe o teu. Interrompe o de toda a gente — disse ele.

— Dá jeito.

— Às vezes.

— Não foste na peregrinação? — perguntou ela, subitamente, apertando a sua mão com força. Akos interrogou-se se iria começar a disparar perguntas na sua direção, agora que podia. Ela acrescentou: — Desculpa, eu só... questionei-me se terias ido, quanto vi os relatos. Porque não sabes nadar. Estava preocupada.

Akos não conseguiu evitar. Riu-se.

— Estava rodeado de Shotet, no círculo íntimo de Ryzek Noavek, e tu estavas preocupada por eu não saber nadar? — Riu-se novamente.

— Consigo preocupar-me com duas coisas ao mesmo tempo. Com várias coisas, na verdade — disse ela, com algum sarcasmo, mas não muito.

— Cee — disse ele. — Porque é que estou algemado a esta cama?

— Tinhas a armadura Shotet vestida, quando te deixaram aqui. As instruções da chanceler foram no sentido de seres tratado com precaução.

Por alguma razão, as bochechas dela ficaram cor-de-rosa.

— A Ori não atestou que eu era de confiança?

— Sim e eu também — respondeu Cisi. Não explicou por que motivo estava em posição de atestar que ele era de confiança perante a chanceler de Thuvhe e ele não perguntou. Ainda não, de qualquer forma. — Mas, a chanceler é... difícil de convencer.

Não soava crítica mas, pensando bem, Cisi nunca tinha soado assim. Podia compadecer-se de quase toda a gente. A compaixão tornava difícil agir, mas parecia-lhe que ela se tinha desenrascado bem durante todas as estações que tinham estado separados. Parecia quase na mesma, mas mais magra, com o queixo e maçãs do rosto mais definidos. Esses, tinha-os herdado da mãe, claro, mas o resto dela, um sorriso demasiado rasgado, sobrancelhas escuras e nariz delicado, era do pai.

Da última vez que o vira, ele era uma criança, suave no rosto, mais baixo do que todas as outras crianças. Sempre calado, sempre preparado para corar. E agora, era mais alto do que a maioria dos homens, com feições duras, musculado e marcado com assassinatos. Será que ele lhe parecia, sequer, a mesma pessoa?

— Não vou fazer mal a ninguém — disse ele, para o caso de ela não ter a certeza.

— Eu sei. — Era fácil ver Cisi como uma criatura suave, gentil, mas havia uma espécie de aço nos seus olhos e linhas à volta da sua boca, rugas precoces de uma vida de desgosto. Estava crescida.

— Estás diferente — disse ele.

— E tu podes falar — disse ela. — Ouve, queria perguntar-te... — Roeu uma unha, enquanto procurava as palavras. — Queria perguntar-te sobre o Eijeh.

Eijeh colocara a mão pesada sobre os seus ombros, enquanto o conduzia para a prisão, embora Akos lhe tivesse sussurrado o seu nome e suplicado por ajuda. Comida. Misericórdia.

Ainda conseguia sentir a mão de Eijeh no mesmo sítio.

— Está vivo? — disse ela, com a voz fraca.

— Isso depende da tua definição de «vivo» — disse ele. Cortante, da mesma forma que Cyra o teria dito.

— Vi um *feed* Shotet *hackeado* no ano passado, em que ele estava ao lado do Ryzek. — Fez uma pausa, como se lhe estivesse a dar espaço para dizer alguma coisa, só que ele não sabia o que dizer. — E tu estavas ao lado da Cyra — acrescentou ela, novamente com aquela pausa.

A sua garganta estava tão seca como poeira.

— Tens visto o *feed*, ultimamente?

— Não. É difícil aceder a ele. Porquê?

Precisava de saber se Cyra estava bem. Precisava disso como a terra seca precisava de água, esgravatando por quaisquer gotas que conseguisse encontrar. Mas, se estava em Thuvhe, não havia nenhum *feed* Shotet a passar nos ecrãs de cada casa, nenhuma forma de saber se ela estava viva ou morta, até ele voltar.

O que era certo. Iria voltar. Ajudaria Cyra. Arrastaria Eijeh para casa, nem que tivesse de o envenenar primeiro. Não tinha acabado, ainda não.

— É por isso que a Isae, quer dizer, a chanceler, te mantém algemado à cama — disse Cisi. — Se pudesses só explicar porque é que estavas com ela...

— Não vou explicar. — Ela pareceu tão chocada com a raiva na sua voz, como ele. — Mantive-me vivo e agora é isto que sou. Nada que eu diga vai mudar o que já presumiste.

Naquele momento, Akos tinha catorze estações e era irritável, novamente. Voltar para casa era como andar para trás.

— Eu não presumi nada. — Olhou para baixo. — Só queria avisar-te. A chanceler quer ter a certeza que não és... bom, um traidor, suponho.

As mãos dele tremeram.

— Ter a certeza? O que é que isso quer dizer?

Ela estava prestes a responder quando a porta do quarto do hospital se abriu. Um soldado Thuvhesit entrou primeiro, vestido com o seu uniforme de interior, calças vermelho-escuras, com casaco cinzento-escuro. Afastou-se para o lado e a gémea de Ori entrou atrás dele.

Soube que não era Ori, imediatamente, embora os seus olhos fossem iguais e o resto dela estivesse coberto de tecido: Um vestido com capuz, mangas justas nos pulsos, abotoado da cintura até à garganta, suficientemente comprido para roçar na ponta dos sapatos. Os sapatos estavam engraxados, também pretos, e faziam um estalido no azulejo a cada passo. Permaneceu aos pés da cama, de frente para ele, mãos cruzadas. Unhas limpas. Um traço preto perfeito em cada uma das pálpebras para marcar o caminho das suas pestanas. Um véu cobria o resto da cara, do nariz até ao queixo.

Isae Benesit, chanceler de Thuvhe.

As regras de boas maneiras de Hessa não tinham ensinado Akos a lidar com algo tão grandioso. De alguma forma, conseguiu dizer:

— Chanceler.

— Vejo que não tiveste dificuldade em distinguir-me da minha irmã — disse ela. Tinha um sotaque estranho, como se fosse da orla exterior da galáxia, não o sotaque requintado dos planetas mais próximos da Sede da Assembleia, como ele estava à espera.

— São os sapatos — disse ele, com os nervos a conduzirem-no à honestidade. — Uma rapariga de Hessa nunca usaria esses.

Ori, entrando no quarto, riu-se. Vendo-as lado a lado, era ainda mais óbvio como eram diferentes. Ori tinha má postura, inclinava-se, movia o rosto. Isae parecia feita de pedra.

A chanceler disse:

— Posso saber porque é que comprometeste um nível de proteção, ao revelares a tua cara diante dele antes, Ori?

— Ele é basicamente meu irmão — disse Ori, firme. — Não vou esconder o meu rosto dele.

— Porque é que isso importa? — disse eu. — São gémeas, certo? Portanto, conheço a aparência das duas.

Em resposta, Isae puxou o canto do véu com as suas unhas limpas. Quando a cobertura caiu, Akos cravou os olhos dela. Sem desviar o olhar.

O rosto de Isae era atravessado por duas cicatrizes, uma através da sobrancelha e da testa, e outra que ia do queixo ao nariz. Cicatrizes como as que Kalmev tinha, como as que o próprio Akos tinha; eram cicatrizes de espadascorrentes afiadas: uma raridade, uma vez que a circulação da corrente era uma arma mais do que suficiente. Espadas Shotet, provavelmente.

Isso explicava por que motivo tanto ela como Ori tapavam os rostos. Serem gémeas mantinha toda a gente baralhada sobre quem era a chanceler. Mas, com os rostos descobertos... bom.

— Não vamos demorar-nos em cortesias — disse Isae, ainda mais cortante do que antes, se isso era possível. — Acho que a tua irmã estava prestes a contar-te o que consigo fazer com o meu dom-corrente.

— Estava — respondeu Cisi. — A Isae, quer dizer, Sua Majestade, consegue convocar as tuas memórias com um toque. Ajuda-a a verificar o testemunho das pessoas nas quais se sente incapaz de confiar, por qualquer razão.

Havia muitas memórias que Akos não queria que fossem convocadas. O rosto de Cyra, com veias de sombra a embalar as suas bochechas, navegou até à sua mente. Pôs as mãos atrás da cabeça, com os olhos a desviarem-se de Cisi.

— Não vai funcionar — disse ele. — Os dons-correntes não funcionam em mim.

— A sério? — questionou Isae.

— Sim. Pode experimentar.

Isae aproximou-se, com os sapatos a dar estalidos. Parou do seu lado esquerdo, mesmo do lado oposto a Cisi. De perto, conseguia ver como as cicatrizes se enrugavam nas extremidades. Tinham apenas algumas estações, se tivesse de dar um palpite. A cor delas ainda era escura.

Ela tocou no seu braço algemado, no sítio exato onde o metal se encontrava com o pulso.

— Tens razão — disse ela. — Não vejo, nem sinto nada.

— Parece que vai ter de confiar na minha palavra — disse ele, de forma um pouco brusca.

— Vamos ver — foi a resposta de Isae, enquanto se dirigia de novo aos pés da cama. — O Ryzek Noavek, ou alguém que esteja associado com ele, alguma vez te pediu informação sobre mim? — disse ela. — Sabemos que tinhas informação, desde que viste a Ori no dia em que os destinos foram revelados.

— Tinhas? — disse Cisi, ofegante.

— Sim. — A voz dele vacilou um pouco. — Sim, ele perguntou-me.

— E o que lhe disseste?

Puxou os joelhos para cima, como um miúdo com medo de uma tempestade, e olhou pela janela. Shissa era brilhante ao final do dia, com cada compartimento a irradiar linhas de luz em muitos tons diferentes, para todos os gostos. O edifício ao lado do deles era roxo.

— Eu sabia que não podia dizer nada. — Vacilou mais do que

antes. A memória estava a regressar aos poucos. O rosto de Cyra, o chão de vidro, a mão de Eijeh sobre ele. — Eu sei como suportar a dor, não sou fraco, eu... — Até ele sabia que parecia louco, a balbuciar daquela maneira. Teria dito algo no meio de toda aquela dor? — Ele tem... *acesso* às memórias do Eijeh da Ori, por isso, bastava-lhe fazer a ligação entre a Ori e o seu destino para saber como é a vossa aparência, pseudónimo, origens... por isso, tentei não dizer nada. Ele quer saber quem é quem, entre vocês, qual é a mais velha. Ele sabe... um oráculo disse-lhe que ir atrás de uma de vocês era melhor do que ir atrás da outra, por isso, qualquer coisa que vos distinga é um perigo para vocês. Mas, ele perguntou vezes sem conta e eu acho que não disse nada, mas não me lembro...

Ori moveu-se impulsivamente na sua direção, agarrando no seu tornozelo com força. Apertando os seus ossos. A pressão ajudou-o a manter a cabeça no lugar.

— Se lhe tiveres dito alguma coisa útil, como onde a Ori cresceu, quem a criou... viria atrás de nós, em pessoa? — perguntou Isae, aparentemente imperturbável.

— Não. — Tentou estabilizar-se. — Não, acho que ele tem medo de vocês.

Ryzek nunca tinha vindo ele próprio, pois não? Nem mesmo pelo seu oráculo, nem mesmo para raptar Akos. Não queria pôr um pé em Thuvhe.

Os olhos de Isae tinham-lhe parecido familiares, quando vira as imagens das gémeas em Osoc. Mas o olhar deles, agora, não era algo que Ori pudesse ter exibido. Era absolutamente assassino.

— É bom que tenha — disse Isae. — Esta conversa ainda não acabou. Quero saber tudo o que sabes sobre o Ryzek Noavek. Vou voltar.

Colocou o véu e, passado um momento, Ori fez o mesmo. Antes de sair, contudo, Ori pousou a mão na porta e disse:

— Akos. Está tudo bem. Vai correr tudo bem.

Ele não estava completamente convencido.

CAPÍTULO 27 | AKOS

UM SONHO:

Os seus joelhos encontraram o chão, na prisão subterrânea. O dom-corrente de Cyra deslizou sobre ele, como minhocascortantes à volta das raízes das flores de gelo. E então, o seu suspiro doloroso e as sombras explodiram em nuvens escuras, à volta deles. Nunca as vira a fazer isso antes, separadas da sua pele. Algo tinha mudado.

Ela caiu para o lado, depois disso, numa poça de sangue. Com as mãos agarradas ao estômago, como o seu pai, quando Vas o matara à frente dos filhos. Os dedos dela, dobrados e vermelhos, seguravam as suas vísceras.

O sangue transformou-se em pétalas de flor do silêncio e ele acordou.

Estava cansado das algemas. Ou, mais especificamente, dos braços num ângulo específico e da sensação do metal sobre a pele, e deste jogo em que fingia estar preso, quando, na verdade, não estava. Deu a volta à sua mão, torcendo-a para tocar na fechadura da algema. A corrente mantinha algemas como estas fechadas, por isso, se pressionasse a pele contra as fendas, conseguia abri-las. A primeira vez que descobrira este talento fora a caminho de Shotet, mesmo antes de matar Kalmev Radix. *Para* matar Kalmev Radix.

A algema estalou e abriu. Puxou a agulha do braço e levantou-se. O corpo doía-lhe, mas já estava suficientemente estável, por isso caminhou até à janela, observando as luzes de flutuadores Thuvhesit a passar com um zumbido. Cor-de-rosa, vivas e vermelhas vibrantes e verdes-acinzentadas, envolviam as naves achatadas como cintos, não suficientemente brilhantes para iluminar o caminho, mas apenas para mostrar que estavam ali.

Ficou ali de pé, durante muito tempo, enquanto a noite se tornava cada vez mais profunda e o trânsito diminuía, e a própria Shissa adormecia. Depois, uma forma escura passou sobre o brilho roxo dos edifícios, do lado oposto do hospital. Outra flutuou sobre os campos de flores de gelo, muito abaixo. Uma terceira passou velozmente pelo próprio hospital, fazendo o vidro tremer debaixo das suas mãos. Reconheceu os metais unidos como uma manta de retalhos. Naves Shotet estavam a encher Shissa como uma chávena.

Um alarme tocou no canto do quarto e, instantes depois, a porta abriu-se. Isae Benesit, de sapatos reluzentes, atirou um saco de lona para o chão, aos seus pés.

— É bom saber que as algemas não funcionam contigo — disse ela. — Anda. Vais-me tirar daqui.

Ele não se mexeu. O saco tinha saliências em sítios estranhos, devido a uma armadura rígida. A sua, presumiu ele. Provavelmente, também continha as suas armas e venenos; se quem quer que o tinha largado em Shissa como um saco de lixo se tinha dado ao trabalho de o equipar com uma das coisas, provavelmente, teria metido o conjunto todo ali dentro.

— Sabes, eu gostava mesmo de ser o tipo de pessoa que as pessoas simplesmente *ouvem* — disse Isae, com os seus modos formais a caírem na sua frustração. — Achas que devia trazer sempre comigo um pau grande ou qualquer coisa assim?

Ele dobrou-se sobre o saco de lona e colocou a armadura sobre a cabeça. Com uma mão, puxou as difíceis correias para as apertar sobre as costelas e, com a outra, procurou a sua faca no saco. Era aquela que Cyra lhe tinha dado na rua, durante o festival. Tinha-lha devolvido uma vez, como um pedido de desculpas, mas ela deixara-a na mesa da nave da peregrinação antes de terem saído e ele tinha-a trazido.

— A minha irmã? — disse ele.

— Aqui. — Cisi falou do corredor. — És tão alto, Akos.

Isae agarrou-lhe no braço. Ele deixou que ela o movesse, como se fosse um fantoche. Para alguém que lhe tinha pedido para a tirar dali, estava sem dúvida a agir como se fosse ela quem o ia tirar, *a ele,* dali.

Quando chegaram ao corredor, todas as luzes se apagaram ao mesmo tempo, deixando apenas os traços da luz de emergência, do lado esquerdo dos azulejos. A mão de Isae apertava, enquanto o conduzia pelo corredor e dobravam a esquina. Do interior do edifício, ouviram gritos.

Ele esticou-se para agarrar na mão de Cisi e começaram todos a correr, derrapando quando viraram a esquina em direção à saída de emergência. Mas, no final do corredor, havia duas figuras escuras, vestidas com armadura Shotet.

Cambaleou. Torceu o braço para se libertar do domínio de Isae e recuou para as sombras.

— Akos! — Cisi soava horrorizada.

Ao virar a esquina, Isae sacou a sua arma da anca. Uma espadacorrente, não afiada, mas programada para elevada intensidade. Os soldados estavam a deslocar-se na sua direção, lentos, como alguém se move quando não quer assustar um animal.

— Onde pensas que vais? — disse um deles. Em Shotet, claro; provavelmente, não falava outras línguas.

Era mais baixo do que Isae e robusto, para dizê-lo gentilmente. A sua língua moveu-se rapidamente para fora, para molhar os lábios, que estavam inchados do frio. Nunca antes soldados Shotet tinham estado tão a norte, tanto quanto Akos se lembrava. Provavelmente, não estavam prontos para a queda abrupta da temperatura.

— Vou sair deste hospital — disse Isae, num Shotet desastrado.

Ambos os soldados se riram. O segundo era mais novo, com a voz a quebrar-se.

— Belo sotaque — disse o mais velho. — Onde é que aprendeste a nossa língua, com a escumalha dos planetas das margens?

Isae lançou-se sobre ele e Akos não conseguiu ver muito, mas ouviu-a a gemer quando foi atingida. Foi nessa altura que se pôs de pé, com a melhor faca na mão, armadura bem apertada.

— Parem — disse ele, dobrando novamente a esquina.

— O que é que tu queres? — disse o soldado mais velho.

Akos deslocou-se para a luz.

— Quero que a deixem para mim. Agora.

Quando nenhum dos soldados se mexeu, disse:

— Sou um assistente da família Noavek. — Tecnicamente, era verdade. E, tecnicamente, mentira. Afinal de contas, nunca ninguém lhe dera um título. — Fui enviado aqui pelo Ryzek Noavek, para a levar. O que vai ser muito mais difícil, se deixar que vocês a matem.

Toda a gente parou, até Akos. Teriam caminho aberto para as escadas de emergência e o único que tinham de fazer era ultrapassar estes dois... obstáculos. O Shotet mais velho passou a língua pelos lábios, outra vez.

— E se eu te matar e completar a tua missão por ti? Que tal me irá recompensar o soberano de Shotet?

— Não faças isso. — O soldado mais novo tinha os olhos arregalados. — Eu reconheço-o, ele...

O Shotet mais velho ensaiou um golpe com a espada, mas era grande e lento, obviamente de baixa patente. Akos saltou para trás, curvando-se para tirar a barriga de onde poderia ser ferida. Quando o golpeou com a sua própria faca, atingiu apenas a armadura, fazendo faíscas voar. Mas a sua outra mão, a mão direita, já estava a tirar outra faca da bota. Essa encontrou carne.

O soldado caiu sobre ele, vertendo sangue nas suas mãos. Akos suportou o seu peso, perplexo, não com o que tinha feito, mas com a facilidade com que o tinha feito.

— Tens uma escolha — disse para o soldado mais novo, que

restava. A sua voz estava inconstante e não era bem a sua voz. — Fica e morres. Corre e vives.

O jovem soldado, com o riso estridente, desatou a correr pelo corredor. Quase escorregou ao virar na esquina. Cisi estava a tremer, com os olhos a brilhar de lágrimas não derramadas. E Isae estava a apontar a sua faca para ele.

Pousou o soldado no chão. *Não vomites*, disse a si próprio. *Não o faças, não vomites.*

— Assistente da família Noavek — disse Isae.

— Não exatamente — disse ele.

— Continuo a não confiar em ti — disse ela, mas pousou a faca. — Vamos embora.

Apressaram-se para o telhado e correram para o ar selvagem e gelado. Quando chegaram ao flutuador (um flutuador preto, perto da ponta da plataforma de aterragem), os dentes dele tiritavam. A porta abriu-se ao toque de Cisi e entraram.

Os comandos do flutuador acenderam-se, quando Cisi se sentou no lugar do condutor, o ecrã de visão noturna expandiu-se à frente dela a verde e o sistema de navegação brilhou, com uma mensagem de boas-vindas. Esticou-se para debaixo do quadro controlador, desligou as luzes exteriores do flutuador, depois digitou a morada da casa deles e pôs a nave em autonavegação. A alta velocidade.

A nave elevou-se da plataforma de aterragem e avançou a toda a velocidade, atirando Akos contra o painel de controlo. Tinha-se esquecido de pôr o cinto.

Virou-se para trás, para ver Shissa a encolher atrás deles. Cada edifício estava iluminado de uma cor diferente: roxo para a biblioteca, amarelo para o hospital, verde para a mercearia. Pendiam de forma impossível, como gotas de chuva suspensas. Observou-os enquanto o flutuador se afastava rapidamente, até os edifícios serem apenas um amontoado de luzes. Quando tudo estava quase preto, voltou-se para Cisi.

— Tu... — Ela engoliu em seco. O que quer que fosse que ela queria dizer, não conseguia dizê-lo, maldito dom-corrente. Esticou-se na sua direção, pousando um dedo limpo (os outros estavam vermelhos e pegajosos) no seu braço.

As palavras saíram em catadupa.

— Tu mataste-o.

Ele passou por umas quantas respostas diferentes na sua mente, desde «*E não foi o primeiro*» até «*Desculpa*». Nenhuma delas parecia adequada. Não queria que ela o odiasse, mas não queria que pensasse que ele tinha regressado inocente de Shotet. Não queria falar sobre isso, mas não queria mentir.

— Ele salvou-nos às duas — disse Isae, cortantemente, enquanto ligava a barra de notícias. Um pequeno ecrã holográfico apareceu sobre o mapa de autonavegação e Akos leu os títulos, enquanto eles giravam em círculos.

Invasão Shotet começa em Shissa, duas horas depois do pôr do sol.

Invasores Shotet vistos no hospital de Shissa, há relatos de oito mortos Thuvhesit.

— Mandei a Orieve embora, mal saímos do teu quarto — disse Isae. — Deve ter conseguido sair em segurança. Não posso mandar-lhe uma mensagem agora, podia ser intercetada.

Ele apertou as mãos contra as pernas, desejando intensamente poder lavá-las.

Uma notícia de última hora apareceu no ecrã holográfico, quando desciam para Hessa, algumas horas antes do amanhecer.

Polícia de Shissa relata dois Thuvhesit cativos, levados pelos Shotet. Imagens da invasão mostram mulher arrastada do hospital de Shissa, por soldados Shotet. Esforços preliminares de identificação sugerem que a mulher é Isae ou Orieve Benesit.

Algo grande e feroz rasgou as suas entranhas.

Orieve Benesit. Ori. Levada.

Tentou não olhar para Isae, para lhe dar um momento para reagir por si só, mas não houve muito para ver. A mão de Cisi ziguezagueou para tocar na de Isae, mas Isae apenas se moveu repentinamente para desligar o *feed* de notícias e olhou pela janela.

— Bom — disse Isae, finalmente —, vou ter de a ir buscar, então.

CAPÍTULO 28 | AKOS

QUANDO CHEGARAM A HESSA, o flutuador deslocou--se num arco largo à volta da montanha e dirigiu-se para o esparto. Afundou-se até ao chão, à frente da casa da sua família, esmagando caules e tufos debaixo dele. O sangue secara nas mãos de Akos.

Isae saiu primeiro do flutuador, o que foi bom, porque Akos não tinha forças para o fazer. Todas as janelas eram obscuras recordações da última vez que ali estivera. Quando Cisi abriu a porta e o odor a especiarias e frutassal cortada flutuou sobre ele, quase esperou que o corpo do seu pai estivesse no chão da sala de estar, totalmente ensopado.

Akos fez uma pausa. Respirou. Continuou a andar.

Passou os nós dos dedos sobre a superfície dos painéis de madeira, a caminho da cozinha. Passou pela parede onde todas as fotografias de família costumavam estar penduradas. Agora vazia. A sala de estar não estava nada como antes: Era mais uma sala de estudo, com duas secretárias e estantes, e nem uma almofada fofa à vista. Mas a cozinha, com a sua mesa arranhada e banco rudemente talhado, estava na mesma.

Cisi agitou o candelabro por cima da mesa da cozinha, para acender as pedras ardentes. A luz destas ainda era tingida de vermelho.

— Onde está a Mãe? — perguntou ele, enquanto uma imagem surgia na sua mente: Ela estava de pé, num banco alto que rangia, polvilhando o candelabro com flor do silêncio.

— Reunião de oráculos — disse Cisi. — Reúnem-se a toda a hora, agora. Vai demorar alguns dias.

«Dias» seria demasiado. Nessa altura, ele já teria partido há muito.

O desejo de lavar as mãos tornou-se uma necessidade. Foi até ao lavatório. Um pedaço de sabão caseiro repousava perto da torneira, com pequenas pétalas de pureza pressionadas para dentro, para o embelezar. Friccionou-o até fazer espuma, depois enxaguou uma, duas, três vezes. Arrastou as unhas pela palma das mãos. Esfregou por baixo delas. Quando acabou, as palmas das mãos estavam cor-de-rosa claras e Cisi estava a colocar na mesa canecas para chá.

Hesitou com a mão em cima da gaveta das facas. Queria marcar a perda do soldado Shotet, no braço. Havia um frasco de extrato de esparto ao lado dos outros frascos que transportava, para pintar a ferida. Mas teria ele, realmente, deixado algo tão Shotet tornar-se um instinto? Mãos limpas, faca limpa, marca nova?

Fechou os olhos, como se a escuridão fosse tudo o que necessitava para limpar a mente. Algures, lá fora, o soldado sem nome que ele matara tinha alguma família, alguns amigos, que estavam a contar que a sua perda fosse gravada. Akos sabia, embora o perturbasse sabê-lo, que não ia fingir que a morte não tinha acontecido.

Por isso, pegou numa faca de trinchar e enfiou-a nas chamas da fornalha, girando a lâmina para a esterilizar. Agachado ali, junto ao calor, gravou uma linha reta no seu braço com a lâmina quente, ao lado das outras marcas. Depois, verteu extrato de esparto nos dentes de um garfo e arrastou-o em linha reta pelo corte. Estava mal feito, mas tinha de servir.

Depois, sentou-se mesmo ali, no chão, segurando na cabeça. Expulsando a dor. Sangue escorreu pelo seu braço e acumulou-se na dobra do cotovelo.

— Os invasores poderão vir a Hessa — disse Isae. — À minha

procura. Devíamos partir todos o mais depressa possível e encontrar a Ori.

— Todos? — disse ele. — Não vou levar a chanceler de Thuvhe até ao Ryzek Noavek, não com o destino que tenho. Isso faria de mim, verdadeiramente, um traidor.

Ela olhou para o seu braço marcado.

— Se é que já não o és.

— Oh, cala-te! — disse ele, rispidamente. Ela ergueu o sobrolho, mas ele continuou: — Pensas que sabes exatamente como é que eu vou encontrar o meu destino? Pensas que sabes o que significa, melhor do que eu?

— Alegas ser leal a Thuvhe, mas dizes à sua chanceler «cala-te»? — Havia uma ponta de humor na sua voz.

— Não, eu disse «cala-te» à mulher na minha cozinha, que me está a pedir um enorme favor — disse ele. — Nunca desrespeitaria dessa forma a minha chanceler. Sua Majestade.

Ela inclinou-se para ele.

— Então, leva a mulher que está na tua cozinha para Shotet. — Encostou-se para trás. — Não sou idiota; sei que vou precisar da tua ajuda para chegar lá.

— Não confias em mim.

— Mais uma vez. Não sou idiota — disse ela. — Ajudas-me a tirar de lá a minha irmã e eu ajudo-te a tirar de lá o teu irmão. Sem garantias, claro.

Akos quase praguejou. Porque seria, interrogou-se ele, que toda a gente parecia saber exatamente o que lhe oferecer, para o levar a aceitar fazer coisas? Não que ele estivesse convencido que ela o podia ajudar, mas estava quase a aceitar, de qualquer forma.

— Akos — disse Isae. E o uso do seu nome, sem malícia, sobressaltou-o um pouco. — Se alguém te dissesse que não podias ir salvar o teu irmão, que a tua vida era demasiado importante para a arriscares pela dele, tu dar-lhe-ias ouvidos?

O rosto dela estava cansado, manchado de suor e a bochecha vermelha, no local onde o soldado a atingira. Não parecia muito uma chanceler. As cicatrizes no rosto também diziam algo diferente sobre ela. Que ela, tal como Cyra, sabia o que estava a arriscar quando arriscava a sua vida.

— Está bem — disse ele. — Eu ajudo-te.

Houve um ruído alto, quando Cisi bateu com a caneca na mesa com força, salpicando a mão com chá quente. Fez uma careta, limpando a mão na camisa e esticando-a, para que Akos a segurasse. Isae pareceu confusa, mas ele percebeu: Cisi tinha algo para dizer e, por mais que ele tivesse medo de a ouvir, não podia recusar.

Apertou a mão dela.

— Espero que ambos tenham consciência de que vou convosco — disse ela, apaixonadamente.

— Não — disse ele. — Não podes colocar-te nesse tipo de perigo, nem pensar.

— Não queres que esteja em perigo? — A voz dela estava mais ríspida do que nunca; estava rígida como uma viga. — O que achas que sinto em relação ao facto de *tu* voltares lá? Esta família já passou por suficiente incerteza, suficiente perda. — Estava muito séria. Isae parecia ter sido esbofeteada e não admirava. Provavelmente, nunca vira Cisi assim, livre para dizer o que queria, livre para chorar e gritar, e deixar toda a gente desconfortável. — Se formos todos mortos em Shotet, seremos mortos juntos, mas...

— Não fales da morte dessa maneira, como se não fosse nada!

— Acho que não percebes. — Um tremor percorreu os seus braços, a sua mão, a sua voz. Os seus olhos encontraram os dele e ele concentrou-se na mancha da sua íris, no lugar onde a pupila se tinha rasgado. — Depois de teres sido levado e de a Mãe ter voltado, ela estava...insensível. Então, *eu* arrastei o corpo do Pai para o campo, para o queimar. *Eu* limpei a sala de estar.

Não conseguia imaginar, não conseguia imaginar o horror de esfregar o sangue do próprio pai do chão. Seria melhor pegar fogo à casa inteira, seria melhor partir e nunca mais voltar.

— Não te atrevas a dizer-me que não sei o que é a morte — disse ela. — Eu sei.

Alarmado, Akos ergueu a mão até à sua bochecha, empurrou o rosto dela contra o seu ombro. O cabelo encaracolado fez-lhe comichão no queixo.

— Está bem — disse ele. Era acordo suficiente.

Concordaram em dormir algumas horas antes de partirem e Akos subiu ao andar superior, sozinho. Sem pensar, saltou por cima do sexto degrau. Uma parte dele lembrava-se que rangia mais alto do que os outros. O corredor de cima era um pouco torto; inclinava-se para a direita, logo após a casa de banho, e a curva era *errada,* de alguma forma. O quarto que partilhara com Eijeh ficava no final. Abriu a porta com as pontas dos dedos.

Os lençóis na cama de Eijeh estavam enrodilhados, como se estivessem a envolver um corpo ainda a dormir, e havia um par de meias sujas no canto, manchadas de castanho nos calcanhares, por causa dos sapatos. No lado do quarto que pertencia a Akos, os lençóis estavam esticados à volta do colchão, com uma almofada metida entre a cama e a parede. Akos nunca tinha conseguido que as almofadas lhe durassem muito.

Através da grande janela redonda, viu esparto a agitar-se no escuro e estrelas.

Segurou a almofada no colo, quando se sentou. O par de sapatos alinhados com a estrutura da cama era tão mais pequeno do que o par que tinha calçado, que Akos sorriu. Sorriu e depois chorou, enfiando a cara na almofada para se abafar. Aquilo não estava a acontecer. Ele não estava ali. Não estava prestes a deixar a casa que tinha acabado de reencontrar.

As lágrimas acalmaram, eventualmente, e adormeceu com os sapatos ainda calçados.

Pouco depois, quando acordou, ficou de pé debaixo do jato do chuveiro, na casa de banho, durante um pouco mais tempo do que o habitual, esperando que isso o relaxasse. Inutilmente.

Quando saiu, contudo, havia uma pilha de roupa mesmo à saída da porta. As antigas roupas do pai. A camisa ficava-lhe demasiado larga nos ombros e na cintura, mas apertada no peito; ele e Aoseh tinham estruturas completamente diferentes. As calças eram suficientemente compridas, mas por pouco, enfiadas na parte de cima das botas de Akos.

Quando levou a toalha de volta para a casa de banho, para a pendurar, pois seria isso que a mãe iria encontrar quando regressasse, uma toalha molhada, lençóis amarrotados e nenhum filho, Isae estava lá, já vestida com algumas das roupas da sua mãe, as calças pretas enrugadas à volta da cintura, debaixo do cinto. Examinava ao espelho uma das suas cicatrizes e encontrou os olhos dele.

— Se tentares dizer alguma coisa significativa e profunda sobre cicatrizes, dou-te um murro na cabeça — disse ela.

Ele encolheu os ombros e virou o braço esquerdo, para que as marcas de assassinato ficassem de frente para ela.

— Garanto-te que as tuas não são tão feias como as minhas.

— Pelo menos, escolheste as tuas.

Bom, tinha razão.

— Como é que acabaste a ser marcada com uma espada Shotet? — disse ele.

Ouvira alguns dos soldados a contar histórias sobre cicatrizes antes. Não histórias de marcas de assassinatos, mas outras cicatrizes; uma linha branca numa rótula, provocada por um acidente de infância; um corte com uma faca da cozinha, durante uma invasão de Hessa; um acidente de bêbado, envolvendo uma cabeça e uma ombreira de porta. Todos se tinham rido a bandeiras despregadas com as histórias de cada um. Isso não ia acontecer agora, tinha a certeza.

— A reciclagem nem sempre é tão tranquila como te podem ter feito crer — disse Isae. — Durante a última, a minha nave teve de aterrar em Othyr para ser reparada e, enquanto lá estávamos, um dos membros da tripulação adoeceu gravemente. Enquanto estávamos estacionados no hospital, fomos atacados por soldados Shotet, que estavam a assaltar as lojas de medicamentos. Um deles cortou-me o rosto e deixou-me ali, para morrer.

— Lamento — disse ele, automaticamente. Por alguma razão, queria dizer-lhe para onde a ajuda médica Othyrian tinha ido (unicamente para os apoiantes de Ryzek) e como poucas pessoas sabiam disso. Mas, na verdade, não era um bom momento para lhe explicar como era Shotet, especialmente se ela pensasse que estava a desculpar o soldado, por roubar medicamentos e marcar o seu rosto.

— Eu não lamento. — Isae agarrou na barra de sabão perto do lavatório, como se quisesse parti-la ao meio, e começou a lavar as mãos. — É difícil esquecer quem são os nossos inimigos, quando se tem cicatrizes como as minhas. — Pigarreou. — Espero que não te importes, vesti algumas roupas emprestadas da tua mãe.

— Estou a usar a roupa interior de um homem que já morreu — disse ele. — Porque é que me importaria?

Ela sorriu um pouco e Akos sentiu que isso já era algum progresso.

Nenhum deles queria esperar mais do que o necessário, principalmente Akos. Sabia que quanto mais tempo passasse ali, mais difícil seria partir. «Era melhor», pensou, «reabrir rapidamente a ferida, despachar rápido a questão, para poder ligá-la novamente».

Puseram na bagagem mantimentos, comida, roupa e flores de gelo, e amontoaram tudo no flutuador. Só tinha combustível suficiente para lhes permitir atravessar o esparto e era só isso que necessitavam. Ao toque de Cisi, elevou-se do chão e Akos programou a autonavegação para um lugar que parecia ser no meio do nada. Iriam à casa de Jorek, primeiro. Era o único local relativamente seguro que conhecia fora de Voa.

Enquanto voavam, observou o esparto por baixo deles, exibindo o padrão do vento ao inclinar-se e a girar.

— O que dizem os Shotet sobre o esparto? — questionou Isae,

subitamente. — Quer dizer, nós dizemos que os primeiros colonos Thuvhesit o plantaram para manter os Shotet afastados, mas eles, obviamente, têm uma perspetiva diferente, certo?

— Os Shotet dizem que foram eles que o plantaram — disse Akos. — Para impedir a entrada de estranhos Thuvhesit. Mas é originário de Ogra.

— Ainda as consigo ouvir daqui — disse Cisi. — As vozes nas ervas.

— As vozes de quem? — A aspereza deixava a voz de Akos, sempre que falava para Cisi.

— A do meu pai, principalmente — disse Cisi.

— Eu ouço a minha mãe — disse Isae. — Pergunto-me se apenas ouviremos os mortos.

— Há quanto tempo é que ela morreu?

— Há um par de estações. Na mesma altura que me cortaram. — Isae tinha passado para uma dicção diferente, mais casual. Até a sua postura tinha mudado, com a coluna curvada.

Elas continuaram a falar e Akos permaneceu em silêncio, com os seus pensamentos a voarem até Cyra, novamente.

Se ela tivesse morrido, tinha a certeza de que o teria sentido agora, como algo a esfaqueá-lo através do esterno. Não era possível perder uma amiga como ela e não o saber, pois não? Embora a corrente não fluísse através dele, a força de vida dela sem dúvida que o fazia. Ela tinha-o mantido vivo, durante demasiado tempo. Talvez, se ele se agarrasse com força agora, pudesse fazer o mesmo por ela, à distância.

Ao final da tarde, com o sol inchado pelo que restava do dia, começaram a ficar sem combustível. O flutuador estremeceu. Sob eles, o esparto estava a diminuir e, entre ele, havia erva baixa castanho-acinzentada, que se movia como cabelo ao vento.

Cisi conduziu a nave até um lugar próximo de umas flores silvestres. Era gelado aqui, mais perto do equador, mas do mar saíam ondas de ar quente, que enchiam o vale de Voa. Aqui, podiam crescer outras espécies de flores, não apenas flores de gelo.

Saíram da nave e começaram a caminhar. Na linha do horizonte, observava-se a ondulação roxa do fluxocorrente, um pequeno grupo de edifícios e o cintilar de naves Shotet. Jorek tinha-lhe dito como chegar à casa da sua família, mas, a última vez que Akos estivera ali, tinha sido logo após ter matado Kalmev Radix e Vas, e os outros o terem espancado, por isso não se lembrava muito bem. A terra era tão plana que não havia muitos sítios onde uma pequena povoação se pudesse esconder, por sorte.

Ouviu movimento na erva, à frente dele. E, entre os caules, viu algo escuro e enorme. Agarrou na mão de Isae, à sua esquerda, e na de Cisi, à sua direita, segurando-as para as manter, a ambas, imóveis.

Mais à frente, a criatura cintilava. O clique das suas pinças vinha de todas as direções. Era grande, tão larga como ele era alto, facilmente, e o seu corpo estava coberto de discos azuis-escuros. Tinha mais pernas do que ele conseguia contar e conseguia ver a sua cabeça apenas por causa dos dentes, a brilhar na sua enorme boca curva. Eram tão compridos como os seus dedos.

Um Encouraçado.

O seu rosto estava a *izits* do flanco rígido, coberto de discos. Exalou, como se estivesse a suspirar, e os seus olhos vivos e negros, quase escondidos debaixo de um disco, fecharam-se. Ao seu lado, Cisi tremia de medo.

— A corrente leva os Encouraçados a terem ataques loucos, de raiva — sussurrou, mesmo contra a criatura, que tinha adormecido, por muito que isso desafiasse a lógica. Deu um passo lento para trás. — É por isso que eles atacam as pessoas, porque são tão boas condutoras de corrente.

As suas mãos apertaram as delas, as palmas dele tão suadas.

— Mas — disse Isae, soando tensa —, tu não conduzes a corrente, então.

— Portanto, eles quase nem se apercebem de que estou aqui — respondeu. — Vamos.

Levou-as para longe do animal sonolento, olhando por cima

do ombro para se assegurar de que não os seguia. Permaneceu imóvel.

— Acho que já sabemos como ganhaste a tua armadura — disse Isae.

— É *daí* que a armadura vem? — disse Cisi. — Pensei que essas histórias todas, acerca da morte de bestas, era apenas um rumor Thuvhesit estúpido.

— Não é um rumor — disse ele. — Na verdade, não é uma história de triunfo, no meu caso. Adormeceu e eu matei-o. Senti-me tão mal depois, que o marquei no meu braço.

— Porque é que o mataste? — disse Isae — Quer dizer, se não querias fazê-lo?

— Queria a armadura — disse ele. — Nem todos os Shotet ganham este tipo de armadura, por isso, é uma espécie de... símbolo de estatuto. Queria que me vissem como um semelhante e que parassem de dizer que eu tinha pele fina de Thuvhesit.

Cisi bufou.

— Claramente, nunca suportaram um inverno de Hessa.

Conduziu-as em direção aos edifícios distantes, através de porções de terra com flores silvestres tão frágeis que se desfaziam debaixo das suas botas.

— Então, vais dizer-nos para onde estamos a ir ou esperas que caminhemos diretamente para dentro daqueles edifícios, ali à frente? — disse Isae, quando estavam suficientemente perto para verem de que eram feitas as casas: Pedra cinzento-azulada, com pequenas janelas de vidro, pintadas de cores diferentes. Eram apenas alguns edifícios, dificilmente suficientes para serem chamados de povoação. Com o brilho do sol poente a refletir-se no vidro e as flores silvestres a crescer, mesmo contra a pedra, o lugar era realmente bonito.

Estava a arriscar-se ao vir aqui mas, por outro lado, independentemente do que fizesse, estavam em apuros, por isso, era uma opção tão boa como outra qualquer.

Estava a contorcer-se de nervos. Estas casas estariam ligadas ao *feed* de notícias Shotet. Ali, saberiam o que tinha acontecido a Cyra. Manteve a mão esquerda sobre o ombro direito, enquanto caminhavam, para poder puxar da faca se fosse necessário. Não sabia o que os esperava atrás daquelas janelas brilhantes. Puxou da arma, quando viu um lampejo de movimento, uma das portas a abrir-se. Uma mulher pequena, com aparência astuta, saiu com as mãos a pingarem água. Tinha um pano na mão. Conhecia-a: Ara Kuzar. A esposa do falecido Suzao e mãe de Jorek.

Bom, pelo menos, estavam no sítio certo.

— Olá — disse Ara. A sua voz era mais baixa do que esperara. Apenas a vira uma vez, enquanto saía do anfiteatro, depois de matar o seu marido. A mão dela apertava a de Jorek.

— Olá — respondeu ele. — Sou...

— Eu sei quem tu és, Akos — disse ela. — O meu nome é Ara, mas tenho a certeza que já sabes disso.

Não valia a pena negar. Assentiu com a cabeça.

— Porque não entras? — disse ela. — As tuas amigas também podem vir, desde que não causem problemas.

Isae arqueou uma sobrancelha na direção dele, enquanto assumia o comando, subindo as escadas à frente. As suas mãos pairavam sobre as pernas, movendo-se para agarrar tecido inexistente. Estava habituada a roupa elegante, provavelmente, e ainda agora se movia como uma mulher de classe alta, de cabeça erguida e ombros para trás. Também nunca suportara um inverno de Hessa, mas havia coisas mais duras do que o clima.

Seguiram Ara por umas escadas estreitas e rangentes, para a cozinha. O chão era de azulejo azul, de um tom irregular, e a tinta branca escamava das paredes. Mas era cálida e havia uma mesa grande e firme, com todas as cadeiras puxadas para trás, como se tivesse havido um grande número de pessoas ali, há não muito tempo. Um ecrã transmitia o *feed* de notícias na parede mais distante; era chocante ver a luz sintética enterrada na parede, a descamar, o novo e o velho casados, como acontecia em todo Shotet.

— Enviei um aviso ao Jorek, por isso, ele deve regressar em breve — disse Ara. — As tuas amigas falam Shotet?

— Uma de nós — disse Isae. — Só aprendi há algumas estações, portanto... fale devagar.

— Não podemos continuar em Thuvhesit — disse Ara. O seu Thuvhesit era forçado, mas compreensível.

— Esta é a minha irmã, Cisi — disse ele, gesticulando na direção de Cisi. — E a minha amiga...

— Badha — disse Isae, prontamente.

— É um prazer conhecê-las, a ambas — disse Ara. — Tenho de confessar Akos, estou um pouco ofendida por não teres aceitado o meu presente. O anel?

Ela estava a olhar para as suas mãos, que tremiam um pouco.

— Oh — disse ele. Enfiou um polegar debaixo do colarinho da camisa e tirou a corrente para fora. Na ponta, balançava o anel que ela lhe enviara, através do filho. Na verdade, quisera deitá-lo para o lixo em lugar de usá-lo. A morte de Suzao não era algo que ele quisesse recordar. Mas era algo que ele *precisava* de recordar a si mesmo.

Ara fez um gesto afirmativo com a cabeça, em sinal de aprovação.

— Como é que vocês dois se conhecem? — perguntou Cisi. Ele indagou se a sua voz suavizada pretendia tornar a situação confortável. *Não vale a pena o esforço*, pensou.

— Isso — disse Ara — é uma história para outra altura.

Akos já não aguentava mais.

— Não quero ser indelicado — disse ele —, mas preciso de saber da Cyra.

Ara cruzou as mãos sobre o estômago.

— O que é que tem a Menina Noavek?

— Está...? — Não conseguia proferir a palavra.

— Está viva.

Fechou os olhos, apenas por um instante, permitindo-se pensar nela outra vez. Estava bem viva nas suas memórias, a lutar na sala de treino como se a guerra fosse uma dança, procurando janelas para o espaço negro, como se fossem quadros. Ela tornava as coisas feias bonitas, de alguma forma, e ele nunca entenderia isso. Mas estava viva.

— Se fosse a ti, não celebrava ainda— disse uma voz atrás dele. Akos voltou-se, para ver uma rapariga pequena com cabelo loiro-esbranquiçado e uma pala cor-de-rosa sobre um olho. Reconheceu-a da nave da peregrinação, mas não se lembrava do nome dela.

Jorek estava atrás dela, com o seu esfregão de cabelo encaracolado a cair-lhe nos olhos e a sombra da barba a acompanhar o maxilar.

— Akos? — disse ele. — O que estás a...?

A sua voz apagou-se, quando viu Cisi e Isae.

— Cisi, Badha — disse Akos. — Este é o Jorek e a...?

— Teka — disse a rapariga que me era familiar. Era isso. Era a filha da rebelde que fora executada antes de peregrinação. Cyra falara com ela, antes de partirem para Pitha.

— Certo — disse Akos. — Bom, a Cisi é minha irmã e a Badha é minha... amiga. De Thuvhe. A Cisi não fala Shotet. — Esperou um momento. — O que querias dizer com «não celebrava»?

Teka sentou-se numa das cadeiras vazias. Lançou o corpo sobre ela, na verdade, com os joelhos abertos e o braço pendurado nas costas da cadeira.

— Ao que parece, a pequena Noavek não vai durar muito mais — disse ela. — Estamos a tentar descobrir uma forma de a libertar. Agora, que vieste aqui, uma jogada estúpida, devo acrescentar, talvez possas ajudar-nos.

— Libertá-la? — Akos voltou-se para Jorek. — Porque é que *tu* haverias de querer fazer isso?

Jorek subiu para cima do balcão, do lado oposto a Cisi. Lançou-lhe um sorriso rápido, com os olhos a ficarem sonolentos, como muitas vezes ficavam os olhos das pessoas, quando estavam perto da sua irmã. Akos reconheceu então o dom. Não apenas uma força que estrangulava Cisi, que a impedia de chorar, mas também uma força que lhe dava poder sobre as outras pessoas.

— Bom — disse Jorek —, isto é uma fortaleza rebelde. Como já deves ter percebido.

Na verdade, Akos não tinha pensado nisso. Jorek parecia saber coisas que outras pessoas não sabiam, mas isso não queria dizer que fosse um rebelde. E Teka não tinha um olho, o que significava que não era nenhuma amiga de Ryzek, mas isso também não era garantia de nada.

— Então? — disse Akos.

— Bom. — Jorek parecia confuso. — Ela não te disse?

— Não me disse o quê? — perguntou Akos.

— A Cyra estava a trabalhar connosco — disse Teka. — Durante o ataque à nave da peregrinação, eu devia tê-la assassinado. Devia ter matado o Flagelo de Ryzek, enquanto o destino dele era anunciado no intercomunicador, percebes?

— Não lhe chames isso — disse Akos. Sentiu os olhos de Isae nele e as suas bochechas ficaram quentes.

— Sim, sim. — Teka gesticulou, para que se calasse. — Bom, ela levou a melhor sobre mim e deixou-me ir embora. Depois, encontrou-me e pediu uma reunião. Ofereceu-se para nos dar o que quiséssemos, informação, ajuda, fosse o que fosse, se fizéssemos uma coisa por ela, em troca: Tirar-te de Shotet. — Teka olhou para Jorek. — Foi por isso que ela não lhe disse. Porque queria tirá-lo daqui, mas ele não queria ir-se embora sem o irmão.

Jorek estalou a língua.

Naquelas semanas, depois de Ryzek o ter ameaçado, depois de Cyra ter torturado Zosita e mantido as aparências em Pitha, tinha-o levado a pensar que estava a fazer tudo o que Ryzek queria. Tinha-o deixado pensar o pior dela. E, durante todo aquele tempo, estava a colaborar com os rebeldes, a dar tudo o que podia para o tirar dali. Era como se ela se tivesse tornado numa coisa nova e ele nem sequer se tivesse apercebido.

— Ela ia ajudar-nos a assassinar o Ryzek, quando foi apanhada. Conseguiu tirar-nos de lá, mas era demasiado tarde para ela — disse Teka. — Mas nós cumprimos a nossa parte e voltámos a esgueirar-nos lá para dentro. Ela tinha desaparecido, não sabemos onde a puseram, mas tu estavas lá, incapacitado, trancado novamente no teu quarto. Faminto, devo acrescentar. Portanto, tirámos-te de lá. Pensámos que poderias ser útil para a manter do nosso lado.

— Eu também queria ajudar-te — acrescentou Jorek.

— Sim, és um herói. Entendido — disse Teka.

— Porque é que... — Akos abanou a cabeça — Porque é que a Cyra faria isso?

— Tu sabes porquê — disse Teka. — Qual é a única coisa mais importante para ela, do que o medo do irmão? — Quando ele não respondeu, ela suspirou. Exasperada, claramente. — *Tu*, claro, tens essa honra singular.

Isae e Cisi estavam a olhar fixamente para ele, uma com desconfiança e a outra com confusão. Ele não sabia sequer como começar a explicar. Cyra Noavek era um nome que todos os Thuvhesit conheciam, uma história de terror que contavam para se assustarem uns aos outros. O que se dizia, quando se descobria que o monstro não era merecedor desse nome?

Nada. Não se dizia nada.

— O que é que o Ryzek lhe fez? — disse ele, sombriamente.

— Mostra-lhe — disse Teka, para Jorek.

Jorek tocou no ecrã da parede mais afastada, varrendo o *feed* de notícias. Com alguns movimentos dos seus dedos, o ecrã exibiu um vídeo.

As miras aproximaram-se de muito longe, mostrando um anfiteatro com uma jaula de luz branca a atravessar o seu topo escancarado. Os lugares do anfiteatro estavam todos preenchidos, as filas mais abaixo com bancos de pedra e as filas mais acima com bancos de metal, mas era evidente pelas caras sombrias que não se tratava de um dia de celebração.

As miras mostraram um ângulo de visão mais estreito, movendo-se em redor de uma plataforma, suspensa sobre os bancos de madeira e metal. Ryzek estava de pé, em cima dela, reluzente, desde os sapatos pretos até à armadura que lhe cobria o peito. O cabelo fora recentemente aparado e expunha os ossos da sua cabeça, o brilho do escalpe.

Cisi e Isae encostaram-se para trás ao vê-lo, as duas ao mesmo tempo. Akos já superara o medo de Ryzek. Há muito que se transformara em pura repugnância.

De pé, do lado esquerdo de Ryzek, estava Vas. E, à sua direita...

— Eijeh — disse Cisi, num suspiro. — Porquê?

— Fizeram-lhe... uma lavagem cerebral. Mais ou menos — disse Akos, cuidadoso. E Jorek bufou.

As miras fizeram uma panorâmica para a esquerda, para o limite da plataforma, onde soldados rodeavam uma mulher ajoelhada. Cyra. Envergava as mesmas roupas com que a vira dias antes, mas agora estavam rasgadas em alguns sítios e escuras de sangue. O seu cabelo espesso cobria-lhe o rosto, pelo que, por um instante, não teve a certeza se Ryzek lhe arrancara um dos olhos. Por vezes, fazia isso quando uma pessoa era desonrada, para que não conseguisse escondê-lo.

Cyra ergueu a cabeça, exibindo algumas contusões azul-arroxeadas e um olhar, com dois olhos, inexpressivo.

Então, Ryzek falou:

— Hoje, trago-vos notícias difíceis. Uma pessoa que pensávamos ser uma das mais leais, a minha irmã, Cyra Noavek, revelou-se como a pior espécie de traidora. Ela tem estado a colaborar com os nossos inimigos do outro lado da Divisória, fornecendo-lhes informação sobre a nossa estratégia, exército e movimentos.

— Ele não quer admitir que existe um verdadeiro grupo de rebeldes cá fora — disse Jorek, sobrepondo-se ao rugido de repulsa da multidão. — É melhor dizer que ela está a colaborar com os Thuvhesit.

— Escolhe bem as mentiras dele — disse Isae e tal não soou exatamente como um elogio.

Ryzek continuou:

— Também descobri, recentemente, provas de que esta mulher

— apontou para a irmã, exibindo convenientemente as marcas de assassinatos que iam do seu pulso até ao cotovelo — é responsável pela morte da minha mãe, Ylira Noavek.

Akos tapou o rosto. Não havia golpe pior que Ryzek pudesse ter dado a Cyra, do que este. Ela sempre soubera disso.

— Confesso que a ligação familiar me obscureceu o juízo nesta matéria, mas agora que soube da traição e do — Ryzek fez uma pausa — do assassinato cruel da minha mãe, a minha visão está limpa. Determinei que o nível adequado de castigo para esta inimiga de Shotet é a execução por nemhalzak.

Quando o vídeo voltou a Cyra, Akos viu que os seus ombros tremiam, mas não havia lágrimas nos seus olhos. Estava a rir-se. E, enquanto se ria, as sombrascorrentes dançavam, não sob a sua pele, como sangue percorrendo as veias, mas por *cima* dela, como fumo em redor de um incensário. Tinham feito exatamente o mesmo na noite em que Ryzek a forçara a ferir Akos, flutuaram para longe do seu corpo, numa névoa.

O seu dom-corrente mudara.

Ryzek fez um gesto afirmativo com a cabeça, na direção de Vas. Vas atravessou a plataforma, pegando na faca que tinha nas costas. Os soldados à volta de Cyra afastaram-se. Cyra fez-lhe um sorriso falso e disse algo inaudível. Ryzek respondeu algo inaudível, de volta, aproximou-se e debruçou-se sobre ela, com os lábios movendo-se mais depressa para deixarem sair palavras que mais ninguém conseguiu ouvir. Vas agarrou-a pelo cabelo, empurrando-lhe a cabeça para trás e para o lado. A sua garganta estava exposta; Vas inclinou a faca sobre ela e enterrou a faca, Akos cerrou os dentes e afastou o olhar.

— Consegues perceber a ideia — disse Jorek. Houve um silêncio, quando o vídeo parou.

— O que é que ele fez? — disse Akos, asperamente.

— Ele... marcou-a — disse Teka. — Tirou-lhe toda a pele da garganta até ao crânio. Não sei bem porquê. O ritual apenas requer carne. À escolha do mutilador.

Desenhou uma linha a partir do lado do seu pescoço até meio do couro cabeludo. Akos sentiu que ia vomitar.

— Aquela palavra que ele usou, não a conheço — disse Isae. — Nem... nemhalzet?

— Nemhalzak — disse Jorek. — É a eliminação do estatuto, percebido ou real, de alguém. Significa que qualquer pessoa a pode desafiar para a arena, para lutar até à morte, significa que ela já não é, formalmente, considerada Shotet. Com todas as pessoas que ela magoou às ordens dele e com todas as pessoas que amavam a mãe dela, bom... há muitas pessoas que a querem desafiar. O Ryzek deixará que o façam, tantas quantas as necessárias, para a matarem.

— E, com aquela ferida na cabeça, está a perder sangue rapidamente — disse Teka. — Põem-lhe uma ligadura, mas obviamente não é suficiente para o que lhe fizeram.

— Ela vai combater todos esses desafios no anfiteatro? — disse Akos.

— Provavelmente — disse Teka. — É suposto isto ser um evento muito público. Mas aquele campo de forças frita qualquer coisa que toque nele...

Akos falou por cima dela:

— Obviamente, vocês têm uma nave ou não teriam conseguido deixar-me na plataforma de aterragem do hospital.

— Sim — disse Jorek. — E é rápida e furtiva.

— Então, eu sei como tirá-la de lá — disse Akos.

— Não me lembro de ter concordado com nenhum desvio para uma missão de salvamento — disse Isae, com brusquidão. — Particularmente, se for para o pequeno terror do Ryzek Noavek. Achas que eu não sei as coisas que ela fez, Kereseth? O resto da galáxia ouve bastantes rumores de Shotet.

— Não me interessa o que achas que sabes — disse Akos. — Queres a minha ajuda para avançar? Pois vais esperar que eu faça isto primeiro.

Isae cruzou os braços. Mas Akos tinha-a na mão e ela parecia sabê-lo.

*****

Ara ofereceu a Cisi e Isae um quarto livre no andar de cima e uma cama desdobrável, no chão no quarto de Jorek, a Akos. Mas, a julgar pelo olhar que Cisi lançou ao irmão, quando alcançaram o topo das escadas, ela não estava a disposta a simplesmente deixá-lo em paz. Portanto, ele seguiu-a até ao quartinho com um colchão grande e volumoso, e uma fornalha no canto. Luz multicolor pintalgava o chão, o pôr do sol a queimar através das janelas.

Akos tirou a armadura, mas deixou a faca na bota. Não havia forma de prever o que poderia acontecer. Tinha a sensação de que Vas e Ryzek estavam presentes em cada esquina.

— Is... Badha — disse Cisi. — Porque não tomas banho primeiro? Preciso de falar com o Akos.

Isae assentiu com a cabeça e saiu, fechando a porta com o calcanhar. Akos sentou-se na cama, ao lado de Cisi, com pontinhos azuis, verdes e roxos a marcarem os seus sapatos. Ela pôs-lhe a mão sobre o pulso.

— O Eijeh — foi tudo quanto disse.

Então, ele contou-lhe. Sobre as memórias que Ryzek despejara em Eijeh e todas as memórias que absorvera. Sobre as palavras novas que Eijeh usava e a forma como rodopiava a faca na palma da mão, como Ryzek. Não lhe disse que Eijeh observara enquanto Ryzek o magoava, não uma vez, mas duas, e não falou de como Eijeh usara as suas visões para ajudar Ryzek. Não havia razão para que ela perdesse a esperança.

— Foi por isso que não tentaste fugir — disse Cisi, suavemente. — Porque precisavas de o raptar para o fazeres e isso é... mais difícil.

«Quase impossível, é o que é», pensou Akos.

— Isso — disse ele — e que tipo de futuro tenho em Thuvhe, Cisi? Achas que vou ser eu a primeira pessoa na galáxia a desafiar o próprio destino? — Abanou a cabeça. — Talvez seja melhor que aceitemos a verdade. Já não podemos ser uma família.

— Não. — Ela foi muito firme. — Nunca pensaste que alguma vez voltarias a ver-me, mas aqui estou eu, não estou? Não sabes como é que o destino te vai encontrar e eu também não. Mas, até que o faça, podemos ser o que quisermos.

Pôs a mão na dele e apertou. Viu um bocadinho do seu pai nas sobrancelhas arqueadas e compreensivas dela, na covinha da sua bochecha. Ficaram ali sentados mais um pouco, com os ombros encostados, a ouvir o chapinhar da água que vinha da casa de banho, do outro lado do *hall*.

— Como é que é a Cyra Noavek? — perguntou-lhe ela.

— É... — Abanou a cabeça. Como é que podia descrever uma pessoa inteira, assim? Era rija como carne seca. Adorava o espaço. Sabia dançar. Era demasiado boa a magoar pessoas. Conseguira que uns rebeldes o deixassem em Thuvhe sem Eijeh, porque não respeitara as suas malditas decisões e ele estava estupidamente grato por isso. Era... bom, era *Cyra*.

Cisi estava a sorrir.

— Conhece-la bem. É mais difícil sintetizar como é uma pessoa, quando a conhecemos bem.

— Sim, acho que a conheço bem.

— Se achas que ela merece ser salva, suponho que vamos ter de confiar em ti — disse Cisi. — Por mais duro que isso seja.

Isae saiu da casa de banho, de cabelo molhado mas puxado para trás, num nó apertado, como se estivesse fixo à sua cabeça com laca. Vestia uma camisa diferente, mais uma da mãe deles, bordada no colarinho, com florzinhas. Sacudiu a outra, molhada, como se a tivesse lavado à mão, e pendurou-a numa cadeira, perto da fornalha.

— Tens erva no cabelo — disse Isae a Cisi, com um sorriso rasgado.

— É um *look* novo que estou a experimentar — respondeu Cisi.

— Fica-te bem — disse Isae. — Mas, pensando bem, tudo te fica bem, não é?

Cisi corou. Isae evitou os olhos de Akos, voltando-se na direção da fornalha para aquecer as mãos.

Havia mais um par de pessoas a abarrotar a sala escura e baixa, com as paredes a descamar, quando Cisi, Isae e Akos desceram novamente as escadas. Jorek apresentou-os a Sovy, uma das amigas da sua mãe que vivia no fundo da rua e usava um lenço bordado na cabeça, e Jyo, que não era muito mais velho do que eles, com olhos que se pareciam muito aos de Isae, sugerindo algum antepassado comum. Estava a tocar um instrumento que repousava estendido no seu colo, pressionando botões e puxando cordas mais depressa do que Akos conseguia seguir. Havia comida numa mesa grande, já parcialmente comida.

Sentou-se ao lado de Cisi e empurrou-lhe alguma comida para o prato. Não havia muita carne, pois era difícil ter acesso a ela, fora de Voa, mas bastante frutassal, que enchia o suficiente. Jyo ofereceu a Isae esparto frito, com um grande sorriso, mas Akos roubou-lho antes que ela o conseguisse agarrar.

— Não queres comer isso — disse ele. — A não ser que queiras passar as próximas seis horas a alucinar.

— A última vez que o Jyo convenceu alguém a comer isso, essa pessoa andou às voltas por esta casa, a falar de bebés bailarinos gigantes — disse Jorek.

— Pois, pois — disse Teka. — Ri-te quanto quiseres, mas também ias ficar assustado, se alucinasses com bebés gigantes.

— Valeu a pena, quer seja perdoado, quer não — disse Jyo, piscando o olho. Tinha uma forma suave e escorregadia de falar.

— Fazem efeito em ti? — perguntou Cisi a Akos, apontando com a cabeça para o caule na sua mão.

Como resposta, Akos mordeu o caule, que sabia a terra e a sal, e a azedo.

— O teu dom é esquisito — disse Cisi. — De certeza que a Mãe teria qualquer coisa vaga e sensata para dizer sobre isso.

— Ooh. Como é que ele era, quando era criança? — disse Jorek, cruzando as mãos e inclinando-se para se aproximar da irmã de Akos. — Era realmente uma criança ou simplesmente apareceu, um dia, como um adulto completamente crescido, cheio de angústia?

Akos fitou-o.

— Era baixo e rechonchudo — disse Cisi. — Irritável. Muito meticuloso com as suas meias.

— As minhas meias? — disse Akos.

— Sim! — disse ela. — O Eijeh disse-me que as ordenavas sempre por ordem de preferência, da esquerda para a direita. As tuas preferidas eram as amarelas.

Lembrava-se delas. Amarelo-mostarda, com grandes fios entrelaçados que as faziam parecer irregulares, quando não estavam calçadas. O seu par mais quente.

— Como é que vocês todos se conhecem? — perguntou Cisi. A pergunta delicada foi suficiente para dissipar a tensão que surgira com a menção do nome de Eijeh.

— A Sovy costumava fazer doces para todos os miúdos da vila, quando eu era pequeno — disse Jorek. — Infelizmente, não fala Thuvhesit muito bem ou ela própria te contaria acerca das minhas traquinices.

— E eu conheci o Jorek numa casa de banho pública. Estava a assobiar, enquanto — Jyo fez uma pausa — me aliviava e o Jorek achou que seria divertido acompanhar-me.

— Ele não achou isso encantador — disse Jorek.

— A minha mãe era uma espécie de... líder da revolta. Uma delas, pelo menos — disse Teka. — Regressou da colónia de exilados do regime Noavek e juntou-se a nós há cerca de uma estação, para nos ajudar a definir uma estratégia. Os exilados apoiam os nossos esforços, para acabar com a vida do Ryzek.

Isae franziu o sobrolho (estava franzido muitas vezes, na verdade), como se não gostasse do espaço entre as sobrancelhas e quisesse escondê-lo. E, desta vez, Akos percebeu porquê. A diferença entre exilados e rebeldes, e a ligação entre eles, não lhe interessava muito. Queria apenas assegurar-se de que Cyra estava segura e tirar Eijeh de Shotet; não se importava com o resto que lá pudesse acontecer. Mas, para Isae, chanceler de Thuvhe, era claramente importante saber onde havia um grupo de dissidentes contra Ryzek, tanto dentro como fora de Shotet.

— Quantos é que vocês são, os rebeldes? — perguntou Isae.

— Achas que vou responder a essa pergunta? — foi a réplica de Teka. A resposta era claramente não, por isso, Isae continuou.

— É por causa do teu envolvimento na revolta que... — Isae acenou com a mão sobre a cara. — O olho?

— Isto? Oh, eu tenho dois olhos, simplesmente, gosto da pala — disse Teka.

— A sério? — perguntou Cisi.

— Não — disse Teka. E toda a gente se riu.

A comida era simples, quase insípida, mas Akos não se importou. Era um pouco mais como em casa, um pouco menos como o requinte Noavek. Teka começou a trautear para acompanhar a canção de Jyo e Sovy a bater no tampo da mesa com os dedos, com tanta força que o garfo de Akos chocalhava contra o prato, cada vez que o pousava.

Então, Teka e Jorek levantaram-se e dançaram. Isae inclinou-se sobre Jyo enquanto ele tocava e perguntou:

— Então, este grupo específico de rebeldes está a trabalhar para salvar a Cyra... o que é que estão a fazer os outros grupos de rebeldes? Hipoteticamente, quer dizer.

Jyo franziu um olho na sua direção mas, de qualquer modo, respondeu:

— Hipoteticamente, os Shotet que entre nós têm um estatuto baixo necessitam de coisas que não conseguem obter. E precisam que alguém faça contrabando dessas coisas, para eles.

— Como... armas hipotéticas? — disse Isae.

— Possivelmente, mas isso não é uma prioridade de topo. — Jyo puxou algumas cordas erradas, praguejou e voltou novamente às cordas certas. — Prioridades de topo seriam comida e medicamentos. Muitas viagens de ida e volta a Othyr. É necessário alimentar as pessoas, antes que elas possam lutar por nós, certo? E, quanto mais nos afastamos do centro de Voa, mais nos deparamos com pessoas famintas e doentes.

O rosto de Isae contraiu-se, mas assentiu com a cabeça.

Akos não pensava muito nisso, no que estava a acontecer fora do emaranhado de Noaveks em que se tinha metido. Mas pensou naquilo que Cyra dissera, sobre o facto de Ryzek guardar os mantimentos para ele, repartindo-os entre as pessoas do seu círculo ou acumulando-os para mais tarde, e sentiu-se um pouco enjoado.

Teka e Jorek rodopiavam à volta um do outro e balançavam-se, Jorek surpreendentemente gracioso, dado o seu aspeto desengonçado. Cisi e Isae sentaram-se ombro com ombro, encostadas contra a parede. De vez em quando, Isae fazia um sorriso cansado. Não parecia pertencer completamente ali, ao seu rosto. Não era um dos sorrisos de Ori e ela usava o rosto de Ori, por mais cicatrizes que tivesse. Mas Akos calculava que teria de se habituar a ela.

Sovy cantou algumas notas da canção de Jyo e comeram até estarem quentes, cheios e cansados.

CAPÍTULO 29 | CYRA

ERA DIFÍCIL ADORMECER quando se tinha sido esfolado com uma faca, mas tentei, com todas as minhas forças.

A almofada estava encharcada em sangue quando acordei nessa manhã, embora me tenha estendido, obviamente, no lado onde Vas não me tinha esfolado da garganta até ao crânio. A única razão pela qual ainda não me tinha esvaído em sangue até à morte, era o facto de a ferida aberta estar tapada com uma gaze de sutura, uma inovação médica de Othyr que mantinha as feridas fechadas e se dissolvia quando cicatrizavam. Não se destinava a ferimentos tão graves como o meu.

Tirei a fronha da almofada e lancei-a para um canto. As sombras dançavam sobre o meu braço, atormentando-me. Durante a maioria da minha vida, elas tinham corrido ao longo das minhas veias, visíveis através da pele. Quando acordei, após o interrogatório, um soldado disse-me que o meu coração tinha parado e depois regressado à vida por iniciativa própria, as sombras deslocavam-se à superfície do meu corpo. Ainda me causavam dor, mas era mais suportável. Não compreendia porquê.

Mas quando Ryzek tinha declarado o nemhalzak e mandara Vas separar a pele do meu corpo, como a casca de uma fruta, e me tinha obrigado a lutar na arena, o meu nível de dor era tanto como o habitual.

Perguntara-me onde queria a cicatriz. Se é que se podia chamar-

-lhe assim; as cicatrizes eram linhas escuras na pele de alguém, não... *remendos*. Mas o nemhalzak tinha de ser pago com carne e tinha de estar em *exibição*, ter visibilidade. Com a mente obnubilada pela raiva, disse-lhe para me fazer a cicatriz no mesmo sítio onde ferira Akos, aquando da chegada dos irmãos Kereseth. Da orelha ao queixo.

E quando Vas já cumprira o previsto, Ryzek mandara-o prosseguir.

«Corta também o cabelo».

Respirei pelo nariz. Não queria vomitar; de facto não me podia dar ao luxo de vomitar, precisava de todas as forças que me restavam.

Como fizera todos os dias, desde que eu voltara à vida, Eijeh Kereseth veio ver-me tomar o pequeno-almoço. Colocava o tabuleiro de comida aos meus pés e encostava-se à parede oposta a mim, curvado, na péssima postura de sempre. Hoje, exibia no queixo a nódoa negra que eu lhe infligira no dia anterior, quando tentara fugir a caminho da arena e conseguira dar-lhe uns bons golpes antes de os guardas me agarrarem, e me afastarem dele.

— Não pensei que voltasses, depois de ontem — disse-lhe.

— Não tenho medo de ti, não me vais matar — replicou Eijeh. Vinha armado e fazia rodopiar a espada na palma da mão, apanhando-a sempre que fazia uma rotação completa. Fazia-o sem olhar para a arma.

Eu bufei.

— Eu mato qualquer um, não ouviste os boatos?

— A mim não me vais matar — repetiu Eijeh. — Porque amas demasiado o meu irmão delirante.

Tive de me rir. Não tinha percebido que o Eijeh voz de seda sabia tanto de mim.

— Sinto que te conheço — disse Eijeh, de repente. — Deduzo que te conheço mesmo, não conheço? Conheço.

— Não estou virada para uma discussão filosófica acerca do que faz com que as pessoas sejam como são — respondi. — Mas, mesmo que sejas mais Ryzek do que Eijeh, a esta altura, mesmo assim não me conheces. Nunca te deste a esse trabalho, sejas lá quem fores.

Eijeh revirou ligeiramente os olhos.

— Coitadinha da filha incompreendida do privilégio.

— Quem o diz é o caixote do lixo andante das coisas que o Ryzek quer esquecer — retorqui eu. — Porque é que ele não me mata? Todo este drama prévio é por demais retorcido, mesmo para ele.

Eijeh não respondeu, o que era uma resposta em si própria. Ryzek ainda não me tinha matado porque queria fazê-lo desta forma, em público. Talvez se tenha espalhado a notícia de que eu estava envolvida numa tentativa de assassinato e agora ele precisava de destruir a minha reputação, antes de me deixar morrer. Ou talvez só quisesse ver-me sofrer.

De alguma forma, custava-me a acreditar nisso.

— É mesmo necessário dar-me talheres inúteis? — perguntei, espetando a minha torrada em vez de a fatiar.

— O soberano está preocupado com poderes tentar acabar com a vida antes do momento apropriado — disse Eijeh.

O momento apropriado. Pensei se Eijeh já teria escolhido a minha forma de morrer. O oráculo, depenando o futuro ideal de entre uma panóplia de opções.

— Acabar a minha vida com *esta* coisa? As minhas unhas são mais afiadas. — Pousei a faca no colchão, com a ponta para baixo. Espetei-a com tanta força que a estrutura da cama estremeceu e então larguei-a. A faca caiu, nem sequer era afiada o suficiente para rasgar o tecido. Encolhi-me, sem saber bem que parte do corpo me doía.

— Calculo que ele te considere suficientemente imaginativa para encontrares uma solução — disse Eijeh, suavemente.

Enfiei o último bocado de torrada na boca e encostei-me à parede, de braços cruzados. Estávamos numa das celas lustrosas e brilhantes da barriga do anfiteatro, sob as bancadas do estádio que já se estavam a encher de pessoas, ávidas de me verem a morrer. Ganhara o último desafio, mas sentia-me abatida. Ir à casa de banho nessa manhã fora uma autêntica proeza.

— Que querido — disse eu, abrindo os braços para exibir as minhas contusões. — Estás a ver como o meu irmão gosta de mim?

— Estás a brincar — disse Ryzek, mesmo à entrada da cela.

Conseguia ouvi-lo, abafado, através da parede de vidro que nos separava. — Deves estar desesperada.

— Não, desespero é jogar este jogo estúpido antes de me matares, só para me fazeres parecer malvada — argumentei. — Tens medo que o povo de Shotet me apoie? Que patético!

— Tenta pôr-te de pé e logo vemos todos o que é realmente «patético» — disse Ryzek. — Vá lá, chegou a hora.

— Pelo menos, vais dizer-me quem é o meu adversário de hoje? — indaguei. Pus as mãos na estrutura da cama, rangi os dentes e empurrei-me para cima.

Precisei de toda a energia para engolir o grito de dor que me dilatou a garganta, mas consegui.

— Sabes que estou desejoso, e sei bem que concordas comigo, de acabar com isto. Por isso, arranjei um desafio especial para esta manhã.

Ele envergava uma armadura sintética, de um preto mate e mais flexível do que a variedade Shotet tradicional, e umas lustrosas botas pretas que o faziam parecer ainda mais alto. A camisa branca com gola estava abotoada até acima e era visível sobre o colete da armadura. Tinha praticamente o mesmo vestuário do que no funeral da nossa mãe, o que era muito apropriado, pois estava a planear que eu morresse hoje.

— É uma pena que o teu amado não possa aqui estar, para assistir — disse Ryzek. — Tenho a certeza que ele ia adorar.

Relembrava agora repetidas vezes o que Zosita, a mãe de Teka, me tinha dito antes da sua execução. Perguntara-lhe se merecia a pena perder a vida por desafiar Ryzek e ela respondera que sim. Quem me dera poder dizer-lhe que agora a compreendia.

Ergui o queixo.

— Sabes, tenho uma enorme dificuldade em descortinar se ainda há em ti algum laivo do meu irmão. — Quando passei por Ryzek, ao sair da cela, aproximei-me e disse —: Mas estarias muito mais bem-disposto, se o teu plano para roubar o dom-corrente do Eijeh tivesse funcionado.

Por um instante, pareceu-me que Ryzek vacilava. Olhou para Eijeh.

— Estou a ver — disse eu. — O que quer que tenhas tentado fazer, não funcionou. Ainda não conseguiste o dom dele.

— Leva-a daqui — Ryzek ordenou a Eijeh. — Tem um servicinho de morte à espera dela.

Eijeh empurrou-me para a frente com umas luvas grossas, como se andasse a treinar uma ave de rapina.

Se me concentrasse, conseguia andar a direito, mas era difícil de tanto que a cabeça e a garganta me latejavam. Uma gota de sangue (bem, eu esperava que fosse sangue) escorria pelo meu colarinho.

Eijeh empurrou-me para o recinto da arena e eu tropecei. A luz exterior cegava-me, o céu limpo e pálido à volta do sol. O anfiteatro estava repleto de observadores que aplaudiam e gritavam, mas não conseguia perceber o que diziam.

No lado oposto, Vas aguardava-me. Sorriu-me e mordeu os lábios gretados. Se continuasse assim, fá-los-ia sangrar.

— Vas Kuzar! — anunciou Ryzek, a voz amplificada pelos minúsculos dispositivos que pairavam sobre a arena. Mesmo por cima do contorno do muro do anfiteatro, conseguia avistar os edifícios de Voa, de pedra salpicada por vidro e metal, cintilantes, ao sol. Um deles, equipado com uma lâmina de vidro azul, quase se confundia com o céu. A cobrir a arena havia um campo de forças que protegia o lugar das inclemências do mau tempo. E das fugas. Os Shotet não apreciavam que os jogos de guerra fossem interrompidos por temporais, pelo frio ou por prisioneiros fugitivos.

— Desafiaste a traidora Cyra Noavek, para um duelo de morte com espadascorrentes! — Como se estivesse ensaiado, todos urraram ao ouvir *traidora Cyra Noavek* e eu arregalei os olhos; o meu coração batia rápido. — Eis a resposta à traição ao povo de Shotet. Pronto para avançar?

— Sim — disse Vas, no seu costumeiro tom monocórdico.

— A tua arma, Cyra — disse Ryzek. — Desembainhou uma espadacorrente das costas e virou-a para que eu lhe pudesse pegar pelo cabo. Tinha a manga arregaçada.

Aproximei-me, desejosa de que as sombrascorrentes se manifestassem, chamando a dor que as acompanhavam. A minha pele estava polvilhada de linhas escuras. Desloquei-me de forma a parecer que ia agarrar no cabo da arma mas, em vez disso, colei a mão ao braço de Ryzek.

Queria mostrar às pessoas quem era ele, na realidade. E a dor cumpria bem esse papel, exteriorizava o oculto.

Ryzek gritou e debateu-se, tentando livrar-se de mim. Com todos os outros, simplesmente tinha deixado que o meu dom-corrente fosse para onde quisesse e sempre quisera ser partilhado. Com Akos tinha-o contido, quase acabando com a própria vida, no processo. Mas, com Ryzek, pressionei-o contra ele com toda a força que fui capaz de reunir.

Foi realmente uma pena que Eijeh tivesse aparecido tão depressa, agarrando-me e arrastando-me para longe.

Porém, o estrago já estava feito. Todos os presentes na arena ouviram o meu irmão a gritar, quando lhe toquei. Silenciosos, limitavam-se a observar.

Eijeh imobilizou-me até Ryzek se recompor, empunhando a arma. Pousando a mão no ombro de Vas, disse somente para que Eijeh, Vas e eu conseguíssemos ouvir:

— Mata-a!

— Que pena, Cyra — disse, com suavidade, Eijeh ao meu ouvido. — Não queria que chegássemos a isto.

Libertei-me enquanto Eijeh se afastava e recuei, respirando com esforço. Estava desarmada. Mas era melhor assim. Ao não me dar uma espadacorrente, Ryzek estava a mostrar a todos os presentes na arena que não me daria um tratamento justo. Na sua raiva, ele mostrava medo. E isso bastava-me.

Vas avançou para mim com movimentos confiantes, predadores. Sempre me desagradara, desde criança, e nunca soubera bem porquê. Ele era tão alto e forte como qualquer outro homem que possa ter considerado atraente. Um bom lutador, igualmente, e os olhos possuíam uma cor rara, muito bela. Mas ele também estava coberto por contusões e arranhões. Tinha as mãos tão secas que a carne entre os dedos estava a estalar. E nunca tinha conhecido uma pessoa tão... vazia. Infelizmente, isso tornava-o extremamente assustador, na arena.

Estratégia, agora, pensei. Lembrei-me do filme de Tepes, a que assistira na sala de treino. Com a mente fresca, tinha aprendido os movimentos bruscos e oscilantes do combate deles. O essencial para garantir o controlo do corpo era manter o centro forte, Quando Vas investiu, virei-me e saltei para o lado, os membros inferiores gingões. Um dos meus braços atingiu-o na orelha, com força. O impacto fez-me estremecer, espraiando uma onda de dor pelas minhas costas e costelas.

Gemi e, enquanto me recuperava, Vas passou ao ataque. A sua espada aguçada esculpiu-me uma linha no braço. Perante o sangue derramado na arena, a multidão aclamou.

Tentei ignorar o sangue, a dor, o sofrimento. O meu corpo palpitava de dor, de medo, de raiva. Segurei o braço contra o peito. Tinha de conseguir agarrar Vas. Ele não sentia dor mas, se canalizasse bastante do meu dom-corrente, matá-lo-ia.

Uma nuvem tapou o sol e Vas arremeteu novamente contra mim. Desta vez, esquivei-o e alcancei-o com uma mão, roçando-lhe o interior do pulso com os dedos. As sombras bailaram sobre ele, não sendo suficientemente potentes para o afetarem. Oscilou a espada e a ponta da lâmina espetou-se no meu flanco.

Soltei um queixume e caí sobre o muro da arena.

E então, ouvi alguém gritar:

— Cyra!

Da primeira fila das bancadas, uma figura sombria ergueu-se sobre o muro da arena e saltou para o chão, com os joelhos fletidos. A escuridão enchia o meu campo de visão, mas eu sabia quem ele era, só de o ver a correr.

Uma longa corda escura foi lançada para o centro da arena. Olhei e vi não uma só nuvem a cobrir o sol, mas sim uma velha nave transportadora, feita de uma coleção de metais, melosa, enferrujada e brilhante como o sol, pairando mesmo acima do campo de forças. Vas agarrou Akos com as duas mãos e atirou-o contra o muro da arena. Akos cerrou os dentes e cobriu as mãos de Vas com as suas.

Então, uma coisa estranha ocorreu: Vas *recuou* e largou-o.

Akos correu para o meu lado, debruçou-se sobre mim e passou-me o braço pela cintura. Juntos corremos para a corda. Agarrou-a com uma mão e içou-se depressa, demasiado depressa para que Vas lhe chegasse.

Todos urravam à nossa volta. Gritou-me ao ouvido:

— Vais ter de te agarrar por ti própria!

Praguejei. Tentei não olhar para os lugares sentados abaixo de nós, a loucura que deixámos atrás, o chão distante, mas era difícil não o fazer. Centrei-me então na armadura de Akos. Rodeei-lhe o peito com os braços e fechei as mãos em redor do colarinho. Quando ele me soltou, cerrei os dentes; estava demasiado fraca para me aguentar assim, demasiado fraca para suportar o próprio peso.

Akos trepou com a mão que tinha estado a usar para me segurar e os seus dedos aproximaram-se do campo de forças que tapava o anfiteatro. Brilhou mais ao toque dos dedos, depois tremeluziu e apagou-se. A corda sacudia-se, dura, e lamentei-me quando quase perdi o suporte, mas então chegámos à nave.

Estávamos num interior mortalmente sossegado.

— Conseguiste que o Vas sentisse dor — disse eu, ofegante. Afaguei-lhe a cara, passei-lhe um dedo pelo nariz e pelo lábio superior.

Ele não estava tão magoado como da última vez que o vira, agachado no chão.

— Pois consegui — replicou ele.

— O Eijeh estava no anfiteatro, estava mesmo ali. Podias tê-lo apanhado. Porque não...

A sua boca, ainda sob os meus dedos, abriu-se num sorriso.

— Porque vim buscar-te a ti, sua tolinha.

Ri-me e desabei sobre ele, já sem forças para permanecer de pé.

CAPÍTULO 30 | AKOS

POR INSTANTES, SÓ havia o seu peso, o seu calor e alívio.

Então, tudo voltou: A aglomeração de pessoas na nave transportadora, o silêncio enquanto os observavam, Isae e Cisi de cinto apertado, perto do convés. Cisi sorriu a Akos, quando este enlaçou Cyra pela cintura e pegou nela. Cyra era alta, estava longe de ser delicada, mas ainda podia com ela. Pelo menos, durante um bocado.

— Onde têm os medicamentos? — Akos perguntou a Teka e a Jyo, que se dirigiam a eles.

— O Jyo tem formação médica; ele pode tratar dela — disse Teka.

Mas Akos não gostou da forma como Jyo olhava para ela, como se representasse um bem valioso que ele poderia comprar ou trocar. Estes rebeldes não a tinham resgatado por terem um coração bondoso; queriam alguma coisa em troca e ele não estava disposto a entregá-la.

Os dedos de Cyra agarraram-se à correia da armadura na sua caixa torácica e ele arrepiou-se.

— Ela não vai a parte nenhuma sem mim — disse ele.

O sobrolho de Teka elevou-se acima da pala do olho. Antes que pudesse levar um estalo, e teve a sensação de que era possível, Cisi desapertou a correia e aproximou-se.

— Eu posso fazê-lo; tenho a preparação necessária — disse ela. — E o Akos ajuda-me.

Teka fitou-a um instante e então gesticulou para a cozinha:

— Com certeza, Menina Kereseth.

Akos carregou Cyra para a cozinha. Ela não estava completamente fora de si, ainda tinha os olhos abertos, mas também não parecia estar ali, o que não lhe agradava.

— Vá lá, Noavek, recompõe-te — disse-lhe, virando de lado para a enfiar pela porta não muito estável da nave; ele tropeçou. — A esta altura, a minha Cyra já teria feito pelo menos dois comentários sarcásticos.

— Hum. — Ela sorriu levemente. — A tua Cyra.

A cozinha era estreita e suja; pratos e copos usados amontoavam-se à volta do lava-louça, chocando entre si cada vez que a nave virava, iluminados por raios de luz branca, que tremulava como se estivesse prestes a apagar-se. Era tudo do mesmo metal baço, salpicado de parafusos. Esperou que Cisi esfregasse a pequena mesa entre as duas bancadas e lhe passasse um pano seco. Doíam-lhe os braços quando pousou Cyra no chão.

— Akos, não consigo ler os caracteres Shotet.

— Hum... nem eu, para ser franco. — O armário estava organizado e todos os itens individualmente embalados, dispostos em filas limpas. Por ordem alfabética. Conhecia alguns medicamentos de vista, mas isso não chegava.

— Depois de tanto tempo em Shotet, era de esperar que tivesses aprendido alguma coisa — disse Cyra, do seu lugar à mesa, enrolando um pouco a língua. O seu braço caído apontou —: Há pele de prata ali. O antissético está à esquerda. Façam-me um analgésico.

— Ei, eu aprendi umas coisas —disse-lhe ele a ela, apertando-lhe a mão antes de se entregar ao trabalho. — A lição mais difícil foi saber como lidar contigo.

Ele tinha um frasco de analgésico no saco logo, foi ao cais principal outra vez e procurou-o debaixo dos lugares rebatíveis, fitando

Jyo quando não desviou as pernas de imediato. Encontrou o rolo de couro, feito de pele tratada de Encouraçado, por isso, estava ainda dura, não exatamente um «rolo», onde guardava os frascos e ampolas de reserva, e encontrou o violeta que ajudaria a mitigar a dor de Cyra. Ao regressar à cozinha, Cisi estava de luvas, a rasgar embalagens.

— Que tal a firmeza das tuas mãos, Akos? — perguntou Cisi.

— São suficientemente firmes. Porquê?

— Eu sei como proceder, claro, mas não posso tocá-la, por causa da dor, lembras-te? Pelo menos, não com a firmeza de que ela precisa; é um trabalho delicado — disse ela. — Por isso, vou limitar-me a indicar-te o que tens de fazer.

Veias escuras percorreram os braços de Cyra, para cima e para baixo, e rodearam-lhe a cabeça, embora estivessem diferentes desde a última ocasião em que Akos as vira, linhas bailando sobre ela, em ziguezague.

— Akos, esta é...? —perguntou Cyra, roucamente, da mesa.

— A minha irmã? — concluiu Akos. — Sim, é ela. Cyra, esta é a Cisi.

— Prazer em conhecer-te — disse Cyra, procurando o rosto de Cisi. Por parecença com Akos, não chegaria lá; Cisi e ele nunca tinham sido nada parecidos.

— Igualmente — disse Cisi, a sorrir para Cyra. Se ela sentia medo da mulher abaixo dela (a mulher de quem ouvira tantos rumores durante toda a vida), não o demonstrava.

Akos deu o analgésico a Cyra e levou o frasco aos lábios de Cyra. Era difícil olhar para ela. As gazes de sutura que lhe cobriam o lado esquerdo da garganta e a cabeça estavam completamente vermelhas e formaram uma crosta. Ela estava salpicada de hematomas e estafada.

— Lembra-me — disse Cyra, quando o analgésico começou a surtir efeito — de te repreender, por teres voltado atrás.

— Como quiseres — disse Akos.

Mas estava aliviado por ter ali a sua Cyra, cortante como uma lâmina com serrilha. Forte como o gelo do Esmorecimento.

— Adormeceu, o que é bom — disse Cisi. — Chega-te para trás, por favor.

Ele deu-lhe algum espaço. Com habilidade, ela pegou nas gazes com a delicadeza de alguém que tenta enfiar uma linha numa agulha, para não arranhar a pele de Cyra, e puxou-as. Despegaram-se facilmente da ferida, ensopadas em sangue e pus. Pousou-as numa bandeja, perto da cabeça de Cyra, uma tira empapada de cada vez.

— Com que então, estás a estudar para médica — disse Akos, ao observá-la.

— Parece encaixar bem com o meu dom — disse Cisi. A facilidade para proporcionar alívio e tranquilidade era o seu dom, sempre fora, mesmo antes de o dom-corrente se manifestar, mas ele estava a comprovar que não era o único. Ela possuía uma firmeza de mãos, aliada à calma e à inteligência. Era mais do que apenas uma pessoa doce com boa disposição, se é que alguém era somente isso.

Quando a ferida se viu livre da gaze inútil, ela encheu-a de antissético, com pancadinhas suaves nos contornos, para se livrar do sangue seco.

— Acho que chegou o momento de aplicar a pele de prata — disse Cisi, endireitando-se. — Atua como uma criatura viva; basta colocá-la adequadamente e adere de forma permanente à carne. Vais ver que é fácil, desde que consigas manter as mãos firmes. Pronto? Eu vou cortar as tiras.

A pele de prata era outra invenção de Othyr, uma substância estéril e sintética que quase parecia ter vida, como dizia Cisi. Usava-se para substituir a pele ferida irreparável, sobretudo nas queimaduras. O nome advinha-lhe da cor e textura, pois era macia e tinha um brilho prateado. Uma vez usada, era permanente.

Cisi cortou as tiras com cautela, uma para a zona abaixo da orelha de Cyra, outra para trás da mesma, outra ainda para a garganta. Após uns instantes, pensativa, ela optou por fazer os contornos de pele de prata curvos. Como o vento através da neve; como as pétalas das flores do silêncio.

Akos calçou as luvas, para que a pele de prata não se pegasse às suas mãos e Cisi deu-lhe a primeira tira. Era pesada e fria ao toque, não escorregadia como tinha imaginado. Ela ajudou-o a posicionar as mãos por cima da cabeça de Cyra.

— Baixa-as agora, a direito — disse ela e ele obedeceu. Não precisou de pressionar no sítio; a pele de prata ondulou como a água e enterrou-se no couro cabeludo de Cyra, assim que encontrou a carne.

Seguindo as indicações da voz de Cisi, Akos colocou o resto da pele de prata. Cada peça se unia de imediato, sem que existisse interregno entre elas.

Ele agiu como se fosse as mãos de Cisi para o resto das feridas, cobrindo os cortes do braço e flanco com gazes de sutura, e tratando os hematomas com uma pomada cicatrizante. Não demorou muito. A maior parte curar-se-ia por si e o verdadeiro desafio para ela consistiria em tentar esquecer como as fizera. Por enquanto, ainda não existiam gazes para as feridas da mente, por mais reais que fossem.

— Já está — disse Cisi, tirando as luvas das suas mãos pequenas. — Agora, é só esperar que ela acorde. Precisa de descansar, mas vai ficar bem, agora que já não está a perder sangue.

— Obrigado — disse Akos.

— Nunca pensei que alguma vez tentaria curar a Cyra Noavek — disse Cisi. — Ainda por cima, numa nave transportadora, carregada de Shotet. — Olhou de relance para ele. — Estou a ver que gostas dela, sabes?

— Sinto... — Akos suspirou e sentou-se na mesa, perto da cabeça de Cyra. — Sinto que penetrei em cheio no meu destino, mesmo sem querer.

— Bom — disse Cisi —, se o teu destino é servir a família Noavek, acho que deves estar à altura da mulher disposta a enfrentar tudo isto só para te levar para casa.

— Então, não me consideras um traidor?

— Isso vai depender daquilo que ela significa, não vai? — disse Cisi. Ela tocou-lhe no ombro. — Vou à procura da Isae, está bem?

— Claro.

— Que olhar é *esse*?

Ele estava a reprimir um sorriso.

— Não é nada.

Akos tinha lembranças vagas do interrogatório e os contornos que teimavam em penetrar na sua cabeça eram suficientemente maus por si só, mesmo sem os pormenores que lhes confeririam maior realidade. Ainda assim, permitiu que a lembrança de Cyra penetrasse.

Ela parecia um cadáver; as sombrascorrentes davam-lhe ao rosto um aspeto encovado e putrefacto. E gritara tão alto, cada *izit* do seu corpo a resistir: Ela não queria magoá-lo. Se ele não contara a Ryzek o que sabia acerca de Isae e Ori, talvez ela o tenha feito, só para impedir que Akos fosse morto. E ele não lho podia recriminar.

Ela acordou na mesa da cozinha, com um espasmo e um queixume. E então, tentou alcançá-lo, tocando-lhe no queixo com a ponta dos dedos.

— Estou selada na tua memória, agora? — disse ela, vagarosa. — Como alguém que te faz mal? As palavras estavam presas na sua garganta, como se estivesse amordaçada. — Não consigo esquecer os sons que fizeste...

Estava a chorar. Meio drogada pelo analgésico, mas ainda assim a chorar.

Ele não se lembrava dos sons que fizera quando ela lhe tinha tocado, quando Vas a tinha obrigado a tocar-lhe, isto é, quando os tinha torturado a ambos. Mas sabia que ela tinha sentido tudo o que ele sentira. Era assim que o seu dom operava, enviando a dor nos dois sentidos.

— Não, não — disse Akos. — O que ele fez, fez aos dois.

A mão dela repousava no seu esterno, como quem se prepara para o empurrar, mas não o faz. Roçou os dedos sobre a clavícula dele e, mesmo através da camisa, ele pôde sentir o calor dela.

— Mas agora já sabes o que fiz — disse ela, enquanto olhava para a mão, para o peito dele, para qualquer lado salvo para a cara. — Anteriormente, só me tinhas visto a fazê-lo a outros, mas agora já sabes o tipo de dor que tenho causado às pessoas, a tantas pessoas, só porque fui demasiado cobarde para lhe fazer frente. — Carrancuda, ergueu a mão. — Fazer com que te levassem foi a única coisa boa que fiz e agora nem sequer vale nada, porque estás aqui outra vez, seu... seu idiota.

Ela encolheu-se de lado; estava a chorar, outra vez.

Akos tocou-lhe na cara. Quando a tinha conhecido, pensou que era uma coisa medonha, um monstro do qual tinha de fugir. Mas ela abrira-se aos poucos, exibindo o seu humor perverso ao acordá-lo com uma faca encostada à garganta, ao falar de si própria com uma honestidade inabalável, para bem ou para mal, ao amar profundamente cada pedaço dessa galáxia, mesmo as partes que seria de esperar que odiasse.

Ela não era um prego enferrujado, como em tempos lhe dissera, nem um atiçador a arder ou uma faca na mão de Ryzek. Era uma flor do silêncio, toda ela poder e possibilidade. Capaz de fazer o bem e o mal em igual medida.

— Não foi a única coisa boa que fizeste — disse Akos, num Thuvhesit simples; parecia a língua certa para o momento, a língua da sua casa, que Cyra entendia, mas não chegava a falar quando ele estava por perto. Como se receasse que o pudesse ofender.

— Cá para mim, tudo o que fizeste valeu a pena — disse ele, ainda em Thuvhesit. — Muda tudo.

Inclinou a testa para a dela, partilhando o mesmo ar.

— Gosto de como soas na tua própria língua — disse ela, com suavidade.

— Posso beijar-te? — perguntou ele. — Ou vai doer?

Ela arregalou os olhos; então retorquiu, ofegante.

— E se doer? — Sorriu levemente. — De qualquer forma, a vida está cheia de dor.

A respiração de Akos estremeceu, quando pressionou a boca dela com a sua. Não sabia bem como ia ser beijá-la desta forma, não por ela o surpreender e ele não querer recuar, mas simplesmente porque lhe apetecia. Ela sabia a malte e especiarias, devido ao analgésico que tinha engolido, e parecia um pouco hesitante, como se tivesse medo de o magoar. Mas beijá-la ateava-o de forma tocante. Ele ardia por ela.

A nave sacudiu-se e todas as tigelas e chávenas chocalharam. Estavam a aterrar.

CAPÍTULO 31 | AKOS

FINALMENTE, PERMITI-ME pensá-lo: Ele era lindo. Os seus olhos cinzentos recordavam-me as águas turbulentas de Pitha. Quando se esticou para tocar no meu rosto, havia uma prega ao longo do seu braço, onde um músculo rijo se encontrava com outro. Os seus dedos hábeis e sensíveis deslizavam sobre a maçã do meu rosto. As suas unhas estavam manchadas de pó amarelo, de flores da inveja, tinha a certeza. Ficava sem fôlego ao pensar nele a tocar-me, só porque queria fazê-lo.

Ergui-me lentamente para me sentar, levando uma mão à pele de prata, atrás da minha orelha. Em breve, aderiria aos nervos daquilo que restava do meu couro cabeludo e conseguiria senti-la como se fosse a minha própria pele, embora o cabelo nunca mais voltasse a crescer. Interroguei-me que aparência teria agora, com cabelo em pouco mais de metade da cabeça. Na verdade, não importava.

Ele queria tocar-me.

— O que é? — disse ele. — Estás a olhar para mim com um olhar estranho.

— Não é nada — disse eu. — É só que... estás com bom ar.

Era uma coisa pateta de se dizer. Estava coberto de pó, suado e manchado com o meu sangue. O cabelo e as roupas estavam amarrotados. *Bom ar* não eram exatamente as palavras adequadas para utilizar naquela situação, mas as outras em que pensei eram demasiado fortes, demasiado cedo.

Ainda assim sorriu, como se entendesse.

— Tu também.

— Estou imunda — disse eu. — Mas obrigada por mentires.

Apoiei-me na ponta da mesa e fiz força para me pôr de pé. No início, cambaleei, insegura dos meus passos.

— Precisas que te carregue, outra vez? — disse ele.

— Isso foi humilhante e nunca mais vai voltar a acontecer.

— Humilhante? Algumas pessoas poderiam usar outra palavra — disse ele. — Como... galante.

— Vamos fazer assim — disse eu. — Um dia destes, carrego-te como um bebé à frente de pessoas cujo respeito estás a tentar conquistar e logo me dizes se gostas disso.

Ele fez um sorriso rasgado.

— Combinado.

— Vou aceitar que me ajudes a caminhar — disse eu. — E não penses que não reparei na chanceler de Thuvhe de pé, na sala ao lado. — Abanei a cabeça. — Adorava saber qual é o princípio da Elmetahak, que sanciona que tragas a tua chanceler para o país dos teus inimigos.

— Acho que é um princípio da «Hulyetahak» — disse ele, com um suspiro. — A escola dos estúpidos.

Agarrei-me com força ao seu braço e caminhei, arrastei-me, na verdade, até ao convés principal. A nave transportadora era pequena, com uma ampla janela de observação numa das pontas. Através dela vi Voa de cima, rodeada de três lados por penhascos escarpados e de um pelo oceano; florestas espraiavam-se sobre as colinas distantes, até onde os meus olhos alcançavam. Comboios, movidos em grande parte pela energia do vento que vinha da água, envolviam a circunferência da cidade e viajavam para o centro como raios numa roda. Nunca tinha andado em nenhum.

— Como é que o Ryzek não nos encontrou? — perguntei eu.

— Um manto holográfico — disse Teka, da cadeira do capitão. — Faz-nos parecer exatamente iguais a qualquer outro transportador do exército Shotet. Desenhei-o eu.

A nave mergulhou, afundando-se através de um buraco de um telhado podre de algum edifício nas periferias de Voa. Ryzek não conhecia essa parte da cidade; ninguém se dava ao trabalho de a conhecer, na verdade. Era evidente que esse edifício, especificamente, já tinha sido um complexo residencial, esvaziado por algum tipo de acontecimento destrutivo, talvez uma quase demolição, abandonada a meio. Enquanto a nave descia, espreitei para o interior de meia dúzia de vidas: Uma cama com fronhas que não combinavam, no quarto de um apartamento devastado; metade de uma bancada de cozinha, dependurada num precipício; almofadas vermelhas cobertas de pó e escombros de uma sala de estar destruída.

Aterrámos e alguns dos outros usaram uma corda que passava por uma roldana, perto do teto, para tapar o buraco com um enorme pedaço de tecido preto. A luz ainda entrava, fazendo a nave quase brilhar, do calor dos seus metais remendados, mas era mais difícil, agora, olhar para dentro dos apartamentos que tinham existido. O espaço em que estávamos era metade terra batida, metade azulejos com riscos de pó. A crescer nas fendas do chão partido havia frágeis flores Shotet, em cinzento, azul e roxo.

No fundo das escadas que se tinham desdobrado do porão da nave, com os olhos angulares que eu recordava das imagens da gravação que eu e Akos tínhamos visto juntos, estava Isac Benesit. Estava marcada de uma forma que eu não imaginara, marcada por uma faca Shotet.

— Olá — disse-lhe eu. — Ouvi falar muito de si.

Ela disse:

— Igualmente.

Tinha a certeza disso. Ouvira falar de como eu trazia morte e dor a tudo o que tocava. E talvez tivesse ouvido falar também da minha suposta loucura, de eu ser demasiado louca para falar, como um animal doente.

Assegurando-me de que a mão de Akos ainda estava no meu braço, estiquei uma mão na sua direção, curiosa para ver se a apertaria. Ela fê-lo. A sua mão parecia delicada, mas senti que estava calejada e pensei em como teria ficado assim.

— Acho que devíamos trocar histórias — disse eu, cuidadosamente. Se os rebeldes ainda não sabiam quem ela era, era melhor não lhes dizer, para sua segurança. — Num lugar mais privado.

Teka aproximou-se de nós. Quase me ri com a pala de cor viva que usava; embora não a conhecesse bem, parecia mesmo dela chamar a atenção para o olho que faltava, em vez de o disfarçar.

— Cyra — disse-me ela. — É bom ver que te sentes melhor.

Afastei-me da mão estabilizadora de Akos, para que as sombrascorrentes voltassem a espalhar-se pelo meu corpo. Estavam tão diferentes agora, ziguezagueando pelos meus dedos como madeixas de cabelo, em vez de os atravessarem como veias. A minha camisa estava manchada de sangue e cortada onde tinham aplicado a gaze de sutura, e tinha contusões em mais sítios do que aqueles que podia contar. Ainda assim, tentei fingir alguma dignidade.

— Obrigada por me terem ido buscar — disse-lhe. — Calculo, baseada nas nossas interações anteriores, que desejem alguma coisa em troca.

— Podemos falar disso mais tarde — disse Teka, com o lábio a curvar-se. — Contudo, acho que podemos dizer que os nossos interesses estão alinhados. Se quiseres lavar-te, há água corrente neste edifício. Água quente. Escolhe um apartamento, qualquer apartamento.

— O luxo dos luxos — disse eu. Olhei para Isae. — Talvez devesses vir connosco. Temos muito para falar.

Fiz o melhor que podia para fingir que estava bem, até ter alcançado as escadas, longe da vista. Então, parei para me encostar a uma das paredes, ofegante. A minha pele latejava, em redor da pele de prata. O toque de Akos estava a eliminar a dor do meu dom-corrente, mas não havia nada que ele pudesse fazer para me salvar do resto, dos rasgões na minha carne, das batalhas que travara pela própria vida.

— Ok, isto é simplesmente ridículo — disse Akos. Pôs uma mão atrás dos meus joelhos e balançou-me para pegar ao colo, não com tanta suavidade como eu teria gostado. Mas estava demasiado cansada para fazer qualquer objeção. As pontas dos meus sapatos roçaram as paredes, enquanto ele me carregava pelas escadas acima.

Encontrámos um apartamento no segundo andar, que parecia relativamente intacto. Estava poeirento e metade da sala de estar que restava tinha vista para a área oca, onde a nave estava estacionada, pelo que conseguíamos ver o que os rebeldes estavam a fazer, a desenrolar catres para dormir, a organizar os mantimentos, a acender o lume na pequena fornalha que, provavelmente, tinham arrastado de um dos apartamentos.

A casa de banho, ao lado da sala de estar, era confortável e espaçosa, com uma banheira no centro e um lavatório num dos lados. O chão era feito de azulejos de vidro, azuis. Akos testou as torneiras, que no início se engasgaram, mas que ainda funcionavam, como Teka prometera.

Fiquei indecisa, durante um momento, entre lavar-me ou falar com Isae Benesit.

— Eu posso esperar — disse Isae, quando notou a minha indecisão. — De qualquer forma, ficaria demasiado distraída para ter uma conversa significativa contigo, enquanto estás coberta de sangue.

— Sim, dificilmente estou em condições de estar na companhia de uma chanceler — disse, com um pouco de aspereza na voz. Como se fosse culpa minha estar coberta de sangue. Como se precisasse que mo recordassem.

— Passei a maior parte da minha vida numa pequena nave-cruzador, que cheirava a pés — respondeu ela. — Dificilmente estou em condições de estar na minha própria companhia, pelas definições habituais.

Agarrou numa das grandes almofadas que havia na sala de estar e deu-lhe uma palmada, criando uma nuvem de poeira no ar. Depois de a sacudir, pousou-a no chão e sentou-se em cima dela, conseguindo, de alguma forma, parecer elegante enquanto tentava equilibrar-se. Cisi sentou-se ao seu lado, embora com menos cerimónia, enviando um sorriso cálido na minha direção. Estava perplexa com o seu dom, como abrandava os meus pensamentos turbulentos e fazia com que as minhas piores memórias parecessem estar muito mais distantes. Sentia que estar na sua presença podia tornar-se viciante, para quem tivesse suficiente desconforto dentro de si.

Akos ainda estava na casa de banho. Tinha tapado o ralo da banheira e aberto as torneiras. Agora, estava a desapertar as correias da sua armadura com dedos rápidos e ágeis.

— Não me digas que não precisas da minha ajuda — disse-me. — Não vou acreditar.

Afastei-me do ângulo de visão da sala de estar e tentei levantar a camisa por cima da cabeça. Só consegui levantá-la até ao estômago, antes de ter de parar para respirar. Akos pousou a armadura e tirou-me a bainha da camisa das mãos. Ri-me, suavemente, enquanto ele a guiava sobre a minha cabeça e pelos meus braços abaixo, e disse:

— Isto é embaraçoso.

— Pois é — disse ele. Manteve os olhos no meu rosto. Estava a corar.

Não me tinha permitido imaginar uma situação como esta, os seus dedos a roçarem os meus braços, a memória da sua boca na minha, tão próxima que ainda a conseguia sentir.

— Acho que consigo tirar as calças sozinha — disse eu.

Não me importava de mostrar o corpo. Estava longe de ser frágil, com coxas grossas e peito pequeno, e isso não me preocupava. Este corpo tinha-me carregado através de uma vida dura. Tinha exatamente a aparência que devia ter. Mesmo assim, quando os seus olhos desceram, apenas por um momento, reprimi um risinho nervoso.

Ajudou-me a entrar na banheira, onde me sentei, encharcando a roupa interior. Procurou no armário por baixo do lavatório, espalhando no chão uma navalha, uma garrafa vazia com um rótulo gasto e um pente com os dentes partidos, antes de encontrar um pedaço de sabão e oferecer-mo.

Estava calado, pousando a mão em mim para suprimir as sombrascorrentes, enquanto eu esfregava riscos de vermelhidão do corpo. A pior parte era explorar cuidadosamente as extremidades da pele de prata, para limpar o que eram já alguns dias acumulados de sangue. Portanto, fiz isso primeiro, mordendo o lábio com força para não chorar. Então, o polegar dele estava a pressionar a minha pele, massajando um nó do meu ombro, do meu pescoço. Um arrepio percorreu-me os braços, para cima e para baixo, deixando-os com pele de galinha.

Os seus dedos rodopiavam sobre os meus ombros, à procura de sítios para apaziguar. Os seus olhos, quando encontravam os meus, eram tão suaves e quase tímidos, e quis beijá-lo até ele corar novamente.

Mais tarde.

Com um olhar de relance para a sala de estar, para ter a certeza que Cisi e Isae não me conseguiam ver, soltei a armadura à volta do braço esquerdo e arranquei-a da pele.

— Tenho mais algumas para gravar — disse suavemente a Akos.

— Essas perdas podem esperar — disse Akos. — Já sangraste o suficiente por isto.

Tirou-me o sabão e esfregou-o na mão, para fazer espuma. Depois, percorreu-me o braço marcado para cima e para baixo com os dedos, meigo. Era, de alguma forma, até melhor do que ser beijada por ele. Não acalentava ilusões frágeis sobre a minha bondade, destinadas a estilhaçarem-se quando descobrisse a verdade. Mas aceitava-me na mesma. Importava-se comigo, na mesma.

— Ok — disse. — Estou pronta, acho eu.

Akos pôs-se de pé, agarrando nas minhas mãos, e ajudou-me a

levantar. A água escorria-me pelas pernas e costas. Enquanto apertava a armadura à volta do meu antebraço, novamente, encontrou uma toalha num dos armários, depois juntou algumas roupas para mim: As calças de Isae, roupa interior de Cisi, uma das suas camisas, um par das suas meias e as minhas botas ainda intactas. Olhei para o monte de roupa com alguma consternação. Uma coisa era ele ver-me em roupa interior, mas ajudar-me a tirá-la...

Bom, se isso acontecesse, queria que fosse em circunstâncias diferentes.

— Cisi — disse Akos. Também fitava o monte de roupa. — Se calhar, devias ajudar com esta parte.

— Obrigada — disse-lhe eu.

Ele sorriu.

— Está a tornar-se *muito* difícil manter os olhos no teu rosto.

Fiz-lhe uma careta, enquanto se afastava.

Cisi entrou e a paz veio com ela. Ajudou-me a desapertar a cinta de peito. Era, tanto quanto eu sabia, um desenho exclusivo de Shotet, feito não para acentuar a minha figura, mas para manter o meu peito firme, debaixo da armadura rígida. O substituto que ela me deu era mais como uma camisola, feita para garantir calor e conforto, de tecido suave. A versão Thuvhesit. Era grande demais para mim, mas teria de servir.

— Esse teu dom — disse eu, enquanto ela me ajudava a apertá-lo. — Faz com que seja difícil confiares nas pessoas?

— O que queres dizer com isso? — Ela levantou uma toalha, para eu poder mudar de roupa interior com alguma privacidade.

— Quero dizer... — depois de puxar a roupa interior, enfiei a primeira perna nas calças. — Nunca sabes se as pessoas querem realmente estar contigo ou com o teu dom.

— O dom vem de mim — disse Cisi. — É uma expressão da minha personalidade. Portanto, acho que não vejo uma diferença.

Era, essencialmente, o que o Dr. Fadlan dissera à minha mãe, no seu consultório. Que o meu dom se desdobrara a partir do mais profundo de mim e que só mudaria quando eu mudasse. Ao ver as sombras enroladas em redor do meu pulso, como uma pulseira, interroguei-me se a mudança significava que eu acordara daquele interrogatório uma mulher diferente. Talvez até uma mulher melhor, mais forte.

Perguntei:

— Então, achas que provocar dor às pessoas faz parte da minha personalidade?

Franziu o sobrolho, enquanto me ajudava a conduzir a cabeça e os braços para a camisa limpa. As mangas curtas eram demasiado largas para mim, pelo que as enrolei para cima, deixando os braços despidos.

— Queres manter as pessoas afastadas — disse Cisi, finalmente. — Não tenho a certeza do motivo pelo qual o teu dom concretiza isso através da dor. Não te conheço. — Franziu ainda mais o sobrolho. — É estranho. Normalmente, não consigo falar assim tão livremente com ninguém, muito menos com alguém que acabei de conhecer.

Eu e ela trocámos um sorriso.

Na sala de estar, onde Isae ainda estava sentada com as pernas dobradas para um lado, tornozelos cruzados, havia uma pequena pilha de almofadas, já preparadas para mim. Afundei-me nelas, aliviada, e puxei o cabelo molhado para cima de um dos ombros. Embora a mesa entre nós estivesse partida (fora, em tempos, feita de vidro, pelo que pedrinhas de vidro cobriam o chão de madeira à nossa volta) e as almofadas estivessem sujas, ao nível do chão, Isae olhava para mim como se estivesse na sua corte e eu fosse um súbdito. Ora, isso sim, era um talento.

— Como é o teu Thuvhesit? — disse Isae.

— Muito bom — disse eu, mudando de língua. Akos estremeceu, prestando atenção ao som da sua língua nativa a sair da minha boca. Já me tinha ouvido a falá-la antes, mas parecia sobressaltá-lo, de qualquer forma.

— Então — disse-lhe eu —, vieste aqui pela tua irmã.

— Sim — disse Isae. — Viste-a?

— Não — disse eu. — Não sei onde a têm detida. Mas, eventualmente, o Ryzek vai ter de a mudar de lugar. É para esse momento que deves preparar-te.

Akos pôs novamente um braço no meu ombro, desta vez de pé, atrás de mim. Nem tinha reparado nas sombrascorrentes a começarem o seu movimento, novamente. Estava tão distraída com toda a restante dor.

— Ele vai magoá-la? — disse Cisi, suavemente, sentando-se ao lado de Isae.

— O meu irmão não inflige dor sem motivo — disse eu.

Isae bufou.

— Estou a falar a sério — disse eu. — É um tipo peculiar de monstro. Teme a dor e nunca desfrutou de a observar. Recorda-lhe que a pode sentir, acho eu. Podes retirar algum conforto disso: Não é provável que ele a magoe sem sentido, sem uma causa.

Cisi envolveu a mão de Isae com a sua e apertou com força, sem olhar para ela. As suas mãos unidas repousavam no chão, entre elas, de dedos entrelaçados, pelo que conseguia distinguir a pele de Cisi da de Isae, apenas pelo seu tom mais escuro.

— O meu palpite é que, o que quer que ele pretenda fazer com ela, e podemos presumir com relativa segurança que seja uma execução, será um acontecimento público e terá como objetivo atrair-te — disse eu. — Ele quer matar-te *a ti* ainda mais do que a ela, e quer que seja segundo as suas condições. Acredita em mim, não queres lutar com ele, segundo as suas condições.

— A tua ajuda seria útil — disse Akos.

— Vocês já têm a minha ajuda — respondi.

Coloquei a minha mão sobre a dele e apertei. Para o tranquilizar.

— A parte mais difícil vai ser persuadir os rebeldes — disse Akos. — Eles não se importam com salvar um filho da família Benesit.

— Deixa-me encarregar-me deles — disse eu. — Tenho uma ideia.

— Quantas das histórias que ouvi sobre ti são verdade? — disse Isae. — Vejo que cobres o teu braço. Vi o que consegues fazer com o teu dom. Por isso, sei que uma parte do que me contaram deve ser verdade. Como posso confiar em ti, se assim é?

Tive a sensação, ao olhar para ela, que ela queria que o mundo à sua volta fosse simples, incluindo as pessoas que dele faziam parte. Talvez tivesse de se sentir assim, por carregar o destino de uma nação-planeta nos seus ombros. Mas eu tinha aprendido que o mundo não se tornava algo, só porque nós precisávamos.

— Queres ver as pessoas como extremos. Más ou boas; de confiança ou não — disse eu. — Eu compreendo. É mais fácil assim. Mas não é assim que as pessoas funcionam.

Ela olhou para mim durante muito tempo. O suficiente para Cisi se impacientar, no seu lugar.

— Além disso, confiares ou não confiares em mim não me faz qualquer diferença — disse eu, finalmente. — Vou trucidar o meu irmão, seja como for.

No final dos degraus, quando estávamos todos cobertos pela escuridão das escadas, belisquei a manga de Akos para o manter atrás. Não estava assim tão escuro, que não conseguisse ver o seu olhar confuso. Esperei que Isae e Cisi se afastassem até onde não nos conseguiam ouvir, antes de recuar, soltando-o, deixando as sombrascorrentes aumentarem entre nós, como fumo.

— Passa-se alguma coisa? — disse ele.

— Não — disse eu. — É só... dá-me um momento.

Fechei os olhos. Desde que acordara, depois do interrogatório, com sombra por cima da minha pele, em vez de debaixo, tinha ficado a pensar no consultório do Dr. Fadlan, na forma como o meu dom tinha surgido. Parecia, como a maioria das coisas na minha vida, estar ligado a Ryzek. Ryzek temia a dor, pelo que a corrente me tinha dado um dom que ele temeria, talvez o único dom que podia verdadeiramente proteger-me dele.

A corrente não me dera uma maldição. E eu tinha-me tornado forte sob a sua instrução. Mas não podia negar outra coisa que o Dr. Fadlan tinha dito: Que, de certa forma, sentia que eu e toda a gente éramos merecedores de dor. Uma coisa que eu sabia, no mais profundo dos meu ser, era que Akos Kereseth não o era. Agarrando-me a esse pensamento, estiquei-me na sua direção e toquei com a minha mão no seu peito, sentindo tecido.

Abri os olhos. As sombras ainda viajavam pelo meu corpo, uma vez que não estava a tocar na sua pele, mas todo o meu braço esquerdo, do ombro até às pontas dos dedos que lhe tocavam, estava limpo de sombras. Mesmo que ele conseguisse sentir o meu dom-corrente, não o estaria a magoar.

Os olhos de Akos, normalmente tão cautelosos, estavam arregalados de admiração.

— Quando mato pessoas com um toque, é porque decido dar-lhes toda a dor e não guardar nenhuma para mim. É porque fico tão cansada de a suportar, que só quero fazê-la diminuir, por um momento — disse eu. — Mas, durante o interrogatório, ocorreu-me que talvez fosse suficientemente forte para a suportar toda, sozinha, que talvez mais ninguém, exceto eu, conseguisse. E nunca teria pensado nisso sem ti.

Pestanejei, sentindo lágrimas nos olhos.

— Viste-me como alguém melhor do que eu era — disse eu. — Disseste-me que podia escolher ser diferente do que tinha sido, que a minha condição não era permanente. E eu comecei a acreditar em ti. Absorver toda a dor quase me matou mas, quando acordei novamente, o dom estava diferente. Já não dói tanto. Às vezes, consigo controlá-lo.

Afastei a minha mão.

— Não sei o que queres chamar-lhe, o que somos um para o outro agora — disse eu. — Mas queria que soubesses que a tua amizade... literalmente, transformou-me.

Durante alguns longos segundos, limitou-se a fitar-me. Ainda havia coisas novas para descobrir no seu rosto, mesmo depois de tanto tempo passado na íntima companhia um do outro. Sombras ténues sob as maçãs do seu rosto. A cicatriz que lhe atravessava a sobrancelha.

— Não sabes o que lhe chamar? — disse ele, quando finalmente voltou a falar.

A sua armadura bateu no chão com estrondo e ele avançou na minha direção. Pôs o braço à volta da minha cintura. Puxou-me contra ele. Sussurrou contra a minha boca:

— Sivbarat. Zethetet.

Uma palavra Shotet, uma Thuvhesit. *Sivbarat* referia-se ao amigo mais querido de uma pessoa, alguém tão próximo que perdê-lo seria como perder um membro. E a palavra Thuvhesit, nunca a tinha ouvido antes.

Não sabíamos muito bem como encaixar juntos, lábios demasiado molhados, dentes onde não deviam estar. Mas não fazia mal; tentámos novamente e desta vez foi como uma faísca provocada por fricção, um choque de energia através do meu corpo.

Agarrou nos meus flancos, puxou a minha camisola para os seus punhos. As suas mãos eram hábeis, de lidar com facas de trinchar e pós, e cheirava a isso também, a ervas, poções e vapor.

Pressionei-me contra ele, sentindo a parede dura das escadas contra as minhas costas e a sua respiração rápida, quente, no meu pescoço. Tinha-me indagado como seria passar pela vida sem sentir dor, mas isto não era a ausência de dor pela qual sempre ansiara, era o oposto, era pura sensação. Suave, quente, dolorosa, pesada, tudo, tudo.

Ouvi, ecoando pela casa segura, algum tipo de comoção. Mas antes de me afastar, para ver o que era, perguntei-lhe calmamente:

— O que significa «zethetet»?

Ele afastou o olhar, como se estivesse envergonhado. Vislumbrei aquele afogueamento a crescer à volta do colarinho da sua camisa.

— Amada — disse ele, suavemente. Beijou-me novamente, depois apanhou a sua armadura do chão e foi à frente, na direção dos rebeldes.

Não conseguia parar de sorrir.

*****

A comoção devia-se ao facto de alguém estar a aterrar um flutuador na nossa casa segura, rasgando precisamente o tecido que nos escudava. A faixa de luz que lhe envolvia o meio era roxo-escura e estava salpicada de lama.

Gelei, aterrorizada pela forma escura que descia, mas então vi palavras que não me eram familiares, na face inferior da nave redonda: *Veículo de Passageiros #6734.*

Escritas em Thuvhesit.

CAPÍTULO 32 | AKOS

A NAVE QUE irrompera pela cobertura do telhado era um flutuador de passageiros, redondo, com tamanho suficiente para transportar apenas um par de pessoas. Pedaços esfarrapados do tecido que rasgara desceram atrás dela, flutuando na brisa. O céu agora visível era azul-escuro, sem estrelas, e o fluxocorrente ondulante que o atravessava era vermelho-arroxeado.

Os rebeldes rodearam o flutuador, com as armas apontadas. A porta lateral abriu-se e uma mulher desceu, exibindo as palmas das mãos. Era mais velha, com riscas de cinzento no cabelo e o seu olhar era de tudo menos rendição.

— Mãe! — exclamou Cisi.

Cisi correu para ela, envolvendo-a num abraço. A mãe deles também a abraçou mas, por cima do ombro de Cisi, examinou os rebeldes com o olhar. Depois, os seus olhos fixaram-se em Akos.

Sentiu-se inseguro na sua pele. Tinha pensado que, se voltasse a vê-la, talvez ela o fizesse sentir novamente como um miúdo. Mas era exatamente o contrário: Sentia-se velho. Segurando na armadura Shotet à sua frente, como se o protegesse dela, depois desejando desesperadamente não estar a segurá-la, para que ela não soubesse que a ganhara. Não queria chocá-la ou desiludi-la, ou ser algo diferente daquilo que ela esperava, só que não sabia o que isso era.

— Quem és tu? — perguntou Teka. — Como nos encontraste?

A sua mãe soltou Cisi.

— Sou a Sifa Kereseth. Lamento ter-vos assustado; não vos quero fazer mal.

— Não respondeste à minha pergunta.

— Sabia onde vos encontrar porque sou o oráculo de Thuvhe — disse a sua mãe e, em simultâneo, como se tivesse sido ensaiado, os rebeldes baixaram as suas espadascorrentes. Nem mesmo aqueles Shotet que não veneravam a corrente se atreveriam a ameaçar um oráculo, a sua história religiosa era tão forte. O respeito temeroso por ela, pelo que conseguia ver e fazer, estava-lhes praticamente nos ossos, correndo junto à medula.

— Akos — disse a sua mãe, quase como se fosse uma pergunta. E em Thuvhesit: — Filho?

Ele tinha pensado em vê-la novamente dezenas de vezes. O que diria, o que faria, como se sentiria. E, acima de tudo, agora, só se sentia zangado. Ela não o tinha vindo buscar no dia do rapto. Nem sequer os avisara sobre o horror que lhes invadiria a casa ou lhes dissera um adeus muito significativo, nessa manhã, quando foram para a escola. Nada.

Ela esticou-se na sua direção, colocando as mãos fortes nos seus ombros. A camisa gasta que envergava, remendada nos cotovelos, era uma das camisas do seu pai. Cheirava a *sendes* e a frutassal, cheirava a casa. A última vez que estivera de pé, diante dela, chegava-lhe apenas ao ombro; agora, era mais alto do que ela uma cabeça.

Os olhos dela brilharam.

— Queria poder explicar-te — sussurrou ela.

Ele também. Queria, mais do que isso, que ela se conseguisse libertar da fé insana que tinha nos destinos, das convicções que, para ela, eram mais importantes do que os próprios filhos. Mas não era assim tão simples.

— Perdi-te, então? — A voz dela falhou um pouco enquanto fazia a pergunta e isso foi suficiente para a raiva dele ceder.

Curvou-se e puxou-a para os seus braços, levantando-a até ficar em bicos de pés, sem se aperceber.

Só sentia ossos ao abraçá-la. Ela sempre teria sido assim tão magra ou ele teria simplesmente pensado que ela era forte, porque era um miúdo e ela era mãe dele? Sentiu que seria demasiado fácil esmagá-la.

Ela balançou-se ligeiramente de um lado para o outro. Sempre fizera isso, como se o abraço não terminasse enquanto não testasse a sua estabilidade.

— Olá — disse ele, porque não conseguiu pensar em mais nada para dizer.

— Estás crescido — disse a mãe, enquanto recuava. — Vi meia dúzia de versões deste momento e, mesmo assim, não fazia ideia de que serias tão alto.

— Nunca pensei ver-te surpreendida.

Ela riu-se um bocadinho.

Não estava tudo perdoado, nem metade. Mas, se esta era uma das últimas vezes que ia vê-la, não ia passá-la zangado. Ela amaciou-lhe o cabelo com uma mão e ele deixou-a, embora soubesse que o seu cabelo não precisava de ser amaciado.

A voz de Isae quebrou o silêncio:

— Olá, Sifa.

O oráculo inclinou a cabeça para Isae. Akos não precisou de a avisar que não dissesse aos rebeldes quem era Isae; ela já sabia, como sempre.

— Olá — disse ela a Isae. — Também fico contente por te ver. Temos estado preocupados contigo, lá em casa. Com a tua irmã também.

Palavras cuidadosas, cheias de subtexto. Thuvhe estava provavelmente mergulhado no caos, à procura da chanceler perdida. Akos indagou, então, se Isae teria sequer dito a alguém aonde ia ou avisado que ainda estava viva. Talvez não se importasse o suficiente para o fazer. Afinal, não tinha crescido em Thuvhe, pois não? Quanta lealdade ao país gelado deles teria ela, realmente?

— Bom — disse Jorek, tão afável como sempre —, sentimo-nos honrados pela sua presença, Oráculo. Por favor, junte-se a nós para uma refeição.

— Fá-lo-ei, mas devo avisar-vos, vim munida com visões — disse Sifa. — Acho que serão do interesse de todos.

Alguém murmurava, traduzindo as palavras Thuvhesit para os rebeldes que não falavam a língua. Akos ainda sentia dificuldades em perceber a diferença entre as duas línguas, a não ser que estivesse realmente a prestar atenção. Calculava que fosse essa a diferença entre saber algo no sangue, em vez de no cérebro. Simplesmente estava *lá*.

Descobriu Cyra no fundo da multidão, a meio caminho entre os rebeldes e as escadas de onde tinham acabado de sair. Parecia... bom, parecia assustada. Por conhecer o oráculo? Não, por conhecer a sua mãe. Tinha de ser.

Pedia-se à rapariga que assassinasse o próprio irmão ou lutasse com alguém até à morte e ela nem pestanejava. Mas estava com medo de conhecer a sua mãe. Akos sorriu.

Os outros estavam a voltar para junto do fogão rasteiro onde os rebeldes tinham acendido um fogo, para os manter a todos quentes. Durante o tempo em que Akos estivera no andar de cima, a ajudar Cyra, tinham arrastado algumas mesas de vários apartamentos e estava ali representada meia dúzia de estilos diferentes: Uma mesa quadrada de metal, uma estreita de madeira, outra de vidro e outra esculpida. Sobre elas, havia alguma comida, frutassal cozinhada e tiras secas de carne, um pedaço de pão a torrar num espeto e carapaças de *fenzu* tostadas, uma iguaria que ele nunca provara. Junto da comida havia tacinhas de flores de gelo, à espera de serem misturadas e preparadas. Provavelmente, por ele, se conhecia Jorek tão bem quanto pensava. Não era tão elaborado como o que tinham comido na noite anterior, mas era suficiente.

Não teve de guiar a sua mãe na direção de Cyra. Ela viu-a e caminhou diretamente para ela. Isso não fez Cyra parecer menos assustada.

— Menina Noavek — disse a sua mãe. Havia um pequeno nó na sua garganta. Inclinou a cabeça, para ver a pele de prata no pescoço de Cyra.

— Oráculo — disse Cyra, inclinando a cabeça. Nunca vira Cyra a fazer uma reverência sentida a ninguém.

Uma das sombras floriu por cima da bochecha dela e depois espalhou-se em três veias de escuridão negra, que desceram pela sua garganta como se estivesse a engolir. Ele colocou os dedos no seu cotovelo, para que ela pudesse apertar a mão da sua mãe quando esta lha ofereceu e a mãe observou o toque leve com interesse.

— Mãe, a Cyra garantiu que eu regressasse a casa, na semana passada — disse ele. Não tinha a certeza sobre o que mais dizer acerca dela. Ou sobre o que mais dizer, ponto. O rubor que o perseguira durante toda a infância voltou a assolá-lo; sentiu-o atrás das orelhas e tentou reprimi-lo. — À custa de grandes sacrifícios para si própria, como podes ver.

A sua mãe voltou a examinar Cyra.

— Obrigada, Menina Noavek, pelo que fez pelo meu filho. Aguardo com expectativa, mais tarde, descobrir o motivo.

Com um sorriso estranho, Sifa voltou-se e afastou-se, unindo o braço ao de Cisi. Cyra ficou atrás com Akos, de sobrolho erguido.

— Aquela é a minha mãe — disse ele.

— Eu percebi — disse ela. — Estás... — Afagou com os dedos a parte de trás da orelha dele, onde a pele estava a aquecer. — Estás a corar.

A sua tentativa de reprimir o rubor falhara. O calor espalhou-se pelo seu rosto e teve a certeza que estava vermelho vivo. Isto não lhe deveria já ter passado, com a idade?

— Não sabes como explicar quem sou. Só coras quando não sabes que palavras usar, já percebi — disse ela, com os dedos a percorrerem o queixo dele. — Não faz mal, eu também não saberia como explicar quem sou à tua mãe.

Akos não sabia o que tinha esperado dela. Uma provocação, talvez? Cyra conseguia provocá-lo mas parecia saber, de alguma forma, que não podia provocá-lo com isto. A sua compreensão simples, tranquila, suavizou-lhe as entranhas. Cobriu a mão dela. Enlaçou os dedos à volta dos dela, para que ficassem unidos.

— Talvez esta não seja a altura certa para te dizer que, provavelmente, não vou ser nada boa a encantá-la — disse ela.

— Então, não sejas encantadora — disse ele. — Ela, decididamente, não é.

— Tem cuidado. Não sabes quão não encantadora consigo ser. — Cyra levou os dedos unidos à boca e trincou-os ligeiramente.

Akos instalou-se num lugar na mesa de metal, ao lado de Sifa. Se houvesse um uniforme Hessa, ela estava a usá-lo: As suas calças eram de um material robusto, provavelmente forradas com alguma coisa para a manter quente, e as suas botas tinham pequenos ganchos nas solas, para se agarrarem ao gelo. O cabelo estava apanhado atrás com uma fita vermelha. De Cisi, tinha a certeza. Havia rugas novas na sua testa e à volta dos olhos, como se as estações tivessem levado algo dela. E, obviamente, assim era.

A toda a volta deles, os rebeldes estavam sentados, passando tigelas de comida, pratos vazios e utensílios. Do outro lado da mesa estavam Teka, desta vez com uma pala de padrão floral; Jorek com o cabelo encaracolado e húmido do banho; Jyo com o seu instrumento de colo virado ao contrário e o queixo a repousar em cima dele.

— Comida primeiro — disse Sifa, quando percebeu que os rebeldes estavam à sua espera. — Profecia depois.

— Claro — disse Jorek, com um sorriso. — Akos, pergunto-me se podias preparar um pouco de chá para nos descontrairmos um pouco?

Como previsto. Akos nem se deu ao trabalho de se fingir irritado por lhe terem dado um trabalho, quando a sua mãe tinha acabado de irromper pelo teto num flutuador Thuvhesit. Queria qualquer coisa para fazer com as mãos.

— Posso.

Encheu a chaleira de água e pendurou-a por um gancho no pequeno fogão, depois pôs-se de pé, na outra extremidade da manta de retalhos formada pelas mesas, preparando misturas de chá para tantas canecas quantas conseguiu encontrar. A maioria era os preparados costumeiros de libertação das inibições, utilizados para levantar os espíritos e facilitar a conversa. Mas fez um analgésico para Cyra e algo calmante para si. Enquanto estava de pé, com os dedos nas tacinhas de flores de gelo, ouviu a sua mãe e Cyra a conversarem.

— O meu filho estava ansioso por que eu te conhecesse, apercebi-me disso — disse a sua mãe. — Deves ser uma boa amiga.

— Hum... sim — disse Cyra. — Acho que sim.

«*Tu* achas que *sim*», pensou Akos, resistindo à vontade de revirar os olhos. Tinha-lhe dado rótulos suficientemente claros quando estavam nas escadas, mas ela ainda não conseguia acreditar totalmente. Era esse o problema de se estar tão convencido de que se era horrível: Pensar que os outros estavam a mentir, quando não concordavam com isso.

— Ouvi dizer que tens um talento para a morte — disse a sua mãe. Pelo menos, Akos tinha avisado Cyra sobre a falta de encanto de Sifa.

Olhou de relance para Cyra. Segurava no pulso com armadura contra a barriga.

— Suponho que sim — disse ela. — Mas não tenho uma paixão por ela.

Do nariz da chaleira saiu algum vapor, ainda sem espessura suficiente para que Akos vertesse a água nas canecas. A água nunca tinha fervido tão devagar.

— Vocês os dois passaram muito tempo juntos — disse a sua mãe.

— Sim.

— És tu a responsável pela sobrevivência dele, nas últimas estações?

— Não — disse Cyra. — O seu filho sobrevive devido à sua própria vontade.

A sua mãe sorriu.

— Pareces defensiva.

— Não fico com os louros da força das outras pessoas — disse Cyra. — Apenas da minha.

O sorriso da sua mãe ficou ainda mais rasgado.

— E um bocadinho convencida.

— Já me chamaram pior.

O vapor estava suficientemente espesso. Akos agarrou no gancho com a pega de madeira, pendurada ao lado do fogão, e uniu-a à chaleira. Conseguiu agarrá-la e fixá-la no sítio, enquanto vertia água em cada uma das canecas. Isae avançou para agarrar numa caneca e pôs-se em bicos de pés para poder segredar-lhe ao ouvido.

— Se ainda não te ocorreu, deve estar a despertar agora em ti a consciência de que a tua miúda e a tua mãe são pessoas muito parecidas — disse ela. — Vou fazer uma pausa até que esse facto irrefutável te arrepie até ao âmago.

Akos observou-a.

— Isso foi *humor*, Chanceler?

— De vez em quando, sou conhecida por fazer um comentário humorístico. — Deu um gole no chá, embora ainda estivesse a ferver. Não pareceu magoá-la. Embalou a caneca contra o peito. — Conhecias bem a minha irmã, quando eram crianças?

— Não tão bem quanto Eijeh — disse Akos. — Era um pouco mais difícil falar comigo.

— Ela falava muito dele — disse Isae. — Partiu-lhe o coração quando o levaram. Ela deixou Thuvhe durante algum tempo, para me ajudar a recuperar do *incidente*. — Agitou a mão sobre o rosto, sobre as cicatrizes. — Não conseguiria ter feito nada sem ela. Aqueles tolos da Sede da Assembleia não sabiam o que fazer comigo.

A Sede da Assembleia era um lugar do qual Akos ouvira falar apenas de passagem. Uma gigantesca nave em órbita, à volta do sol, que continha uma série de embaixadores e políticos à deriva.

— Pareces ser alguém que se integraria no seio deles bastante bem — disse ele. Não era exatamente um elogio e ela não pareceu considerá-lo como tal.

— Eu não sou tudo o que pareço — disse ela, encolhendo os ombros. Tinha usado sapatos lustrosos no hospital em Shissa, era verdade, mas também não se tinha queixado durante todo este tempo em relação ao seu próprio conforto. Se realmente passara a maior parte da sua vida numa nave-cruzador, deslizando pelo espaço, não vivera como realeza, isso era evidente. Mas era difícil fazer uma leitura dela. Era como se não pertencesse a ninguém, nem a nenhum sítio.

— Bom, independentemente de quão bem a conhecias — disse ela —, estou grata pela tua ajuda. E pela da Cyra. Não é o que esperava. — Olhou de relance para cima, para o buraco no teto. — Nada disto.

— Conheço a sensação.

Fez um pequeno som com a garganta.

— Se conseguires tirar o Eijeh daqui e não morreres no processo, virás para casa connosco? — perguntou ela. — A tua compreensão da cultura Shotet ser-me-ia útil. A minha experiência com eles tem sido algo unilateral, como podes imaginar.

— Achas que podes simplesmente ter um traidor predestinado ao teu serviço, sem que muitos sobrolhos se ergam?

— Podias mudar de nome.

— Não posso esconder quem sou — disse ele. — E não posso fugir do facto de o meu destino repousar do outro lado da Divisória. Já não.

Voltou a dar um gole no seu chá. Parecia quase... triste.

— Chamas-lhe a Divisória — disse ela. — Como eles.

Tinha-o feito sem intenção, sem sequer pensar nisso. Os Thuvhesits chamavam-lhe simplesmente esparto. Até há pouco tempo, ele também.

Ela colocou a mão na parte lateral da sua cabeça, suavemente. Era estranho ela tocar-lhe; a pele dela estava fria.

— Lembra-te só disto — disse ela. — Estas pessoas não se importam com as vidas Thuvesit. E, quer tenhas os últimos vestígios de antepassados Shotet no teu sangue, quer não, tu és Thuvhesit. Pertences ao *meu* povo, não ao deles.

Nunca esperara que ninguém de Thuvhe o reivindicasse. Esperara mais o contrário, na verdade.

Ela deixou cair a mão e transportou a caneca de volta ao seu lugar, ao lado de Cisi. Jyo estava a tocar uma canção para Cisi, com aquele olhar sonolento que estava a tornar-se familiar para Akos. Era uma pena para Jyo; qualquer pessoa com olhos na cara conseguia ver que Cisi só queria Isae. E tinha quase a certeza de que o sentimento era mútuo.

Akos levou o analgésico a Cyra. Ela e a sua mãe tinham mudado de assunto. A sua mãe estava a molhar um pedaço de pão feito de sementes moídas, colhidas num dos campos fora de Voa, num pouco de molho da frutassal. Não era assim tão diferente do que tinham comido em Hessa: era uma das poucas coisas que Shotet e Thuvhe tinham em comum.

— A minha mãe levou-nos lá uma vez — estava Cyra a dizer. — Foi lá que aprendi a nadar, num fato especial que protegia do frio. Podia ter sido útil na última peregrinação.

— Sim, foram a Pitha, não foi? — disse Sifa. — Estiveste lá, não estiveste, Akos?

— Sim — disse ele. — Passei a maior parte do tempo numa ilha de lixo.

— Viste a galáxia — disse ela, com um sorriso estranho. Deslizou a mão por baixo da sua manga esquerda, tocando cada marca de assassinatos. O seu sorriso desvaneceu-se, enquanto os contava.

— Quem eram? — perguntou ela, suavemente.

— Dois dos homens que atacaram a nossa casa — disse ele, em voz baixa. — E o Encouraçado que me deu a sua pele.

Os olhos dela moveram-se rapidamente para os de Cyra.

— Eles conhecem-no, aqui?

— Tanto quanto sei, o Akos é alvo de bastantes rumores, a

maioria deles falsos — disse Cyra. — Sabem que ele consegue tocar-me, que consegue preparar venenos fortes e que é um prisioneiro Thuvhesit que, de alguma forma, conseguiu ganhar a armadura.

Sifa tinha aquele olhar, o olhar de quando via profecias a concretizarem-se. Assustou-o.

— Sempre soube no que te tornarias, lembras-te? — disse Sifa, calmamente. — Alguém para quem as pessoas olhariam sempre. És o que precisas de ser. Independentemente disso, eu amo a pessoa que eras, a que és, aquela em que te vais tornar. Percebes?

Ele ficou preso no seu olhar, na sua voz. Como se estivesse de pé, no templo, com flores de gelo secas a arder à sua volta, observando-a através do fumo. Como se estivesse sentado no chão da casa do Contador de Histórias, vendo-o a tecer o passado com vapor. Era fácil cair neste fervor, mas passara demasiado tempo a sofrer sob o peso do seu próprio destino para deixar que isso acontecesse.

— Dá-me uma resposta direta, só desta vez — disse-lhe ele. — Vou salvar o Eijeh ou não?

— Vi futuros em que o salvas e futuros em que não — disse ela. E, sorrindo, acrescentou: — Mas tentas fazê-lo sempre, sempre.

Os rebeldes sentaram-se atentamente a ouvi-la, com os pratos empilhados numa ponta da enorme mesa de madeira e as canecas maioritariamente vazias. Teka estava embrulhada num cobertor que Sovy tinha bordado para ela, ouviu-a dizer Akos e Jyo tinha arrumado o instrumento. Até Jorek escondeu os dedos irrequietos debaixo da mesa, enquanto o oráculo descrevia as suas visões. Akos observara, desde que era criança, que as pessoas se tornavam deferentes quando a sua mãe estava por perto, mas sentiu que aqui era diferente. Como se fosse outra razão para não pertencer ali, como se ele precisasse de mais.

— Três visões — começou Sifa. — Na primeira, partimos deste lugar antes do romper do dia, para que ninguém nos veja através daquele buraco no telhado.

— Mas... *tu* fizeste aquele buraco — interrompeu Teka. «Já era de esperar que atingisse os limites da reverência assim tão depressa», pensou Akos. Teka parecia não apreciar disparates. — Se sabias que teríamos de partir por causa dele, podias ter evitado fazê-lo logo, à partida.

— Fico contente por estares a acompanhar — disse Sifa, serena.

Akos engoliu uma gargalhada. Alguns lugares abaixo, Cisi parecia estar a fazer o mesmo.

— Na segunda visão, o Ryzek Noavek está de pé diante de uma multidão imensa, enquanto o sol está alto. — Apontou a direito para cima. Um sol do meio-dia, em Voa, que ficava mais próxima do equador do planeta. — Num anfiteatro. Há miras e amplificadores por todo o lado. É algo muito público; uma cerimónia, talvez.

— Amanhã, vão homenagear um pelotão de soldados — disse Jorek. — Pode ser isso; fora isso, não há nenhuma cerimónia prevista até ao próximo Festival da Peregrinação.

— Possivelmente — disse Sifa. — Na terceira visão, vejo a Orieve Benesit a debater-se, enquanto é agarrada pelo Vas Kuzar. Está numa cela. Grande, feita de vidro. Não há janelas. O cheiro é... — Inspirou, como se ainda estivesse no ar. — Húmido. Subterrâneo, acho eu.

— A debater-se — repetiu Isae. — Está ferida? Está... bem?

— Há bastante vida nela — disse Sifa. — Ou parece haver.

— A cela feita de vidro é a cela por baixo do anfiteatro — disse Cyra, sombriamente. — Foi onde estive detida, antes... — Interrompeu-se, com os dedos a baterem sobre o pescoço. — A segunda e a terceira visões acontecem no mesmo sítio. Acontecem ao mesmo tempo?

— Pressinto — disse Sifa — que estão sobrepostas, uma sobre a outra. Mas a minha perceção de localização no tempo nem sempre é precisa.

As suas mãos caíram no colo e deslizaram para o bolso. Akos observou-a a retirar algo, um pequeno objeto. Brilhava, atraindo o seu olhar: Era o botão de um casaco. Estava manchado de amarelo nas extremidades, onde o acabamento se tinha gastado pelo uso frequente. Quase conseguia ver os dedos do seu pai a manusearem-no desajeitadamente, enquanto resmungava por ter de ir a um dos jantares militares da sua irmã em Shissa, em representação das planícies da flor de gelo de Hessa. «Como se este casaco fosse enganar alguém», dissera à mãe deles, uma vez, enquanto ambos se preparavam na casa de banho do *hall*. «Basta olharem para os arranhões do gelo das minhas botas, para verem que sou um miúdo do campo das flores de gelo». A mãe deles rira-se, simplesmente.

Talvez, noutro futuro, Asoeh Kereseth estivesse sentado ao lado de Sifa neste estranho círculo de pessoas, dando a Akos a estabilidade que a mãe nunca pudera fomentar, como profeta irrequieta que era. Talvez ela tivesse trazido aquele botão para o lembrar que o pai não estava onde deveria estar, por causa de Vas. Enquanto pensava nisso, soube que estava certo, soube que tinha sido exatamente por isso que ela tinha tirado aquele botão do bolso.

— Estás a manipular-me com isso — explodiu ele, interrompendo algo que Teka estava a dizer. Não se importava. Sifa estava a olhar apenas para ele. — Guarda isso. Consigo lembrar-me muito bem dele, sozinho.

«Afinal», pensou, «fui eu quem o viu a morrer, não tu».

Algo feroz se agitou nos olhos da mãe, quase como se estivesse a ouvir os seus pensamentos.

Mas voltou a colocar o botão no bolso.

O botão era um bom lembrete, não do pai, mas de como a sua mãe conseguia ser manipuladora. Se estava a partilhar visões, não era porque fossem absolutas, fixas no tempo, como um destino o era. Era porque escolhera uma versão do futuro que *ela* queria e estava a tentar empurrá-los a todos nessa direção. Quando era miúdo, poderia ter confiado no seu juízo, confiado que, fosse qual fosse o futuro que ela escolhera, era o melhor. Agora, do outro lado do seu rapto e de tudo o resto por que tinha passado, não tinha tanta certeza.

— Como a Teka estava a dizer — disse Jorek, para o estranho silêncio. — Desculpem, sei que ela é irmã da vossa chanceler, mas o destino da Orieve Benesit não é particularmente relevante para os nossos interesses. Estamos apenas interessados em derrubar o Ryzek Noavek.

— Matando-o — acrescentou Teka. — Para o caso de isso não ter ficado claro.

— Não têm qualquer interesse em salvar a irmã de uma chanceler? — disse Isae, asperamente.

— Não é a *nossa* chanceler — disse Teka. — E nós não somos um grupo de heróis, ou algo desse género. Não estamos dispostos a arriscar as nossas vidas e a nossa segurança por uns estranhos Thuvhesit.

Isae franziu a boca.

— É relevante para os vossos interesses, porque é uma oportunidade — disse Cyra, erguendo a cabeça. — Desde quando é que o Ryzek Noavek convoca cerimónias oficiais para pelotões de soldados peregrinos? Só está a fazê-lo para ter um público cativo quando assassinar a Orieve Benesit, para provar que pode desafiar o seu destino. Vai garantir que todos os Shotet estão a ver. Se querem agir contra ele, façam-no nessa altura. Façam-no quando toda a gente estiver a ver e roubem-lhe o seu momento de triunfo.

Os olhos de Akos percorreram a fila de mulheres ao seu lado. Isae, sobressaltada e talvez um pouco grata a Cyra, por argumentar a favor de Ori, com os dedos a envolverem a sua caneca. Cisi enrolando um caracol do cabelo à volta dos dedos, como se nem estivesse a ouvir. E depois Cyra, com as luzes baixas a refletirem o brilho do lado da sua cabeça e a voz áspera.

Teka falou:

— O Ryzek vai estar rodeado de uma enorme multidão de pessoas, muitas das quais sãos os seus apoiantes mais ardentes e os seus soldados mais ferozes. Que tipo de ação sugeres que realizemos?

Cyra respondeu:

— Tu própria o disseste, não disseste? Matem-no.

— Oh, pois claro! — Teka bateu na mesa, obviamente irritada. — Como é que eu não pensei em matá-lo. Tão simples!

Cyra revirou os olhos.

— Desta vez, não têm de se esgueirar para dentro da casa dele, enquanto está a dormir. Desta vez, vou desafiá-lo para a arena.

Toda a gente ficou novamente em silêncio. Por diferentes motivos, Akos tinha a certeza disso. Cyra era uma boa lutadora, toda a gente sabia disso, mas ninguém sabia quão bom Ryzek era. Nunca o tinham visto em ação. E depois havia a questão de chegar a um lugar onde Cyra o pudesse realmente desafiar. E fazer com que ele lutasse com ela, em vez de simplesmente a prender.

— Cyra — disse Akos.

— Ele declarou o nemhalzak, apagou o teu estatuto, a tua cidadania — disse Teka, falando por cima dele. — Não tem qualquer razão para honrar o teu desafio.

— Claro que tem — Isae estava a franzir o sobrolho. — Ele podia ter-se livrado dela discretamente quando soube que ela era uma rebelde, mas não o fez. Queria que a sua desonra e a sua morte fossem públicas. Isso significa que a teme, que teme o poder que ela tem sobre Shotet. Se ela o desafiar, à frente de toda a gente, ele não poderá recusar. Parecerá um cobarde.

— Cyra — disse Akos, tranquilo, desta vez.

— Akos — respondeu Cyra, com apenas um laivo da ternura que ele tinha visto nas escadas. — Ele não se consegue equiparar a mim.

A primeira vez que Akos vira Cyra a lutar, lutar realmente, tinha sido na sala de treino da mansão Noavek. Tinha ficado frustrada com ele (afinal, não era uma professora paciente) e tinha-se libertado mais do que o habitual, deixando-o estatelado no chão. Tinha apenas quinze estações, na altura, mas tinha-se movido como uma adulta. E, desde então, só tinha melhorado. Ao longo de todo o tempo que treinara com ela, nunca a tinha vencido. Nem uma única vez.

— Eu sei — disse ele. — Mas, por via das dúvidas, vamos distraí-lo.

— Distraí-lo — repetiu Cyra.

— Entras no anfiteatro. Desafia-lo — disse Akos. — E eu vou à prisão. A Badha e eu, quero dizer. Vamos salvar a Orieve Benesit; vamos tirar-lhe o triunfo. E tu tiras-lhe a vida.

Soou quase poético, por isso o dissera dessa forma. Mas foi difícil pensar em poesia, quando os dedos de Cyra deslizaram até ao seu braço coberto, como se estivesse a imaginar a marca que Ryzek faria nele. Não que ela fosse hesitar. Mas Cyra sabia o que essas marcas custavam; sabia-o tão bem como qualquer outra pessoa.

— Está resolvido, então — disse Isae, com a sua voz a romper através do silêncio. — O Ryzek morre. A Orieve vive. É feita justiça.

Justiça, vingança. Era demasiado tarde para descobrir a diferença.

CAPÍTULO 33 | CYRA

ASSIM QUE ME ofereci para lutar com o meu irmão, na arena, senti o sabor do ar poeirento do anfiteatro na boca. Ainda conseguia cheirá-lo: Os corpos apinhados, a suar; o odor químico da prisão desinfetada por baixo; o aroma penetrante do campo de forças que zumbia por cima. Tinha tentado fazê-lo desaparecer enquanto falava com os rebeldes, representando o papel de alguém autoconfiante, mas ele ali estava, persistente.

Os salpicos de sangue. Os gritos.

A mãe de Akos observou o meu braço coberto de armadura, tapado agora por um cobertor de um dos rebeldes. Estava provavelmente a interrogar-se quantas cicatrizes haveria por baixo.

Que belo par para o seu filho que eu era. Ele a sofrer com cada vida que tirava. Eu sem recordar o número de marcas que tinha no braço.

Quando a maioria das pedras ardentes do fogão se tinha tornado esbranquiçada, deslizei, passando pela sombra do flutuador de Sifa, pelas escadas, para o lugar destruído onde lavara o sangue da minha pele. Em baixo, conseguia ouvir Jorek e Jyo a cantarem em harmonia, por vezes não muito bem, e os outros a explodirem num coro de gargalhadas. Na casa de banho, vagamente iluminada, aproximei-me do espelho, primeiro encontrando apenas uma silhueta escura no vidro e depois...

«Isto não é uma crise», disse para mim própria. «Estás viva».

Examinei a pele de prata na minha cabeça e garganta. Sentia um formigueiro nos locais onde tinha começado a unir-se aos nervos. O cabelo estava amontoado num dos lados da cabeça, a pele de prata esticada contra o outro lado e a pele à volta vermelha, inchada, enquanto se ajustava ao novo material. Mulher de um lado, máquina do outro.

Apoiei-me contra o lavatório e solucei. As costelas doíam-me, mas não conseguia parar as lágrimas, agora. Elas saíam, sem se importarem com a dor, e parei de lhes resistir.

Ryzek tinha-me mutilado. O meu próprio irmão.

— Cyra — disse Akos. E foi a única vez, desde sempre, que desejei que não estivesse ali. Tocou nos meus ombros, suavemente, expulsando as sombras. Tinha mãos frias. Um toque leve.

— Eu estou bem — disse, passando os dedos sobre a minha garganta prateada.

— Não tens de estar bem, neste momento.

A pele de prata refletia a luz ténue que rastejara até este lugar semidestruído.

Em voz baixa, tranquila, fiz a pergunta que estava enterrada profundamente dentro de mim:

— Sou feia, agora?

— O que achas? — perguntou, não como se fosse uma pergunta retórica. Era mais como se soubesse que eu não queria que me apaziguasse, portanto, estava a pedir-me que pensasse nisso. Ergui os olhos para o espelho, novamente.

A minha cabeça parecia realmente estranha, com apenas metade do cabelo, mas algumas pessoas em Shotet usavam o cabelo assim, rapado de um lado e comprido do outro. E a pele de prata parecia um pedaço de armadura que a minha mãe recolhera nos seus anos de peregrinação. Como a armadura no meu pulso, usá-la-ia sempre e far-me-ia sempre sentir forte.

Encontrei os meus próprios olhos no espelho.

— Não — disse eu. — Não sou.

Ainda não acreditava completamente nisso, mas pensei que, talvez com o tempo, começasse a acreditar.

— Eu concordo — disse ele. — Caso isso não tenha ficado claro, por todas as vezes que nos temos beijado.

Sorri e virei-me, empoleirando-me na extremidade do lavatório. Havia preocupação a puxar os cantos dos olhos de Akos, embora estivesse a sorrir. Tinha aquele aspeto desde a discussão com os rebeldes sobre o nosso plano.

— O que se passa, Akos? — disse eu. — Estás mesmo assim tão preocupado, que eu não consiga vencer o Ryzek?

— Não, não é isso. — Akos parecia tão desconfortável como eu me sentia. — É só que... tu vais realmente ter de o matar.

Não era exatamente isso que eu esperava que ele dissesse.

— Sim, vou matá-lo — disse eu. As palavras souberam-me a ferro, como sangue. — Pensei que isso estava claro.

Ele assentiu com a cabeça. Olhou por cima do ombro na direção dos rebeldes, reunidos no primeiro andar. Segui-lhe o olhar para a sua mãe, que estava a ter uma conversa próxima com Teka, com uma caneca de chá apertada entre ambas as mãos. Cisi não estava longe delas, fitando inexpressivamente a fornalha. Muitos dos outros estavam junto à nave transportadora, enfiando-se debaixo de cobertores, usando os sacos que tinham trazido como almofadas. Iríamos levantar-nos com o sol.

— Preciso de te pedir uma coisa — disse ele, voltando a focar-se em mim. Pegou-me no rosto com as mãos, suavemente. — Não é justo pedir-te isto. Mas quero pedir-te que poupes a vida do Ryzek.

Detive-me, segura, durante um momento, de que ele estava a brincar. Até me ri. Mas ele não parecia estar a brincar.

— Porque me pedirias isso?

— Tu sabes porquê — disse Akos, deixando cair as mãos.

— O Eijeh — disse eu.

Sempre Eijeh.

Ele disse:

— Se matares o Ryzek amanhã, estarás a selar o Eijeh para sempre, com as piores memórias do Ryzek. O seu estado tornar-se-á permanente.

Dissera-lhe, uma vez, que a única restauração possível para Eijeh repousava em Ryzek. Se o meu irmão conseguia trocar memórias quando quisesse, certamente, conseguia devolver todas as memórias de Eijeh ao seu devido lugar e recuperar as que lhe pertenciam. Conseguia imaginar uma forma de o levar a fazer isso. Ou duas.

E, para Akos, Eijeh fora um brilho ténue à distância, há tanto tempo quanto conseguia recordar, um pequeno lampejo de esperança. Eu sabia que era impossível para ele abandonar isso. Mas também não podia arriscar tudo, por causa disso.

— Não — disse eu, com voz firme. — Antes de mais, não sabemos como a troca de memória afetou qualquer um dos dons-correntes. Nem sequer sabemos se o Ryzek ainda consegue endireitar o Eijeh.

— Se houver sequer uma hipótese — disse Akos. — Uma hipótese de restaurar o meu irmão, eu tenho de...

— Não! — Empurrei-o para trás. — Olha para o que ele me fez. Olha para mim!

— Cyra...

— Isto...! — Apontei para o lado da minha cabeça. — Todas as minhas marcas...! Anos de tortura, de deixar atrás rastos de corpos e tu queres que eu o *poupe*? Estás doido?

— Não percebes — disse ele, insistentemente. Encostou a sua testa na minha e disse: — É por minha causa que o Eijeh está como está. Se eu não tivesse tentado fugir de Voa... se eu me tivesse simplesmente rendido ao meu destino, mais cedo...

Senti dor.

De alguma forma, nunca me ocorrera que Akos se considerava responsável por Ryzek ter descarregado as suas memórias em Eijeh. Era evidente para mim que Ryzek encontraria uma razão para fazer isso a Eijeh, mais tarde ou mais cedo. Mas Akos só conseguia ver que Ryzek infligira esse dano específico a Eijeh, como resultado da sua fuga falhada.

— O Ryzek iria sempre fazer o que fez ao Eijeh, quer tentasses fugir, quer não — disse eu. — O Eijeh não é responsabilidade tua. Tudo o que lhe aconteceu é culpa do Ryzek, não tua.

— Não é só isso — disse Akos. — Quando fomos levados da nossa casa, foi por minha causa que eles souberam que criança levar, ele ou a Cisi. Porque eu lhe disse para fugir. Fui *eu*. Por isso, prometi ao meu pai, *prometi*...

— Mais uma vez — disse, mais zangada desta vez — isso é responsabilidade do Ryzek! Não tua! Decerto que o teu pai entenderia isso.

— Não posso desistir dele — disse Akos, com a voz a quebrar-se. — Não *posso*.

— E eu não posso participar nesta expedição ridícula em que tu estás, já não — disse eu, bruscamente. — Não posso ver-te a destruíres-te a ti próprio, a destruíres a tua vida para salvar alguém que não quer ser salvo. Alguém que já *desapareceu* e nunca vai voltar!

— *Desapareceu*? — Os olhos de Akos estavam selvagens. — E se eu te tivesse dito que *tu* estavas para lá de qualquer esperança?

Sabia qual era a resposta a isso. Nunca me teria apaixonado por ele. Nunca teria procurado os rebeldes para pedir ajuda. O meu dom-corrente nunca teria mudado.

— Ouve — disse eu. — Eu tenho de fazer isto. Eu sei que tu percebes isso, mesmo que agora não o consigas admitir. Preciso... *preciso* que o Ryzek desapareça. Não sei o que mais te posso dizer.

Fechou os olhos por um momento e depois virou-se, e afastou-se.

Todos os outros estavam a dormir. Até Akos, deitado a alguns centímetros de mim no chão, perto das naves. Porém, eu estava completamente acordada, apenas com os meus pensamentos galopantes como companhia. Apoiei-me sobre o cotovelo para me levantar e olhei para as elevações dos rebeldes, debaixo de cobertores, para a luz mortiça da fornalha. Jorek estava curvado numa bola apertada, com os cobertores por cima da cabeça. Teka estava debaixo de um raio de luar, que transformava o seu cabelo loiro em branco-prateado.

Franzi o sobrolho. No exato momento em que algumas memórias começavam a emergir à superfície, vi Sifa Kereseth a atravessar a sala. Esgueirou-se pela porta de trás e, antes de saber o que estava a fazer, já tinha enfiado os pés dentro das botas, para a seguir.

Ela estava mesmo à porta, com as mãos unidas a repousar no fundo das costas.

— Olá — disse ela.

Estávamos numa parte dura de Voa. A toda a nossa volta havia edifícios baixos, com a tinta a descamar, janelas com grades torcidas em padrões decorativos, para distrair do seu verdadeiro propósito, e portas penduradas nas dobradiças. As ruas eram de terra batida, em vez de pedra. A flutuar entre os edifícios, contudo, havia dezenas de *fenzu* selvagens, que brilhavam com azul Shotet. As outras cores tinham desaparecido há várias dezenas de estações atrás.

— De todos os muitos futuros que vi, este é um dos mais estranhos — disse Sifa. — E aquele com mais potencial para o bem e para o mal, em igual medida.

— Sabe — disse eu — poderia ajudar, se simplesmente me dissesse o que fazer.

— Não posso porque, honestamente, não sei. Estamos num lugar obscuro — disse ela. — Repleto de visões confusas. Centenas de futuros obscuros espraiam-se até onde os meus olhos alcançam. Por assim dizer. Apenas os destinos estão claros.

— Qual é a diferença? — disse eu. — Destinos, futuros...

— Um destino é algo que acontece, independentemente da versão do futuro que eu veja — disse ela. — O teu irmão não teria desperdiçado o seu tempo a tentar escapar ao seu destino, se soubesse que isto é, indubitavelmente, verdade. Mas preferimos manter o nosso trabalho misterioso, com o risco de ele ser controlado com demasiado rigor.

Tentei imaginá-lo. Centenas de caminhos sinuosos, desdobrando-se à minha frente, com o mesmo destino no final de cada um. Fazia o meu próprio destino parecer ainda mais estranho: Onde quer que fosse, o que quer que fizesse, atravessaria a Divisória. E então? O que é que isso interessava?

Não lhe perguntei. Mesmo que pensasse que ela mo diria, o que não iria acontecer, não queria saber.

— Os oráculos do planeta reúnem-se anualmente, para discutir as nossas visões — disse Sifa. — Chegamos a um acordo em relação a que futuro é mais crucial para cada planeta. Para este planeta, o meu trabalho, o meu único trabalho, além de registar visões, é garantir que o Ryzek lidera Shotet o menor tempo possível.

Eu disse:

— Mesmo à custa do seu filho?

Não sabia bem a que filho me estava a referir: Akos ou Eijeh. Talvez a ambos.

— Sou uma serva do destino — disse ela. — Não tenho o luxo da parcialidade.

O pensamento provocou-me um arrepio nos ossos. Percebia a questão de fazer as coisas pelo «bem maior», em teoria, mas na prática não tinha qualquer interesse por isso. Sempre me protegera e agora protegia Akos, quando podia. Além disso, não havia muitos que eu não estivesse disposta a afastar do meu caminho. E talvez isso significasse que era má mas, fosse como fosse, era a verdade.

— Não é fácil ser mãe e ser oráculo, ou esposa e oráculo — disse ela. E não soava exatamente tão firme como soara antes. — Fui... tentada muitas vezes. Tive a tentação de proteger a minha família, em detrimento do bem maior. Mas... — Abanou a cabeça. — Tenho de manter o rumo. Tenho de ter fé.

«Ou o quê?» quis perguntar. O que havia de tão mau em agarrar nas pessoas amadas e fugir, em recusar assumir uma responsabilidade que nunca se quisera?

— Tenho uma pergunta a que talvez possa responder — disse eu. — Conhece o nome Yma Zetsyvis?

Sifa inclinou a cabeça para que o seu cabelo espesso tombasse sobre um ombro.

— Conheço.

— Sabe qual era o nome dela, antes de casar com o Uzul Zetsyvis? — disse eu. — Era predestinada?

— Não — disse Sifa. Inspirou o ar fresco da noite. — O casamento deles foi uma espécie de aberração, suficientemente improvável para ser registado nas visões de Shotet, dos oráculos. O Uzul casou com alguém de um estatuto muito inferior, por amor, aparentemente. Uma mulher comum, com um nome comum. Yma Surukta.

Surukta. Era o nome de Teka e de Zosita. Mulheres de cabelo claro e olhos vivos.

— Foi o que pensei — disse eu. — Ficaria aqui a falar, mas há uma coisa que tenho de fazer.

Sifa abanou a cabeça.

— É estranho para mim não saber o que alguém está a decidir.

— Abrace a incerteza — disse eu.

Se Voa fosse uma roda, eu estava a caminhar na sua circunferência. A família Zetsyvis vivia do outro lado da cidade e a sua casa ficava num penhasco com vista para Voa. Consegui ver a luz a brilhar no interior da sua propriedade, de muito longe, quando as ruas debaixo dos meus pés ainda eram irregulares

O fluxocorrente que ziguezagueava no céu por cima de mim era de um roxo intenso, a mudar para vermelho. Parecia quase sangue. Era apropriado, dados os nossos planos para amanhã.

Sentia-me confortável no distrito pobre, ignorado, onde os rebeldes tinham escolhido ter a sua casa segura. Mais frequentemente do que não, as janelas estavam escuras mas, por vezes, via figuras sombrias, agachadas sobre pequenas candeias. Numa casa, identifiquei uma família de quatro, reunida à volta de um jogo de cartas reciclado de Zold. Estavam a rir-se. Tinha havido um tempo em que não me teria atrevido a caminhar por estas ruas, como irmã de Ryzek, mas agora estava desonrada e não era amiga do regime. Estava tão segura quanto poderia estar, aqui.

Senti-me menos confortável quando atravessei para o território mais rico. Toda a gente em Voa professava lealdade ao regime Noavek, não era opcional, mas Ryzek mantinha as famílias mais antigas e confiáveis num anel à sua volta. Conseguia ver que estava no interior desse anel, simplesmente pelos edifícios: Eram mais novos ou remendados, reparados e repintados. A rua tinha-se transformado em pedra debaixo dos meus pés. Havia luzes ao longo do caminho. Espreitei para o interior da maioria das janelas, onde pessoas com roupas limpas, impecáveis, liam os seus ecrãs à mesa da cozinha ou viam o *feed* de notícias.

Logo que pude, virei em direção aos penhascos, para um dos caminhos que me levariam para cima. Há muito tempo, os Shotet tinham esculpido degraus nas paredes destes penhascos. Eram íngremes, estreitos e com escassa manutenção, pelo que não eram apropriados para os fracos de coração. Mas eu nunca tinha sido acusada, nem por uma vez, de ter esse tipo de coração.

Com dores provocadas, tanto pelas feridas de ontem, como pelo meu dom-corrente, mantive uma mão na parede da esquerda, encostando-me a ela o mais possível. Quando saí, não me tinha apercebido de como o meu corpo ainda estava dorido e exausto, como cada passo latejava na minha garganta e no meu crânio, ainda em recuperação. Fiz uma pausa e retirei da minha bolsa o embrulho de frascos que tirara dos pertences de Akos, antes de sair.

Tinha diante de mim uma fila de frascos, de várias cores. Simplesmente, olhando para eles, conhecia a maioria: Um elixir do sono, um analgésico e, na ponta mais afastada, o vermelho puro do extrato da flor do silêncio. Nesta quantidade, com esta potência, era suficiente para matar um homem.

Engoli metade do frasco do analgésico e depois enfiei o embrulho na minha pequena bolsa.

Foi necessário uma hora a trepar, até alcançar o topo. Tive de parar várias vezes durante o caminho, para descansar. A cidade estava cada vez mais pequena, com as suas janelas iluminadas tornando-se apenas luzes, a piscar, vistas de cá de cima. Conseguia sempre encontrar a mansão Noavek, com o seu brilho branco perto do centro da cidade, e o anfiteatro, protegido por uma teia de luz, mesmo agora. Algures, debaixo do anfiteatro, estava Orieve Benesit, à espera de morrer.

Quando alcancei o topo, afastei-me da beira tão depressa quanto pude. Só porque não era fraca de coração, não significava que gostasse de provocar a morte.

Segui a estrada até à casa Zetsyvis, para o interior das florestas onde era criado o *fenzu* para exportação. O caminho que fiz era guardado por grades de metal, para impedir que as pessoas roubassem os valiosos insetos. A envolver as árvores havia redes, para impedir que os *fenzu* escapassem, mais uma precaução do que outra coisa. Os *fenzu* construíam os seus ninhos à volta dos ramos delicados, mais próximos do céu. As próprias árvores eram altas e esguias, com troncos tão escuros que pareciam pretos, adornados com cachos verde-escuros, rijos, em vez das folhas flexíveis que vira noutros planetas.

Finalmente, a casa Zetsyvis estava à vista. Havia um guarda no portão mas, quando o esmurrei no queixo, já era demasiado tarde para ele se defender. Usei a sua mão mole para destrancar o portão. Aí, detive-me, recordando como a minha mão não destrancara o quarto de Ryzek na mansão Noavek. Como o meu sangue, os meus *genes*, não o tinham destrancado. E ainda não sabia porquê.

«Agora, não é o momento». Sacudi-me da confusão em que me encontrava, continuando. Não pensei que encontraria nenhum outro segurança; apenas Yma vivia aqui, agora.

Eu tinha-me assegurado disso, não tinha?

A casa era moderna, recentemente renovada a partir do castelo ventoso de pedra que ali estivera antes. Grandes secções da parede tinham sido substituídas por vidro e pequenos globos cheios de insetos com brilho azul estavam enrolados nas árvores, à frente, criando uma copa brilhante que se refletia nas janelas. Havia umas plantas estranhas que se retorciam, unidas, algumas delas trepando pela pedra que restava. Algumas estavam também a florir, flores enormes, de diferentes mundos, de cores que raramente via no nosso: Cor-de-rosa como uma língua, verde-azuladas, intensas, negras como o espaço.

Quando alcancei a porta da frente, peguei na pequena espada-corrente embainhada na minha anca, paro o caso de ser necessária. Estava quase temerosa de quebrar o silêncio que me rodeava. Mas então, bati com força com o cabo da faca, até que Yma Zetsyvis abriu.

— Menina Noavek — disse Yma. Por uma vez, não estava a sorrir. Estava a olhar fixamente para a arma na minha mão direita.

— Olá — disse eu. — Importas-te que entre?

Não esperei por uma resposta. Entrei para o vestíbulo. O chão era de madeira, provavelmente das árvores escuras que rodeavam a propriedade Zetsyvis, a mesma madeira usada tão generosamente na mansão Noavek. Havia poucas paredes aqui, o primeiro andar completo exibia-se à minha frente e toda a mobília era de um branco inóspito.

Yma envergava uma túnica com um brilho pálido e o cabelo estava solto, em redor dos ombros.

— Vieste matar-me? — disse ela, com a cara plácida. — Suponho que seja apropriado terminares o que começaste. Primeiro o meu marido, depois a minha filha...

Pensei dizer-lhe que não tinha querido matar nenhum deles, que as suas mortes ainda me assombravam, em sonhos. Que ouvia a pulsação de Uzul antes de acordar e via Lety nas esquinas, onde ela nunca estivera. Mas não havia motivos para dizer nada disso.

— Vim apenas falar contigo — disse eu. — A faca é para minha proteção.

— Pensei que não precisavas de espadas — disse Yma.

— Às vezes, são mais eficazes — disse eu. — Intimidação subtil e tudo isso.

— Ah. — Yma virou-se e começou a andar. — Anda, então, vamo-nos sentar.

Conduziu-me à zona de estar, que conseguia ver de onde estava, com os sofás baixos dispostos num quadrado. Acendeu algumas luzes com um toque suave, para que os sofás brilhassem por baixo, e os *fenzu* voaram numa candeia na mesa baixa, de vidro. Não me sentei até ela o ter feito, compondo a túnica sobre as pernas, para que não ficassem expostas. Era uma mulher elegante.

— Estás com melhor aspeto do que da última vez que te vi — disse ela. — Não posso dizer que não tenha gostado de te ver sangrar.

— Sim, tenho a certeza de que foi divertido para bastantes pessoas — disse eu, de forma azeda. — No entanto, é um pouco mais difícil alegares superioridade moral, quando estás sedenta do sangue de outra pessoa, não é?

— O teu crime veio primeiro.

— Nunca argumentei que estivesse nalgum tipo de posição superior, contigo — disse eu. — Apenas que tu talvez estivesses numa posição inferior, comigo.

Yma riu-se e estava prestes a dirigir-me outro insulto, tinha a certeza, mas falei por cima dela.

— Sei que o meu irmão te repugna tanto quanto eu. Sei disso há muito tempo — disse-lhe. — E costumava ter pena de ti, por teres de ficar perto dele para sobreviver, costumava pensar que estavas simplesmente desesperada, a fazer o que tinhas de fazer.

O rosto de Yma contorceu-se. Olhou para o exterior por uma das amplas janelas, para Voa, para o oceano para lá dela, visível desta altura, embora parecesse apenas um vazio, como os confins do espaço.

— Costumavas? — respondeu, finalmente.

— Hoje, comecei a perceber que não estás desesperada, pelo

menos, não da maneira que eu pensava. Está tudo perfeitamente sob controlo, não está?

Ela voltou a cabeça para trás, na minha direção, subitamente rígida. Tinha conseguido obter a sua atenção.

— Perdeste muito mais do que eu tinha percebido. Perdeste-os antes de eu ter sequer pousado uma mão no teu marido. Surukta é o teu nome — disse eu. — A tua irmã era Zosita Surukta, que fugiu do planeta depois de ter sido apanhada a ensinar outras línguas aos vizinhos e foi mais tarde executada, por ter participado na revolta. Contudo, antes de ter sido apanhada, o teu sobrinho foi morto pelos crimes dela e a tua sobrinha, a Teka, perdeu um olho por causa do meu irmão.

— Os delitos da minha família pertencem ao passado — disse Yma, com a voz oscilando um pouco. — Dificilmente me podes considerar responsável por eles.

— Não o estou a fazer — disse eu, com uma gargalhada curta. — Estou a dizer-te como é que sei que fazes parte da revolta e já há algum tempo.

— Bem, cozinhaste aí uma bela não teoria, não foi? — disse Yma. E o seu estranho sorriso regressou. — Estou prestes a casar-me com o teu irmão e a consolidar o meu lugar como uma das pessoas mais poderosas de Shotet. Casei com o Uzul Zetsyvis como um meio para um fim, *este* fim. Progressão social. Tenho um talento para isso. Algo que não entenderias, uma vez que nasceste privilegiada.

— Queres saber o que, definitivamente, te denunciou? — disse eu, ignorando a sua explicação. — Em primeiro lugar, foste tu que entregaste o Uzul. Sabias o que o meu irmão lhe faria. Pessoas que agem por desespero não têm movimentos calculados como esse.

— Tu... — Ela tentou interromper, mas eu falei por cima dela.

— Em segundo lugar, avisaste-me que iam incriminar uma pessoa inocente, pelo ataque rebelde, sabendo que eu faria algo em relação a isso.

Ela fez uma expressão carrancuda.

— Primeiro falas-me das pessoas que perdi e depois acusas-me de provocar a execução da minha própria irmã? Como é que isso faz sentido?

— E, por último, — continuei — esse *bater* dos dedos. Porque é que tu e a Teka fazem isso? Nem sequer é um padrão muito bom.

Os olhos de Yma evitaram os meus.

— És uma rebelde — disse eu. — É por isso que, depois de tudo o que ele te tirou, ainda és capaz de estar ao lado do meu irmão. Porque sabes que tens de estar perto dele, para poderes levar a cabo a tua vingança.

Ela pôs-se de pé, com a túnica a agitar-se atrás dela, enquanto se deslocava até à janela. Durante muito tempo ficou imóvel, um pilar branco sob o luar. Então, ao seu lado, bateu com o primeiro dedo contra o polegar. Um, três, um.

— O bater dos dedos é uma mensagem — disse ela, sem se virar. — Em tempos, a minha irmã e eu ensinámos uma canção a nós próprias, para recordarmos os destinos da família Noavek. Ela também a ensinou à filha, a Teka. — Cantou-a, com a voz a falhar: — *O primeiro filho da família Noavek render-se-á à família Benesit.* — Segui os seus dedos, enquanto encontravam novamente o ritmo e o seu corpo balançava. — O ritmo era um, três, um...

Como uma dança.

— Faço isto — disse ela, lentamente — quando preciso de força para a tarefa que tenho em mãos. Canto essa canção na minha cabeça e bato o ritmo com os dedos.

Como durante a execução da sua irmã, com os dedos no corrimão. Como no jantar com o meu irmão, com os dedos no joelho.

Voltou-se para mim.

— E então? Vieste aqui para conseguires obter alguma vantagem? Tencionas trocar-me pela tua liberdade? É o quê?

— Tenho de admirar o teu compromisso com este jogo de faz de conta — disse eu. — Entregaste o teu marido...

— O Uzul estava doente, com Q900X. Vários ingredientes do protocolo de tratamento são uma violação dos nossos princípios religiosos — explodiu Yma. — Por isso, sacrificou-se pela causa.

Garanto-te, não era o que eu queria, mas como resultado do seu altruísmo, uma coisa sobre a qual claramente não sabes nada, conquistei o meu lugar ao lado do Ryzek.

As minhas sombrascorrentes moveram-se mais depressa, ainda estimuladas por mudanças nas minhas emoções.

— Presumo que não tenhas falado muito com os outros rebeldes — disse eu. — Sabes que eles são responsáveis por salvarem a minha vida? Tenho vindo a trabalhar com eles, há já algum tempo.

— Ai tens? — disse Yma, franzindo o sobrolho na minha direção.

— Não acreditaste verdadeiramente que, qualquer que tenha sido a desculpa que o Ryzek inventou para marcar a minha cara, ela fosse verdade, pois não? — disse eu. — Ajudei os rebeldes a entrarem na mansão Noavek para o assassinarem e, depois de o plano ter falhado, consegui tirá-los de lá, em segurança. Foi assim que fui presa. A Teka, a tua sobrinha, estava lá.

Yma franziu ainda mais o sobrolho. Sob esta luz, as rugas no seu rosto estavam mais acentuadas. Tinha muitas rugas, não da idade, pois ainda era demasiado nova para isso, embora o seu cabelo fosse prematuramente branco, mas da mágoa. Agora sabia como explicar o seu sorriso constante. Era somente uma máscara.

— A maioria dos outros... — Yma suspirou —, não sabem o que eu sou. A Zosita e a Teka são, eram, as únicas que sabiam. De qualquer forma, estando tão perto de completar a minha missão, seria demasiado arriscado para mim ter contacto com quem quer que fosse.

Levantei-me, juntando-me a ela à janela. O fluxocorrente já tinha mudado para um vermelho mais intenso.

— Amanhã, os rebeldes vão agir contra o Ryzek — disse eu. — Mesmo antes de ele executar a Orieve Benesit, vou desafiá-lo para a arena, de uma forma que ele não poderá recusar.

— O quê? — perguntou ela, cortante. — Amanhã?

Assenti com a cabeça.

Ela deu uma pequena gargalhada, de braços cruzados.

— Sua criança tola. Achas que vais ser capaz de derrotar o Ryzek Noavek, na arena? Tu realmente só pensas de uma forma. Como uma assassina treinada.

— Não — disse eu. — Eu vim ter contigo, com um plano. O teu papel seria simples. — Estiquei-me na direção da bolsa ao meu lado e tirei um frasco do embrulho, que tinha trazido comigo. — A única coisa que tens de fazer é despejar este frasco no tónico calmante do Ryzek, de manhã. Calculo que vais estar ao seu lado, quando o beber.

Yma franziu o sobrolho, na direção do frasco.

— Como sabes que ele vai beber o tónico calmante?

— Bebe-o sempre, antes de matar alguém — disse eu. — Para conseguir aguentar.

Ela bufou um pouco.

— Acredita no que quiseres em relação ao caráter dele, não me interessa — disse eu. — Mas bebeu-o no dia em que ordenou que me cortassem aos pedaços, para diversão do público, e garanto-te que o vai beber antes de matar a Orieve Benesit. E estou-te a pedir apenas que despejes isto lá dentro, mais nada. Se eu falhar, o teu lugar ao lado dele continuará seguro. Ele não tem motivos para suspeitar de ti. Mas, se fizeres isto e eu for bem-sucedida no meu plano, nem sequer vou ter de pousar uma mão sobre ele e tu poderás concretizar a tua vingança, sem ter de casar com ele primeiro.

Pegou no frasco, examinando-o. Estava selado com cera, que Akos tirara da minha secretária; usava-a para carimbar envelopes com o símbolo Noavek, tal como faziam o meu pai e a minha mãe.

— Está bem, eu faço isso — disse Yma.

— Ótimo — disse eu. — Acredito que serás cuidadosa. Não me posso dar ao luxo de que sejas apanhada.

— Tenho sido cuidadosa com cada palavra e olhar, desde que eras apenas uma criança — disse Yma. — Espero sinceramente, Menina Noavek, que não estejas a fazer isto por redenção, porque não vais conseguir obtê-la. Não de mim. Não depois de tudo o que fizeste.

— Oh, não sou, de forma nenhuma, suficientemente nobre para isso — disse eu. — Para mim, trata-se de uma vingança mesquinha, garanto-te.

Yma sorriu desdenhosamente para o meu reflexo na janela. Dirigi-me, sozinha, à porta de saída da sua casa. Tinha de me mover rapidamente, se queria estar de volta à casa segura antes de os outros acordarem.

CAPÍTULO 34 | AKOS

CYRA ESTAVA À FRENTE DE Akos, de pé, debaixo do sol, com um capuz a proteger-lhe o rosto. Envergava uma capa pesada para disfarçar as sombrascorrentes, as mãos enterradas em mangas compridas. Atrás dela ficava o anfiteatro onde quase perdera a vida mas, vendo-a caminhar com aquela coluna direita, era como se nunca ninguém tivesse tentado arrancar-lhe a pele.

Um grupo de soldados Shotet estava de pé, junto às portas duplas que conduziam diretamente ao piso do anfiteatro. Os rumores nas ruas, recolhidos por Sovy que, segundo Jorek, «sabia *tudo*», diziam que os soldados convocados para aparecerem no anfiteatro, hoje, iam ser premiados por uma boa reciclagem. Akos não sabia o que era suposto eles terem trazido que fosse tão merecedor de tal honra mas, na verdade, não importava. Era apenas uma artimanha, de qualquer forma. Ryzek queria que a execução de Ori fosse testemunhada por uma multidão.

As grandes portas duplas abriram-se. Akos semicerrou os olhos na direção da luz clara e o rugido de uma enorme multidão encheu-lhe os ouvidos. Havia tantos rostos no interior, que sentiu que a cidade inteira estava ali. Na verdade, estava presente cerca de um quinto dos habitantes e os outros quatro quintos veriam o *feed* em direto, nos ecrãs espalhados por Voa. Se se dessem sequer ao trabalho de ver.

Cyra virou-se para trás com um lampejo de prata, o sol embatendo-lhe na garganta agora curada. O seu queixo balançou para cima e para baixo, num gesto de assentimento e, então, a maré de gente afastou-a dele. Estava na hora de ir.

— Então. — Isae tinha vindo colocar-se de pé, junto ao seu ombro. — Não chegámos a determinar realmente como passaríamos pela *primeira* porta.

— Honestamente, tinha praticamente decidido simplesmente... esmagar a cabeça do guarda contra a parede — respondeu Akos.

— De certeza que isso não vai atrair atenção nenhuma — respondeu Isae. — Está ali a Pala. Vamos.

Isae habituara-se a tratar os rebeldes por alcunhas, em vez de aprender os seus nomes. A «Pala» era, obviamente, Teka; Jorek era o «Irrequieto»; Jyo era o «Sedutor» e Sovy era «A Que Não Fala Thuvhesit»; o que era uma alcunha comprida, mas que não tinha usado muito. A tendência, contudo, era mútua: Akos apanhara Teka a referir-se a Isae como «A Arrogante», nessa manhã, enquanto todos enfiavam comida na boca, observando o buraco que a mãe de Akos fizera no teto, com o flutuador.

Akos localizou Teka e Cisi de pé, perto das portas do anfiteatro, e encaminhou-se para lá, mantendo Isae por perto. Todos tinham ficado surpreendidos quando Teka se oferecera para os ajudar a entrar na prisão subterrânea. Era evidente que não lhe importava salvar a vida de Ori. Mas talvez o argumento de Cyra, sobre roubar o momento de triunfo a Ryzek, a tivesse convencido.

— O que achas do guarda? — perguntou-lhe Teka, quando já estava suficientemente próximo para a ouvir. Estava enrolada em tecido cinzento, com o cabelo penteado sobre o olho em falta, numa pincelada de ouro. Olhou por cima do ombro dela, para o guarda estacionado no exterior da porta que Cyra lhes tinha dito que usassem. Era da mesma cor da parede, com uma fechadura antiquada que necessitava de uma chave de metal para ser aberta. Provavelmente, enterrada num dos bolsos do guarda.

Mas não era suposto Akos estar a tentar decifrar a porta, era suposto estar a tentar decifrar o homem. Não era mais do que cinco estações mais velho do que Akos, de ombros largos e envergando a sua armadura ganha. A mão estava equilibrada no cabo da espadacorrente, embainhada na anca. «Capaz», supôs Akos. E não seria fácil pô-lo inconsciente.

— Conseguia derrubá-lo, mas não discretamente — disse Akos. — Provavelmente, acabaria preso.

— Bom, então chamemos a isso o nosso plano de reserva — disse Isae. — E então, se o distrairmos?

— Sim, pois claro. — Teka cruzou os braços. — O homem foi contratado para guardar uma porta segura que conduz à prisão subterrânea secreta do Ryzek Noavek e, se falhar, provavelmente, será executado como consequência disso. Mas vai, definitivamente, abandonar o seu posto só porque tu agitas qualquer coisa brilhante na direção dele.

— Não queres dizer «prisão subterrânea secreta» um bocadinho mais alto? — disse Isae.

Teka deu uma resposta brusca, mas Akos não estava a prestar atenção. Cisi estava a puxar-lhe a manga.

— Deixa-me ver os teus frascos — disse ela. — Tenho uma ideia.

Akos tinha sempre alguns frascos consigo, onde quer que fosse, entre eles o elixir do sono, tónico calmante e uma mistura para a coragem. Não sabia do que Cisi precisava, mas desapertou a correia que prendia os frascos ao seu braço e entregou-lhe o pequeno embrulho. Os vidros tilintaram uns contra os outros enquanto ela os examinava, escolhendo o elixir do sono. Destapou-o e cheirou-o.

— É *forte* — disse ela. Isae e Teka ainda estavam a discutir. Sobre o quê ele não sabia, mas não ia meter-se entre elas, a não ser que começassem aos murros.

— É útil para certas situações — respondeu Akos, de forma vaga.

— Compra-me qualquer coisa para beber naquela carroça,

compras? — disse Cisi, apontando com a cabeça para a grande carroça sombreada que se encontrava do outro lado da praça. Parecia confiante, portanto, não lhe fez perguntas. Esgueirou-se através da multidão, com o suor a escorrer-lhe pelas costas. Tal como Teka, vestia uma túnica cinzenta sobre a armadura, que não o tornava exatamente discreto, pois continuava a ser a pessoa mais alta, à vista, mas que o fazia parecer menos como a pessoa que salvara Cyra Noavek no anfiteatro, no dia anterior.

A carroça estava a vergar-se sobre as rodas e tão torta que Akos se indagou como é que todas as canecas, cheias de algum tipo de bebida intensa e picante, de Othyr, que levantava os espíritos, a acreditar nos gritos do vendedor, simplesmente não escorregavam e se partiam na rua. O homem Othyrian disse-lhe o preço, num Shotet macarrónico, e Akos atirou-lhe uma moeda. Cyra tinha deixado uma reserva de dinheiro nos seus aposentos, na nave da peregrinação, mostrando-lha sem cerimónia uma manhã, enquanto lavava os dentes. E ele tinha ficado com algum, para o caso de vir a ser necessário.

Transportou a caneca quente, que era minúscula na sua mão, até Cisi, que despejou nela o frasco de elixir do sono. Depois, bamboleando-se, cumprimentou o guarda. No início, parecia que o homem ia gritar com ela mas, então, ficou com aquele olhar sonolento, o mesmo que tanto Jorek como Jyo tinham mostrado a Cisi, no dia anterior.

— Ela podia estar a falar Ogran — disse Akos. — Não interessava.

Já vira os efeitos do dom de Cisi, mas só quando ela não estava realmente a *tentar*. Não fazia ideia de quão potente seria o efeito, quando ela se esforçasse verdadeiramente. O guarda estava a encostar-se para trás, na parede do anfiteatro, com um pequeno sorriso a curvar-lhe os lábios. E, quando ela lhe ofereceu a caneca, ele agarrou-a com ambas as mãos. E bebeu.

Akos apressou-se a passar entre a multidão, veloz. Se o guarda ia tombar, queria que isso acontecesse o mais discretamente possível. E, de facto, quando conseguiu chegar junto da irmã, o guarda estava a balançar sobre os pés, com o resto da bebida Othyrian a salpicar a terra batida. Akos agarrou-o pelos ombros e baixou-o até ao chão, devagar. Teka já estava agachada sobre o corpo do homem, a revistar os seus bolsos. Encontrou rapidamente a chave, espreitou por cima do ombro e meteu-a na fechadura.

— Ok — disse Isae para Cisi. — Isso foi completamente alarmante.

Cisi limitou-se a fazer um sorriso rasgado.

Akos arrastou o guarda adormecido para o lado, junto ao edifício, depois correu para se juntar às companheiras, na ombreira da porta aberta. O túnel de manutenção, no interior, cheirava a lixo quente e a mofo, e o odor, por alguma razão, provocou-lhe uma sensação cortante nas vísceras, como uma agulha. Sentiu que o ar era espesso, como se não houvesse muita humidade nele. Teka trancou a porta atrás de si e enfiou a chave no bolso.

Agora que estavam lá dentro, não havia discussões, não havia brincadeiras, não havia improvisos. O túnel de manutenção estava silencioso, exceto pelo som longínquo de algo a pingar, e era pior não ser capaz de ouvir a multidão no exterior ou os vivas da arena, em cima. Não saber se Cyra tinha conseguido entrar, se já tinha feito o seu desafio ou se alguma vez conseguiriam sair dali, com Ori atrás. O túnel, agora, parecia menos uma cave e mais um féretro.

— A Cyra disse para nos dirigirmos para o centro — disse Isae, suavemente. — Ela não se lembrava do caminho exato. Disse que estava inconsciente quando a trouxeram aqui, da última vez.

Mas Cyra não era a única pessoa que tinha estado ali. Akos fechou os olhos, tentando recordar-se da noite em que Vas o arrancara da cama, depois de alguns dias sem comer; não sabia exatamente quantos dias tinham sido, apenas que a porta estava trancada, que ninguém lhe explicava o que se passava e que o estômago lhe *doera* durante horas sem fim. E depois parara de doer, como se tivesse desistido.

Vas tinha-lhe dado uns bons golpes no corredor, depois tinha-o atirado para dentro de um flutuador e tinha-o trazido para *aqui*. Para este túnel, para este cheiro a lixo e a mofo, para esta particular escuridão.

— Eu lembro-me — disse ele e passou para a frente de Isae, para poder assumir a liderança.

Ainda estava a suar, pelo que desapertou o tecido pesado que cobria a armadura e atirou-o para o lado. Este caminho estava turvo nas suas memórias e a última coisa que queria era regressar àquele tempo, em que tudo lhe doera e se sentira tão fraco que mal conseguia estar de pé. Eijeh tinha-se encontrado com ele e com Vas na porta das traseiras, e enrolara os dedos à volta da armadura que cobria os ombros de Akos. Por um instante, tinha achado que era reconfortante, como se o irmão o estivesse a tentar estabilizar. E depois, Eijeh arrastara-o para a prisão. Para ser torturado.

Akos cerrou os dentes, apertou a faca e prosseguiu. Quando dobrou a primeira esquina, viu o primeiro guarda no seu caminho e nem sequer pensou, apenas explodiu. Empurrou violentamente o homem, mais baixo e mais largo do que ele, contra a parede, usando o queixo para conduzir o seu crânio para a pedra. Uma faca arranhou a armadura de Akos e uma língua de fogo saiu da palma da mão do guarda, imediatamente apagada pelo toque de Akos.

Voltou a bater com a cabeça do guarda, outra vez e outra vez, até que os seus olhos se reviraram para trás e ele se desmoronou. Um arrepio percorreu Akos, deixando-lhe os cabelos em pé. Não verificou se o homem estava morto. Não queria saber.

Mas olhou de relance para Cisi. A sua boca estava torcida, de nojo.

— Bom — disse Isae, ou melhor dito, *chilreou*. — Isso foi eficaz.

— Pois — disse Teka e colocou o pé mesmo em cima da perna do guarda, enquanto continuava a caminhar para o corredor seguinte. — Quem quer que encontremos aqui é leal aos Noavek, Kereseth. Não merece que se chore por ele.

— Estás a ver lágrimas no meu rosto? — disse ele, tentando exibir alguma da fanfarronice de Cyra e falhando por pouco, quando a sua voz oscilou um bocadinho. Ainda assim, continuou a andar. Não se podia preocupar com a opinião que Cisi tinha dele. Não ali em baixo.

Depois de virarem mais algumas vezes, Akos já não estava a suar; estava a tremer. Os corredores pareciam todos iguais: Chão de pedra irregular, paredes de pedra, poeirentas, teto baixo, de pedra. Sempre que desciam degraus, Akos tinha de se agachar para não raspar a cabeça. O cheiro de lixo tinha desaparecido, mas o mofo tinha voltado em força, sufocando-o. Lembrava-se de ter olhado fixamente para o lado da cabeça de Eijeh, enquanto o irmão o puxava através destas passagens. Notando que Eijeh tinha cortado o cabelo curto, exatamente como Ryzek.

«Não posso ver-te a destruíres-te a ti próprio, a destruíres a tua vida, para salvar *alguém que não quer ser salvo*», dissera Cyra, na noite anterior. Ele tinha-lhe mostrado quão profunda era a sua loucura e ela recusara-se a alinhar nela. Era difícil guardar-lhe rancor por isso. Só que ele guardava. Tinha de guardar.

A porta que tinham diante deles parecia não pertencer ali, com a sua ombreira de pedra e madeira. Era feita de vidro preto, opaco, e o mecanismo da fechadura estava na parte lateral. Um teclado numérico. Cyra dera-lhe uma lista de opções de combinações, todas, dizia ela, relacionadas de alguma forma com a sua mãe. Data de nascimento, data da morte, aniversário do casamento, números da sorte. Akos continuava a não conseguir ver Ryzek como uma pessoa que gostava suficientemente da sua mãe, para trancar as portas com a sua data de nascimento.

Mas, em vez de tentar sequer uma destas combinações, Teka começou a desaparafusar a placa que cobria o teclado. A sua chave de fendas era delicada como uma agulha, lustrosa e limpa. Ela moveu-a como se fosse um sexto dedo. Fez saltar a cobertura do teclado e pousou-a no chão, depois apertou um dos fios que havia debaixo, com os olhos fechados.

— Hum... Teka? — Ouviam-se passos que vinham de algum sítio, atrás deles.

— Cala-te — explodiu ela, apertando diferentes fios. Sorriu um pouco. — Ah — disse ela. E foi evidente que não estava a falar com eles. — Estou a perceber. Ok, então, anda lá...

Todas as luzes se apagaram, exceto a luz de emergência por cima deles, que os iluminou do canto, tão clara que deixou manchas nas pálpebras de Akos. A porta abriu-se com um clique, revelando o piso de vidro que Akos recordava da sua pior memória: O irmão a forçá-lo a ajoelhar-se à frente de Cyra Noavek. As luzes de emergência pálidas brilhavam no chão do corredor da prisão, dividindo-o em grelhas.

Isae apressou-se a atravessar a porta e correu pelo meio do corredor, olhando para a esquerda e para a direita cada vez que alcançava uma nova cela. Akos entrou a seguir, examinando o espaço, mas sentindo-se separado dele, ao mesmo tempo. Isae estava agora a correr para trás e ele soube o que ela ia dizer, antes que o dissesse.

De alguma forma, sentiu que sempre soubera, desde que vira a sua mãe a rodopiar aquele botão nos dedos, desde que se apercebera de como seria fácil para Sifa manipulá-los para o futuro que *ela* queria, independentemente do custo disso.

— Ela não está aqui — disse Isae. Desde que a tinha conhecido, vira-a sempre completamente controlada, não se tinha ido abaixo, nem sequer quando descobriu que Ori fora raptada. Nunca titubeara, nem uma única vez. E agora, estava quase a guinchar. Descontrolada. — Não está aqui, a Ori não está aqui!

Pestanejou, lentamente, como se todo o ar em redor da sua cabeça se tivesse transformado em xarope. Ori tinha desaparecido.

CAPÍTULO 35 | CYRA

DEPOIS DE AS PORTAS DUPLAS para o anfiteatro se abrirem, soube que tinha chegado a hora de me mexer. Olhei para Akos uma última vez, reparando na mancha vermelha nos seus dedos, de preparar misturas de flores do silêncio na noite anterior, na linha branca e comprida ao longo do maxilar, onde tinha sido marcado, e na união natural entre as suas sobrancelhas, que lhe dava uma expressão de perpétua preocupação. Então, esgueirei-me entre as duas pessoas que estavam de pé, à minha frente, e juntei-me ao grupo de soldados que estavam prestes a receber a sua honra, do meu irmão.

Quando um deles reparou que eu caminhava entre eles, estávamos no interior do enorme túnel que conduzia ao piso do anfiteatro. Mas eu tinha puxado da minha espadacorrente, portanto, não estava preocupada.

— Ei! — disse bruscamente um dos soldados — Não é suposto tu...

Agarrei-o pelo cotovelo e puxei-o para perto de mim, encostando a ponta da minha faca à extremidade inferior da sua armadura, mesmo por cima da anca. Pressionei apenas o suficiente para que sentisse a picada da ponta.

— Deixem-me entrar — disse-lhe, suficientemente alto para que os outros ouvissem. — Solto-o assim que estivermos lá dentro.

— Essa é...? — perguntou um dos outros, inclinando-se para perto de mim, de forma a ver a minha cara.

Não respondi. Mantendo a mão na sua armadura, não na sua pele, empurrei o soldado que fizera prisioneiro em direção ao final do túnel. Nenhum dos outros se mexeu para o ajudar e atribuí o crédito disso à minha reputação; à minha reputação e às cordas de sombra que se enrolavam em redor da minha garganta e pulsos.

Semicerrei os olhos na direção da luz clara, no final do corredor, e o rugido da enorme multidão encheu-me os ouvidos. As portas grandes, pesadas, fecharam-se atrás de mim e trancaram-se, deixando-me apenas a mim e ao meu refém na arena. Os outros soldados tinham ficado para trás. Sobre nós, o campo de forças zumbia. Cheirava a azedo, como a frutassal, e o odor era tão familiar como o pó que se erguia no ar, a cada passo que dava.

Tinha sangrado aqui. Tinha feito outros sangrarem aqui.

Ryzek estava numa plataforma larga, a meio caminho do topo, na parte lateral do estádio. Um amplificador precipitou-se sobre a sua cabeça e ficou a pairar. A sua boca estava aberta, como se tivesse estado pronto para falar, mas agora, a única coisa que conseguia fazer era olhar fixamente para mim.

Atirei o meu refém para o lado, desembainhei a minha espada-corrente e afastei o capuz que me ensombrava a cara.

Ryzek demorou apenas um momento a esboçar um sorriso de troça.

— Bem. Olhem para isto. A Cyra Noavek de volta, tão depressa? Tiveste saudades nossas? Ou é assim que os Shotet desonrados cometem suicídio?

Um coro de gargalhadas veio da multidão. O estádio estava cheio dos seus apoiantes mais leais, das pessoas mais saudáveis, mais abastadas e mais bem alimentadas de Shotet. Rir-se-iam de tudo o que se assemelhasse a uma piada.

Um dos amplificadores, controlado através de um telecomando por alguém dentro do anfiteatro, pairou sobre a minha cabeça, para captar a minha resposta. Vi-o a abanar para cima e para baixo, como alguém a engolir. Não tinha muito tempo antes de ele mandar alguém atrás de mim; tinha de ser direta.

Retirei as luvas, uma de cada vez, e desabotoei a capa pesada, que me fazia suar. Por baixo, envergava a minha armadura. Tinha os braços despidos e uma camada de maquilhagem, aplicada por Teka, nessa manhã, disfarçava as contusões no meu rosto, fazendo parecer que tinha sarado de um dia para o outro. A pele de prata na minha garganta e cabeça brilhava. Fazia-me seriamente comichão, à medida que se unia ao meu couro cabeludo.

Se o corpo me doía, não o mencionei. Tinha tomado o analgésico de Akos, mas era a adrenalina que realmente me fazia separar da dor, neste momento.

— Estou aqui para te desafiar para a arena — disse eu.

Ouviram-se algumas gargalhadas da multidão, como se não tivessem a certeza do que se esperava deles. Ryzek, decididamente, não estava a rir-se.

— Não sabia que eras tão teatral — disse Ryzek, finalmente. O seu rosto estava suado; limpou o lábio superior com as costas da mão. — Entrares aqui com um refém, para atentares contra a vida do teu irmão é... bom, tão cruel como nos habituámos a esperar de ti, suponho.

— Não é mais cruel do que ordenares que a tua irmã seja espancada até à morte e gravares a cena para toda a gente poder ver — disse eu.

— Tu não és minha irmã — disse Ryzek. — Tu és a assassina da minha mãe.

— Então, desce daí e vinga-a — disse-lhe eu, apaixonadamente.

O anfiteatro estava cheio de murmúrios, novamente, o ruído voltava a verter-se dentro dele como água para dentro de um copo.

— Não negas tê-la matado? — disse Ryzek,

Não conseguia sequer fingir negá-lo. Mesmo depois de todo este tempo, a memória estava muito próxima de mim. Na altura, gritara com ela, fazendo uma birra. «Não quero ir a outro médico! Não vou!». Agarrara no seu braço e empurrara a dor para ela, como uma criança a atirar um prato de comida indesejada. Mas empurrara com demasiada força e ela caíra aos meus pés. E o que mais recordava eram as suas mãos, cruzadas sobre o estômago. Tão elegante, tão perfeita. Até na morte.

— Não estou aqui para trocar acusações contigo — disse eu. — Estou aqui para fazer o que devia ter feito há várias estações. Luta comigo, na arena. — Puxei da minha faca e afastei-a da parte lateral do meu corpo. — E antes que me digas que não tenho estatuto para te desafiar, deixa-me que sublinhe como isso é conveniente.

O queixo de Ryzek estava rígido. Quando éramos crianças, tinha perdido um dente porque os rangia enquanto dormia. Tinha-se partido com a força e o seu substituto estava coberto de metal. Por vezes, via-o a cintilar quando falava, uma recordação da pressão criada pelo homem que estava de pé, à minha frente.

Continuei:

— Tiraste-me o meu estatuto, para que ninguém pudesse ver nunca que sou mais forte do que tu. Agora, escondes-te atrás do teu trono como uma criança cobarde e chamas a isso lei. — Inclinei a cabeça. — Mas ninguém consegue realmente esquecer o teu destino, pois não? Renderes-te à família Benesit? — Sorri. — Recusares-te a lutar comigo apenas confirma o que toda a gente suspeita de ti: Que és fraco.

Ouvi sussurros na multidão. Ninguém declarara o destino de Ryzek tão categoricamente, tão publicamente, sem sofrer as consequências. A última pessoa a tentá-lo fora a mãe de Teka, no intercomunicador da nave da peregrinação, e agora estava morta. Os soldados à porta moviam-se, à espera da ordem para me matarem, mas ela não chegou.

Apenas chegou o sorriso de Ryzek. Não era o sorriso de alguém que estivesse embaraçado.

— Tudo bem, Cyra. Eu luto contigo — disse ele. — Uma vez que esse parece ser o único comportamento que faz sentido para ti.

Não o podia deixar inquietar-me, mas ele estava a sair-se bem. O sorriso tinha-me arrepiado. Fez com que as minhas sombrascorrentes corressem à volta dos meus braços e garganta, os meus eternos adereços. Sempre mais densos, mais rápidos, quando o meu irmão os convocava com a sua voz.

— Sim, eu próprio executarei a traidora — disse ele. — Desimpeçam o caminho.

Conhecia o seu sorriso e o que ele disfarçava. Tinha um plano. Mas, esperava eu, o meu era melhor.

Ryzek desceu até à arena, lenta e graciosamente, percorrendo o caminho que a multidão abriu para ele, parando na barreira para que um criado pudesse verificar se as correias da sua armadura estavam bem apertadas e as suas espadascorrentes afiadas.

Numa luta honesta, venceria Ryzek em poucos minutos. O meu pai ensinara a Ryzek a arte da crueldade e a minha mãe ensinara-lhe as maquinações políticas, mas toda a gente me deixara, sempre, dedicar-me sozinha aos meus próprios estudos. O meu isolamento tornara-me superior a ele, no combate. Ryzek sabia disso, por isso, nunca faria desta uma luta honesta. Isso significava que eu não sabia que arma ele tinha realmente na mão.

Estava a demorar-se, a caminho da arena, o que significava que, provavelmente, estava à espera de alguma coisa. Não tencionava realmente lutar comigo, obviamente, tal como eu não tencionava lutar com ele.

Se tudo estivesse a correr de acordo com o plano e Yma tivesse despejado o conteúdo do frasco no tónico calmante, que tinha bebido ao pequeno-almoço, as flores de gelo já nadavam pelo seu corpo. O tempo de atuação não seria exato; dependia de cada pessoa. Teria de estar preparada para que a poção me surpreendesse ou falhasse completamente.

— Estás a demorar muito — disse eu, esperando que expô-lo o fizesse acelerar. — Estás à espera de quê?

— Estou à espera da faca certa — disse Ryzek e desceu até à arena. O pó levantou-se numa nuvem, à volta dos seus pés. Enrolou a manga esquerda, exibindo as suas marcas de assassinatos. Tinha ficado sem espaço no braço e começara uma segunda fila ao lado da primeira, perto do cotovelo. Reclamava cada morte que ordenava como sua, mesmo que não tivesse sido ele a executá-la.

Ryzek desembainhou lentamente a espadacorrente e, enquanto

levantava o braço, a multidão à volta explodiu em vivas. O rugido enevoou-me os pensamentos. Não conseguia respirar.

Não parecia pálido e desconcentrado, como se tivesse realmente ingerido o veneno. Pelo contrário, aparentava maior concentração do que nunca.

Quis correr para ele com a faca estendida, como uma flecha libertada de um arco, uma nave transportadora a irromper através da atmosfera. Mas não o fiz. Ele também não. Ambos ficámos de pé, na arena, à espera.

— Do que é que *tu* estás à espera, irmã? — disse Ryzek. — Perdeste a coragem?

— Não — disse eu. — Estou à espera que o veneno que bebeste esta manhã faça efeito.

Um suspiro atravessou a multidão e, por uma vez, pela primeira vez, o rosto de Ryzek enfraqueceu com o choque. Por fim, tinha-o surpreendido, verdadeiramente.

— Toda a vida me disseste que não tenho nada para oferecer, senão o poder que habita o meu corpo — disse eu. — Mas eu não sou um instrumento de tortura e execução. Sou a única pessoa que conhece o verdadeiro Ryzek Noavek. — Avancei na sua direção. — Sei que temes a dor, mais do que qualquer outra coisa neste mundo. Sei que reuniste todas estas pessoas aqui, hoje, não para celebrarem uma reciclagem bem-sucedida, mas para testemunharem o assassinato de Orieve Benesit.

Embainhei a minha espada. Afastei as mãos para os lados, para que a multidão pudesse ver que estavam vazias.

— E a coisa mais importante que eu sei, Ryzek, é que não suportas matar alguém, a não ser que te drogues primeiro. E foi por isso que eu envenenei o teu tónico calmante, esta manhã.

Ryzek tocou no estômago, como se conseguisse sentir a flor do silêncio a corroer as suas entranhas através da armadura.

— Cometeste um erro, ao valorizar-me apenas pelo meu dom-corrente e pelo meu talento com uma faca — disse eu.

E, por uma vez, acreditei nisso.

CAPÍTULO 36 | AKOS

O AR NA PRISÃO SUBTERRÂNEA estava fresco, mas Akos sabia que não era por isso que Isae estava a tremer, enquanto dizia:

— A tua mãe disse que a Ori estaria aqui.

— Tem de haver algum erro — disse Cisi, suavemente. — Algo que ela não viu...

Akos estava bastante seguro de que não havia nenhum erro, mas não ia partilhar essa convicção, agora. Tinham de encontrar Ori. Se não estava na prisão, tinha de estar mais perto do anfiteatro; talvez por cima deles, na arena, ou na plataforma onde Ryzek cortara a própria irmã.

— Estamos a desperdiçar tempo. Temos de ir para cima e encontrá-la — disse ele, surpreendido com o vigor da sua própria voz. — Agora.

Aparentemente, a sua voz rompera através do pânico de Isae. Ela inspirou profundamente e virou-se na direção da porta, onde os passos distantes de uns momentos atrás tinham assumido a forma ameaçadora de Vas Kuzar.

— Surukta. Kereseth. Ah... *Benesit* — disse Vas, olhando para Isae com a boca ligeiramente inclinada. — Não tão bonita como a tua gémea, devo dizer. Por acaso, isso é uma cicatriz de uma faca *Shotet*?

— Benesit? — disse Teka, fitando Isae. — Como a...

Isae assentiu com a cabeça.

Cisi recuara, para se encostar contra a parede de uma das celas, com as mãos abertas contra o vidro. Akos perguntou-se se a sua irmã sentiria que estava novamente de pé, na sala de estar deles, vendo Vas Kuzar a assassinar o pai. Fora assim que ele se tinha sentido nas primeiras vezes que vira Vas, depois do rapto: Como se tudo se estivesse a desmanchar dentro dele, ao mesmo tempo. Agora, já não se sentia assim.

Vas tinha o olhar vazio, como sempre. Fora dececionante descobrir que Vas era tão vazio de ira, insensível por dentro, tal como por fora. Era mais fácil pensar nele como puro mal, mas a verdade era que não passava de um animal de estimação, a cumprir as ordens do dono.

A memória da morte do pai de Akos emergiu à superfície: A sua pele aberta, a cor intensa do seu sangue, como o fluxocorrente acima deles; a faca ensanguentada que Vas limpara numa perna das calças, enquanto saía da casa. O homem com a armadura Shotet reluzente e olhos castanho-dourados, que não conseguia sentir dor. A não ser... *a não ser*.

A não ser que Akos lhe tocasse.

Não se deu ao trabalho de tentar conversar com Vas. Era uma perda de tempo. Akos avançou simplesmente na sua direção, com as botas a arranharem o rasto de areia que tinham deixado no chão de vidro. Os olhos de Vas pareciam ainda mais frios, apesar de serem de um tom de avelã tão quente, por causa das luzes que o iluminavam por baixo.

Akos tinha o coração de uma presa; queria correr ou pelo menos manter o espaço entre eles, mas obrigou-se a si mesmo a empurrar-se contra esse espaço. Respirava com a boca aberta e o nariz dilatado; nunca respirava o suficiente.

Vas investiu contra ele e Akos deixou-se ser presa. Então, deu um salto para se afastar. Não suficientemente veloz. A faca de Vas arranhou a sua armadura. Akos contraiu-se com o som, voltando--se de novo para o encarar.

Deixaria que Vas ficasse perto de o atingir, mais algumas vezes, deixaria que se sentisse convencido. Convencido significava desleixado e desleixado significava que Akos podia viver.

Os olhos de Vas eram como metal estampado, os seus braços eram como corda torcida. Lançou-se de novo sobre Akos mas, em vez de o tentar esfaquear novamente, agarrou no seu braço com a mão que tinha livre e atirou-o com força contra a parede da cela. A cabeça de Akos desabou para trás, batendo violentamente no vidro. Viu explosões de cor e o brilho do chão contra o teto plano. A mão de Vas apertou-o, rígida o suficiente para lhe provocar contusões.

E suficientemente próxima para o agarrar. Akos segurou-o, antes que pudesse tentar esfaqueá-lo novamente, empurrando o braço que segurava a faca para trás, com tanta força quanta conseguiu reunir. Os olhos de Vas arregalaram-se, sobressaltados pelo seu toque. Com dor, talvez. Akos tentou golpear o nariz de Vas com a testa, mas ele simplesmente atirou Akos para um lado.

Akos caiu. A areia que tinham trazido para dentro agarrou-se aos seus braços. Viu Teka a arrastar Isae e Cisi, para as afastar, uma mão em cada braço. Sentiu-se aliviado, mesmo quando o sangue ou o suor lhe fez cócegas atrás do pescoço; não tinha a certeza de qual dos dois era. A sua cabeça latejava, do impacto contra a parede. Vas era *forte* e ele não.

Vas lambeu os lábios e voltou a avançar para Akos. Pontapeou-o, atingindo o seu flanco protegido com a armadura. E fê-lo novamente, desta vez levando a ponta da sua bota ao queixo de Akos. Caiu estendido de costas, cobrindo o rosto com as mãos, e gemeu. A dor tornava difícil pensar, tornava difícil até respirar.

Vas riu-se. Curvou-se sobre Akos, agarrou na parte da frente da sua armadura e, puxando, levantou-o um pouco do chão. Salpicos do seu cuspo caíram na cara de Akos, quando falou:

— Seja qual for a vida que existe depois desta, manda ao teu pai os meus cumprimentos.

Akos percebeu que tinha uma última oportunidade. Pôs a mão na garganta de Vas. Sem sequer apertar, apenas tocando, o melhor que conseguia. Vas fez novamente o olhar sobressaltado que fizera antes, aquele olhar dorido. Estava curvado, deixando uma faixa de pele exposta debaixo da sua armadura, mesmo por cima do cós das calças. E, enquanto Akos lhe estava a tocar, forçando-o a sentir dor, novamente, pegou na faca que mantinha na parte lateral da bota e esfaqueou-o com a mão esquerda. Para cima, por baixo da armadura. Na barriga de Vas.

Os olhos de Vas estavam tão esgazeados que Akos viu o branco à volta das suas íris brilhantes. Depois gritou. Gritou e as lágrimas inundaram-lhe os olhos. O seu sangue estava quente na mão de Akos. Estavam presos, com a faca de Akos na sua carne, as suas mãos nos ombros de Akos, os olhos de ambos fitando-se. Juntos, caíram no chão e Vas soltou um soluço pesado.

Akos demorou a soltá-lo. Tinha de conferir que Vas estava morto.

Pensou no botão do pai na mão da mãe, no seu brilho gasto pelos dedos dele, e libertou a faca.

Sonhara com matar Vas Kuzar, tantas vezes. A necessidade de o fazer fora um segundo bater de coração no seu corpo. Nos seus sonhos, contudo, estava de pé sobre o seu corpo e erguia a faca para o céu, e deixava o sangue escorrer pelo braço, como se fosse um fio do próprio fluxocorrente. Nos seus sonhos, sentia triunfo, vitória e vingança, como se pudesse finalmente deixar o seu pai partir.

Nos seus sonhos, não se agachava perto da parede da cela, a esfregar a palma da mão com um lenço. Tremendo ao ponto de deixar cair o pano no chão brilhante.

O corpo de Vas parecia tão mais pequeno agora, que estava morto. Os olhos ainda estavam semiabertos, tal como a boca, pelo que Akos conseguia ver os seus dentes tortos. Engoliu bílis perante aquela imagem, decidido a não vomitar.

Ori, pensou ele. Então, cambaleou até à porta e começou a correr.

CAPÍTULO 37 | CYRA

RYZEK AFASTOU A MÃO do estômago. Gotas de suor salpicavam-lhe a testa, junto ao contorno do couro cabeludo. Os seus olhos, habitualmente tão penetrantes, estavam desfocados. Mas então, a sua boca descaiu formando um esgar, inesperadamente... vulnerável.

— Foste tu que cometeste um erro — disse ele, numa voz alta mas suave, a mais suave que já lhe ouvira. Era uma voz diferente, memorável: A voz de Eijeh. Como era possível que Ryzek e Eijeh coabitassem no mesmo corpo, emergindo em alturas diferentes? — Ao forçar a mão dele.

A mão *dele*?

O som da multidão à nossa volta tinha mudado. Já ninguém estava a olhar para Ryzek. Todas as cabeças estavam viradas para a plataforma elevada da qual ele tinha acabado de descer, onde Eijeh Kereseth agora permanecia, sozinho, diante de uma mulher, com uma faca apontada à sua garganta.

Reconhecia-a. Não só pela gravação do rapto transmitido nos ecrãs por toda a cidade, no dia em que fora levada, mas pelo dia anterior, passado a ver Isae Benesit a falar, rir e comer. Esta era a sua gémea, Orieve Benesit, cuja cara não ostentava cicatrizes.

— Ah sim, eis a faca pela qual estava à espera — disse Ryzek, com uma gargalhada, a sua voz natural de volta. — Cyra, gostava de te apresentar Orieve Benesit, chanceler de Thuvhe.

A sua garganta estava roxa dos hematomas e exibia um corte profundo na testa. Mas, quando os nossos olhos se cruzaram àquela distância substancial, não me pareceu alguém que temesse pela sua vida. Parecia antes alguém que sabia o que a esperava e fazia tenção de o encarar com uma postura firme, e um olhar estável.

Saberia Ryzek que ela não era a verdadeira chanceler? Ou tê-lo-ia convencido de que era? De qualquer das formas, era demasiado tarde. Demasiado tarde.

— Ori — disse eu. Em Thuvhesit, acrescentei —, ela tentou vir buscar-te.

Não consegui perceber se me ouviu, de tão imóvel que estava.

— Thuvhe é apenas uma brincadeira para os Shotet — disse Ryzek. — Foi facilmente invadido e a chanceler trazida sem o mínimo esforço pelos meus acólitos fiéis. Em breve, a chanceler não será a única coisa da qual nos teremos apoderado. Este planeta é nosso e vamos reclamá-lo!

Estava a reanimar os seus apoiantes; o bramido era ensurdecedor. As suas caras distorcidas de exultação. O fanatismo provocou o movimento das sombrascorrentes em redor do meu corpo, apertadas quais cordas atando um prisioneiro, e encolhi-me.

— O que acham, Shotet? — questionou Ryzek, elevando a cabeça para a multidão. — A chanceler deve morrer às mãos de um dos seus súbditos anteriores?

Ori, ainda a olhar para mim, não proferiu um único som, embora o amplificador flutuasse tão perto da cabeça dela que quase acertou em Eijeh, aquele que carregava os horrores do meu irmão dentro da cabeça.

O cântico iniciou-se de imediato.

— Morre!

— Morre!

— Morre!

Ryzek exibiu as suas armas, como quem se está a deliciar com o som. Virou-se lentamente, avivando cada vez mais os ânimos até que a sede da morte de Ori se tornou praticamente uma coisa tangível, um peso no ar. Então, ergueu as mãos para os apaziguar, arreganhando os dentes.

— Acho que vai a ser a Cyra a decidir como vai ela morrer — disse ele. Baixou um pouco a voz. — Se eu cair, por não me dares um antídoto qualquer, ela também cairá.

— Não há antídoto — disse eu, baixinho.

Eu podia salvá-la. Podia dizer a verdade a Ryzek, a verdade que não revelara a ninguém, nem sequer a Akos, dado que ele me implorou para lhe preservar as poucas esperanças que acalentava relativamente ao irmão, e assim adiar a execução. Abri a boca para ver se a verdade saía, apesar da minha paralisia.

Se dissesse a verdade a Ryzek, se salvasse a vida de Ori, ficaríamos todos encurralados no anfiteatro, rodeados por um mar de apoiantes de Ryzek, sem possibilidade de vitória para os rebeldes.

Tinha a boca seca. Nem conseguia engolir. Não, era demasiado tarde para Orieve Benesit. Não o podia fazer; não podia salvá-la sem nos sacrificar a todos. Incluindo a verdadeira chanceler de Thuvhe.

Ryzek inclinou-se e eu avancei, de arma estendida, ao encontro dele, enquanto caía rendido. Empurrei a faca e o peso dele arrastou-nos a ambos para o chão.

Bem acima de nós, Eijeh Kereseth, de cabelo encaracolado, olhos grandes e macilento, conduziu a espadacorrente até ao ventre de Orieve Benesit.

E escarafunchou.

CAPÍTULO 38 | AKOS

QUANDO ORI DESABOU, Akos ouviu um grito horripilante. Ryzek caiu de lado, os braços cruzados à frente do corpo e a cabeça mole contra a terra batida. Cyra ergueu-se, de faca na mão. Estava feito. Tinha matado o irmão e a última esperança para a restauração de Eijeh.

Isae abria caminho entre a multidão, à medida que o caos se instalava. Ela arranhava e rangia os dentes, lutando para chegar à plataforma. Akos içou o seu corpo por cima da barreira da arena e correu através da poeira, passou por Cyra e Ryzek, pulou a outra barreira e novamente a multidão. As pessoas acotovelavam-se, pontapeavam-se e empurravam, e as suas unhas ficaram vermelhas com o sangue de outra pessoa; ele nem se importou.

Na plataforma, Ori segurava-se ao braço de Eijeh, para se suster. Cuspia sangue dos lábios, ao tentar respirar. Eijeh debruçou-se, segurando-a pelos cotovelos, e caíram juntos no chão. Ori enrugou a testa e Akos observou, não querendo interromper.

— Adeus, Eij — disse ela, a sua voz apanhada pelo amplificador flutuante.

Akos saltou, escudando-se no meio da multidão. Crianças gritavam algures, ao longe. Uma mulher gemeu quando alguém a pisou e, não sendo capaz de se levantar, as pessoas corriam por cima dela.

Quando Isae chegou até Eijeh e Ori, atirou-se ao irmão de Akos com um rugido. Em menos de nada estava em cima dele, com as mãos à volta da garganta de Eijeh. E ele não parecia mexer--se, mesmo que ela o estivesse a estrangular.

Akos não reagiu de imediato, limitava-se a observá-la. Eijeh tinha matado Ori; talvez merecesse morrer.

— Isae — berrou Akos. — Para!

Ori tentava alcançar a irmã, esticando os dedos para o ar vazio. Só quando a viu é que Isae deixou Eijeh e se agachou junto da irmã. Ori agarrou na mão de Isae e apertou-a junto ao peito, e os seus olhos encontraram-se.

Um breve sorriso. E partiu.

Akos abriu caminho aos empurrões até à plataforma, onde Isae estava debruçada sobre o corpo de Ori, cujas roupas escuras estavam molhadas de sangue. Isae não chorou, nem gritou, nem tremeu. Atrás dela, por alguma razão, Eijeh permanecia imóvel, de olhos fechados.

Uma sombra passou sobre eles. A nave dos rebeldes, brilhante, em tons de laranja, amarelo e vermelho, acudia a resgatá-los, pilotada por Jyo e Sifa.

Teka já estava debruçada sobre o painel de controlo, no lado direito da plataforma. Estava a tentar retirar o ecrã do resto do mecanismo, mas a mão tremia-lhe, segurando a chave de fendas, e não parava de perder parafusos. Por fim, Akos forçou a sua faca entre o ecrã e o mecanismo, separando-os. Teka acenou para manifestar a sua aprovação e introduziu os dedos para desativar o campo de forças.

Houve um cintilar de um branco intenso, à medida que o campo de forças pestanejou. A nave transportadora afundou-se no anfiteatro, flutuando tão baixo como pôde, sem esmagar os assentos. A portinhola abriu-se diante deles e os degraus desceram.

— Isae! — gritou Akos. — Temos de ir!

Isae lançou-lhe um olhar que mais parecia veneno. Colocou as mãos debaixo dos braços de Ori e tentou arrastá-la para a nave. Akos dirigiu-se às pernas de Ori, para ajudar, mas Isae explodiu num «Não toques nela!», e ele recuou. Entretanto, Cisi tinha chegado à plataforma e Isae não gritou com ela. Juntas carregaram o corpo de Ori para os degraus que conduziam à nave.

Akos virou-se para Eijeh, que não se tinha mexido do sítio onde estava quando Isae o atacou. Quando Akos sacudiu o ombro do irmão, continuou impávido, por isso, Akos pousou os dedos na garganta de Eijeh, para se assegurar de que estava vivo. E estava. Pulsação forte. Respiração intensa.

— Akos! — gritou Cyra, do meio da arena. Ainda permanecia junto ao corpo de Ryzek, de arma na mão.

— Deixa-o! — ele retribuiu o grito. Porque não deixar o corpo para as aves de rapina e para os adeptos dos Noavek?

— Não! — disse Cyra, de olhos arregalados, angustiada. — Não posso!

Ela empunhava a faca. Ele não a vira de perto antes; tudo o que vira fora o corpo de Ryzek, flácido, e Cyra de pé sobre ele, com a lâmina na mão. Mas quando ela gesticulou para a arma, ele viu que a lâmina estava limpa. Ela não tinha apunhalado Ryzek. Não o tinha apunhalado, então, porque tinha desabado?

Akos lembrou-se da cara de Suzao a cair na sopa no refeitório, do guarda à porta do anfiteatro, qual peso morto, e era óbvio: Cyra tinha *drogado Ryzek*.

Mesmo sabendo que Cyra era mais do que o Flagelo de Ryzek, ou até do que o Carrasco de Ryzek, mesmo tendo ele visto as melhores partes dela, fortalecendo-se no pior ambiente possível, como a flor do silêncio que florescia no período do Esmorecimento, de alguma forma, ele nunca tinha contemplado essa possibilidade.

Cyra tinha poupado Ryzek. Por ele.

CAPÍTULO 39 | CYRA

A PORTINHOLA DA nave dos rebeldes fechou-se atrás de nós. Conferi a pulsação de Ryzek, antes de afrouxar a corda que lhe rodeava o peito. Era fraca mas estável, como devia ser. Dado o momento da sua rendição e da força do elixir do sono de Akos, ainda demoraria um bom tempo até acordar. Eu não o apunhalara, embora me tivesse esforçado para fazer parecer que o tinha feito, para o caso de alguém nos estar a observar através das miras.

Yma Zetsyvis tinha desaparecido no caótico rescaldo do desafio. Desejei ter tido a ocasião de lhe agradecer, mas ela não tinha envenenado Ryzek por mim; tinha acreditado que o mataria, como a levei a crer que faria. Provavelmente, teria odiado a minha gratidão. E, quando descobrisse que lhe mentira, odiar-me-ia ainda mais do que antes.

Isae e Cisi agacharam-se a ambos os lados do corpo de Ori. Akos permanecia atrás da irmã. Quando ela alongou a mão para trás, em direção a ele, já ele a estendia para ela; apertaram os dedos, o dom de Akos a libertar as lágrimas de Cisi.

— Talvez a corrente, que flui através e à volta de cada um de nós, vivos e mortos, guie Orieve Benesit para um lugar de paz — murmurou Cisi, cobrindo as mãos ensanguentadas de Isae com as suas. — Oxalá que nós, os vivos, possamos ouvir claramente o seu desígnio, e aspiremos a que as nossas ações estejam à altura do caminho para nós traçado.

O cabelo fibroso de Isae estava pegado aos lábios, molhado de baba. Cisi afastou-lho da cara, prendendo-o atrás das orelhas. Senti o peso e o calor do dom-corrente de Cisi a sossegar-me, reconciliando-me comigo própria.

— Que assim seja — disse Isae, por fim, aparentemente concluindo a prece. Eu nunca tinha ouvido orações Thuvhesit, embora soubesse que se dirigiam à própria corrente, em vez de ao seu alegado mestre, como as pequenas seitas Shotet. As preces Shotet eram listas de certezas, mais do que pedidos, e apreciava a honestidade da aproximação dos Thuvhesit, o conhecimento implícito de que eles não sabiam se as suas orações seriam atendidas.

Isae levantou-se, as mãos caídas. A nave sacudiu-se, desequilibrando-nos a todos. Não me importei que pudéssemos ser perseguidos através dos céus de Voa; já não restava ninguém para ordenar a perseguição.

— Tu sabias — disse Isae, olhando para Akos. — Tu *sabias* que o Ryzek lhe tinha feito uma lavagem cerebral, que ele era perigoso. — Gesticulou para Eijeh, ainda inconsciente, deitado no chão metálico. — Desde o princípio.

— Nunca pensei que ele — Akos engasgou-se. — Ele gostava dela como duma irmã...

— Não te atrevas a dizer-me isso. — Isae cerrou os punhos, os nós dos dedos esbranquiçados. — Ela era *minha* irmã. Não lhe pertence a ele, nem a ti, nem a mais ninguém!

Eu estava tão distraída com a conversa deles, que não pude impedir Teka de se ajoelhar perto de Ryzek. Levou a mão à sua garganta, depois passou para o peito e deslizou-a para baixo da armadura.

— Cyra — disse Teka, em voz baixa —, porque é que ele está vivo?

Todos se viraram para Teka, Isae, Cisi e Akos, interrompendo--se a tensão do momento. Isae desviou o olhar do corpo de Ryzek, para mim. Fiquei rígida. Havia um laivo de ameaça na forma como ela se mexia, falava, como se fosse uma criatura acuada, prestes a atacar.

— A última esperança para a restauração do Eijeh reside no Ryzek — disse eu, o mais calmamente que pude. — Poupei-o apenas temporariamente. Após o retorno das memórias do Eijeh, terei o maior prazer em dar cabo dele.

— Eijeh. — Isae riu-se. E riu outra vez, enlouquecida, a olhar para o teto. — A droga que deste ao Ryzek pô-lo a dormir... ainda assim, escolheste não o partilhar com ele, quando a vida da minha irmã estava ameaçada?

Ela avançou para mim, esmagando os dedos de Ryzek com o sapato.

— Preferiste a ténue esperança da restauração de um traidor, à vida da irmã da chanceler — disse ela, baixinho.

— Se tivesse dito alguma coisa ao Ryzek, sobre a droga, teríamos ficado encurralados no anfiteatro sem escapatória possível e ele teria assassinado a tua irmã, em qualquer caso — disse eu. — Escolhi o caminho que nos garantia a sobrevivência.

— Tretas — Isae inclinou-se em direção ao meu rosto. — Escolheste o Akos; não tentes dar uma ideia diferente.

— Pronto — disse eu, igualmente calma. — Era o Akos ou tu. Escolhi-o a ele. E não estou arrependida.

Não era toda a verdade, era parte da verdade. Se ela almejava o ódio puro, eu facilitar-lhe-ia a vida. Estava habituada a ser odiada, especialmente pelos Thuvhesit.

Isae acenou com a cabeça.

— Isae... — começou Cisi, mas Isae já estava a afastar-se. Desapareceu na cozinha, fechando a porta atrás de si.

Cisi enxugou as faces com as costas da mão.

— Não acredito nisto. O Vas está morto e o Ryzek está vivo — disse Teka.

Vas estava morto? Olhei para Akos, mas ele evitou o olhar.

— Dá-me uma razão para não acabar com o Ryzek já, Noavek

— disse Teka, virando-se para mim. — E se essa razão tiver alguma coisa a ver com o Kereseth, dou cabo de ti.

— Se o matares, não terás a minha cooperação em quaisquer que sejam os próximos planos arquitetados pelos rebeldes — disse eu, monocordicamente, sem olhar para ela. — Se me ajudares a mantê-lo com vida, eu ajudo-te a conquistar Shotet.

— Ah sim? E que espécie de ajuda seria, ao certo?

— Oh, não sei, Teka — aleguei, finalmente, encarando-a. — Ainda ontem os rebeldes estavam a ocupar uma casa segura em Voa, desinformados. E agora, por minha causa, tens o corpo inconsciente do Ryzek Noavek aos pés e Voa mergulhada no caos, atrás de ti. Acho que isso atesta a minha capacidade de ajudar a causa dos rebeldes, não achas?

Ela mastigou o interior da bochecha uns segundos, antes de retorquir:

— Há uma área de armazenamento debaixo do convés, com uma porta pesada. Eu meto-o lá e assim não nos perturba. — Mas ela abanou a cabeça. — Sabes que há guerras que começaram por menos. Não a enraiveces só a ela, enraiveces toda uma nação.

Senti a garganta oprimida.

— Sabes que eu não podia ter feito nada pela Ori, mesmo que tivesse assassinado o Ryzek — disse eu. — Estávamos todos encurralados.

— Sei bem disso — Teka suspirou. — Mas tenho a certeza de que a Isae Benesit não está de acordo.

— Eu falo com ela — disse Cisi. — Eu ajudo-a a perceber; neste momento, ela só quer encontrar pessoas a quem culpar.

Ela tirou o casaco que vestia, desnudando os braços arrepiados e cobriu Ori. Akos ajudou-a a prender as extremidades debaixo dos ombros e ancas de Ori, de modo a ocultar a ferida. Cisi penteou o cabelo de Ori com os dedos.

Então, ambos desapareceram, Cisi para a cozinha e Akos para o porão, com passos pesados e mãos trémulas.

Virei-me para Teka.

— Vamos trancar o meu irmão.

*****

Teka e eu arrastámos Ryzek e Eijeh para diferentes arrecadações, um a um. Apanhei mais elixir do sono para drogar Eijeh. Não sabia bem o que se passava com ele, pois ainda estava inconsciente e vegetativo, mas se ao acordar fosse o mesmo homem torto que assassinara Ori Benesit, não queria ter de lidar com ele, ainda.

Então, dirigi-me para o convés de navegação, onde Sifa Kereseth estava sentada no lugar do capitão, com as mãos nos comandos. Jyo estava por perto, usando o ecrã para contactar Jorek, que regressara a casa após a queda de Ryzek, para ir buscar a mãe. Sentei-me na cadeira vazia, ao lado da mãe de Akos. Estávamos bem elevados na atmosfera, quase a transpor a barreira de azul que nos separava do espaço.

— Para onde vamos? — disse eu.

— Entramos em órbita até definirmos uma estratégia — disse Sifa. — Não podemos regressar a Shotet, é óbvio, e ainda não é seguro voltarmos para Thuvhe.

— Sabe o que se passa com o Eijeh? — disse eu. — Ainda está catatónico.

— Não — disse Sifa. — Ainda não.

Ela fechou os olhos. Questionei-me se o futuro seria algo que ela pudesse procurar, como as estrelas. Algumas pessoas exerciam com mestria os seus dons, outras eram apenas servos que se submetiam a eles. Nunca deixei de me perguntar a que categoria pertencia o oráculo de Hessa.

— Acho que você sabia que íamos fracassar — disse eu, suavemente. — Disse ao Akos que as suas visões estavam sobrepostas e que a Ori ia estar na cela, ao mesmo tempo que o Ryzek se enfrentaria a mim, na arena. Mas sabia que não seria assim, não sabia? — Fiz uma pausa. — E sabia que o Akos teria de enfrentar o Vas. Queria que ele não tivesse outra escolha a não ser matá-lo, o homem que assassinou o seu marido.

Sifa tocou o mapa de autonavegação para que as cores se invertessem, preto para a imensidão do espaço e branco para a rota que estávamos a fazer através dele. Recostou-se na cadeira, com as mãos pousadas no regaço. Ao princípio, pensei que estava a fazer um compasso de espera para me responder mas, quando não disse nada, percebi que não fazia tenções de replicar. Não a pressionei. A minha mãe também podia ser intratável e eu sabia quando desistir.

Por isso me surpreendi, quando ela falou.

— O meu marido precisava de ser vingado — disse ela. — Um dia, o Akos vai percebê-lo.

— Não vai, não — disse eu. — Ele só consegue ver que a sua própria mãe o manipulou, de forma a levá-lo a fazer aquilo que ele mais detesta.

— Talvez — disse ela.

A escuridão do espaço embrulhava-nos como uma mortalha e senti-me em paz, consolada pelo vazio. Esta era uma peregrinação diferente. Longe do passado, em vez de longe do sítio ao qual eu costumava chamar casa. Aqui, as linhas entre Shotet e Thuvhesit eram mais difíceis de vislumbrar, e quase me senti em segurança outra vez.

— Tenho de ir ver como está o Akos — disse eu.

Antes de me poder levantar, a mão dela pousou sobre o meu braço e ela inclinou-se tão perto de mim que consegui ver laivos de um castanho quente nos seus olhos escuros. Ela encolheu-se, mas não se afastou.

— Obrigada — disse ela. — Estou convicta de que teres esco lhido a misericórdia pelo meu filho, em vez da vingança do teu irmão, não foi fácil para ti.

Encolhi os ombros, constrangida. — Ao trazer o Akos para a vida, não me libertei bem dos meus pesadelos — disse eu. — Mas, com uns quantos pesadelos posso eu bem.

CAPÍTULO 40 | AKOS

DEPOIS DE OS SHOTET TEREM LEVADO Akos e Eijeh de casa, e os terem arrastado através da Divisória; depois de Akos se ter desenvencilhado das algemas, roubado a faca de Kalmev Radix e o ter apunhalado com ela; depois de terem espancado Akos tão fortemente que mal conseguia andar, eles levaram os irmãos Kereseth para Voa, à presença de Ryzek Noavek. Ao longo do penhasco, através das ruas sinuosas e empoeiradas, certos de que estavam à beira da morte ou pior. Tudo fora muito barulhento, muito abarrotado, bem diferente de casa.

Enquanto percorriam o túnel breve que conduzia ao portão da frente da mansão Noavek, Eijeh sussurrara:

— Tenho tanto medo.

A morte do pai e o rapto deles tinha-o despedaçado como a um ovo. Estava sempre lavado em lágrimas. O oposto tinha acontecido a Akos.

Ninguém despedaçava Akos.

— Prometi ao pai que te tirava daqui — dissera a Eijeh. — E é isso que vou fazer, entendido? Vais conseguir. Desta vez, é uma promessa que te faço a ti.

Pusera o braço por cima do ombro do irmão, apertara-o bem contra si e entraram juntos.

Agora eram livres, mas não tinham saído juntos. Akos tinha tido de o arrastar.

O porão era acanhado e húmido, mas tinha um lavatório e isso bastava a Akos. Despiu-se até à cintura, a camisola demasiado suja para ter salvação. Abriu a água o mais quente que podia aguentar e esfregou o sabonete oleoso nas mãos, até fazer espuma. Então, enfiou a cabeça debaixo da torneira; água salgada correu-lhe para a boca. Enquanto esfregava braços e mãos, retirando o sangue pisado das unhas, deixou-se levar.

Soluçou para dentro da água corrente, em parte horrorizado, em parte aliviado, deixando que o som do chapinhar abafasse os barulhos esquisitos e ofegantes que lhe saíam da boca; deixando que os músculos doridos estremecessem no calor.

Ele não estava verdadeiramente de pé, quando Cyra desceu as escadas, mas antes pendurado no rebordo do lavatório, pelas axilas, os braços à volta da cabeça. Ela proferiu o seu nome e ele obrigou-se a erguer-se, ao encontro dos olhos dela, no espelho rachado acima da torneira. A água escorria como um rio pelo seu pescoço e costas abaixo, ensopando-lhe a parte superior das calças. Ele fechou a água.

Ela levou as mãos à cabeça e desviou o cabelo para o lado. Os seus olhos, escuros como o espaço, suavizaram-se ao debruçar-se sobre ele. Sombrascorrentes flutuavam sobre os braços dela, cobrindo-lhe a clavícula. Os seus movimentos eram lânguidos.

— O Vas? — disse ela.

Ele anuiu.

Nesse momento, ele gostava mais das coisas que ela não chegava a dizer do que daquelas que efetivamente dizia. Nada de «Já não era sem tempo!», ou «Fizeste o que devias», ou mesmo um simples «Está tudo bem». Cyra não tinha paciência para coisas desse estilo. Ela encarava a mais dura e mais certa das verdades, como uma mulher que fazia questão de esmagar os próprios ossos, convencida de que cresceriam mais fortes.

— Vamos lá. — Foi tudo o que disse. — Vamos à procura de roupas limpas para ti.

Parecia cansada, mas somente da maneira em que uma pessoa está cansada após um longo dia de trabalho. Esse era outro dos aspetos que a caracterizava, tanta coisa tinha sido dura na sua vida, que ela era mais forte do que os outros quando os reveses tinham lugar. Nem sempre de uma forma positiva.

Abriu o ralo para que a água avermelhada escoasse, *izit* a *izit*. Secou-se à toalha ao lado do lavatório. Quando se virou para ela, as sombrascorrentes ficaram fora de controlo, dançando-lhe pelos braços acima e através do peito. Ela estremeceu um pouco, mas era diferente agora, não a consumiam tanto. Esta era uma Cyra que tinha algum espaço entre si e a sua dor.

Seguiu-a escadas acima, outra vez, ao longo do estreito vestíbulo até à arrecadação, que estava abarrotada de tecidos, lençóis, toalhas e, no topo, roupa lavada. Pegou numa camisa tamanho gigante. Era ótimo vestir uma peça de roupa limpa.

Nesse instante, Cyra já se encaminhava para o convés de navegação vazio, agora que a nave transportadora entrara em órbita. Perto da saída, a sua mãe e Teka estavam a amortalhar o corpo de Ori com lençóis brancos. A porta da cozinha permanecia fechada, a irmã dele e Isae lá dentro.

Ele permaneceu de pé, apoiado no ombro de Cyra, junto da janela de observação. Ela sentira-se sempre atraída por vistas assim, imensas e vazias. Ele não podia com elas, mas até gostava do cintilar das estrelas, do brilho dos planetas longínquos, do vermelho-arroxeado escuro do fluxocorrente.

— Há um poema Shotet de que gosto — disse ela, num Thuvhesit claro. Em todo o tempo que tinham passado juntos, ele nunca a ouvira a proferir mais do que poucas palavras em Thuvhesit. Que ela o falasse agora tinha algum significado, estavam em pé de igualdade, duma forma impossível, antes. Praticamente, tinha morrido para conseguir chegar até esse ponto.

Franziu o sobrolho, enquanto matutava nesse assunto. O que

uma pessoa fazia quando sentia dor, dizia muito de si. E Cyra, sempre dorida, quase sacrificara a própria vida para o libertar do jugo Shotet. Ele nunca o esqueceria.

— A tradução é difícil — prosseguiu ela. — Mas, basicamente, um dos versos diz: «O coração mortificado sabe que foi feita justiça».

— A tua pronúncia é muito boa — disse ele.

— Gosto de sentir as palavras. — Tocou na garganta. — Lembram-me de ti.

Akos pegou-lhe na mão pousada no pescoço e entrelaçou os dedos com os dela. As sombras extinguiram-se. A sua pele castanha tornou-se baça, mas os olhos estavam tão alerta como de costume. Talvez ele pudesse aprender a apreciar o imenso vazio do espaço, se pensasse nele como os olhos dela, escuros e suaves, com uma pincelada de calor.

— Foi feita justiça — repetiu ele. — Acho que é uma maneira de encarar a coisa.

— É a minha maneira — disse ela. — A julgar pela tua expressão, deduzo que tenhas enveredado pelo caminho da culpa e da autoaversão.

— Eu queria matá-lo — disse ele. — Detesto que tenha querido fazer uma coisa dessas.

Estremeceu outra vez e fitou as mãos. Todas calejadas de tanto bater, tal como Vas.

Cyra esperou um pouco, antes de responder.

— É difícil saber o que está certo nesta vida — disse ela. — Faz-se o que se pode, mas o que realmente precisamos é de misericórdia. Sabes quem me ensinou isto? — Sorriu. — Tu.

Ele desconhecia como lhe podia ter ensinado o que quer que fosse acerca de misericórdia, mas sabia o seu preço por ela. A misericórdia por Eijeh, por ter poupado momentaneamente a vida de Ryzek, significava que ela teria de padecer a pior das suas dores ainda por mais tempo. Significava trocar *por fim* o triunfo pela raiva de Isae, pela aversão dos rebeldes. Mas ela parecia à vontade.

Ninguém sabia como carregar com o ódio das outras pessoas como Cyra Noavek. Às vezes, ela até o encorajava, mas isso não o incomodava por aí além; ele compreendia. Ela pensava realmente que as pessoas estariam melhor longe dela.

— Que foi? — disse ela.

— Gosto de ti, sabes — disse ele.

— Eu sei.

— Não; quero dizer que gosto de ti tal como és, não quero que mudes. — Ele sorriu. — Nunca pensei em ti como um monstro ou uma arma ou... o que é que te chamaste? Um prego...

Ele prendeu-lhe a palavra *enferrujado* na boca. Os dedos dela estavam frios, cautelosos ao tocarem nos hematomas e cicatrizes que o vestiam, como se ela lhas estivesse a eliminar. Ela sabia a folhas de *sendes* e a flor do silêncio, a frutassal e a casa.

Ele afagou-a com as mãos, suspirando ao encontro da sua pele. Ousados, os dedos entrelaçados, amarrados aos cabelos, tirando punhados de camisola. Dedos que encontravam lugares macios e intocados, como a curva da cintura dela ou a face inferior do queixo dele. Os dois corpos pressionados um contra o outro, anca contra estômago, joelho contra coxa...

— Ei! Vocês os dois! — gritou Teka, do outro lado da nave. — Não estão sozinhos!

Cyra virou-se e encarou Teka.

Ele sabia como ela se sentia. Ele queria mais. Ele queria tudo.

CAPÍTULO 41 | CYRA

DESCI AS ESCADAS que conduziam ao fundo da nave dos rebeldes, ao porão onde o meu irmão estava trancado numa das arrecadações. As portas eram de um metal sólido, mas cada uma tinha uma grelha de ventilação perto do teto baixo, para que o ar pudesse circular em toda a nave. Aproximei-me lentamente da divisão, passando o dedo ao longo da parede lisa. As luzes tremeluziam por cima da minha cabeça, a cada sacudidela da nave.

A grelha de ventilação ficava ao nível dos olhos, pelo que podia espreitar para o interior. Esperava que o corpo de Ryzek estivesse estendido no chão, rodeado de garrafas de diluente ou latas de oxigénio, mas não estava. Ao princípio, nem sequer o vi e engoli ar, frenética, prestes a gritar, pedindo ajuda. Mas então, ele avançou para o meu campo de visão, o seu corpo riscado por efeito das pás da grelha de ventilação.

Apesar disso, conseguia ver-lhe os olhos desfocados, mas repletos de desdém.

— És mais cobarde do que pensei — disse ele, com um rugido baixo.

— É curioso estar do lado de cá da parede, para variar — disse eu. — Tem cuidado, posso ser tão cruel contigo como foste comigo.

Ergui a mão, deixando a corrente nebulosa corrupiar à volta

dela. Tentáculos tingidos de escuridão enrolaram-se à volta dos meus dedos, como se fossem cabelo. Passei as unhas pela grelha, ao de leve, maravilhada com a facilidade que seria magoá-lo aqui, sem ninguém para me deter. Bastava abrir a porta.

— Quem foi? — perguntou Ryzek. — Quem me envenenou?

— Já te disse — respondi. — Fui eu.

Ryzek abanou a cabeça.

— Não, tenho as minhas misturas de flores de gelo trancadas a sete chaves, desde a primeira tentativa de assassinato em que participaste. — Ele estava quase a sorrir. — E quando digo a sete chaves, quero dizer com uma fechadura de genes, somente acessível ao sangue Noavek. — Ele aguardou um instante. — Fechaduras essas que ambos sabemos que tu foste e és incapaz de abrir.

A minha boca secou e encarei-o fixamente através do espaço mínimo. Naturalmente, ele teria gravações da primeira tentativa de assassinato, onde pôde ver como tentei abrir a fechadura da sua porta, em vão. Mas isso não parecia surpreendê-lo.

— O que estás para aí a dizer? — perguntei, num tom sereno.

— Não tens o meu sangue — disse ele, pronunciando deliberadamente cada palavra. — Não és uma Noavek. Porque pensas que comecei a usar aquele tipo de fechaduras? Porque sabia que apenas uma pessoa as podia transpor. Eu.

E eu nunca tinha tentado passar por elas antes do atentado, porque quis sempre manter-me à distância dele. Mesmo que tivesse, de certeza que ele teria uma mentira convincente, preparada para a ocasião. Estava sempre disposto a mentir.

— Se não sou uma Noavek, então quem sou eu? — perguntei, abruptamente.

— Como é que posso saber? — Riu-se. — Devias ter visto a tua cara quando to disse. Uma Cyra emocional, volátil. Quando é que vais aprender a controlar as tuas reações?

— Podia fazer-te a mesma pergunta. Os teus sorrisos estão cada vez menos convincentes, Ryz.

— Ryz. — Riu-se, novamente. — Achas que ganhaste, mas

não ganhaste. Há coisas que não te disse, à parte da tua filiação verdadeira.

Um turbilhão formava-se dentro de mim, mas permaneci tão quieta quanto possível, vendo os seus lábios a abrirem-se num sorriso, os cantos dos olhos enrugados. Procurei na sua cara um vestígio do sangue partilhado e não encontrei nenhum. Não éramos parecidos, mas isso por si só não era invulgar, pois às vezes os irmãos saíam a diferentes ramos familiares, a parentes distantes, resgatando para a vida genes há muito esquecidos. Ou ele me estava a contar a verdade, ou era uma jogada para me destabilizar; o que quer que fosse, não lhe daria o prazer de ver mais reações da minha parte.

— Este desespero — disse eu, numa voz baixa —, não te fica bem, Ryzek. É quase *indecente*.

Pressionei as pás da grelha com a ponta dos dedos.

Mas ainda o consegui ouvir, quando disse, — O nosso pai... — Parou e corrigiu. — Lazmet Noavek ainda está vivo.

CAPÍTULO 42 | AKOS

ELE OLHOU PELA janela de observação, para a escuridão do céu. Avistava-se uma faixa de Thuvhe à esquerda, branca devido à neve e à camada de nuvens. Não admirava que os Shotet chamassem «Urek» ao planeta, que significava «vazio». Daqui de cima, o vazio esbranquiçado era o único visível.

Cisi deu-lhe uma caneca de chá, amarelo-esverdeado. A julgar pela sombra, tratava-se da mistura para a fortaleza. Ele não tinha grande experiência nessa mistura, pois passara a maior parte do tempo a trabalhar com a flor do silêncio, para induzir o sono nas pessoas ou para lhes atenuar a dor. Não sabia a grande coisa, era amargo como os caules novos, recém-cortados, mas tornou-o mais firme, como era previsível.

— Como está a Isae? — perguntou-lhe.

— A Isae está... — Cisi franziu o sobrolho. — Acho que, de alguma forma, me deu ouvidos no meio do sofrimento. Logo se vê.

Akos tinha a certeza de que o veriam e, provavelmente, não propriamente o que desejavam ver. Ele detetara ódio no rosto de Isae, ao fitar Cyra perto da portinhola, com o corpo da irmã estendido atrás de si. Uma mera conversa com Cisi não varreria tanto ódio, de repente, por mais apego que existisse entre elas.

— Eu vou continuar a tentar.

— É um traço característico em todos os meus filhos — disse a mãe deles, subindo os degraus metálicos até ao convés de navegação. — São persistentes. Até ao ponto do delírio, dizem alguns.

Dissera-o a sorrir. Tinha uma estranha forma de tecer elogios, a mãe deles. Interrogou-se se ela teria contado com essa persistência delirante, quando conseguira fazer chegá-los demasiado tarde à prisão. Ou talvez ela não tivesse contado com o facto de Eijeh lhe interromper os planos com uma manipulação do oráculo da sua lavra. Nunca saberia.

— O Eijeh está acordado? — perguntou-lhe.

— Acordado, sim. — Sifa suspirou. — Mas, de momento, limita-se a olhar para o vazio. Não dá sinais de me ouvir. Não sei o que a Ori lhe fez, antes... bom.

Akos pensou nos dois, Eijeh e Ori, na plataforma, agarrados. A forma como ela lhe dissera adeus, como se fosse ele a partir em vez dela. E então, ele partiu, ausentando-se só porque ela lhe tocou. Que poder teria o toque de Ori? Nunca lho tinha perguntado.

Sifa disse:

— Temos de lhe dar tempo e ver se podemos usar o Ryzek para o restaurarmos. Acho que a Cyra tinha umas ideias a esse respeito.

— Aposto que tem — disse Cisi, um pouco sombria.

Akos bebericou o chá de Cisi, permitindo-se sentir algo similar ao alívio. Eijeh estava fora de Shotet, Cisi e Sifa estavam vivas. Sentia alguma paz, ao saber que todos os homens que lhes tinham invadido a casa e matado o pai tinham ido desta para melhor. Eram apenas marcas no seu braço. Ou seriam, quando se decidisse a esculpir o nome de Vas.

A pequena nave fez uma rotação, mostrando menos de Thuvhe e mais do espaço atrás deles. Um espaço negro, salpicado de estrelas e do brilho de um planeta distante. Zold, se a sua memória dos mapas não o enganava, o que não era muito certo. Nunca fora um aluno brilhante.

Isae quebrou a quietude, saindo por fim da cozinha, com uma

aparência melhor do que há duas horas. Tinha o cabelo puxado para trás e encontrara uma camisa para substituir a camisola ensanguentada. De mãos limpas, unhas incluídas, cruzou os braços e ocupou um amplo espaço na extremidade da plataforma, no convés de navegação.

— Sifa — disse ela. — Tira-nos da órbita e programa a autonavegação, para rumar à Sede da Assembleia.

Sifa assumiu o comando e disse, tentando aparentar normalidade, mas revelando nervosismo:

— Porque vamos para lá?

— Porque eles precisam de ver, em direto, que estou viva. — Isae dedicou-lhe um olhar frio, de avaliação. — E porque eles terão uma cela onde caibam o Ryzek e o Eijeh juntos, até que decida o que fazer com eles.

— Isae... — Akos começou. Mas não havia nada a dizer, além do que já tinha dito.

— Não ponham a minha paciência à prova, pois vão ver que tem limites. — Isae assumira plenamente o papel de chanceler. A mulher que lhe tocara na cabeça e dissera que era Thuvhesit esfumara-se. — O Eijeh é um cidadão Thuvhesit e vai ser tratado como tal, tal como o resto de vós. A não ser, Akos, que pretendas declarar a tua cidadania Shotet e ser tratado da mesma forma que a Menina Noavek.

Ele não era um cidadão Shotet, mas sabia que não valia a pena discutir com ela; ela estava em sofrimento.

— Não — disse ele. — Não pretendo.

— Muito bem. A autonavegação está pronta?

Sifa tinha puxado o ecrã de navegação, que flutuava em pequenas letras verdes diante de si, e estava a digitar as coordenadas. Recostou-se na cadeira.

— Sim. Chegaremos dentro de algumas horas.

— Até lá, vais garantir que o Ryzek Noavek e o Eijeh estão sob controlo — Isae disse a Akos. — Não tenho o menor interesse em saber nada de nenhum dos dois; entendido?

Ele assentiu.

— Ótimo. Vou estar na cozinha. Manda-me chamar quando estivermos prestes a aterrar, Sifa.

Sem esperar pela resposta, ela desapareceu novamente. Ele sentiu-lhe os passos, a vibrar na grade dos degraus.

— Vi guerras em todos os futuros — disse a mãe, a propósito de coisa nenhuma. — A corrente guia-nos até lá. Os jogadores mudam, mas o resultado é idêntico.

Cisi pegou na mão da mãe e na de Akos. — Mas agora, estamos juntos.

Agora. Por pouco tempo, ele tinha a certeza, mas já era alguma coisa. Cisi descansou a cabeça no ombro de Akos e a mãe dos dois sorriu-lhe. Era quase capaz de ouvir o esparto a arranhar-lhes as janelas com a ventania. Mas ainda não se sentia capaz de retribuir o sorriso.

A nave dos rebeldes deslocou-se em círculos, afastando-se de Thuvhe. Lá no alto, ele vislumbrou a pulsação enevoada da corrente, a abrir um caminho através da galáxia. Unia todos os planetas e embora não parecesse mover-se, cada pessoa sentia como lhes zumbia no sangue. Os Shotet inclusive pensavam que ela lhes dera a língua como uma melodia que apenas eles dominavam e tinham razão. Ele era uma prova.

Mas, por outro lado, ele era incapaz de sentir, ouvir mais do que o silêncio.

Pôs o braço por cima dos ombros de Cisi, vislumbrando as suas marcas, viradas para a luz. Talvez fossem marcas de perdas, como dissera Cyra, mas ao estar ali, com a sua família, percebeu outra coisa. A recuperação era possível.

GLOSSÁRIO

Altetahak	Estilo de combate Shotet, apropriado para alunos de constituição forte; significa «escola do braço».
Benesit	Uma das três famílias predestinadas da nação-planeta de Thuvhe. Um dos elementos da geração atual está destinado a ser o Chanceler de Thuvhe.
Corrente	Fenómeno natural e, nalguns casos, símbolo religioso, a corrente é um poder invisível que concede aptidões às pessoas, que podem ser canalizadas para naves, máquinas, armas, etc.
Dom-corrente	Resultado do fluir da corrente através de uma pessoa, os dons-correntes são aptidões, únicas em cada indivíduo, que se manifestam durante a puberdade. Nem sempre são benevolentes.
Elmetahak	Estilo de combate Shotet caído em desgraça, que enfatiza o pensamento estratégico. Significa «escola da mente».
Esparto	Planta poderosa, oriunda de Ogra. Provoca alucinações, nomeadamente quando ingerida.
Estação	Unidade de tempo cujas origens remontam a Pitha, onde uma rotação à volta do sol é jocosamente apelidada de «estação das chuvas» (dado que chove constantemente lá).
Flor de gelo	Único cultivo de Thuvhe, as flores de gelo são plantas resistentes, de caule grosso, cuja floração é de cores diferentes, cada uma usada na preparação de medicamentos e outras substâncias em todo o sistema.
Flor do silêncio	A mais significativa flor de gelo para os Thuvhesit, a brilhante e vermelha flor do silêncio pode ser venenosa, se não for diluída. Após a diluição, usa-se tanto como analgésico como com intuitos recreativos.
Fluxo-corrente	Representação visual da corrente no céu, o brilhante e colorido fluxocorrente circula no seio, e em redor de cada planeta do sistema solar.
Hessa	Uma das três cidades mais importantes da nação-planeta de Thuvhe, tem a reputação de ser mais dura e mais pobre do que as outras duas.

Izit	Unidade de medida, aproximadamente do tamanho do dedo mindinho de uma pessoa normal.
Kereseth	Uma das três famílias predestinadas da nação-planeta de Thuvhe, residente em Hessa.
Noavek	A única família predestinada de Shotet, conhecida pela instabilidade e brutalidade.
Ogra	Planeta escuro e misterioso, no extremo mais distante do sistema solar.
Osoc	A mais fria das três cidades principais de Thuvhe, no extremo norte.
Othyr	Planeta próximo do centro do sistema solar, conhecido pela sua riqueza e inovações tecnológicas, nomeadamente no campo da medicina.
Peregrinação	Viagem sazonal, levada a cabo pelo povo Shotet numa nave massiva, envolvendo uma rotação em redor do sistema solar e a reciclagem de materiais valiosos de um planeta bafejado pela corrente.
Pitha	Também conhecido como o «planeta da água», nação-planeta composta por pessoas altamente práticas, orgulhosas dos seus avanços em engenharia de materiais sintéticos.
Shissa	A mais abastada das três cidades de Thuvhe. Os edifícios de Shissa estão suspensos acima do chão, como «fruta madura».
Shotet	Povo que vive no planeta Thuvhe, separado dos Thuvhesit por uma enorme plantação de esparto, à qual dão o nome de Divisória. Almejam o domínio do planeta e que a Assembleia os reconheça como nação.
Tepes	Também conhecido como o planeta desértico, é a nação-planeta mais próxima do sol, famosa pela sua extrema religiosidade.
Thuvhe	Designação reconhecida pela Assembleia, tanto para a nação como para o planeta em si, também conhecido como o «planeta de gelo». Alberga os Thuvhesit e os Shotet.
Urek	Nome Shotet para o planeta Thuvhe (embora se refiram à nação de Thuvhe pelo nome correto), significa «vazio».
Zivatahak	Estilo de combate Shotet, apropriado para alunos de mente e corpo ágeis. Significa «escola do coração».